형사刑事
이야기,
윤계식

2完

형사刑事 이야기, 윤계식2完

발 행 | 2024년 05월 08일
저 자 | 장성우(살생금지)
펴낸이 | 한건희
펴낸곳 | 주식회사 부크크
출판사등록 | 2014.07.15.(제2014-16호)
주 소 | 서울특별시 금천구 가산디지털1로 119 SK트윈타워 A동 305호
전 화 | 1670-8316
이메일 | info@bookk.co.kr

ISBN | 979-11-410-8313-7

www.bookk.co.kr

형사刑事 이야기, 윤계식 2完

장성우(살생금지) 장편 서스펜스 소설

목차

작가의 말

음……. ……. 2권입니다. 아무쪼록, 즐겁게 즐겨주시면 좋겠습니다.

이곳에 무엇을 적어야 할 지, 여러가지 감회가 휘몰아쳐서 단어를 적기가 어렵군요.

오늘은 4월 28일이고, 시간은 밤, 혹은 새벽입니다.

길다면 길고, 짧다면 짧… 지는 않겠군요. 긴 글입니다. 아무튼……. 두 권으로 해서 페이지 수를 높이는 게 아무래도 가성비가 좋은 듯하여서 원래 전자책 5권 분량의 소설을 상, 하로 나누었습니다.

인쇄 비용이니 뭐니… 하는 것들이 아무래도 있다보니… 수수료도 무시를 못하겠고.

취향에 맞으신다면 좋겠습니다. 형사 이야기의, 완결권입니다. 저는 이미 마지막 장을 보고 왔으니 이런 감상이 나오지만… 여러분은 아직 이야기의 한창이겠지요.

윤계식, 이라는 노쇠형사가 고생을 하는 이야기입니다. 그리고 그 고생을 하는 과정에, 삶의 진수라는 게 늘 담겨 있기도 하고요. 여러분도 아무쪼록 고생하시기를 바랍니다. 뭐… 네. 가급적인 효율적으로 하면 좋겠지요.

평안한 하루가 되시기를 바라고. 늘 하고 싶은 말은 하지 못한 채 시간이 끝나버리는 것이, 이 머뭇거리는 성정의 죄악입니다. 참.

아무튼. 끝이군요. 다음 이야기를 계속 낼 생각이니… 그 때 뵙겠습니다. 누구라도 사주신다면, 보시긴 하겠지요. 버려진 글이 되더라도, 뭐 제가 봤으니 상관은 없습니다.

흠. 즐거운, 독서-旅行이 되시길 바라겠습니다.

24.4.28. 저자, 장성우:살생금지 올림

24. 콤비

*

"......."

계식과 박주영은 피곤한 얼굴로 차에 있었다.

하루종일 탐문 수사를 하느라 찌들은 얼굴들이었다.

관악구 인근에서 벌어졌던 실종 사건.

신고 전화가 들어온 지 얼마 되지 않았지만, 우연히 그게 눈에 밟혔던 박주영은 적극적으로 사건을 조사하기로 했었다.

주변 정황을 면밀히 살폈고, 마지막에는 실종자의 친인척들을 만나 이야기를 듣느라 애를 썼다.

길고, 두서 없고. 온갖 감정이 소용돌이치는 증언들을 긴 시간에 걸쳐 몰아 듣느라 기력이 다했다. 그렇잖아도 계속해서 돌아다니며 진을 뺀 탓에 체력이 떨어진 상황에서 말이다.

누구나 그렇겠지만 실종자, 혹은 피해자들 역시 누군가에게 사랑을 받는 이들이었다.

그리고 그들이 사라졌을 때 주변 사람들이 느끼는 괴로움의 크기는 그들이 가졌던 사랑의 크기에 비례하리라.

평범한 누군가의 삶은 결코 평범하지가 않다.
정반대로, 온전히 특별함만으로 쌓아 올려진 평범한 것이다.

서울 시내에 존재하는 수많은 삶들이 다 그러했다.
경찰로서 일을 하고 있는 박주영은 늘 그렇게 느낀다.

그런 특별한 평범함들이 무너지고, 누군가의 일상이 붕괴되고. 거기서 오는 사무치는 격통을 그대로 받을 때면 수사관들도 괴로움을 크게 느낀다.

"후우…."

윤계식은 운전석에 앉아, 뒤로 고개를 젖히면서 눈을 감았다. 박주영 역시 마찬가지였다. 밥도 제대로 먹지 못하고 하루종일 빨빨거리며 돌아다녔다.
일선에서 일하는 말단 수사팀원은 늘 이런 게 일상이었다. 어쩌면 박주영 경사가 조금 더 유난스럽게 일을 하는 것일지도 모르겠으나. 어쨌든 계식의 방식과는 잘 맞았다.

두 사내는 말없이 어둔 주차장 자리에서 쉬었다. 근처 시민 공원에 있는, 개방된 곳이었다. 무료 주차장이었고, 잠깐 지친 머리를 쉬기 위해 들렀다.

"……."

실종 신고를 받았고, 신고자 둘을 모두 만나보았다.

박주영이 눈에 들어와 집중하고 있는 건이 두 건이었으므로.

'박정희', '김미영'.

한 명은 45세의 주부였고, 다른 한 명은 취업을 준비하고 있던 건실한 청년이었다. 26세의. 모두 여성이었고, 건강 상에는 아무런 이상이 없었다. 운신에는 문제가 없고, 정신 또한 분명 명료했으리라.

온전한 정신과 체력을 지닌 사람을 흔적도 없이 납치한다는 건, 상당히 다양한 조건이 충족되어야만 가능한 어려운 과제였다.

그리고 그걸 현대 도시에서 순식간에, 반복해서 해내는 놈이 '김연수'라는 새끼였고.

별개의 사건이지만 박주영은 이전의 김연수, '김재영'이 벌였던 사건과 비슷하게 보인다는 이유로 집중했다.

'박정희' 씨의 가정을 들러 남편의 이야기를 들었고, 눈이 붉어져 있던 아이들의 모습을 보았다.

그리고 '김미영' 씨의 친구를 만나서 진정되지 않는 청년의 공포감이나, 트라우마 따위를 다독여주며 긴 사연을 들어야 했고.

어느 쪽이던 달가운 일은 아니었다. 그런 일이 없도록 하는 것이, 궁극적으로는 박주영의 목표였다.

혼자의 힘으로는 늘 한계가 있고 어려웠기에, 자신이 아는 가장 탁월한 감각의 수사관을 옆에 두고 있는 중이었고.

밤이 다 된 시간. 주차장의 낡은 승용차 내부. 박주영은 말없이 눈을 감고 있다가 말을 했다.

"……뭐라도 좀 드십니까?"
"……좋네."

먹어야 움직이리라.

두 사람은 말도 없이 가만히 있다가, 배를 채우기 위해서 근처 식당을 찾아 다시금 차를 몰았다.

*

"김미영이 사라진 곳은, 완벽히 동대문구 사건의 재현 아닙니까?"

박주영이 이야기를 건넸다.

그는 햄버거를 물고 있었다.

밤 늦은 시간, 근처의 음식점을 찾다보니 들른 곳이다. 그다지 반기는 메뉴는 아니었지만. 무엇으로든 배를 채울 수 있다면 좋았다.

"음…… 그렇지, 확실히 똑같긴 하더구만."

계식도 잘 찾아 먹지는 않는 햄버거를 물었다. 뭐가 되었든. 욱
여넣고 볼 일이었다. 양식도 생각을 바꾸면 제법 맛이 있었다. 그
렇다고 가장 선호하는 음식 종류가 바뀌지는 않지만. 먹을만은 하
다.

형사 일을 하면서는, 입맛에 따라 음식을 선택하는 일이 어차피
많지도 않았다. 뭐든 먹고 움직일 수 있게 되면 그걸로 족하다. 빠
르게 먹고 일을 하러 갈 수 있으면 더 좋았고.

바쁘고 빠른 세상이었다. 빌어먹을 살인마 새끼들은 참, 부지런
하기도 했고.

"인근에 CCTV가 없는 점도 그렇고. 자세히는 모르지만 아마 골
목 부근에서 일이 일어났겠지. …근처에 협조를 구하면서 정확한
실종 지점을 파악해 보세나."
"예, 맞습니다…."

박주영은 대답하며 우물거리며 패티를 씹어 삼켰다. 점심만 대충
먹고 하루 종일 움직였다. 늦은 식사라 맛이 더했다.

"박정희 씨 경우에는 조금 다르긴 하던데…. 아무튼 두 건 다
도심 지역에서 갑자기 사람이 증발한 사건입니다.
그것도 전혀 낌새가 없던 멀쩡한 사람들이요."
"뭐, 멀쩡한 것뿐으로 이상하다고 하기는 어렵지 않은가."
"그렇긴 하죠."

박주영은 계식의 대꾸에 고개를 주억거렸다.

'절대 사라지지 않을 것 같았다'라는 증언은 실종 사건을 조사하다 보면 자주 듣게 되는 이야기였다.

그리고 일차적으로 주변인들에게 사연을 들을 때, 그것이 모두 진실이라고 여겨서도 안되는 법이었고. 사람은 깊은 속내를 함부로 타인에게 이야기하지 않는다. 한 길 사람 속을 모른다는 옛말처럼. 오랜 시간 애를 써야 간신히 추리할 수 있었다. 수사관들에게 가장 필요한 덕목을 고르자면, 끈기가 될 터다.

김미영이나 박정희 역시 그런 류일지도 모른다. 드러나지 않았을 뿐, '사라질만한' 이유가 있을지도. 그런 경우에는 자발적인 움직임이 포함된 실종이다.

실종자 스스로가 종적을 감추기 위해 적극적으로 행동했다면, 사건은 조금 다른 종류가 되기는 한다. 일단, 박주영은 감에 따라서 움직이고 있는 중이었다. 그럴 지도 모르고 아닐 수도 있다.

김연수를 잡는 건 언제나 마찬가지이듯 한양에서 김 서방 찾기나 다름이 없는 일이었으므로. 일단 마구잡이로 움직이며 정력을 낭비하는 수밖에는 없었다. 그렇게 돌아다녀, 하늘이 감동하시기라도 바라야지 않겠는가.

무식하고 젊은 수사관이 할 수 있는 일은 언제나 그런 종류였다. 답이 없을 때도 움직이는 힘. 때로는 그게 가장 강력한 저력이 될 지도 모른다.

박주영이 스스로 속내를 털어놓는다면, 윤계식 역시 그렇게 말해주며 동의할 테였다.

"…일단은 뭐 자네가 말한 것처럼… 누군가에 의해서 납치되었다고 보고 움직여야겠지. 일단 주변인들도 전혀 거짓말을 하고 있지 않고, 우리에게 숨기는 정보도 없다는 가정 하에 말야."

"예. 크흠."

박주영은 목이 막히는지 급하게 콜라를 빨았다. 살 것 같았다.

패스트 푸드점의 2층, 구석이었다. 손님이 별로 없는 지점이었다. 시간이 늦기도 했고. 뉴스에서 최근 간간이 보도되었던 연쇄 살인범에 대한 이야기가, 밤거리의 유동 인구를 줄이는 지도 몰랐다.

김미영의 건도 그렇고 박정희의 건도 그렇고. 더 자세하게 파고들어 '정확한 각'을 보아야 알기는 하겠다만. 피해자들이 갑작스레 연락이 끊긴 시점은 모두 낮이었다.

만일 두 명이 자의가 아닌 타의에 의해서 신변이 구속된 것이라면 그 즈음에 납치를 당했다는 이야기가 된다.

밤보다 낮은 더욱 시야각이 넓고 주변의 이목을 피하기가 어렵다.

곧 '밤'보다 압도적으로 한정된 장소에서, 훨씬 짧은 시간 내에 일이 벌어져야 한다는 뜻이다.

완벽한 계획과 실행자가 필요한 일이었다.

그리고 '김연수'라는 이름은 늘 그런 마법같은 범죄를 완성하는 작자였고.

완성시키는 것이 범죄라는 점에서 경찰들의 입장에서는 불구대천의 원수였지만.

"선배님은 생각하시는 바가 달리 있으십니까?"

"생각?"

"뭐, 김연수가 어떤 놈이라거나, …어떤 배경을 가졌다거나… 어디에서 움직일 것 같으시다거나."

박주영이 햄버거를 순식간에 끝냈다. 감자튀김을 집어먹으면서 가벼운 투로 물어온다. 주광빛의 전등이 그들의 머리 위였다.

"음…… 이미 말한 바 있는데…. 그 때 자네가 없었던가?"

"언제 말씀이십니까."

계식은 콜라를 마시며 목을 축였다.

"큼. 나도 모른다네. 알면 내가 마법사겠지. 이미 진작에 잡았을 거고. 다만 지금 움직이는 놈은 1대 째라고 보고는 있지 않나, 우리 모두. 그도 아니라면 적어도 그와 직접적으로 연관이 있는 놈이거나.

나는 1대 째가 살아서 아직 움직인다고 생각하긴 하네. …. 사이코패스란 놈들은 자의식이 강하거든. 놈이 살아서 영향을 미치는 게 아니라면 이렇게 유사한 방식으로 일이 벌어지기 쉽지 않지."

"하필, 한국에서, 다시 말이죠."

"그렇지."

계식은 감자튀김을 대강 밀어 넣으면서, 고개를 옆으로 돌렸다. 이미 껌껌해진 도시가 통창으로 보였다. 물론 가게들의 불빛도 있었고. 사람들도 지나다니기야 하지만.

패스트 푸드 점의 윗층에서 올려다보는 시야각이 그리 좋지 않았다. 어둔 골목을 많이 비추고 있다. 풍광이 좋은 건물은 아니었다. 구석진 자리.

"우리가 찾으려고 하는 실종자가 정말, 김연수와 관계 있을 지도 모르지. 놈이 저지른 일일지도. ⋯. 이 서울 땅에 멀쩡히 발붙이고 있을 수도 있고⋯. 그도 아니라면 지방에서 대기를 하고 있겠지.
⋯⋯."

계식은 대강 식사를 빠르게 마쳤다. 툭, 손을 털고 가져 온 물티슈로 닦으면서 말한다.

"아무튼 김연수가 살아 있다면 포기할 놈은 아니라네. 나와 나이가 비슷하다면⋯ 적어도 내가 살아있는 동안은 계속해서 기승을 부릴 거고.
'멈춤'은 있어도 아예 관두는 일은 없을 테지."
"흉악한 새끼네요, 참."

박주영도 통창 쪽을 바라보았다. 뭐 보이는 건 별로 없었다. 그들이 밟고 있는 수사의 진척마냥 시커먼 어둠이 대개 차지하고 있다.

계식은 마음이 맞는다는 듯 고갤 끄덕여 긍정한다.

"엉. 그렇지. 개새끼지. 뭐라고 표현할 지 모르겠을만큼 개새끼. 그래서 나도 포기할 수 없는 거고. 누군가는 멈춰야지 않겠나. 그런 인간이 저지르는 일을."
"⋯⋯."

박주영은 가만히 계식을 바라보았다.

"사명감입니까, 그건."

계식은 흘긋, 젊은이를 보고는 다시 어둠 쪽으로 고개를 돌렸다.

"…그럴지도 모르지. ……. 자네에게 말하긴 뭣하지만… 난 최고의 수사관이었거든."
"하하…."

박주영은 농담인가, 싶어서 어설픈 웃음을 흘리려다가 말았다. 그리고 본인의 머리로 생각한 뒤에, 그다지 농담이 아니겠구나, 하는 마음에 관둔다.
그가 보기에도 윤계식은 최고의 수사관이었다. 지금도 말이다. 몸이 늙은 건 그다지 문제가 되지 않는다. 범인을 향한 올곧은 의지가 얼마나 바르게 뻗어있느냐, 하는 게 늘 문제였다. 이 노인은 제 몸이 부서지는 곳에라도 기어코 발을 디밀고 악마를 잡아낼 인간이었다. 그간 함께 겪은 바로는, 박주영은 그렇게 느낀다.

"…." 계식은 입을 벌려 말을 하려다가, 말았다가. 그리고 다시 말했다.

"…최고의 수사관이라고 해봤자 별 것 없네. 자네가 믿는다면, 의 이야기겠지만. …. '한계'를 가장 잘 아는 사람이라는 뜻이야. 어떤 분야에서 최고라는 건.
……. 그래서 알았지. 아… 이 새끼는 정말 당분간 잡히지 않겠구나. 나말고도 다른 조직, 부처 인간들도 모두 죽을 쑤겠구나…."

"……."

박주영은 가만히 들었다.

노인의 말에는 묘한 설득력이 있었다. 박주영의 감각이 날카롭기
에 느끼는 설득력일 지도 몰랐다. 과학적인 근거는 사실 별, 없다
는 말이었다.

"……." 계식은 작게 한숨을 쉬었다.

"뭐 어쩌겠나. …. 그럼 내 일인 거지. 모두가 죽쑤는 일을 꿋꿋
이 하는 거. 그게 최고의 수사관이 할 일 아니겠나?"

"하하…."

박주영은 그 말에, 자조적인, 혹은 유머러스한 기색이 묻어 있다
고 생각해서, 그제야 살짝 웃었다.

맞는 이야기였다.

윤계식이 실제로 어떠한 인간이던.

어떤 분야에서 최고라는 사내는, 그렇게 해야할 지 몰랐다. 박주
영의 귀에도 맞는 말로 들린다. 세상에서 불가능이라는 게 언제나
조직의 앞을 가로막으니까. 그 일에 도전하는 자가 최고이던, 최고
인 자가 도전을 하던.

순서는 별로 상관이 없었다. 그 과정 중에 실력을 얻게 되는 경
우도 있을 테고. 어쨌건 계식의 말만큼은 이해가 된다. 허공에서
삽질을 하는 것 같더라도, 김연수를 잡기 위해서 발버둥을 치자는
것.

젊은 수사관은 노인의 말을 가슴에 새겼다.

*

"쯥."

천산혁은 피묻은 얼굴을 하고 혀를 찼다.

간단하게 끝내는 해체 작업이 있었다.

사냥감을 물어 오면, 자신의 거처로 안전하게 이동을 시킨다.

의식을 잃게 만들어 운반하는 일 자체는, 적절한 장소만 확보하면 그리 어려울 게 아니었다.

김재영이 미리 사용하던 서울의 지하도에 관한 정보는 천산혁에게 먼저 있었던 것이다.

지하도를 이용하던, 무엇을 이용하던.

CCTV가 없는 곳과 곳을 넘나들면서 그는 시체를 운반한다.

대담한 짓거리였고, 어지간한 완력이 없으면 시도조차 할 수 없는 일이다.

서울 관악구, 구로구, 동작구.

평균적인 소득 수준이 그리 높지 않은 남부 일대에서 여러 번 일을 저질렀다.

'저지른' 것이다.

천산혁은 준비를 마쳤다고 생각했고, 마음껏 활개를 치고자 했다. 자신의 욕망, 혹은 승부심을 드러내기로 한 것이다.

예전과 같이 움직이려고 했다. 아니, 예전보다도 더 활발하게.

지금의 늙은 자신이 어디까지 할 수 있는가를 알아보기 위한 질주였다.

서울 거리에서 적당한 예비 사냥감을 물색한 뒤, 간단하게 그것의 행동 루트를 파악한다. 변장은 매 번 집을 나설 때마다 다양하게 이루어진다.

우선은 가장 첫 스텝은 '사람'에 집중한다. 사냥터로 삼을만한 지형이 있는가 먼저 보는 것이다. '사람'이 아예 지나다니지 않는 곳은 결국 의미가 없었다. '아주 적게' 가끔 다니는 곳이 좋다. 그 가끔의 행인을 잡아들이는 것이니.

사냥감으로 삼을만한 적당한 대상의 길을 따라 걷다가, 가능성이 보이는 '터'를 보면 근처를 조사하고 확인한다. 그렇게 동네, 골목 따위를 빠삭하게 아는 게 가장 중요한 밑작업이었다. '지형'을 완벽하게 만들기 위해 집착한다.
'사냥터'를 그의 기준에 맞게 온전히 파악하고 나면, 이제 덫을 놓고 기다리는 것이다.

서울 시내를 다양하게 쏘다니는 터라, 승합차가 눈에 띌 때는 승용차를 사용하기도 한다. '그'의 모습은 여러 개일수록 좋았다. 쫓는 자가 만약에 있다고 한다면 혼란을 줄 수 있게끔 말이다. 그는 아무의 눈에도 뛰지 않고 조용히, 유령처럼 다니는 것을 이상으로 삼는다.

'유령'이 되기 위해서 가장 중요한 건 주변에 제 자신을 맞추는 것이다. 사람이 투명해질 수는 없으니, '평범함'이라는 그늘 속에 스스로를 숨기는 게 가장 완벽한 방법이었다.

사람들의 눈을 피할 수 없을 때는 그러한 인식의 가림막 아래 몸을 숨긴다. 눈에 보이지 않고 움직일 수 있는 사각에서는 최대한 드러나지 않게끔 하고.

그가 처음 나서는 집 또한 한적한 장소였다. 애초에 안가를 구한 것 역시 유동 인구가 그리 많은 골목이 아니라서, 정한 점이 있다. 주민들과 마주치는 일도 적었다. 일부러 사람이 없는 시간대를 골라 움직이기도 한다.

낮이던, 밤이던 가리지 않고 그는 집 밖을 나섰다. 거리를 배회하며 적절한 대상을 보고, 준비와 조건, 상황이 완벽하게 갖춰지면 물었다.

일을 벌일 땐, 순식간이면 족했다. 그 뒤에 옮기는 게 늘 문제였지.

천산혁의 기준에서는 그렇게 '가능'한 지역들이 몇 군데 있었다.

폐건물, 주인이 없는 집. 사람과 기계의 눈이 닿지 않는 사각.

그 따위 것들을 이용해서 사람의 몸뚱이를 옮긴다. 대상은 주로 여성이었고, 남성도 몇 있었다. 반항이 아주 거칠 것 같지 않은 인간들을 주로 노리는 건 어쩔 수 없는 일이었다. 또한 옮길 때의 체적에 대한 문제도 있었으므로. 무식하게 부피가 큰 자를 노리는 것보단, 평균적인 체격을 선호했다.

제압에 있어서도, 김재영이라고 한다면 상대가 아무리 건장해도 금세 K.O 시킬 수 있으리라. 천산혁에게는 약간의 부담이다. 몇 초 사이에 성패가 갈리는 작업이었으므로. 털끝만한 실패의 가능성이라도 있다면 줄이는 게 그의 일이었다.

천산혁의 사냥은 완벽하게 지형을 파악한 골목에서만 이루어졌다. CCTV의 각도가 어디로 뻗어 있는가. 사각이 어디인지. 근처 건물의 구조는 어떠한지. 자신이 유용할 수 있는, 사람의 눈이 닿지 않는 폐건물 따위가 어떻게 부지를 형성했는지.

결국 '대상'과 같은 골목에 진입했다고 생각하기 어려울 정도로, 담을 넘던 지붕 위를 뛰건. 눈을 피하고 순식간에 이동한다. 그 뒤에는 지루한 대기를 한다. '사냥감'이 오리라고 예상되는 덫의 지점에서 말이다.

서울 땅 위, 하늘 아래. 천산혁에게 있어서 완벽하다고 여겨지는 포인트들이 생각보다 꽤 있었고, 그 시간에 그 곳을 지나는 이들은 단순한 불행처럼 범행의 대상이 되었다.
완벽주의자에게 '선호'는 절대적 의미를 가지지 않았다.
단순히 가능하냐, 불가능하냐의 문제였지. 천산혁은 자신의 신체 기능과 주변 지형과 여건 등을 따져서, '가능하다'면 곧바로 실행에 옮겼다.

그는 골목의 담 너머, 사람의 눈이 닿지 않는 곳에 고요하게 대기를 하고 있다가, 벽 틈새로 카메라 따위를 찔러 넣곤 한다. 삭아 빠진 돌벽이라고 한다면 틈새가 있었다. 주인이 오래도록 없었던 폐건물이라면 더욱 그렇다. 철기 도구를 사용하면 틈을 내거나 벌릴 수 있었고, 특수하게 만들어진 선형의 카메라를 삽입해서 골목을 바라보았다.

그렇게 수 분에서 수 시간. 지루한 기다림 뒤에 인기척이 들리면 '사람'을 구분했다. 머릿속으로 계획을 해보았을 때, 조금이라도 반항이나 실패의 여지가 있는가. 한 번에 끝낼 수 있겠는가. 옮기는데 있어서 문제가 없겠는가. 순식간에 판단하고는, 적절한 대상이라 여겨지면 곧바로 일을 시행했다.

장소를 비롯해 '상황'과 '대상'이 모두 맞아 떨어져야 일을 벌일수 있었다.

'상황'이 우선이었고, '사람'은 차후의 문제이다.

그렇게 까다롭게 일을 진행했음에도, 천산혁은 제법 많이, 일을 벌일 수 있었다.

그는 안가의 특수한 지하 공간 내부에서, 자신의 실력이 전혀 녹슬지 않았음을 확신했다.

아니, 도리어 더 좋아진 것 같기도 했다.

체력은 녹슬었으되, 그리 큰 폭으로 떨어지지 않았다. 애초에 가지고 있는 유전자가 남다르기도 했을 것이며, 피를 토하는 트레이닝이 주기적으로 있었기에 가능했으리라.

거기에 많은 시간이 지나면서 '노하우'가 생겼다. 김재영에게는 없는 것이었다. 수많은 실전을 치르고 나서, 다시 그것을 양식화할 시간을 가졌더니 생긴 감이다. 도식화해서 표현할 수 없는 어떤 감이 생겨서, 일의 성패를 따졌다.

제법 적중률이 좋은 감이었고, 여태까지 아무런 문제 없이 기능을 했다.

그의 눈에는 길이 보이는 것 같았고, 그는 그 길을 따라서 미친 인간처럼 일을 반복했다.

그래서, 지금 처리하고 있는 '작업 대상'이 곧 6명 째였다.

김연수는 2월 중순이 다 지나기 전에, 4명의 희생자를 더 만들어냈다.

"쯥."

혀를 찬 이유는, 일이 잘 되어지지 않아서가 아니었다.

미약한 조명에 의지해서 해체하고, 부수고, 버리기 좋은 형태로 만드는 일이 고되어서도 아니었다.

일이 너무 잘 풀려서다.

아무리 증거를 남기지 않고, 순식간에 처리를 했다고 하더라도. 지나치게 많은 사람을 죽이면 꼬리가 밟히게 마련이다.

1차적으로는 흔적이 남지 않아도, 그들의 일상마저 없앨 수 있는 건 아니지 않겠나. 천산혁 자신이 신도 아니었고.

결국 만들어진 빈틈, 사람이 사라진 그 '구멍'은 누군가에 의해 눈에 띨 것이다.

정신 없이 일을 벌인 뒤에, 한동안은 계속 '처리 작업'만을 반복하고 있었다.

유기물을 모두 풀어헤치고, 무기물로 만들어내고. 가스통을 채우고, 갈고, 반복하고.

물건을 버리던 '부둣가'로 다시 다녀와야 할 때가 되었다.

너무 순탄하게 잘 풀렸지만, 한 번 정도는 자중해야 할 시간이 아닌가 싶다.

천산혁은 경찰들을 만만하게 보지는 않았다. 무능하고 둔하며, 의욕도 없는 놈들이었지만 없는 놈들은 아니었다. 분명하게 존재하는 이들이었고, 그들의 수사망 역시 그러하다.

성긴 그물이라고 해도 없는 게 아니니, 확실히 조심은 해야 한다. 애초에 김연수로 불리웠던 그가 아니라면 그 그물을 자유자재로 지나 가는 것 역시 쉽게 할 수 있는 아니리라.

천산혁은 다시금 집안 창고에 쌓인, '쓰레기'들을 투기하러 움직여야 했다.

그가 들르는 부둣가, 작은 항구는 그의 거래처인 '노인'이 사용하는 곳이었다. 제대로 등록된 선박을 통해서 일을 하는 그였다.

선진국에서 만들어지는 다양한 폐기물들을 실어다가 후진국의 어느 쓰레기터에, 폐기 장소에 가져다 버려주는 식의 사업이었다. 표면적으로는 말이다.

크게 다르지는 않았다. 선진국에서 만들어진 폐기물. 수없이 많은 사람들 중 누군가를 골라다 잡아, 만들어낸 물건들이었다.

'노인'은 정기적으로 선박을 운용한다. 노인의 직접 지시가 일일이 있지 않아도 자연스럽게 움직이는 것 같았다. 그리고, 천산혁이 물건을 버리는 지점 역시 일정하게 정해져 있었다.

그가 바닷속에 버리는 가스통들이 어느 정도 이상 쌓여 있다면, '물건'을 배달하러 움직이는 이들은 그것들을 인양해서 선박에 적재하고, 다시금 해외로 돌아간다.

다양한 곳을 거치고 빙빙 돌아서 최종 목적지에 다다를 테였다. 한 번의 항해로 여러 거래처와 함께 만나는 식이다. 개중에 한 곳이 인천의 그 어느 부둣가였다. 정기적으로 들르게 되는 포인트다.

천산혁이 사용한 기체를 가득 담은 통들 따위는 내부 가스가 빠지고 나면 재활용 될 수 있었다. 환전 가능하다면 모조리 사용하는 노인이었고, 그런 통들 역시 노인의 조직이 활용을 한다. 산혁의 입장에서는 폐기물을 완벽하게 처리해주니 다행이었고.

천산혁은 암실에서 폐기물 처리상에게 보낼 물건들을 만들기 위해서, 여념이 없다.

고된 노동이었으나 힘든 것은 없었다.

그의 삶의 가치를 위해서 하는 일이었으니, 말이다.

미광 속에서 천산혁은 자주 웃었다.

섬칫한 웃음이기도 했다.

6명이 죽은 살인 공장 속에서 사이코패스는 그렇게 광기를 조금 억눌렀다.

여기서 더 그 광기를 드러냈다가는 실수를 할 위험이 있다.

노련한 여우는 제 스스로를 다독이기로 했다.

적절한 완급조절은, 그가 여태까지 살아남은 가장 큰 이유이기도 했다.

*

"……."

톡,

하고 책상을 두드리는 펜이 있었다. 심민아는 여전히 골몰한다.

그녀가 하는 일이란 늘 그런 종류였다.

수사본으로 밀려 들어오는 어마어마한 양의 정보들을 선별하고 취합하는 일.

그녀는 스스로 고래처럼 정보들을 빨아들였다.

바다를 헤엄쳐 다니면서, 플랑크톤을 어마무시하게 빨아 먹는 대형 고래종 말이다.

결국 직접, 제 눈과 손으로 정보들을 보고 읽고. 처리를 해야만 직성이 풀렸다.

누군가의 편향적인 선별 과정이 들어간 정보들은 결국 그녀의 눈을 흐리게 할 지도 모른다는 생각 탓이다.

휘하의 사무원들이 여럿 있었으나, 그들의 도움을 많이 받지도 않았다.

그녀는 '김재영'이 잡힌 이후로 서울에서 발생한 모든 실종 건수들을 늘어놓아 조사했다.

개중에서 이유가 명확하게 밝혀지는 쪽들을 모두 걸렀다.

그리고 연달아서, 지나치게 먼 지역에 짧은 시간 내에 일어난 일들도 따로 체크를 했다.

서울 이외의 지역에서 이후 실종자의 행적이 밝혀진 건들도 뺀다.

도심 지역 내에서, 마치 유령에게 당하기라도 한 듯 종적이 묘연해진 이들만을 가만히 두었다.

그리고 몇 개의 도형들을 그려보았다.

만일 '유령'이 땅에 발붙이고 돌아다니는 사람일 경우를 가정하며 말이다.
직접 발로 뛰던, 차를 끌던. '움직일 수 있는 경로'를 그려보아 실종자와 지역들을 엮어보았다. 난수 기계라도 돌린듯 무수한 경우의 수들이 그녀의 머릿속에 나타났다가 사라졌다.

결국 컴퓨터가 하는 일과 마찬가지였다. 그녀는 계속해서 정보들을 통돌이 세탁기 속에 넣어둔 빨랫감들처럼 뒤흔들고, 계산하고, 무언가 구조를 만들었다. 의미없이, 기계처럼 계산을 반복했다.

그러는 와중에 무언가 눈에 띄는 '유의미한 사실'이 있다면 그에 집중해보는 것이다.

서울 도심 지역에서, 사람을 들키지 않고 죽이는 게 과연 가능한 일인가?

가능은 할 것이다. 아주 예리하고 날카로운, 준비가 된 암살자라고 한다면.

미치광이 살인마가 여러 준비를 거쳤고, 살인 도구와 차량, 정확한 루트 따위도 갖추었다면 아마 확률이 올라가겠지.

그러나 그런 일을 반복하면서, 조금의 행적도 남기지 않을 수가 있는가?

서울 전역은 CCTV가 깔려 있었다.

당장 경찰국이 그 모든 화면을 조사할 수는 없다고 하더라도, 미심쩍은 부분이 있다면 일일이 찾아가서 검토해볼 수 있다.

관련한 일만을 반복해서 하는 부처조차 있었고.

현대 사회에서 카메라를 완벽하게 피한다는 건 어려운 일이었다. 마법사가 아니고서야.

살인이라는 거대한 일을 하면서 그런 조건을 만족시키는 건 더욱이 힘든 일이었다. 누군가를 죽이고, 그로부터 나오는 흔적들을 지우고. 다른 사람의 눈에 들키지 않으면서 시체를 옮긴다?

생각만 하더라도 어마어마한 열량 소비, 에너지가 필요한 작업이었다. 그런 굉장한 중노동을 도심 지역에서 자행하는 것이 가능할까.

가능하다,

라는 것으로 결국 결론을 내리고 찾고 있었다.

김연수가 활동하는 곳이 서울이 아닐 지도 모른다. 결국 '대한민국 전역'으로 범위를 확장시켜야 하는 일이다.

그러나 그녀는 전역에서 빗발치는 실종건의 정보들을 모아서 분석하다가, 결국은 서울로 일단 좁혀 생각하기로 했다.

이유는 없다. 그저 직감이다.

책상 앞에 앉아 머리만 굴리는 이라고는 해도, 그 나름의 직감이라는 게 있었다. 다년 간의 수사로 단련된 감이었다. 그녀는 현장에서 직접 뛰는 시간이 아주 적기는 하지만, 분명 사건 수사의 한 부품으로써 일을 하고 있는 입장이었다.

'실전의 감'이라는 게 그녀 나름대로는 있다는 이야기였다.

과시하기 좋아하고, 불가능에 도전하기를 즐겨하고. 거기에 그런 도전 과제를 실제로 이룰만치 기술과 기량이 있는, 불가해한 살인마.

그런 존재를 대체 어디에서 잡을 수 있겠는가. 대한민국 전역 중 도저히 짐작가는 곳이 없었지만, '서울'에서 그런 일을 벌이는 게 가장 어려우니까. 단지 그 이유 하나만으로 그녀는 수도권에 집중했다.

당장 광수대 인원들도 수사본 쪽으로 많이 차출이 되었다.

한국에서 수사망이 가장 견고한 곳이기는 하지만, 또 인파 역시 말 못할 정도로 많기에 눈이 가려지는 곳이 이런 대도시였다.

그녀가 김연수라면 어떻게 했을까. 일반적인 상식을 뛰어넘는 수준의 힘과 기술을 겸비한 살인마라고 한다면 말이다. 설령 잡힌다고 하더라도, 자신의 기량을 뽐내기 위해서 가장 어려운 길에 도전하지 않겠는가.

동시에 경찰의 의심 역시 어느 정도는 피할 수 있고 말이다. 일반적인 사람이라면 '설마 그러겠어'라는 생각으로 경계심이 느슨해질 지 모르는 일이다.

비범한 인간은 늘 비범한 방식으로 일을 벌이려 할 테였다. 김연수는 스스로의 능력이 진짜이든 아니든, 어쨌든 사고방식만큼은 그런 류의 인간이리라. 그를 가장 오래 쫓고, 현장에서 살인범을 관찰한 수사관에게 들은 증언들은 일관성이 있는 내용들이었다.

그래서, 심민아 역시 가장 살인이 까다로운 지역인 서울 부근에 집중했다.

김재영도 그러했듯, 김연수의 살인은 단번에 '살인'으로 드러나지 않을 때가 많았다. 보통은 실종으로 처리되며, 어떤 종적도 잡지 못하고 묻히는 경우가 많았다.

이번에 동대문구에서 벌어졌던 대수사극은 하늘의 도움이 틀림없다고, 내부 인원들도 말할만큼 운이 좋은 것이었다.

그렇기에 자잘한 증거가 남지 않는, '완벽한 실종들'에 자연스레 눈이 갈 수 밖에 없다.

개중에서 근 1, 2개월 간 벌어진 서울 남부의 실종 건들이 눈에 밟혔다.

관악구, 동작구, 구로구 즈음에서 벌어진 일들이었다.

재개발 지역도 여기저기 많이 있고, 또 으슥한 골목들도 쉽게 볼 수 있는 동네들이다.

그곳에 근래 '완벽한 실종'들이 많았다.

연고자들에게 어떠한 연락도 낌새도 없이, 일상을 보내다가 증발해버린.

스스로의 발로 어딘가 갔겠구나, 하는 추측도 할 수 없을만치 깔끔한 행방불명들이다.

누군가의 도움을 받았다고밖에 생각할 수 없었다. 사람이 사라지는 것도 상당한 '노동'이었으니 말이다. 체력이던 재력이던. 많은 힘이 있는 누군가가 그렇게 해주었다고 생각하는 게 차라리 깔끔한 상상이었다.

CCTV 따위에 실종 당일 이후로 모습도 전혀 보이지 않고. 거래나 통화 등의 이력 역시 남아있지 않고.
죽은 것과 같이 사라진 자들.
아마 정말로 죽었을 수도 있고.

수사관으로서 무책임하게 단정짓고 싶지는 않았지만. 만일 김연수라는 작자가 포함되어 있다면 분명 그럴 테였다.

'최수영'의 경우에는 살아남았지만. 그녀를 제외하고 김연수는 사냥감을 물어간 뒤에 살려두는 법이 없었으니까.
오로지 살인만을 위해서 일을 저지르는 놈들이었고, 그 순간에 느껴지는 '찰나의 전율' 때문에 살아가는 지도 모르는 놈들이었다. 인간적인 상식으로는 도저히 이해할 수 없는 종자들이었다.

차라리 야만의 시대에 태어나서, 군병으로 활약을 했다면 호평을 받았을까. 그런 존재가 윗자리에 올라가면 어떤 조직이든 무너지기는 할 테였으나.

심민아는 자신의 집무실, 그리 넓지 않은 방 안에 온갖 자료들을 늘어놓은 상태였다. 화이트 톤의 깔끔한 실내. 거기에 화이트보드를 양 벽에 두 개 세워놓고 복잡한 도형들을 그려놓았다. 서울전도를 양쪽에 붙여놓았고, 실종건과 관련된 자료들을 뽑아 붙여놓았다.

실제 범행을 저지른 이의 동선을 한 번 가상으로 짜본 것이었다. 그 수많은 실종건 중 어느 게 김연수의 범행인지는 알 수 없었지만 말이다.

어지럽게 사진, 파일철 따위가 늘어진 방. 누군가 들어오면 기겁을 하고 나갈 것같은 꼴이었으나, 그녀는 그렇게 썩어 들어갔다. 폐인처럼. 깊은 생각을 할 때는 그렇게 되는 법이었다. 그 과정에서 간신히 쓸만한 정보나 결론이 도출되기도 하고.

계속해서 휘하의 행정 직원들이나, 혹은 몇몇 형사들에게 부탁을 해서 관련된 키워드로 정보가 최신화되면 전달해달라고 부탁을 해둔 상태였다.

문자나 메신저, 내선 전화나 메일. 혹은 직접 그녀의 집무실에 와서 서면으로 전달을 해준다거나. 여러 사람들이 그녀의 고찰을 돕고 있었다.

"김연수, 김연수, 김연수…."

조금 떡진 머리에, 후줄근한 인상. 화장은 언제부터 하지도 않고 있었고, 옷만 출퇴근을 하면서 간신히 빨아 입는 중이었다. 샤워를 해도 머리를 매일 감지는 않았고. 집무실 소파에서 몸을 웅크려 잠을 자는 날도 며칠인가 있었다.

겨울 날. 실내에서 일을 하는 건 나쁘지 않은 근무 환경이기는 했으나. 정신적으로는 극한의 상황으로 자신을 몰아갔다. 그렇게라도 해서 자신의 역할을 할 수 있다면 더 바랄 것이 없다고 여겼다. 그녀는.

일에 미친 건 아니었지만. 나름대로의 사명감도 있는 탓이다. 복잡하게 머리를 굴리고, 분석하고 파악하고. 하는 종류의 일이라면 누구보다도 자신이 있었으니까.
이 일을 위해서 투자했던 공부와 연구의 시간들 역시 성실했고.

현장에서 뛰어다니는 이들의 보람에 참여할 수 있다면 그녀는 얼마든지 더 폐인처럼 굴 수 있었다.

식사조차 건물 근처의 직원 식당에서 빠르게 때우거나, 혹은 간편식으로 때우거나.

겨울 날이 지나가고 있었다.
봄이 온다고 해서 범인을 잡을 수 있으리라는 보장은 전혀 없었다.

수사관의 봄과, 여유와, 휴가는 결국 사건이 종료된 이후일 테였다.
대한민국 땅에서 완전히 범죄가 근절되는 날은, 아무래도 심민아가 살아 있는 동안에는 오기 힘들 것 같기는 했다만.

그래도 그녀의 분량으로 받은 사건에 대해서만큼은 어느 정도 마무리가 되어야만 한다.

그녀는 사명감을 위해서, 누군가에게 도움이 되기 위해서. 또 자신의 이른 휴가와 쉼을 위해서, 아이러니하게 더욱 일에 몰두했다.

똑똑,

하고 바깥에서 소리가 났다.

낮 시간, 수사본 1층 한 구석에 있는 심 경위의 개인 집무실이었다. 프로파일링 쪽의 간부들은 모두 이런 식의 집무실을 배정받았다. 나름대로 중책을 역임하고 있다는 증거이기도 했다. 말단인 그녀 역시 개인실이 있었으니.

형광등 불빛은 때로 눈이 아프다. 집무실 책상 앞에 앉아 펜을 돌리고 있던 그녀는 반응을 했다.

"네."

칼칼한 목소리가 나왔다. 하루종일 말도 제대로 하지 않았다. 혼자서 가끔 중얼거린 것을 제외하고는 말이다. 오래도록 말하지 않아 잠겨있던 성대가 긁히듯 울린다.

달칵, 하고 철제 문이 열렸다. 집무실의 외벽은 흰 색의, 얇은 소재였다. 방음 기능도 그리 대단하지는 못하다. 어차피 생각에 잠기면 바깥의 소리 따위 제대로 듣지도 못하기는 한다만.

빼꼼, 열린 문 틈새로 고개를 먼저 밀어넣는 사람이 있었다.

그녀가 많은 도움을 받고는 하는, 수사본의 한 행정 직원이었다. 경찰 조직 내에 형사만 있는 건 아니었다. 잡다한 사무를 보는 행정직들도 늘 뽑는다. 거대한 조직이 돌아가기 위해서는 꼭 필요한 인력들이니.

프로파일링 부서의, 그녀 휘하에 일단은 속해 있는 여직원이었다. 귀여운 인상의 얼굴이었고, 목을 덮을 정도의 단발을 했다. 검은 머리가 고갯짓에 따라 흘러 내렸다.

눈을 동그랗게 뜬 사무원이 심민아를 불렀다.

"경위님-."
"아, 네. 김 주임님."

사무원들 중에서는 연차가 조금 있었다. 동안처럼 보이는 인상과는 달리 말이다. 심민아보다 한 살인가, 어린 그녀였다. '김마윤'이라는 독특한 이름이다. 잊어버리기도 쉽지 않은.

"…"

심민아는 그녀를 빤히 처다보았다. 몰골이 처참하다. 여성으로서는 말이다. 그러나 김 주임은 그녀가 그만큼 열심히 하고 있다는 걸 안다. 응원을 해주고 싶어지는 꼴이었다.

"이번에 관악구 실종 건 대해서 최신화된 자료들이에요. 실종 대상 연고자 분들한테 들은 증언들 녹취록이고… 오늘까지 해서 새롭게 서울 남부에 실종 건 있는가 찾아봤는데 관악구 신전동에서 하나 더 있었네요. 두고 갈게요."

"감사해요."

"별 말씀을요."

김마윤은 상체만 빼꼼, 더 내밀어서 그 근처에 있는 소파에 파일을 툭, 던져두었다. 사무실 아래 바닥에는 심민아 경위가 이것저것 깔아둔 물건들이 많았다. 읽다가 던져둔 파일철, 서류, 사진 자료들, 혹은 뭐에 쓰는 건지 모를 잡다한 인테리어 소품들이다.

일전에 함부로 밟으며 흐트러뜨렸다가 심민아의 표정이 똑같이 구겨지는 걸 보았다. 나름대로 그녀가 생각을 정리하기 위해서 일정한 법칙 하에 널브러뜨린 자료들인 모양이었다.

조직 내에서 이런 식으로 혼자 발광을 하는 경우가 흔하지는 않지만. 애초에 심민아는 흔한 편의 인물은 아니었다. 어떤 식으로든, 결과만 내면 좋다. 타 수사관들에게 피해를 주는 것도 아니었고.

애초에 그런 식으로 마음껏 활용하라고 개인 집무실이 나온 것이기도 하다.

발 디딜 틈 없는 방 내부로 마윤은 굳이 들어오진 않았고, 툭 던진 플라스틱 파일철 자료는 연두색의 소파 위에 얹어졌다.

그녀는 '몸조리 잘 하세요.' 라는 말을 덧붙이려다가, 입이 떨어지지 않아서 관두었다. 심민아의 표정이나 안색에서는, 단호한 의지가 엿보였다. 그녀가 알아서 잘 하리라. 본인의 체력을 낭비하고 싶지 않은 건, 심민아 스스로가 제일일 테다.

굳이 그녀의 집중을 깨고 싶지 않아서, 김마윤은 슬그머니 방에서 고개를 뺐다.

"고생하세요, 수사관님-."

그녀가 직접 발로 뛰는 현장 수사관은 아니었지만, 현장직들과 공조하고 있는 이는 분명했다. 집무실에 처박혀 머리를 쓰고 있지만, 마음은 서울 시내에서 벌어지는 범죄들에 확실히 가 있으리라.
　그런 의미에서 마윤은 존경을 담아 부르고는, 조심히 문을 닫았다.

달칵.

방 안.

다시 홀로 남은 심민아는 굴려대던 펜을 멈추었다. 자료를 일단 봐야겠다. 낮은 굽의 구두는 이미 벗어둔 상태였다. 바지는 반 치수 정도 큰 것을, 편하게 입고 있었고. 추리닝을 입고 출근하고 있는 중은 아니었다. 제대로 된 정장 바지에 상의다. 다만 좀 넉넉하게 입고 있을 뿐이었고.

구겨진 셔츠가 그녀의 시간을 알려준다. 심민아는 구두를 다시 신지도 않고, 맨발로 집무실을 횡단해서 문 쪽의 소파에 다다랐다.
　구두를 신고 걸었다가는 기껏 펼쳐둔 자료들이 구겨지리라. 스타킹이 종이 위를 밟았고, 종이가 밀려나면서 혼자 집무실에서 넘어진다거나 하는 꼴사나운 장면은 없었다.

그녀는 파일철을 집어 들며 연두색 소파에 털썩, 주저 앉았다.

김마윤 사무관은 일을 잘 하는 사람이었다. 언제나 최신화된 자료들을 보기 가장 깔끔하게, 그녀가 알 수 있도록 정리를 해서 갖다주곤 한다.

함께 일하는 사람이 민완의 사무관이라는 건 행운이었다.

그녀는 파란색 플라스틱 파일을 펼쳤고, 하나하나 내용을 읽기 시작했다.

약간은 심각해보이는 표정은 영 풀릴 줄을 몰랐고, 두통은 언젠가부터 그녀의 벗이었다.

고작 두통 정도로 살인마를 잡아 쳐넣을 수 있다면 아주 값싼 것이리라.

녹취록의 전문이 텍스트화 되어서 서류에 담겨 있었다.

그녀는 직접 발로 뛰었을 수사관의 노고에 감사하며, 그 당시의 상황을 머릿속에서 상상해 재생해보았다.

큰 트라우마나 슬픔, 혹은 현실 도피의 상태를 갖게 되었을 이들이 제각각 토해낸 말들이 정보화되어 나열되기 시작했다. 손을 쓰는 건 아니었고, 심민아의 머릿속에서 벌어지는 나열이다.

"……."

심민아는 핏기 없는 입술을 꾹 다문 채, 몇 분간은 정리된 서류만을 탐독했다.

이게 다 무슨 소용이 있는 일일까,

하는 회한이 드는 것도 가끔은 어쩔 수 없는 일이었다.

김민식은 박주영의 장단에 같이 어울려 이곳저곳을 들쑤시고 다녔다.

김연수의 종적을 찾기 위해서 할 수 있는 일이라고는 달리 없었다. 서울 내, 혹은 그 근교까지 범위에 담아 추적을 계속한다. '완벽한 실종 사건'으로 카테고리화 된 건들을 발로 뛰어 알아보는 것이다.

애초에 잡혔던 김재영 역시 그런 수법으로 어느 정도 특정되었음을 안다. 그러나 정작 하고 있는 수사의 과정, 특히 초기에는 이 모든 게 과연 쓸모가 있는가, 하는 의심이 끝없이 드는 게 사실이었다.

"그러니까… 아니… 우리 미영이가….'"

서글픈 표정으로 말을 하고 있는 건 '김미영 씨'의 어머니였다.

50대 중후반 정도로 보이는 외모. 연세에 비해서는 젊은 인상이었으나, 슬픔으로 일그러진 얼굴은 괴로움을 잔뜩 표현하고 있다.

적당한 도심 지역의 카페에서 만나서 이야기를 듣고 있었는데, 불쑥 눈물이 흘러내리셔서 김민식은 당황하며 달랬다.
한참이 지나서야 다시금 이야기를 시작하던 차였고.

김민식은 그 중간에, 카페의 유리창 너머로 돌아다니는 시민들을 바라보며 잠깐 그런 생각을 했다.
이게 정말 김연수를 잡기 위해 필요한 일들이 다 맞을까. 소용이 있는 일일까, 하는 생각을.

어쨌든 사건 관계자의 증언을 듣는 건 중요한 일이었다. 아무리 사소한 것이라고 하더라도.

"어… 예. 김미영 씨가 사라진 게 정확히 언제라고 하셨죠…?"
"나도 잘 몰러유…. 2월 2일… 그 때 신고를 했고….'"

더듬거리며 말을 하고, 어딘가 불안한듯 시선이 돌아간다. 거짓말을 하는 안색은 아니었다. 그럴 동기도 딱히 없거니와. 그녀, 김미영의 어머니는 거짓이 아니라 슬픔 때문에 불안한 기색이다.

"내가… 바로 연락이 안 된다고 안 게 1월 31일이었는데….'"

"이틀만에 연락을 하신 거군요."

"그렇제…. 꼬박꼬박 매일, 연락 잘 주는 아이였으니까…. 일하느라, 아니면 취업하느라 고생이어도 밥 잘 먹고 다니라고… 실망하지 말라고 내가 늘상 이야기를 했었는데…."

실종자와의 기억을 떠올리다가, 어머니 신지숙 씨는 다시금 안색을 붉혔다. 김민식은 검은 가죽 자켓의 주머니에서 곱게 접은 손수건을 꺼내어 건넸다.

약간 알록달록한 톤의 물건이었다. 그에게 있어서는 가장 친숙한 물건이기도 했고. 고등학생 시절 여자친구가 선물해 주었던 추억의 잔여물인데, 아직까지도 쓰고 있었다. 그녀와는 나쁘게 헤어진 게 아니라 친구로서 연락을 하고 있었고.

신지숙은 김민식의 손으로부터 수건을 건네받아 얼굴을 감쌌다.

잠시금 어깨를 떨며 눈물을 참는다. 참는 건지 흘려보내는 건지.

다시금 멎은 말에 김민식은 창 밖을 바라보았다.

낮, 겨울. 아직 2월이 다 지나지 않았다. 늦게 내리는 눈도 제법 있었고, 추위도 다 물러가질 않고 기승을 부린다. 오늘은 날이 제법 추웠다.

대전에서 딸의 소식을 위해 올라온 어머니는 아마 마음이 더 시릴 것이다. 아니, …. 비교할 수 없는가.

김민식은 다양한 상념으로 시간을 떼웠다. 유의미한 정보를 얻기 위해서는 언제나 흘려보내야 하는 시간이 있다. 제대로 말을 하기 위해서 떠내려 보내야 하는 슬픔들도 있었고.

수도권에 경찰 내 수색팀이 꾸려져서 적극적으로 조사를 하고 있다는 말에, 그녀의 어머니는 직접 서울로 올라와서 그를 보고 있는 중이다.

딸 아이에 대한 자그마한 단서라도 들을까 싶어서. 또 경찰들의 요청에 따라 아주 작은 실마리라도 말해주고 수사에 도움을 줄 수 있을까 싶어서 말이다.

눈에 보이지 않는 실마리라고 하더라도 자그마한 끈이 있으면 사람은 일단 움직일 수 있었다. 때로는, 먼저 움직이고 나서야 그런 게 보이기도 한다.

김민식은 천천히 그녀의 슬픔이 가시기를 기다리면서, '김미영'에 대한 정보들을 하나하나 들어 기억했다.

도움이 될 지도 모른다고, 녹취를 좀 해도 괜찮겠느냐는 동의를 얻은 뒤의 일이었다.

*

첨-벙.

부둣가.

근래 자주 들르고 있는 곳이었다.

원래 서울, 경기도 지방에서 일을 벌이면 이쪽으로 온다. 그게 아니면 부산 인근이나, 정반대쪽 바다인 군산 쪽을 이용하기도 했고.

'노인'과 닿을 수 있는 부둣가는 일단 그렇게 세 곳이었다. 한국에서는. 아마 그와 직접적으로 연결되어 있는 인간은 천산혁 자신뿐이리라. 개인 사업자 중에서는 말이다.

노인은 한국에서 나름대로 사업상의 루트를 뚫고, 다양한 거래처들을 모색하고 싶어 하는 것 같았는데…. 그리 만만한 곳은 아니었다. 이 나라가. '노인'이 취급하는 것들이 전부 지독한 부류들인 탓도 있었고.

근래의 한국 분위기가 정확히 어떤 지는 모르겠지만. 아마 위험성 역시 감수해야 할 일이었다. 노인과 같은 자가 한국에서 일을 꾸민다는 건.

천산혁 정도로 깔끔하게 일처리를 하는 '개인'이 아니라면, 거대조직들을 움직이며 사건을 무마시킬 수 있는 정재계의 거두 정도는 되어야 일단 '노인'과 닿을 수 있으리라.

초인적인 솜씨가 없다면 조직적인 연계로 사건을 덮고 자취를 지워야지 않겠는가.

물론 그렇게 일들을 벌이고, 영원히 덮을 수 있는가는 또 다른 문제였다. 천산혁조차 자신이 완벽한 살인범이라고 생각하진 않으니까.
다만, 그 자신이 살인행을 계속 할 수 있을만치. 그 정도의 완성도만 챙기면 되는 것이다. '살인'을 하는 이유에는 늘 다양한 사연이 얽히기 마련이다. 천산혁은 개중에서는 아주 별종이었다.

돈을 위해서도, 권력을 위해서도 아니었으니까.

행위와 목적이 정확하게 겹쳐서 하나를 이루고 있는 인간이었다.

그의 초인적인 행동력은 그런 정신적 합일성에서 나오는 지도 몰랐다.

"후우."

마음씨 좋은, 푸근한 노인을 연기하고 있었다. 그는. 약간은 거친 일도 마다하지 않는, 잔뼈가 굵은 초로의 노인 정도를 설정하고서.

입고 있는 옷은 약간 거칠고 헤진 종류이며, 외관을 많이 신경 쓰지는 않는다. 인상에는 웃음이 은은하게 배어있고, 몸놀림이 아주 둔하지는 않은. 그러나 주변에서 함부로 다가오기에는 약간 주저함이 생기는.

대강 그런 정도의 인물상, 사내를 연기하고 있었다.

늦은 곱게 접혀 휘어져 있었다. 바닷가에 쓰레기 더미를 버리고 있는 와중에도.

겨울 바람이 찼다. 오래도록 대책없이 맞고 있으면 입이 돌아가지 않을까 싶을 정도로.

오늘은 추운 날이었다. 그리고 옮기고 버릴 것들도 아주 많았고. 고생을 하며 이곳까지 가져왔다.

풍-덩.

또 하나, 작은 파도를 일으키면서 던져져 가라앉는다.

천 종류는 이미 다 버렸다. 남은 건 가스통들이다.

묵직한 종류가 가라앉고, 아마 나중에 적당량이 쌓이면 노인의 선박이 가져가겠지.

인간은 분해된다. 생각보다 더 쉽게.

다양한 기계와, 약품 등 공정이 있어야 가능한 것이기는 하다만.

어쨌든 그렇게 완벽히 나누어 분류한 인간의 흔적들을 천산혁은 모조리 바다에 던졌다.

혼자 일을 하기에는 분명 지독한 양이었지만. 그는 그다지 힘든 기색조차 내비치지 않는다. 분명 비정상적인 체력이었다. 나이를 생각하면 더더욱.

적당한 골목 따위에서 대기를 하고 있다가, 순식간에 담장 밖으로 몸을 날려 사냥감을 덮치고. 약물을 주입해 의식을 잃게 만들고, 다시금 그 몸뚱이를 옮기는 일련의 과정은 절대적인 체력이 없으면 불가능한 작업 방식이었다.

그런 미치광이 짓거리를 위해서만 단련한 몸이었고, 그대로 전쟁터에 나가 용병으로 일을 한다고 해도 제법 괜찮은 활약을 할 수 있으리라.
늙은 몸이라, 이전과 비슷하게 근력을 낼 수 있고 순간적으로 뛸 수는 있었지만, 지속력이 감퇴한 것을 스스로는 느꼈다. 애초에 고점이 타인의 일반적 기준보다 아득히 높았기에, 떨어졌어도 상당한 수준을 유지하고는 있었지만.

"웃, 차."

답잖은 기합을 내지르면서. 천산혁은 곧 가져온 쓰레기들을 모두 바다에 던져 버렸다.

깔끔한 처리다.

넷의 분량이었기에, 이전에 비해 단순 계산으로 하더라도 두 배였다. 대상에 따라 나오는 물건의 부피 역시 달라졌으니 꼭 같지는 않지만. 그의 체감으로는 2.5배에서 3배 정도는 되는 양이었다.

천산혁은 바다 위에서, 방파제에 서서 손을 털었다.

바닷 바람이 그를 씻겨주었다.

언제나와 같이, 차를 조금 몰아 부둣가 안쪽의 공터에 세운 뒤 한참이나 바람을 맞은 뒤에야 돌아갔다.

물질적인 건 씻겨 흩어졌다. 특수하게 사용한 처리용 약품의 냄새라던가, 뭐 그런 것들.

그러나 비물질적인 건 씻어질 수 없었다.
그건 마음을 바꾸어 먹어야만 가능한 종류였는데, 천산혁이라는 사내에겐 그럴 의지가 조금도 없다.
그는 지금 저지르고 있는 짓거리를 즐기고 있었고, 죽는 그 순간까지 계속할 셈이었으니.

한낮, 바닷바람을 즐기던 초로의 노인은 여느 때처럼 다시금 차를 몰아, 서울로 돌아왔다.

*

딩-동.

벨이 울었다.

제법 연식이 오래된 저택의 현관문 근처에서였다.

짙은 청록색, 언뜻 보면 검은 색으로 칠해진 철제 현관이었다. 그 위로 현관의 석재 지붕이 있었고. 양 옆으로는 높은 담이 이어진다.
오른 쪽으로 나서서 걸으면 금세 주차장 문처럼 생긴 철제 문이 하나 있었고.

관악구 신전동.

주택가 어느 골목 속에 있는 집이다.
근처의 다른 집이니 빌라니 하는 것들도 오래된 건물처럼 보였고, 고요한 동네의 분위기는 이 근방 사람들의 성격을 대변하는 듯도 하다.

특별한 일 없는, 평범한 동네의 풍경. 주택가의 굽이진 골목을 제법 길게 걸어 들어와서 볼 수 있는 곳이기는 했다. 인적이 별로 없었고, 한낮임에도 그러했다.

딩-동.

다시금 벨을 누르는 손가락.

주인은 김민식이었다.

민식은 재킷을 대충 걸쳐 입고 있었다. 제법 짜증이 난 상황이기도 하다. 물론 집 주인에 대한 짜증은 아니었다. 기약도 없이, 정해진 목적지도 없이 그저 서울 하늘 아래를 정처 없이 들쑤시고 다녀야 하는 자신의 입장에 화풀이를 하는 짜증이다.

추운 날이었다. 2월 하순. 다른 달보다 유난히 짧은 달은 금세 끝난다. 2월 26일, 낮 시간.
안으로는 얇은 내복을 입고 있다지만. 갑자기 마지막까지 기승을 부리는 추위다. 한기가 그의 옷 속으로 파고들었다.

때가 되면 짧게 깎아내는 머리칼은 곤두섰다. 마르고, 길쭉한 체형을 가진 그였다. 뺨은 발갛게 달아오른 상태다.

근처에 세워둔 차가 있었다. 주택가 골목이라, 저택에서 누군가 빠져 나가지만 않는다면 빼줘야 할 일은 없으리라.

딩-동.

김민식은 다시금 벨을 눌렀다.

꼭 이 집이어야 하는 건 아니었다. 그는 탐문 수사 중이었고, 아무런 연고도 대책도 없이 모든 곳을 둘러보고 있다.

아무리 생각해도 정신나간 짓이었지만. 달리 할 수 있겠는가. 수사팀의 모든 인력이 서울에 집중된 것도 아니었지만, 적어도 관련 부처의 몇 사람들 정도는 붙어서 이 일을 처리하고 있었다.

'김연수'는 대담한 인간이라서, 꼬리가 잡힌 시기에 서울 근방을 거점으로 하고 다시금 유사한 범죄를 저지르리라는 추론 말이다.

심민아 경위도 포함되어 있고, 그 휘하에 정보를 가져다주고 있는 수색 팀 인원들이 몇 있었다. 개중 하나가 수색7팀이고, 곧 김현식 경위와 팀에 속한 박주영, 김민식이었다.

딩-동.

몇 번 정도는 끈질기게 물고 늘어져서 정보를 얻기 위해 탐문을 한다.

대부분은 '그런 소리나 이상한 일에 대해서는 들어본 적도 없다'며 반응을 한다. 그러나 근처에서 실종이 일어나고 있는 건 분명했고. 토박이 주민들에게 물었을 때 아무리 사소한 정보라도 건질 수 있다면 남는 장사였다.

김재영의 때와 같다. 결국 현장직은 답도 없이 발로 뛰는 것 뿐이다.

민간의 주택들을 들를 때, 집에 누군가 있는 경우도 있지만, 없을 때도 있었다. 대중도 없이 전수 조사를 하고 있는 스스로에게 계속, 이게 맞나… 하는 의문이 들었다만. 지금에 다다라서는 그저 기계적으로 움직이고 있다.

수사관이 쪽이 팔릴 것도 없었고. 아무것도 짚이는 게 없고 떠오르는 바가 없다는 대답 역시 충분히, 훌륭한 대답이었으므로.

띵-동.

마지막으로 한 번 더 벨을 눌렀다.

추운 낮.

눈이 다 녹지 않고 골목 이곳저곳에 쌓여 있다. 김민식은 그 옆의 단독 주택으로 발길을 옮기려 했었다. 원래는.

삐이이.

하고 소리가 났다. 인터폰에서 말이다. 약간 갈색으로 변색이 된 종류였다. 그러나 디스플레이도 제대로 있어서, 이쪽의 모습을 볼 수 있는 듯하다. 김민식은 렌즈를 바라보면서 작게 고개를 숙여보였다.

"저, 안녕하십니까-. …인근 탐문 조사중인 현직 형사입니다. 동작경찰서 소속으로… 최근 서울 남부에서 일어나는 실종 건들에 대해서 제보를 받는 중입니다. 이 동네 주민이시죠-?"

끝마디를 길게 늘여서 상대의 대답을 이끌어내려 했다. 이런 일도 하다보면 점점 익숙해진다. 스스로가 방문 판매원이라도 된 것 같은 기분이 들 때도 있었지만. 어쨌건 중요한 건 친절한 태도다.

형사라고 하면 대개 협조적이기는 하나, 때로 낯섦에 거리를 두고 별다른 얘기를 하지 않는 이들도 있었다. 웃는 낯은 어딜 가나 쓸모가 많다. 김민식은 평소의 투박한 인상을 버리고, 최근에는 자주 웃었다. 어쩔 수 없이.

집들을 들르며 만나게 되는 것이 대부분 여성들이었으므로. 집 안을 돌보는 가정 주부나, 혹은 노인들.
오래된 집에서 마중 나오는 이들은 대개 그런 부류였다.
이 집 또한 마찬가지였던 모양이다.

"…어, ……예. 아 그게…, …. 제가 최근에 이사를 와서 영 잘 모르는 데…. 어떻게 형사님 차라도 한 잔 내드려야…."
"아, 아닙니다, 어르신. 괜찮습니다. 그저 얼굴 뵙고 잠깐 말씀 들으면 됩니다."

김민식은 품에서 경찰 수첩을 꺼내어 디스플레이어에 디밀었다. 표지를 펼쳐 내부 내용이 드러났다. 그의 얼굴과 일하고 있는 소속 경찰서, 부처 따위가 적혀 있다. 현재는 수사본의 수색 7팀으로 움직이고 있기는 하다만. 원래는 동작서에서 일하는 강력계 경장이다.

마침 심민아나, 박주영이 꽂힌 실종 건들이 근처에서 일어난 사건들이라는 점도 제법 도움이 되었다. 현재 특수 상황으로 여기저기 부처와 소속 사람들이 한 데 일하고는 있다만. 시민들은 그런 내부 사정을 모르니까. 근처 경찰서에서 일을 하고 있는 형사가 나온다면, 큰 혼란이나 경계심 없이 받아들이곤 했다.

디스 플레이의 낮은 화질이나, 흑백 화면으로 어찌 경찰 수첩의 내용이 잘 보일 지는 모르겠다만. 그게 효과가 있었던 건지 아닌지. 어쨌든 아주 뒤늦게서야 답을 한 노인의 음성이다. 대답은 없었고, 몇 초가 지난 뒤에 철컥, 하면서 철제 현관 문이 열렸다.

끼이이, 하고 제법 낡은 문이 소리를 냈다. 열린 문틈 새를 바라보다가 김민식은 슬쩍 열어 안쪽으로 고개를 내밀었다. 한 발, 자연스레 내딛는다.

제법 잘 가꾸어진 마당이 있었다. 잔디들이 일정한 높이였고. 눈은 한 구석에 쌓여 있다. 어느 집이나 마당이 있는 곳은, 눈이 내릴 때마다 불편함을 겪을 테였다. 마당의 한 쪽으로 눈을 돌리면 주차장으로 보이는 곳이 있었다. 저택 바깥에서 주차장과 통하는 듯한 문이 있었는데, 내부에 문이 하나 더 있었다.

차고 안쪽이 보이지는 않는다.

김민식의 시선에서 오른쪽이 차고였고, 정면으로는 돌 길을 조금 걸어 가면 저택의 현관이었다. 계단을 조금 올라가야 한다.

벌컥,

하면서 저택의 현관이 열렸다. 김민식은 열린 대문을 조금 더 활짝 젖혀, 한 걸음 들어온 상태였다.

저택의 현관이 열리면서 인상 좋은 노인이 나타났다.

정돈된 머리. 부드러운 인상. 희끗한 회백색의 머리나, 눈썹, 수염이었다. 지저분한 면은 별로 없다. 잘 다려진 스웨터에 방한 재킷을 걸치고 있었다. 팔이 없는 종류다. 거기에 스웨터와 비슷한 재질의 털 바지.

약간은 구부정한 자세로, 노인은 천천히 걸었다. 현관의 돌 계단이 네 다섯 단은 되어 보였다. 김민식은 한 번 더 고개를 꾸벅 숙여보였다. 그의 손에는 아직 경찰 수첩이 들려 있었다.

"아아… 무슨 일… 이십니까."

노인은 말투가 약간 느릿했다. 아주 심한 정도는 아니었고, 김민식은 평범한 노인의 반응이라고 여겼다.
구부정한 자세나 말투, 표정에서 모두 그의 정력을 느낄 수 있었다. 강하다, 라는 의미가 아니라 약하다고 알 수 있다.

노인은 천천히 계단을 내려왔다. 김민식은 정원을 가로질러 노인에게 다가갔다.

"안녕하십니까. 동작 경찰서 소속 강력계 경장 김민식이라고 합니다."

그는 경찰 수첩을, 그가 볼 수 있도록 조금 더 가까이 다가가며 들어보였다. 계단 아래까지 금세 닿는다. 젊은이의 발걸음은 그만큼 빨랐다. 반면 노인은 그 사이에 두어 개를 더 간신히 내려왔을 뿐이다.

"아아… 그래요. 내가 말이 좀 굼떠서… 답답할 수 있는데…. 요새 건강이 영…, …. 경찰 양반이 무슨 볼 일로…."

김민식은 노인의 말에 볼을 긁적거렸다. 용건을 말하는 건 어렵지 않다. 그러나 그걸 이해시키고, 제대로 답변을 듣는 건 늘 상당한 노동이었다. 어떻게 말을 해도 오해하는 사람들이 간혹 있다.

"최근 동작, 관악, 구로… 아니 이 일대에서 벌어진 실종 건에 대해서 조사하는 중입니다. 탐문 수사 중이에요, 어르신. 혹시 이 근처 토박이… 아니, 이사 오셨다고요?"

김민식은 하도 반복해서 입이 아픈 이야기를 죽 늘어놓다가, 아까 노인이 말했던 단어가 떠올라 도로 물었다. 노인은 고개를 끄덕거린다. 무릎이 영 좋질 않은지, 계단을 내려오다가 중간에 멈추었다. 돌로 된 두툼한 난간 위에 주름진 손을 얹은 채였다.
초로의 노인이었는데, 여기저기 관절이 좋지 않은 듯하다. 인상으로 추정되는 나잇대에 비해서 조금 더 동작들이 굼떴다.

노인이 고갤 끄덕인다.

"으응… 그렇지. 얼마 안 됐어. 자식 놈들 다 해외로 보내고… 나 혼자 살려고 근래에 구했다네."
"아이고… 그러십니까…."

자세한 사정은 잠깐 들어서 알 길이 없다. 아, 다르고 어, 다를 수도 있는 거고. 김민식은 원하는 정보만 묻기로 했다.

"혹시 이 근방에 오신 게 언제십니까?"
"…."

노인은 잠깐 대답을 하잖고 멀리를 쳐다봤다. 고개를 들고 하늘

55

을 보는 듯하다. 생각을 하는가. 생각이 필요한 일인가. 김민식은 참을성 있게 기다린다. 시민들로부터 협조를 얻는 건 늘 인내의 결과물이다.

"어어… 작년 겨울… 12월 즈음에."
"아, 그러세요."

김민식은 원하던 답에 고개를 주억거렸다. 잘 된 일이었다. 그가 좇고 있는 실종 건은 모두 올해 일어난 일들이었다. 특히 2월 달에 집중적으로 벌어진 '완전 실종'은 더욱 근시일의 것이고.
노인의 둔한 기억력으로라도 무언가 말해줄 것이, 있을 지도 모른다.
없을 수도 있었지만.

방판 서비스원이 된 기분을 애써 누르며 김민식은 다시금 묻는다.

"혹시 올해 들어서 근처에서 수상한 낌새의 사람을 보신 적은 없습니까? 보통 주택가나 골목, 그런 쪽 부근으로 많이 기웃거리는 남자라거나… 하는 사람이요.
대개 나이대는……. 성인에서 장년인 정도. 20대에서 50대 즈음입니다.
이 주변에 살고 있지 않은데 유달리 얼굴을 많이 보인다거나…. 하는 사람이 없었습니까?"
"어어…."

노인은 잠시, 곰곰이 생각을 해봐주는 듯 말이 없이 시선을 어딘가에 집중했다. 김민식을 보는 건 아니었고, 정원 어디 한 부근

56

을 향하는데, 정확히 그 지점이 아니라 과거를 더듬는 듯한 초점이었다.

노인은 고개를 도리질 쳤다.

"아니… 나야… 모르겠는 걸…. 가끔 산보를 나가긴 하는데… 요새는 추워서 말야…. 차 끌고 다니는데 사람 볼 새가 있나…. 그런 사람은 없었다네."
"아, 그러시군요…."

김민식은 문득 차고 쪽을 보았다. 차고의 문은 내려와 있었다. 저택 바깥에 있는 슬라이딩 도어와 같은 형식이다. 철제로, 쇳대를 걸어서 내리고, 또 힘을 주어 열기도 하는 방식.
노인이 혼자서 저런 일을 거뜬히 하는 모습은 잘 상상이 안갔다. 어쩌면 자동으로 움직이는 식일지 모른다.

"흐음…. 아무튼… 감사합니다. 이런 식으로 주민 분들의 이야기 하나하나 귀담아 듣는 게, 의외로 도움이 되어서요.
혹시라도 이상한 사람이 보인다거나, 그러면 서로 꼭 연락 주시고…."
"하하…."

노인은 소리내어, 또 빙긋 웃었다. 인상이 푸근한 영감이었다. 김민식도 마주 미소를 지었다.

"집은 혼자 사시는 건가요? 넓네요."
"아아… 그렇지…. 가끔 아줌마가 와서 청소를 도와주기는 하는데…."

"아하⋯."

　제법 재산이 많은 노인인 모양이었다. 노후에 대한 대비가 확실
한 지도. 주차장 쪽의 문들이 전자동으로 움직이고, 차를 끌고 편
히 다니는 모습은 잘 상상이 간다.
　근방 부동산 시세가 그리 높은 편은 아니었지만. 그래도 서울
시내다. 번듯한 단독 주택을 장만하고 또 살아가는 게 누구나 할
수 있는 일은 분명 아니리라.

　곳간에서 인심이 난다고, 그런 푸근한 인상의 노인이었다.

　김민식은 신변잡기로 몇 가지를 더 물어보았고, 추운 날씨에 노
인을 밖에 세워두는 게 어려워서 그만 자리를 파했다.
　전병이니, 차 한 잔이니 하는 것들을 대접해 주겠다는 노인에게
한사코 손사레를 치고 나서야, 벗어났다.

　돌아볼 집은 아직도 많이 있었다.

　이런 식의 전수 조사가, 과연 얼마나 쓸모가 있을 지.
　경찰 인력이 대거 투입되어서 정확한 지점을 파는 것도 아니고.

　실종 건 중에서 '납치'일 확률이 가장 높은 것들을 골라서 움직
이고 있는 것이라고는 하지만. 애초에 그것들이 타인에 의한 범죄
라는 것도 심민아 경위의 추측에 불과했다.
　수사본 내에서 젊은 천재, 프로파일러라는 평판이 있는 것은 알
지만 그래봐야 고작 개인이지 않은가. 김민식이나 박주영에 비해서
는 나이가 더 있었지만 그래도 젊은 편이었고.

개인의 천재성으로 현장을 휘저을 수는 없었다. 얼마 되지 않으나 다년 간의 경력으로 그가 확신하고 있는 바였다.

"……쿵."

김민식은 대강 노인을 돌려보내고, 애써 쥐어주려는 영감을 간절하게 물리치고.

저택을 나선다.

개인의 천재성으로 사건을 짜잔, 하고 해결하는 건 드라마에서나 있는 일이었다.

그러나, 목적이 같은 인간들끼리 집념을 하나로 모아 팀플레이를 해낸다면 가끔 그럴싸한 우연이나 기적이 있어줄 지도 모를 일이다.
민식은 박주영과 늘 함께 몰려다니며 그런 생각을 했고. 결국 오늘, 지금도 마찬가지다.

답이 있던 없던.
수학 공식을 풀어나가는 것이 사회인의 일은 아니었기에.
답이 보이지도 않으며 심지어 존재하는 지조차 확신할 수 없는 상황 속에서
냅다 대가리를 디밀고 보는 것이 현장 수사관의 일이었기에.

김민식은 한기에 굳은 손가락을 풀어내면서, 일단 주차해 둔 차로 돌아갔다. 도저히 손이 시려워서 안될 것 같았다. 탐문이고 나발이고 장갑부터 챙겨야 했다.

*

딱.

하고 손가락으로 호두를 두드리는 인간.

인간, 은 사내고 노인이다.

고요한 집 안.

분명히 있을만한 인테리어가 모두 있음에도 불구하고, 어딘가 살풍경한 느낌마저 드는 곳이었다.

그럴싸한 생활감을 꾸려놓았지만 실제로 사용하지 않는 물건들에는 온기가 잘 깃들질 않았다.

깔끔하게 청소를 하고, 먼지를 치운다.

그건 노인의 습관이자 성격이었다.

노인은 굳이 따지자면 미니멀리스트이다.

그가 가지고 있는 재주를 최대한으로 발휘한다면, 어딘가에서 부호처럼 행세를 하며 떵떵거리고 살 수 있을 지도 모른다.

그러나 그는 그러지 않았다.

'순수함'이라고 해두자. 노인은 그런 면이 있었다.
'순수한 악'이라고 해야 하리라.

노인은, 천산혁은 호두를 손가락의 마디로 두드렸다.

파삭.

소파에 앉아서 호두를 바라보던 그는, TV도 라디오도 없이 조용한 실내에서 까부쉈다. 호두를.
중지의 두 번째 마디는 누군가의 대가리를 때릴 때 자주 써먹곤 하는 부위다. 잘 단련을 한다면 큰 피해를 줄 수 있을 지 모른다, 확실히.

그러나 노인은 한 순간에 임팩트impact를 주었고, 단단한 껍질을 박살냈다. 그리 대단하게 힘을 들인 흔적도 없이 순식간의 일이었다.

"……."

고요한 실내.

호두 껍질이 튀어서, 여기저기 흩어졌다. 그가 딛고 있는 방바닥에는 카펫이 깔려 있었다. 소파 바로 아래부터 시작해서 다과상, 그리고 거실 일부를 채우고 있는 카펫이다. 흰 톤과 붉은 톤, 초록색의 톤이 섞여 있는 녀석이다.
전체적인 색감은 약간 빛이 바랬으나 나름대로 고풍스러운 멋이 있다.

카펫의 털 위에 호두 껍질의 조각이 뿌려지자, 천산혁은 가만히 바라보았다.

그리곤 별 표정도 없이, 내부에 든 것을 잘 발라내어 먹는다.

또걱, 거리면서 이에 씹힌다.
껍질도 조금 씹히는가 했지만, 크게 개의치 않는다.

천산혁은 깊은 생각에 빠져 있었다.

'어떻게'라는 단어가 일단은, 노인의 머리에 계속해서 맴돌았다.

어떻게?

어떻게, 찾아왔을까.

풀리지 않는 수학 문제를 앞에 둔 어린아이처럼, 혹은 수학자처럼.

천산혁은 시계 소리나, 바깥의 바람 소리 정도만이 채우는 집 안에서 고요하게 침묵을 지킨다.

우득.

껍질이 씹혔지만, 그냥 짓이겨 삼켰다. 못 먹을 것도 아니었다. 배고픈 시절을 생각한다면.

삶에는 다양한 우여곡절이 있게 마련이었고. 그는 대중없이 인생을 살았다. 살인을 계획하고 실행하는 면에 있어서는 완벽주의를 추구했으나, 그 이후의 일에 대해서는 다소 무책임한 태도까지도 보였다.

한국에서 자취를 감추고, 동남아 인근에서 청부업자로 살던 때는 고생이 조금 더 심했다. 그가 살인을 해주기로 한 인간들 중에서는 범죄 조직과 연루가 되어있다거나, 하는 종류가 많았으니.

딱히 걸린 적은 없지만, 안전하게 살인 장소를 빠져나가기 위해 같은 자리에서 죽은 듯 며칠을 버텨야 했던 순간도 있었다.
일이 재수없게 틀어지면 그런 경우 역시 종종 발생을 한다.

그리고 지금 역시 마찬가지였고.

"흠."

천산혁은 오래 묵은 숨을 토해냈다. 한적한 집의 내부였다. 필요한 가구나 도구를 제외하고는 건드리지도 않는다. 부엌에서도 자주 쓰는 식기와 도구가 몇 개로 정해져 있었고, 그것을 사용하고 나면 곧바로 닦아 제자리에 둔다.

음식을 해먹는 날은 그리 많지 않다. 간단한 조리 정도는 하지만. 밑준비를 일일이 하는 건 번거롭고, 시간을 버리는 일이었다.

물론 지금이라면 요리를 해먹는 것도 나쁘지 않은 선택이었다. '쉬고' 있는 중이었으니까 말이다.
열의를 불태울 때가 있다면 쉴 때도 있어야 했다. 천산혁의 몸만을 놓고 본다면 아직 움직일 수 있었으나 경찰 조직의 경계도가 올라가는 건 좋지 않은 일이었다.

그래서, 적당한 지점에서 멈췄다고 생각했는데.

아니, 도리어 더욱 신중했다. 그가 일을 벌였다고는 하지만 흔적
은 남지 않았고, 결국 모두 별개의 사건이다.

사실은 그가 납치하고 살해한 사건들이었지만 외부에서 바라볼
때는 다른 수많은 실종 신고들과 도저히 구분할 수 없으리라.

그런 상황에서 이 서울 땅에, 가만히 있는 그에게 경찰이 찾아
온다니.

지독한 우연이나 아이러니, 어설픈 구성이었다.

천산혁은 자신의 인생을 쓰고 있는 작가가 있다면, 세상에서 가
장 지독한 욕을 하고 싶은 심정이었다. 신을 믿지 않는 그였지만
말이다.

참으로 어설픈 우연이다.

천 만이 넘는 시민들이 살아가는 서울과, 그 근방의 땅이다.

어떻게 경찰이 수많은 시민들과 그 집 중에서 자신의 집을 골라
찾아올 수 있었는가.

천산혁은 이게 '물러나야 하는' 신호인지 아닌지 분간하기 위해
애를 쓰고 있는 중이었다.

움직임도 중요하지만 그만큼 생각하고, 계획을 짜는 일 역시 중

요했다.

그는 함부로 움직이는 인간은 아니다. 정해졌다면 누구보다 빠르게 움직이는 부류이기는 했지만.

김연수는 개인을 적으로 두고 있는 존재가 아니었다. 그가 적으로 삼는 건 결국 국가의 공적 조직이다. 수많은 개인이 함께 움직이고 있었고, 그는 성긴 그물망을 언제나 생각하며 처신해야 한다.

누구보다도 예민한 사태 파악이 늘 필요하다. 여기서 멈출 게 아니라고 한다면.

갈색의 가죽 소파 앞에 테이블에는 호두가 몇 개인가 더 올려져 있었다.

천산혁은 두어 개를 더 집어, 손 안에서 굴린다.

덜그럭거리는 소리를 내면서 호두가 굴렀다.

곧 손아귀에 제대로 넣고, 꽉 쥐었다.

하나를 부수는 것보다 두 개를 부수는 게 차라리 쉽다. 어쨌든 단단한 것, 비슷한 것끼리 부딪히는 방식이니.

파삭.

하고 악력을 강하게 주자 껍질이 터졌고, 내용물이 다시 카펫 위로 흩어졌다.

평소에 편집증적인 청소 상태를 유지하던 것과는 사뭇 다른 모습이었다. 그러나 천산혁의 머리는 그런 걸 생각할 틈새가 없었다.

경찰이 그의 집을 발견한 것이 우연인지, 아닌지.
오늘 찾아온 형사에게 아주 털끝 만치라도 위화감이 드는 행동을 해보였는지.
이대로 서울에서의 살인행을 멈추고 다른 곳으로 위치를 옮기는 게 나은 일인지.

천산혁은 여러가지 생각들로 머리가 복잡하다. 무표정하게 굳은 얼굴에서는 전혀 티가 나지 않는 머릿속이었다. 그는 깊이 고찰할 때, 그리고 진솔하고 편안한 상태를 유지할 때 그런 모습이 되곤 했다.

감정은 애초에 갖고 태어나지 못했다. 그저 본능이나 감각에 따른 반응이나, 갑작스런 화, 와 평안함 정도가 유일한 정서다.

희열 역시 있기는 할 테다. 자기만의 점수 놀이를 하면서 얻는 희열.

파삭.

천산혁은 그렇게 테이블에 늘어 놓았던 호두를 모두 손으로 까 부쉈다.
손아귀나 전완근 부위에 힘줄이 도드라졌다.
지저분하게, 알맹이를 빼먹은 그는 그대로 치우지도 않고, 한참이나 시간을 보냈다.

째각거리는 벽시계가 고요한 실내의 거진 유일한 소음이었다.

해가 저물어 집 안이 어둠에 잠길 때까지도 소파에서 움직이지 않았다.

지하실에 대한 마무리 청소가, 그가 가장 최근에 해야 했던 '일'이다. 그것을 끝낸 지금은, 달리 해야 할 일은 없었다.

천산혁은 결국 복잡한 머릿속에서 아무것도 결정하지 못한 채, 하루를 보냈다.

그는 가만히 있었으나 김연수를 쫓는 형사들은, 계속해서 움직였다. 답도 없는 수사망이었으나, 우연히 거기에 본체가 걸려들었음을 아는 이는 없었다.

천산혁만이 정황을 깨닫고 오로지, 홀로 초조해 했다.

25. 고뇌, 추격

*

"여태까지 쌓인 데이터에 따르면……."
"뭔가 답이 나왔습니까."

심민아 조, 가 있었다. 그리 달가운 일은 아니었다. 그 조에 속해 있다는 사실이 말이다. 그러나 반대로, 별로 괴로운 일도 아니었다. 어쨌거나 움직이고 싶어 몸이 근질거리는 사람들이 속한 조라고 볼 수 있었다.

심 경위는 어쨌거나, 백지 위에 가장 첫 그림을 그리는 대담한 도전자처럼, 늘 계획을 세웠고 현장직들을 부려먹었다. 프로파일러 팀의 말단의 기세를 좋아하지 않는 이들도 많았지만, 적어도 여기에 모인 이들은 아니었다.

박주영과 김민식. 윤계식. 김현식 경위. 그리고 박경수 경위. 그 외 수사관들이 몇 더 있었지만 당장 이야기를 전달하는 데 필요한 인원들은 이것으로 족했다.
동작, 관악구 쪽에서 차출된 다른 수색팀 형사들이 여기에서 더 추가되어, 부지런히 돌아다니게 된다.

회의, 회동 따위가 있어 주요 내용이 최신화되면 주로 김현식 경위가 비슷하게 움직이는 '심민아 조' 일원들에게 알려주고 있었다. 다같이, 기약없는 탐문 수사를 계속해서 반복하고 있는 작자들이었다.

김재영을 잡을 때도 물론 그런 방법을 쓰기는 했으나. 지금은 그때보다도 더 이렇다 할 정황이나 증거 자료가 없었다. 정말 맨 땅에 갖다 박는 헤딩이다.

김연수가 새롭게 '활동했을 수도 있는' 기간 동안에, '혹시 모르지만 서울에서', 발생한 실종 건들 중 '대강 조건에 알맞는' 것들을 추려서 가상의 동선을 짜고 그 근처를 수색하는 일이었다.

무엇 하나 제대로 정해진 게 없고 밝혀진 사실이 없다. 그럼에도 현장을 뛰는 발들에 망설임은 없었다. 어쩌면 가장 지독한 건, 그러면서도 시키는 데 아무런 머뭇거림이 없는 심민아 경위일 지도 몰랐다. 박주영은 가끔 그리 생각했다.

"…아뇨."

심민아는 볼펜의 궁둥이로 제 볼을 긁적거렸다. 가만 보면, 참 털털하다고 김현식 경위는 생각했다. 지금도 씻기만 하고, 화장기는 전혀 없는 부스스한 꼴로 사람들을 모아놓고 브리핑을 하고 있다.

심민아의 개인 집무실은 웬일로 한 번 청소가 되어 있었다. 머릿속을 괴롭히던 여러가지 생각들, 계산들이 한 번 결론이 난 덕분이다.

자료, 데이터는 쓰기 위해서 존재하는 것이었다. 아무런 결론을 내지 못한다면 결국 데이터는 쓸모가 없다.

누군가 발을 들여놓기도 무섭도록 널브러졌던 데이터들은 일단 한 번 쓸모를 다했다. 덕분에 부랴부랴 치우고, 그나마 멀쩡한 꼴이 되었다.

심민아는 집무실에 사람들을 불렀고, 최근 가장 가깝게 연락을 유지하고 있던 이들이 모였다.

"그래도 일단 대략적으로… 제 생각의 결론은 말씀드릴 수 있을 것 같아서요."
"크흠."

김민식은 작게 헛기침을 했다. 이상한 소리를 하는 여자였지만, 머리가 좋다는 건 인정을 한다. 조직 내에서 그녀가 받고 있는 평가가 어떤 지도 알고 있고. 나름대로 사명감도 있는 여성이었다. 자기 사적인 생각을 위해서 부른 건 아니리라. 무언가 공적인 유의미함이 있으니까 사람들을 모았겠지.

"…김연수는 아직까지 한국, 에 남아 있는 게 분명한 듯 합니다."
"……."

놀라는 사람은 딱히 없었다. 애초에 그런 생각으로 인해 움직이고 있던 사람들 아니었는가. 심민아가 말하는 의미에 대해서 더 깊이 깨닫는 이는 달리 없었다.

"그리고… 서울과 그 근교 지방에 있는 것 같습니다. 정확히 말하면, 아마 서울 남부 지방에 근거지를 두고 있는 것 같아요.
……김재영, 이 사용했던 '살인을 위한 장소'와 같은 데를 만들

어 두고서 말입니다."

"……."

윤계식은 까칠하게 자라난 자신의 턱수염을 매만졌다. 맞는 말인 가, 에 대해서 계속 생각하며 듣고 있었다. 그녀의 추론이나 추리 는 늘 대담하고, 단언을 하는 투였다. 실마리 하나 없는 곳에서 그 런 확신에 찬 말투로 단언을 하는 건 이상한 일이고, 사실은 비현 실적인 말이다.

그럼에도 심민아는 무언가 근거가 있다는 투였다.

"'완벽한 살인'… 아니, '완벽한 실종'이라는 게 결국 증거입니 다."

"그런가."

집무실에는 제각기, 사무용 의자를 가져와서 빙 둥글게 앉아 있 었다. 몇은 소파에 앉았고.

어지럽게 널브러져 있던 바닥의 종이들을 치우고, 잡동사니를 깔 끔하게 없앴다. 화이트 보드도 바깥 벽쪽으로 밀어두었고. 계식은 사무용 의자에 앉아 턱을 쓰다듬는다. 그 옆에 박주영과 김민식이. 김현식은 한 두 걸음 떨어져 문 옆의 연두색 소파에 앉았다.

김현식의 옆으로 박경수가 의자를 하나 가져와 앉았고.
심민아는 자신의 전용 의자를 끌고와 그들을 바라보며, 가까이에 앉은 채다. 그녀가 계속 말한다.

"완벽한 살인 따위는 사실 존재하지 않습니다. 그걸 가능하게 하기 위해서는… 어쨌건 부단한 노력이 필요하죠."

"…."

계식은 별 말 않고 고개를 끄덕거렸다. 합당한 추론이었다. 근래 서울에서 일어난 모든 실종, 살인, 특수 강력 범죄 건을 모조리 수집해서 분석하던 그녀의 결론이라고 한다면, 아마 꽤 정확하리라. 그러허게 여겨졌다.

"알리바이를 위해서는 어마어마한 노력과 대가가 필요합니다. 아무리 적게 잡아도 50에서 많게는 100kg가까이 나가는 사람을 쓰러뜨리고, 그 몸뚱이를 흔적 없이 옮기고.

종래에는 완벽하게 처리한다는 게, '공장'이라고 비유할만한 장소가 있지 않고는 어려운 일이죠.

어마어마한 대량의 요리를 하는 것과 크게 다르지 않을 겁니다."

요리, 라는 비유는 절묘했다. 어쨌거나 사람의 몸뚱이를 완벽하게 없애는 데는, 상당한 열량과 에너지가 필요하다. 운반부터 작업까지 모두.

"김연수의 가장 큰 특징은 결국 흔적을 남기지 않는다는 겁니다. '완벽한 실종'. 이건 실종자 본인이 자의로 종적을 감추지 않는 이상에야 어려운 일입니다.

그래서 김재영의 건이 있은 후로 어떤 특수 실종 건이 있는가, 모조리 찾고 탐문 수사를 또 부탁드렸고요."

"……."

김민식과 박주영이 고개를 끄덕거렸다. 김현식도. 수색 7팀만이 아니라 그들을 비롯해 여러 명의 형사가 움직였다. 수색팀 전체를 움직이기에는 불안한 추론이었지만, 그래도 당장 지푸라기라도 잡는 심정에 일부 인력이 수사에 착수해볼 수는 있었다.

대강 열 댓명 정도 되는 인원들이 짧은 기간 밤낮이 없이 움직이며 서울 주민들을 들쑤시고 다녔다.

고생은 많이 했지만 그들이 가져다 준 정보도 적잖다. 심민아의 개인적 이론을 발전시키는 데 모두 재료가 되었고.

"일단 가정은 '김연수가 아직 한국에 남아있다'라는 쪽으로 하고 수사를 부탁드렸습니다.
그럴 지도 모르니까요.
실제로 11월부터 지금 2월까지 서울에서 발생한 실종 신고가 천 여 건에 달합니다.
개중에서 단순 착오나, 혹은 다른 여지가 있는 것들을 전부 제외했습니다.
즉각적인 정보 구분을 위해서 적은 근거만을 갖고 판단한 바 있기는 합니다만…. 피해자가 자취를 감출만한 다른 사연이 있다거나, 혹은 흔적이 뻔히 남아 있는 다른 범죄 사건에 연루되어 있다거나.
하는 것들을 전부 제외하고… 추리고 추려서 만들어 냈던 리스트업이 다음과 같습니다."

심민아가 그리 말하면서, 벽쪽에 밀려나 있는 화이트 보드를 슬쩍 가리켰다. 사람들은 그대로 흘긋 본다. 이미 알고 있는 내용이었다. 그녀가 구분하고, '김연수'의 냄새가 난다고 판단한 것들 아닌가. 조금이라도 말이다.

저것들을 근거와 토대로 삼아서 서울 내에서 수색을 펼쳤다.

전 국토를 그렇게 커버하는 건 일단 불가능한 일이었다. 현재 인력으로. 경찰국 총 인원이 달려들어서 움직여야 할 일이었는데, 어떤 명확한 가능성이 없이 조직 전체를 움직일 수는 없는 일이었다.

심민아 조, 라고 우스갯소리로 그들끼리 부른 소수의 인원들이 그나마 할 수 있는 일을 찾아야 했다. 아무것도 하지 않는 것보다는 확실히 나으니까 말이다.

"유령에라도 당한 것처럼 불시에 사라진 건이 40여 건이었습니다. 일정 시時를 기점으로 인적이 완전히 사라진 건이요.
납치, 감금, 혹은 살인의 의혹이 있는 것들입니다.

납치를 했던, 살인을 했던. 사람의 몸을 처리하는 데는 많은 수고로움이 듭니다.
도심 지역 내에서 그걸 할 수 있으리라고 잘 상상이 가지는 않지만… 상대가 김연수니까. 괴력을 발휘했다고 보죠.
그리고 잘 준비해 둔 이동용 차량이나, 비밀 통로 따위가 있다면 조금 더 신출귀몰하게 움직일 수 있을 겁니다.

CCTV가 촘촘하게 감시망을 펼치고 있는 곳이 서울이지만, 결국 사각은 존재하는 법이고요.

살인에 대한 의혹이 있는 것들을 면밀하게 살핀 결과 저는 열세 건의 사건을 거기서 더 추렸습니다."
"흐음."

계식이 군소리를 냈다. 하는 말을 들어보자는 취지다.

"'김연수'가 존재한다는 가정 하에 생각을 했으니까요. 실제로 한 명의 살인마가 움직이면서 납치 살인을 했을 경우에 가능한 동선들을 그려봤습니다.

동시에 일어난 사건들은 불가능하고, 너무 짧은 시간에 긴 거리가 벌어져 있어도 불가능 하겠지요.

하루에 두 건의 살인을 저지른 미치광이라고 하더라도, 적어도 텀Term은 있을 겁니다.

'인간 사냥'이 쉬운 일이 아닐 테니까요.

피해자들은 말씀드렸듯 어떠한 흔적도, 미심쩍은 부분도 남기지 않고 바로 사라졌습니다. 불시에 기습을 당해서 누군가에게 납치를 당했다거나 하면 이해가 가죠. CCTV가 없는 골목 따위에서요.

조금이라도 사냥이 어긋나면 장소와 시간이 틀어지고, '완벽한 계획'에 금이 갑니다.

여태까지 완벽주의를 고수했던 절대적인 살인마가 그런 실수를 용납할 것 같지는 않더군요.

면밀한 계획과 준비가 있어야 할 테고, 일반적인 텀은 며칠 정도로 잡았습니다.

한 명의 살인마가 날뛰고 있다, 라고 가정을 하고 서울 내에서 벌어졌던 여러 종류의 실종들을 다시금 보았을 때….

가능한 '선'들이 여럿 나왔습니다."

그 '선'에 대해서는 미리 말한 바가 있었다. 40여 건 정도로 좁혀질 것 같고, 거기서 다시 조금 더 구체화시켜볼 수 있을 듯하다. 도와달라, 고 말을 한 게 그들 수색 팀이 움직이기 시작한 발단이었다.

물론 박주영의 경우에는 서울 남부에서 일어난 실종 건을 스스로 이상하다고 생각하기는 했지만. 말단 경사 혼자서 논리를 펼쳐봤자 이렇게 지속되기 힘들었을 테다. 그래도, 비교적 팀이 그럴싸하게 꾸려지고 그들이 연계해서 움직일 수 있던 건 머리 역할을 한 심민아가 있었던 덕분이다.

반대로 심민아의 경우, 이렇다 할 시작점을 잡지 못하던 때 박주영의 말이나 움직임이 영감이 되어주었고.
어디서부터 손을 대야 할 지 알 수 없을 때 먼저 움직이는 현장 조원이 있었으니 머리를 굴리기 편한 면이 있었다.

"차량으로 움직인다고 하더라도 복잡한 도로 상황 상, 시내에서 끝과 끝에 다다르는 건 깨나 시간이 많이 걸립니다.
어느 정도 가까운 편이 좋겠죠.
또, 자신이 잘 알고 있는 지형이 절대적으로 필요할 겁니다. '김연수'가 어디, 위성에서 맵을 찍어 받는 특수 요원이 아닌 이상에야. 자기의 머리로 지형도를 그리고 '사냥터'를 만들어야만 했겠죠."

심민아는 그렇게 말하면서 피식 웃었다. 드라마나 영화같은 데서는 종종 나오는 일이었다. 현장 요원에게 든든한 백업 요원들이 잔뜩 달라붙어 있어서, 척, 하면 척, 하고 곧바로 정보들을 쏘아주는 일.

아주 불가능하지는 않을 거다. 어마어마한 제반 시설과 권력이 있다는 가정 하에. 김연수가 실제 그렇게 움직이고 있다면 그녀는 수사를 다 때려치울 셈이었다. 이 나라가 애초부터 썩었다는 의미가 된다.

그 정도의 조직력과 첨단 기술들은, 결국 국가와 어떻게든 연관이 있을 수밖에 없으리라.

웃기는 망상이었고, 그녀는 그런 망상을 싫어한다.

"이동 시간과 시체 운반을 고려했을 때… 그리고 김연수가 지금 팀이 없고 혼자서 움직인다고 가정 했을 때… 두, 세 개 정도의 선이 나왔고 개중에서 가장 유력한 선을 지금 골랐습니다."

심민아는 자리에서 일어서서 화이트 보드 쪽으로 다가갔다.

리스트업 된 여러 건의 실종 사건들은 확실히 붉거나 푸른 색의, 선형적인 낙서로 꾸며져 있었다.
낙서는 아니었다. 심민아의 사고의 결론이었지.

턱, 하고 그녀는 개중에서 한 선을 가리켰다. 빳빳하게 코팅된 종이가 소리를 냈다. 푸른 색의 선이었다.

일곱 개의 사건이 동그라미 쳐져서, 서울 전도 위에서 이어져 있는 모양이었다.

"확실한 건 없습니다. 그런데, 이게 그냥 제 결론이에요. 달리 할 수 있는 일도 없고…. 윤 경감님이나 다른 분들이 모아 준 정보, 그리고 김재영이 실제로 벌인 짓 따위를 봤을 때… 판타지나 비슷하지만 그래도 가능한 최악을 상정해서 그려낸 살인 동선입니다.

총 세 개… 가 나왔는데 한 건이 정확하다고 생각해서 두 개로 가려졌고… 서울 남부에 닿는 붉은 색… 파란 색 두 선 중에서 저는 일단 이걸 골랐습니다."

서울 북부, 동대문구 지방이 걸쳐 있는 노란색의 선은 제외되었다.

사십 여 개의 실종 건 중에서 한 명의 살인마가 움직이며 저질렀다고 그나마 추론 가능한 동선을 만들었다.
붉은 색의 선은 서울 남부에 집중되어 있었고, 여섯 개의 실종 건으로 이루어져 있다. 푸른 색의 선은 서울 남부에 비교적 집중되어 있으나, 북부로 한강을 건너서도 한 건이 더 추가되어 있었다.

푸른 색과 붉은 선은 겹치는 사건도 네 건 정도가 있었다. 거의 같은 동선이지만 조금의 차이가 있다. 달리 말하면, 네 건에 대해서는 심민아의 생각으로 더 확실하리라는 의미도 된다. 단순한 착각이나, 정보 부족으로 인한 실종 처리가 아니라. '김연수'라는 살인마가 계획적으로 벌인 살인의 흔적이라는 결론으로, 말이다.

계식은 그녀의 추론을 들어보며 고개를 끄덕거렸다.

박수라도 쳐주고 싶은 심정이었다. 방구석에서 혼자 골몰하며 무엇을 하는가 했는데, 나름대로 타당한, 가능한 범죄자의 행동선을 그렸다.
어쨌건 아무런 단서 없이 움직이는 것보다는, 명확한 목표점이

있는 것이 낫다. 이런 식으로 보여주는 게 현장직들에게 동기 부여
가 더 되기도 하고.

확실한 지, 아닌 지는 사실 상관이 없었다.
확실한 것 따위를 찾는 게 더 어려운 세상이었으니까.

윤계식은 고갤 끄덕거렸다.

"알겠네. 일단 저 푸른 선이 김연수의 범죄 행각이라는 걸로 알
고, 움직여 보자는 거지?"
"…예."

심민아는 약간 굳은 표정으로 고갤 끄덕거렸다. 그녀 스스로가
말하면서도, 완벽하게 납득하지는 못하는 얼굴이다. 심민아는 완벽
주의 기질이 있는 인재였다. 평소에 약간 유별난 언행 따위를 생각
해보면 더 그렇다. 편집증이 있을 지도 모르고.
그러나 책상 위에서 완벽한 결론이 나오길 바라는 자는 아니다.
계식은.
그저 대략적인 행동선이 나와주기만 하면, 현장에서 알아내겠다
고 말하는 편이지.

그 정도면 충분했다.

윤계식은 만족한다.

"관악구, 동작구, 구로구, 종로구, 서대문구…. 많이도 해쳐먹었
군."

계식이 푸른 선에 얽혀 있는 구역들을 차례대로 읊었다. 일단 머리에 담아두었다. 저 중에서 진짜로 김연수가 다녀갔을 곳이 있을까.

있다면 반드시 잡아낼 테였다. 그는 그런 인간이었다.

김현식이 말했다.

"…앞으로 수색 방향이 저렇게 정해지는 겁니까?"

"예, 지금까지대로 무차별적으로 탐문 조사를 하는 것도 필요합니다만… 일단 저 건들 중점적으로 더 정보를 모아주세요.

최종 실종 장소로 추정되는 곳의 지형도도 필요하고… 실제 납치 살인이 벌어졌다는 가정 하의 면밀한 수색이 좀 필요합니다."

심민아의 말에 주영이나 민식 역시 고갤 끄덕거렸다. 할 일이 정해졌다면 움직이는 것 자체는 그다지 어려울 게 없다. 할 일이 없을 때, 갈 길을 모를 때가 가장 괴로운 법이다. 인생은.

"알겠습니다."

박주영은 씩씩하게 말했다. 박경수는 가만히 듣고 있다가 그 뒤로 이야기를 한다.

"그래서, 근거지는 특정할만한 곳이 있어?"

심민아는 인상을 조금 찌푸렸다.

"아마… 서울 근교겠죠.

이런 짓거리를 벌이면서 지방에서 왕복을 하는 건 어려워 보입니다.

그렇다고 하더라도 가끔 움직일 테고.

활개를 치면서 사냥을 한다는 건 그 근처에 집을 얻었다는 걸 의미합니다.

시체 처리를 위한 작업소도 있어야 할 거고.

김연수가 원래 소유하고 있는 곳일지, 아니면 새롭게 얻은 곳일지는 모르겠습니다.

다만… 나이가 있고 재력이 있다면 서울 내에 번듯한 저택이 있어도 어색할 게 없습니다.

저번에… 동대문구 계문동에 있던 김재영의 안가처럼 되어 있다면 단독 주택이 아니라면 힘들 거고요.

주변 사람들과의 교류도 최소한으로 해야겠죠.

나이가 있는 사내, 인적이 뜸한 곳에 집을 소유하고 있고, 홀로 거주를 하고…. 차량을 보유하고 있어야 할 테고…. 또 차량으로 '처리'를 한다면 차량이 주택 안으로 들어올 수 있어야 할 겁니다.

내부에 주차장이 있는 저택이어야 하고….

또… 연식이 꽤 된 집이어야 할 겁니다. '김재영'의 안가가 그러했듯이. 그런 류의 개조를 시 허가도 받지 않고 멋대로 한다는 게 어렵지 않겠습니까. 근래에 대공사를 벌였다면 반드시 말이 나왔을 겁니다. 애초에 집을 지을 때 관공서에 허락을 받지 않고 특이한 형태로 지었을 수도 있겠고요….”

거기까지 말한 심민아는 자신이 그린 붉은, 푸른 선들을 다시금 힐끔 쳐다보았다. 그러다가 시선이 머무르며 가만히 있는다. 다른 생각이 드는 모양이다.

"…이 실종 건들이 정말 김연수의 범죄 행각을 가리킨다면…. 저희가 추론할 수 있는 가장 간단한 근거지는 교집합이 되는 서울 남부 부근일 겁니다."

그녀는 관악구 쪽을 손가락으로 툭툭, 건드리며 말한다.

"너무 간단한 결론이라 의미가 있을 지는 모르겠지만요. 어쨌든 너무 멀리 떨어진 지역까지는 가지 않을 거란 겁니다. 옮기는 시간 역시 '살인'에 포함된 노동이니까.
그는 단기간에 연쇄 살인을 저지르는 미치광이고, 그 역시 사람 이니까.
불심 검문이라거나… 조금이라도 차량에 이상이 생길 수 있는 가능성을 생각한다면 시외곽의 고속 도로라던가, 를 타진 않을 것 같고요.
시내 교통로나 국도만을 이용해서 갈 수 있는 부근이 아닐까 싶 네요…."

"흐음."

박경수는 자신도 공감한다는 듯, 주억거렸다. 고개를 위 아래로.

거기까지만 특정을 했어도 소득이 없지 않다.

김재영을 잡아넣기 위한 수사도 애초에 그렇게 시작했지 않은가.

확실히 심민아는 머리가 비상한 면이 있었다. 어떤 것도 확실한 물증은 없었지만. 현재 있는 근거만으로 이야기할 수 있는 타당한 결론들이다.

"연식이 오래된 서울 내, 혹은 근교의 주택, 저택들을 돌아봐야 한다는 이야기로군."

"…예, 그럴 것 같네요."

"가족 없이 혼자 살고 있다면 당연히 더 면밀하게 살펴볼 일이고."

"그렇죠."

심민아가 동의했다.

설마 가족을 만들어서 연기를 할 수 있을까. 그렇게까지 하면 일이 커진다. 그들이 쫓고 있는 건 '살인마'였으니까. 일시적으로, 얕은 관계의 교류를 할 수는 있어도, 깊은 인간관계를 할 수는 없는 족속들이었다.

집 안에 그들의 범죄에 가담하는 연기자들을 들인다는 건, 결국 살인의 비밀을 공유하는 이들을 늘린다는 말이었다.

가족 구성원으로 알맞은, 남녀 여러 구성의 사람들을 살인귀 집단으로 끌어들여, 사이코패스 살인마 팀을 계획한다?

불가능한 일이었다. '김연수' 자체가 특별한 경우의 인물이었다. 고도화된 과학 수사망을 계속해서 피해다니면서 일을 저지르고 있는 것이. 입맛에 맞게끔, 연령대별로 그런 괴물들이 나온다는 건 불합리한 일이다.

추론에 있어서 가능성 있는 가설들 중에 포함시킬 게 못되는 이야기다.

만약 한 순간을 속여야 한다면, 다른 이들을 돈 주고 고용해서라도 그럴싸한 가족의 모습을 연출할 수 있으리라.

그런데 경찰 조직은 현재 김연수의 위치나 모습을 전혀 특정하고 있지 못하다. 언제가 될 지 모르는 경찰의 눈을 기다리면서 계속되는 연기를 하고 있다고, 생각하기는 어렵다.

비효율적인 일이었다.

극도의 효율성을 추구하는 완벽주의 살인마가 하고 있을 가장假裝은 아니었다.

"…일단… 살인으로 의심되는 실종 건이 벌어진 동네에서 그런 가구들을 좀 찾아보는 게 좋겠습니까? 전수 조사로라도."

"가능한가요?"

"…행정팀이랑 같이, 발바닥에 불나게 뛰어다니는 거지요, 뭐…."

김현식 경위가 말했다.

소파에 앉아있던 그다. 어느새 몸을 앞으로 기울여 심민아의 이야기에 집중하고 있다가 던진 말이었다.

그 정도의 전수 조사가 불가능한 일은 아니다. 가능은 하다. 시간이 많이 걸리겠고, 더욱 많은 인원이 갈려 나가겠지만.

아마 시간 제한이 있다면 분명 넘기기야 하겠다만. 어차피 서울에서 김 서방 찾기가 아닌가. 뭐라도 해볼만한 건덕지가 있다는 것으로 족했다.

김현식과 심민아는 같은 직위였으나 김현식의 연차가 조금 더 높았다. 그러나 아예 다른 부처의 인물이었고, 심민아가 엘리트 행정 쪽의 인물이었으므로 그냥 하대하는 것도 미친 짓이었다. 조직

84

내에서 인간 관계라는 게, 의외로 가장 중요한 일이 된다. 적절히 거리를 지키며 서로를 존대해 주는 것이 편리한 방법이었다.

"…네, 그렇게라도 좀 할 수 있으면 좋을 것 같습니다…."
"알겠습니다."

수사본은 현재 상당한 공권력이 투입된 곳이었다. 경찰 인력들이 모여있기는 하지만, 국가적으로 주시해야 하는 상황이라고 판단되었기에 꾸려진 것이었고. 아마 요청을 넣는다면, 다른 관공서로부터 적극적인 협조를 끌어낼 수 있으리라.

행정동에서 주민들 실거주 조사라도 하는 것처럼, 각 동사무소 따위의 직원들이 좀 움직여야 하리라. 그들에게 좋지 않은 소리를 듣기야 하겠다만. 알게 무언가. 해야 하는 일을 위해, 다소의 투덜거림은 감안해야 하리라. 김현식은 그렇게 남들을 좀 움직여봐도 좋은, 타당한 추론이라고 생각했다.

물론 다른 관공서의 인원들만 고생을 하는 건 아니다. 결국 관할인 수사본, 수색팀의 형사들이 가장 뛰어다녀야 하리라.

"사소한 거라도 좋으니. 나열한 사건 관련 정보가 있다면 모두 알려들 주세요. 곰곰이 늘어놓고 생각하다 보면, 또 무언가를 발견할 지도 모르니까."
"알겠습니다."
"고생 많구먼."

박주영이 답했고, 박경수 경위가 없었다. 심민아와 개인적인 관계가 있는 유일한 사람이었다.

*

"가장 빠른 편이 혹시 있습니까? 동남아로 향하는."

"어… 지금 저희 쪽에서 티켓 사셔서 들어가실 수 있으신 건… 한국항공 17시 50분에 필리핀 세부행 비행기가 하나 있습니다만 고객님…."

"그걸로 하죠."

"아, ……네 좌석은 현재 비즈니스 석, 이코노미 석 남았고 선택하실 수는 없으세요. 괜찮으시…,"

"이코노미로 하죠."

"예…."

접수대에 있는 직원은 갑작스러운 문의에 당황하면서도 일단 가능한 것들을 처리해주었다. 노신사의 말투는 부드러웠으나, 강단이 제법 있었다. 괜한 소리로 시간을 허비하는 걸 싫어하는 사내처럼도 느껴졌다.

몇 가지 질문을 하며 무슨 일인가, 알아볼까 하던 여직원은 수속 절차를 밟았다.

"어… 비행기 편을 구매하시려면 일단 여권과 신용카드가 혹시…."

"여기 있습니다."

"아, 네…."

원래는 티켓을 이미 사서 이후 수속을 밟는 게 안내대에서의 일이었다. 간혹 갑작스러운 사정을 가진 사람들이 이렇게 물어보는 일이 없는 건 아니었다. 정갈하게 머리를 뒤로 틀어올리고, 청록색의 유니폼을 입은 안내원은 공손히 여권을 받았다.

그녀의 앞에 있는 건 회백색의 코트를 입고 있는 노신사였다. 주름 진 얼굴. 깔끔하게 정리한 수염이나 헤어 스타일. 중절모를 하나 들고 있었고, 자세는 꼿꼿하다. 강단 있는 말투나 행동거지가 불쾌함을 주지는 않는다. 절도 있다, 정도로만 느껴지는 건 기본적으로 예절을 이해하는 사람이기에 그러리라.

사내는 빠르게 용건만을 말했으나 재촉하거나 성내지는 않았다. '혹시 안 될 수도 있다'라는 걸 염두에 두고 부탁을 하는 사람이 정상인 법이었다. 그럴 수도 있는 문제를 가지고 와서, 왜 안되느냐고 난리를 피우는 종류의 고객은 늘 대하기 껄끄러웠다.

안내대의 건너편에서 티켓을 발권하는 항공사 직원, '신보라'는 그렇게 생각했다.

노인은 자신의 행동은 서둘렀으나 그녀의 행동을 강요하진 않고. 잠시 멀찍이를 쳐다보면서 편안히 기다렸다.
짧은 전산 작업 후에 신보라가 말했다.

"어… 네. 발권 처리 되셨습니다, 선생님. 저기… 티켓 발매 키오스크kiosk에 가서서 정보를 입력하셔야 하는데…. 이대로 입력하시면 되거든요…?"

티켓 구매 처리는 되었으나 종이 티켓의 실물 발권은 다른 곳에서 해야 했다. 그녀는 메모장을 죽 찢어 정갈한 필체로 복잡한 코드를 적었다.

"…이대로 기계에 가셔서 안내에 따라 입력하시면 나올 거세요. 저기, 좌측 10시 방향에 혹시 보이시나요?"

신보라가 노인의 옆 쪽을 손으로 가리키며 물었다. 노신사, 는 눈으로 더듬어 방향을 찾더니, 고개를 끄덕거린다.

"혹시 어려우시면 저희 직원이 같이 가서 도와드릴 수도 있기는 한데 괜찮으실…."
"아이고. 감사합니다. 괜찮아요. 늙었어도 그 정도는 할 수 있지."

노신사, 는 그렇게 너스레를 떨면서 말했다. 빙긋 웃는 웃음에 대부분의 사람은 호감을 느낄 테였다. 젊은 시절에는 미남이라고 불렸을 사내였다. 신보라는 고개를 끄덕거렸다.

"네네…. 별말씀을요. 혹시 어려우시면 근처 공항 안내 직원이나 저희 쪽으로 찾아와주세요."
"감사합니다, 갑자기 불쑥 찾아와서 물었는데. 내가 경황이 없어서… 여기서도 처리해 주는군요."
"네에, 다 차 있지 않은 비행기들도 있으니까… 가끔 여쭤보시는 분들이 계시긴 하거든요."
"아무튼 고마워요."
"네, 네."

신보라는 웃으면서 노인을 보냈다. 그는 작은 캐리어 하나를 끌고 있었다. 노인이 끌고 다니기에도 그다지 부담스럽지 않아 보이는 무게감과 크기의 물건이다. 검은 색에, 옷가지나 생필품 조금을 넣으면 금방 찰 것같은 크기다. 기내에 들고 들어가기에도 충분해

보이는 사이즈.

손잡이가 길게 뻗어나와 꼿꼿한 노인의 자세에서도 별로 불편해 보이지 않았다. 그는 볼 일을 마치고, 신보라가 적어준 메모장을 한 손에 쥔 뒤 멀리로 걸어갔다.

금세 다음 고객들이 안내대를 찾았다.

"네에-."

신보라가 고객들을 응대하며 마른 웃음을 지어보였다.

*

"신전동에서 벌어진 건이요."
["예, 아무래도 이건… 맞는 듯 한데요. 신고자나, 그 외 실종자 지인이나 가족들과도 얘기를 많이 나눠봤습니다.
정황상 딱히 스스로 종적을 감출만한 점도 없고….
이전에 동대문구 계문동, 휘령동 일대에서 여성이 납치되었을 때랑도 비슷합니다.
30대의 남성인데 버젓이 직장에서 일을 잘 하고 있었고…. 채무 관계나 내연 관계나. 어떤 뒷사정도 없습니다. 전 날까지도 가족들과 아무 문제 없이 통화를 나눴고요."]

…크흠,

통화기 너머의 박주영은 목을 가다듬는다.

듣고 있던 심민아는 스피커 폰으로 바꾸어서 덜컥, 하고 데스크에 스마트폰을 올려다뒀고. 그녀는 뒤로 젖혀지는 의자에 등을 기대면서 빙글, 몸을 돌린다.

["실종자 행적을 면밀히 추적해본 바…. 2월 8일 어느 골목 인근으로 들어가던 모습이 마지막입니다. 신용카드 내역을 보고 그대로 동선 잡고 따라갔는데…,

CCTV가 정확히 없는 쪽으로 들어간 뒤에, 나온 적이 없어요.

팀원들이랑 인근 카메라 기록 전부 돌려봤습니다. 주택가 골목 쪽으로 들어간 뒤에 그대로 사라졌고, 그걸로 끝입니다.

이후 2월 15일에 우리 쪽으로 신고가 들어왔고…. 가족들이나 지인들, 교우관계에 있어서도 숨기거나 거짓말을 하는 느낌은 전혀 없고요."]

"그런 건이 몇 개였나요?"

["실제로 알아본 바, 지금까지 제대로 확인한 건 3개인데…. '김미연' 씨랑 '박정희' 씨… 그리고 지금 신전동에서 하나 더, '원정수' 씨입니다. 지금 블루 라인에서 네 번째 건 다 같이 조사하고 있습니다."]

"김미연, 박정희 씨 건은 양 선에 다 얽혀 있죠."

["예… 일단 이 정도로만 좁혀져도 저희가 할 게 많긴 합니다. 실종자가 사라진 것 같은 골목에서 현장 검증 좀 더 해보고… 뭐라도 발견하면 더 말씀드리겠습니다."]

"감사해요."

["늘, 별말씀을요."]

뚝,

하고 스피커 폰의 통화가 대강 끊어졌다.

심민아는 여전히 수사본 건물 내부를 벗어나지 못하고 있다. 새롭게 들어오는 자료들이 있다. 행정부 김 주임이 가지런히 파일링해서 건네주는 서류들은 그대로 그녀의 집무용 데스크에 널브러졌고,

자리가 부족하자 화이트 보드에 붙여진 뒤에 마지막에는 바닥에 흩어졌다. 버린 게 아니고, 그렇게 늘어놓은 뒤 계속해서 보고 있는 중이다.

한 번 다 치웠던 바닥이지만 그녀는 새로운 자료들로 다시금 지면地面을 채우고 있다. 3분의 1 정도가 서류들로 엉망이다.

심민아는 책상에 있던 싸구려 볼펜 하나를 쥐어 입술 위에 올렸다. 입술을 길게 뻗어 인중 즈음에 닿게끔 올린 뒤, 팔짱을 꼈다.

점심을 먹어야 할까.

뭔가를 먹는 것도 확실히 중요한 일이었다. 영양소가 없으면 머리는 영 돌아가지 않는다.

툭,

하고 볼펜이 떨어졌다. 그녀는 입술이 두꺼운 편은 아니다.

심민아는 집무실 안쪽 옷걸이에 걸린, 구겨진 외투를 빼들고 나갈 채비를 했다.

일단 식사라도 하고 올 셈이었다.

수사 자체는 순조롭다.

실마리는 없지만, 만들어가고 있었다.

물증이 없는 관계로 이렇게 열심히 뛴 뒤에 모두 허튼 일이었다는 걸 알게 되더라도, 상관은 없다.

그녀가 경찰 조직에 몸을 담고 있는 동안은 쉼없이 계속 뛸 셈이었다.

그녀는 굽 낮은 구두 대신, 집에서 가져 온 운동화를 신고 종이들을 피해 집무실을 걸어나섰다.

＊

"후우."

한적한 여유를 즐기는 건, 살인마에게 허락되지 않은 일이었다.

그러나 한 바퀴 돌아서 머리가 제대로 맛이 가버린 천산혁은, 이따금씩 여유를 즐기기도 한다.

그의 속내가 어떻게 이루어져 있는 지는 알 바가 아니다. 어쨌건 표면적으로 쉼을 가지면서, 머리를 식히는 일은 필요했다. 천산혁은 제 스스로의 마음과 감정에 대해서 밝은 편인 인간이 아니었다.

오로지 기능적인 면으로 스스로를 성찰할 뿐이다.

몸이 아프면 쉬고 약을 먹고, 병원을 찾듯.

머리가 과부하가 걸리고 풀리지 않는 계산이 있다면 이렇게 휴양을 즐기는 것이다.

단지 머리를 쉬게 하려고 이러고 있는 건 아니었다.

따뜻한 남국의 태양이 그의 머리 위를 밝혔다.

동남아, 필리핀, 세부.

관광지 구석에 위치한 값싼 호텔이었다.

나름대로 깔끔했고, 먹을 것들 역시 나쁘지 않았다. 더군다나 하루 종일 선베드를 이용할 수 있다는 점도 마음에 들었고.

천산혁은 갑작스럽게 동남아로 도망을 쳤다.

머리가 아팠기에.

그리고, 그의 머리로는 도저히 이해가 가지 않는 방식으로 수사망의 그물코가 눈 앞에 다가왔기에 말이다.

서울 시내에서 몇 건의 살인을 저지르면서 그는 아무런 흔적도 남기지 않았다. 정말로 '아무런' 말이다.

'지형'을 관찰하는 건 그가 가장 완벽주의를 기울여 해내는 일 중 하나였다.

혹시라도 CCTV 하나를 잘못 본다면 결국 모든 계획이 어그러질 수도 있었다.

서울 도심 지역의 전도를 세밀하게 확대해서 관찰하고, 따로 개인용의 지도를 작성해 작전 계획을 짠다.
완벽한 동선을 짰고, 그 동선은 다른 인간이라면 도저히 흉내낼 수 없을만한 묘기로 이루어져 있었다. 지붕을 넘는다거나, 돌담을 몇 걸음만에 오른다거나 말이다.

거기다 사람을 쓰러뜨리고, 그 체구를 등에 진 상태로 다시금 담을 넘는다거나 하는 일은 일반적으로 불가능에 가까웠다.
'김재영'이라면 가능했을 테였다. 그 외에는 천산혁 자신도 달리 본 적이 없었다. 그만큼 운동신경이 뛰어난 인간은 말이다.
그런 대단한 재능을 고작 쓰레기같은 일에 낭비하고 있는 것이, 개탄스러운 일이기는 하다만. 천산혁 자신은 아주 만족했다. 스스로의 흉악한 욕망을 충실히 채울 수 있었으니까.

어쨌건 그는 여섯 번의 살인을 하고, 시체를 처리하는 과정에서 조금도 흔적을 두지 않았다. 체모는 예전에 밀어버렸다.
그의 머리칼은 정교한 가발이었고, 코 앞에서 보거나 만져보아도 알기 어려울 정도로 자연스러운 물건이었다. 눈썹도 마찬가지다. 수염도 제 것이 아니라 늘 깔끔하게 자른 뒤에, 인조모毛를 붙이는 식이고.

살인마가 된다는 건, 변장에 능해야 한다는 말도 된다.

말이 안되는 헛소리기는 하지만. 천산혁은 그러했다. 그는 도심 속을 거닐면서 사람을 죽인 뒤에, 완벽하게 도망치는 예술가였으니까.

예술에는 종류가 여럿 있고, 개중에서 사람의 삶을 파괴하는 걸 예술이라 인정받은 사례가 여태껏 없기는 하다만. 천산혁은 스스로를 두고 그렇게 중얼거린다.

오로지 '노동'이라는 가치만을 따진다면 분명 걸작이리라. 선악을 대입시키면 물론 그는 쓰레기라고 불릴 인간이다.

작품도, 뭣도 아니었고.

"May I, sir?"

저벅거리는 소리가 들려와서 천산혁은, 선베드에 누워 있다가 고개를 조금 돌렸다. 어눌한 투에, 필리핀 식의 영어를 하는 직원이 다가와 무언가 물었다.

수영장, 선베드 쪽으로 마실 걸 좀 가져다 줄 수 있느냐고 먼저 카운터에 물어본 터라 그랬다. 천산혁은 가벼운 손짓으로 긍정했고, 젊은 청년은 그 근처의 작은 테이블에 과일 쥬스와 과자 따위를 조금 놓고 간다.

돈은 큰 문제가 되지 않았다. 지내고자 한다면 여기에서 여생을 전부 보낼 수도 있으리라.

이번에 새롭게 안가를 구입하고, 여러 약품과 기구들을 사느라 깨나 많은 돈을 빼야 했기는 하지만. 아직 그에게는 꽤 많은 재산이 남아 있었다. 정 사정이 여의치 않다면 '노인'을 통해서 옛날처럼 일을 좀 더 해도 될 테였고.

천산혁은 가벼운 여름용 옷차림, 하늘색의 셔츠와 수영복 반바지를 입고 누워 있었다. 파라솔이 그의 상반신을 가렸으나 하늘은 멀쩡하게 보였다. 선글라스를 끼고 있어서 그의 얼굴이 조금은 가려진다.

뒤로 뻗어 뒷머리를 받치고 있는 손이었다. 적잖은 나이임에도 그의 체격과 체형은 아주 탄탄한 편이었다. 옷을 걷어 올리면 그대로 군살 없는 근육질의 몸이 나오기도 한다. '단련'은 녹슬지 않기 위해서 계속 반복하던 것이었으니 말이다. 애초에 초인적인 몸놀림이 가능하지 않다면 실현 불가능한 계획들이었다. 그가 짜는 살인 계획들 전부가 말이다.

이 쯤하면 괜찮겠지, 하고 멈춰 선 채로 서울에서 시간을 보내려 했다. 그의 숨통을 죄일 것은 아무것도 없으리라 여겼는데.
뜬금없이 경찰이 그의 앞에 나타났고, 천산혁은 불안감을 느꼈다.
언젠가 잡힐 수도 있고, 죽을 수도 있었지만 그게 당장은 아니기를 바란다. 그는 앞으로 도전해야 할 과제들이 몇 개 더 있었고, 내야 할 스코어가 많이 남아 있었으니까.

다른 사람을 해하는 건, 질리지 않는 일이었다. 천산혁은 즐거움마저 느끼고 있었다. 시커먼 어둠과도 같은 그의 감각과 생각, 사고 속에서 유일하게 희열이라고 할만한 무언가였다.

그는 눈이 멀어버린 종자였고, 자신에게 오는 미약한 자극에 미쳐버린 중독자였다. 사이코패스라, 선악을 구분하지 않았고, 악한 것에 제 몸을 다 던져버린 게 비극이다.

천산혁은 여태까지 자신이 저지른 일들에 대해서 고민하거나 반성하거나, 한 적은 없었다. 그렇기에 지금 선베드에 누워서 여유로운 웃음을 입가에 띄울 수 있는 것이기도 했고.

"지겨운,"

지겨운.

천산혁은 그런 말을 문득 입에 담았다.

왼팔을 뻗어 주스를 잡았다. 선글라스를 덜그럭, 거리며 벗었다. 세부에 도착해서 산 싸구려 물건이었다. 태양빛이 뜨겁다.

그는 빨대를 움직여 입에 물었다. 쪼읍, 하고 당기니 동남아 특유의, 지나치게 단 맛이 느껴졌다. 더운 나라에서는 이 정도가 딱 좋을지 몰랐다.

지겨운 삶이었다.

필리핀으로 온 건 완벽한 도망이었다. 혹여나 경찰들과 얽힐까해서.
이제 '살인행'을 달리고 있는 건 김재영이 아닌, 천산혁 자신 뿐이었다. 세상에 그말고도 미치광이 살인마들은 얼마든지 더 있었지만, '김연수 게임'의 룰을 알고 따를 수 있는 건 오직 둘 뿐이었다.

원래는 천산혁 혼자 하던 게임이었는데, 각고의 노력 끝에 둘이 되었다가, 이제는 혼자다.

김재영에 대해서는 거진 잊어버렸다. 이미 더 이상, 게임을 할 수 없는 몸이 아닌가.

천산혁 자신만 신경쓰면 될 일이다.

'게임'에 방해가 될 조금의 위험이라도 있다면 천산혁은 무엇이든 한다.

그래서 깊은 고민 끝에 다짜고짜, 해외로 나와서 시간을 보내고 있다.

그럼에도, 지겨운 건 어쩔 수 없다.

애초에 그가 왜 살인을 시작했던가.

지겨움 때문이다.

압도적인, 혹은 완벽한 어둠.

그 어둠 속에서 그는 아무것도 느끼지 못한다. 못했고, 지금도.

육신의 감각도 어딘가 망가져버렸고. 정신적인, 그리고 영혼의 감각도 부서져 멀어버린 그에게 '느낄 수 있게' 해주는 건 오로지 다른 이의 생명을 꺼트리는 일 뿐이었다.

더 많이 저지르기 위해서 멈췄고, 이리로 왔다.

따사로운 햇살 아래, 평범한 인간이라면 모두가 좋아할 그 일상 속에서 천산혁은 갈증을 느꼈다.

오렌지 쥬스를 마시고 있음에도.
쭈욱 빨아 당긴 쥬스는 어느새 반을 삼켰다. 색깔이 진해서, 주황색에 가깝다. 인조적인 색료를 탄 게 분명하고, 맛도 그렇다.

'오래는 못 있겠다.'

라고 천산혁은 스스로 수긍했다.

너무 오래 떠나 있었다. 한국을 말이다.

아주 오래 전, 한국에서 일을 벌였다. 그러다가, 이제는 그만해야 겠다고 생각하고 해외로 눈길을 돌렸다. 더 이상 저질렀다간 아마 분명히 잡히지 않을까, 하는 불안감 때문이었다.
더 많이, 잘 하기 위해서 준비가 필요했다. 시간이 감에 따라서 그의 신체적 노화가 오는 것도 분명 문제였다.

김재영이라는 날 선 괴물을 발견했고, 그 원석을 날카롭게 가다 듬었다.
최고의 작품으로 만들어서, 동시에 여러 곳에서 탁월하게 일을 처리했다.

그러다가 경찰 쪽의 어느 미친 수사관 때문에 일을 그르쳤다. 누군지는 모르지만, 아주 음험하며 강렬한 의지를 갖고 있는 인간 일 테였다.

'김연수'에 대해서 명확하게 알고 있을 확률이 높다.

직접 그 사건을 쫓았던 자이거나, 혹은 그에게 승계받은 어느 후계자.

그 정도로 집요하고 명확한 적의를, 천산혁은 일련의 상황 속에서 느꼈다.

덜컥,

하고 유리잔을 다시 테이블에 놓았다.

태양은 여전히 그를 비춘다.

그러나 살갗 아래의 심장을 덥히지는 못했다.

정확히 말하면 조금 더 정신적인 부분. 그의 감정적인 부분을 말이다.

차갑게 식었고, 열을 잃은 그의 마음은 더 이상 악행이 아닌 다른 것으로 달아오르지 않았다. 애초에 달아올랐던 적도 없고.

한 번 떠났을 때는 준비를 위해서였다.

그리고 생의 마지막 날까지, 최고의 하이 스코어를 위해서 달리려고 했건만, 이 꼴이다.

이미 한 번 멈춰봤기에, 더 이상은 안되는 모양이었다.

천산혁은 자신의 심장이 말하는 바를 제대로 따르기로 했다.

기약 없이 온 여행이었다. 한국에서 겨울도, 초봄도 지나고 나서야 돌아갈 작정이었다. 길어진다면, 이대로 필리핀에서 여름까지 있다가 갈 수도 있었다.

혹은 연 단위의 여행이 됐을 수도.

그러나 그건 아닌 듯했다.

단지 '안전'을 위해서 이대로 물러나는 건 그의 심장이 영 허락하지를 않았다.

천산혁은 지독한 무기력감, 지루함, 무료함이 덮쳐옴을 문득 느낀다.

"……."

그는 누군가에게 제 얼굴이 보이지 않는다는 사실을 깨달았고. 무서울 정도로 무감정한 표정을 지어보였다. 바람이 노인의 뺨을 스치고 지나감에도 아무런 감흥은 없다.

그는 적당히 여행을 마무리하고, 이 달 내에 다시 돌아가기로 마음을 먹었다.

그렇게 굴어서 생각보다 게임이 일찍 끝난다고 하더라도.
후회는 없을 것 같았다.
이미 흥이 오른 게임을 도중에 꺼버리는 짓보다는, 차라리 마지막까지 발악을 하다가 끝을 보는 게 나을 듯했다.

천산혁은 곰곰이, 혼자 그런 생각을 하다가 조용히 객실로 돌아갔다. 왠지 모를 욕구불만과, 짜증이 그를 같이 엄습했으므로, 잠시 벗어둔 선글라스를 박살냈다. 그냥 손아귀로 움켜쥐었을 뿐이다.

플라스틱 따위로 만들어진 물건이었고, 손쉽게 구겨졌다. 물론 아무나 그럴 수 있는 건 아니었다. 그는 객실로 돌아가는 로비 한 구석의 쓰레기통을 발견하곤, 적당히 버렸다.

당장 그가 박살낼 수 있는 물건이 그것 뿐이다.

천산혁은, 사람을 죽이고 싶었다.

인체를 박살내고 싶었고,

그건 필리핀에서의 일이 아니다. 모국母國에서의 일이지.

그는 한국에서 태어났고, 그곳에서 이름을 알릴 것이다. 최악의 악명惡名이겠지만. 알게 무언가. 그는 선악을 느끼지 못하는 괴물이었다. 그저 자신의 이름이 퍼진다는 것만이, 그에게 중요하다.

*

천산혁이 그렇게 마음을 먹은 날.

서울에서는 윤계식이 다시금 뻔한 짓거리를 하고 있었다.

"흐음."

"뭐가 좀 보이십니까, 이번에도, 선배님?"

"아니… 달리… 그보다 말 걸지 말게."

"예…. 큼."

박주영은 조용히 하며 뒤로 물러섰다. 그 역시 근처 지형을 가만히 바라본다. 윤계식은 골목 안쪽으로 들어가서 지형을 상세히 살핀다.

"어."

"예?"

"이거."

계식이 무언가를 본 듯, 가리켰다. 박주영은 그리로 다가가 보았다. 무엇을 말하는가. 평범한 흰, 그리고 낡은 콘크리트 벽일 뿐이다.

"여기 구멍이 났군."

"……."

박주영은 얼척 없다는 표정을 지었다. 계식이나 주영의 기준으로, 무릎보다 약간 아래. 콘크리트 벽에 구멍이 나 있었다.

그런데 그게 무슨 대수라는 말인가.

낡은 벽에는 으레 있을 법한, 그럴싸한 구멍일 뿐이다.

그것 자체로는 별다른 의미를 가지지 못한다. 남다른 통찰력이 없다면 말이다.

"구멍 말입니까…"
"그래, 구멍."

윤계식은 별 것 없는 균열에 집착하는 모양새다.

"벽이 낡았다고는 하지만 반대쪽 벽까지 뚫려 있는 곳은 여기밖에 없네. 그렇잖아도 제법 두꺼운 콘크리트 벽인데 말야. 여기저기 균열이 일어난 거랑… 아예 터널이 생긴 거랑은 이야기가 좀 다르지. 이 정도의 통로라면…"

계식은 흰 색의, 금이 간 폐가의 담벼락을 만지며 이야기했다.

"아마 무너진 곳이 꽤 많아야 할 것 같은데. 그렇잖은가? 자연적으로 뻥 뚫린 구멍이 생길 정도의 풍화라면.
……"
"……그러고 보면…"

박주영은 그렇게 듣고 보니 확실히 구멍이 이상하게 느껴졌다. 누군가, 인위적으로 저기만 뚫어 둔듯한 모양새였다.
금은 가 있지만 벽은 그래도 아직 멀쩡하게 기능을 다하고 있었다. 자연적으로 어디가 무너진 부분도 없었고.
외형을 온전하게 유지하고 있는 흰 벽에, 한 곳에만 구멍이 뚫려있다면. 거기에만 날카로운 것으로 무언가 충격이 가해졌을 수 있다. 윤계식은 인위적인 흔적을 발견한 셈이었다.

"여기는 확실히 포인트Point지?"

계식이 물었고, 주영이 고개를 끄덕거렸다. 맞는 말이었다. 포인트. 그들이 예상하고 있는, '사냥' 지점이었다.

김연수 수사를 할 때 가장 중요한 건, 그가 일체의 흔적 없이 범행을 저지른다는 점이다. 조금의 티끌도.

흔히 드러날만한 DNA조차 이렇다하게, 남은 적이 없었다. 과학 수사를 하는 경찰들을 조롱하듯.

그런 괴물이다보니, 도리어 더 특징적인 것도 있었다. 아무런 흔적이 남지 않으니, 그런 방법만을 머릿속에서 떠올려보면 된다.

CCTV가 없는 곳은 서울에서 결국 제한적이다. 범행 '포인트'로 생각되는 곳에는 적어도 아무런 눈이 없어야 한다. 서울의 사각이라고 할만한 곳에서 일이 벌어지곤 한다.

그리고, 이런 류의 담벼락이 있으면 더 좋을 테였고.

김재영의 경우를 보지 않았는가. 그는 총기를 소지한 건장한 남성 둘, 형사를 상대로 끝까지 저항을 했다. 납탄에 몸이 상한 상태로.

나름대로 박주영도 무술을 꾸준히 훈련하고 있는데. 아무런 저항도 하지 못하고 근접전에서는 무너졌다. 그 외에도 그가 보여주었던 신체 능력은 상당하다. 김재영의 닫힌 입을 억지로 벌릴 수는 없었지만, 그를 병원 시설에 잠시 데려가서 이것저것 검사를 할 수는 있었다.

평균적인 자기 체형의 운동한 남성에 비해서 근육량이 많았고, 골밀도 또한 높은 편이었다. 맨 주먹으로 싸우게 된다면 그를 당해낼 수 있는 이가 많지 않으리라. 거기에 정교한 기술 따위가 가미 되었다면, 더욱 그럴 테고.

일반적인 사람의 눈에는 큰 장애물처럼 보이는 담벼락도, 김연수 에게는 별다른 장애가 되지 않을 수 있었다. 도리어, 자신의 몸을 감추고 범행 당시의 사각을 늘려주는 좋은 도구일 지 모른다.
윤계식은 그런 관점으로 접근하고 있었다.

평범한 시선에서 도시를 관찰해서는 안된다.
상대는 여기저기 일반적 골목에 설치된 감시 카메라의 눈을 모 조리 벗어나 다니는 인간이었다. 그렇다면 곧 일반적인 길로 다니 지 않는다는 걸 의미하기도 한다.

범행의 그 직접적인 순간은 이처럼 사각 지대의 골목일 테고.

계식은 담벼락의 높이를 얼추 가늠해보았다. 그의 키보다는 높았 다. 2미터가 조금 더 될런가. 펄쩍 뛰어서 잡는다면, 그 윗단을 손 바닥으로 감싸쥘 수도 있었다. 그리고 넘는 건 또 다른 일이겠지 만. 자신의 몸이 한없이 탄력적이고 또 강한, 젊은 신체로 이루어 져 있다고 가정을 해보자.

얼추, 한 번에 뛰어넘는 그림도 그려졌다.

그 다음엔….

계식은 좁은 골목의 앞 뒤 출구를 살펴 본다. 그리 길지 않은 골목이었고 또 좁았다. 서너 사람 정도가 나란히 서면 꽉 찰듯하 다.

움직이는 것도 좀 불편한 길목이다. 하필 이런 곳을 지나갔을까. 피해자, 아니 실종자. 으슥한 골목이라 낮에 그들이 조사차 한참을 있는 데도 아무런 인적이 없었다.

피해자가 진입 했으리라 추정되는 쪽에서, 발길을 들여서 한 스무 걸음 정도…. 계식과 주영이 살피고 있는 부분이었다. 흰 담벼락. 옆에는 폐공장 단지의 외벽이 있다. 그 쪽으로는 담이 아주 높았다. 작정을 하고 도구를 사용한다면 혹시 모르겠지만. 일단은 보다 간단해 보이는 방향으로 추리를 이어 나간다.

스무 걸음 정도를 들어와서, 다시 그 정도를 걸으면 지나치는 일직선의 통로였다.

이 골목만이 아니라 몇 개 지점이, 실종자가 지나쳤을지 모르는 곳이지만 일단은 한 군데를 짚어 살피는 중이었다.

계식은 가상의 동선을 머릿속에 그려보았다. 그렇게 사람이 움직일 수 있는가, 에 대한 논의는 차치하고서 말이다. 김재영이 그 날 밤에 보여줬던 속도감이나 탄력을 생각하면 영 불가능한 것 같지도 않다.
아직까지 윤계식 자신도 뛰어다닐 수는 있으니까. 그 '적' 또한 뛸 수 있으리라. 김연수, 그 새끼 말이다.

자신처럼 길게 움직이지는 못할 거다. 그건 자연적인 법칙이었으니. 그러나 단기적으로는 젊을 때의 능력을 보일 수 있으리라. 지금 그들이 만났던 젊은 '김재영'이 '김연수'의 소싯적 모습이라고 한다면.

이런 골목에서 순식간에 사람 하나를 제압한 뒤, 들쳐 업고 사라질 수 있는가?

그는 충분히 가능하다고 생각했다.

로프 따위가 있다면 더욱 간단할 것이고.

계식은 상당한 무게의 물건을 옮겼을, 줄이나 무엇에 쓸린 자국을 찾아보려 애를 썼다. 그러나 일부러 지우기라도 한듯 별다른 모습은 보이지 않는다.

담벼락에 특이한 점은, 조금 까지고 떨어진 부분들이 많다는 것. 그리고 계식이 발견한 정밀한 구멍 하나 뿐이었다.
사실 투박하게 뚫린 구멍이었지만, 정확히 저 지점만 뚫려 있다는 점에서 '정밀'하고 인위적인 솜씨라고 그는 느낀다.

손가락 하나, 혹은 두 개 정도가 들어갈만한 굵기였다. 눈으로 갖다 대어도 반대쪽 부지가 들여다 보인다. 잔뜩 자라난 잡초 따위가 눈에 거슬린다. "……."

계식은 갑자기 위로 점프했다.

"웃쌰."
"억,"

박주영이 그 꼴을 보고 계식에게 다가왔다. 둔한 몸으로 담벼락을 넘기라도 하려는 듯 보였기에 말이다. 계식은 한 두 번 미끄러지고 나서야 관두었다.

"…여기 정문이 따로 있었나?"

"…오른쪽으로 돌아 나가면 문이 있을 겁니다. 열려 있을 지는 모르겠습니다."

"일단 가보지. 안되면, 주인 분한테 허락을 맡아서라도."

"예에… 이런 곳에 주인이 있을 지도 모르겠네요."

"폐건물에 주인도 없다는 말인가. 상당히 좋은 조건이군."

"어떤?"

"범행에 이용해먹기에 말야."

"하하…."

박주영은 어이가 없다는 듯 웃었다. 그러나 영 농담으로는 들리지 않는 이야기였다.

현장에는 무언가 흔적이 남게 마련이다. 계식은 일단 가능성이 높아 보이는, 조금의 인위적인 물증도 남아 있지 않은 완벽한 실종 건을 하나 골라 면밀하게 검토해 본다.

그렇게 직접 발로 뛰며 무언가 알아낼 수 있을 지도 모른다. 없을 지도 모르고.

박주영은 선배가 가는 길을 얌전히 따르고 있는 후배였고.

*

26. 직관

*

"**별**다른 건 없으셨다는 거죠."

["그렇네. 뭐… 담벼락에 구멍 하나가 뚫려 있기는 했지. 이런 게 도움이 되는가?"]

"구멍이요?"

["아마 인위적으로 뚫지 않았을까, 싶던데. 손가락 하나나 두 개 정도의 지름으로. 누군가 장난을 친 걸지도 모르지. 혹은 아무 상관도 없는 단순한 우연일 지도. 그러나 아직까지 단단한 외벽에 구멍을 뚫었다면 상당한 고생을 감수해야 하는 일일세."]

"예에…."

심민아는 윤계식의 통화를 받고 있었다.

이렇다할 정보가 없었으나, 아주 사소한 거라도 좋으니 모두 알려달라고 당부를 한 그녀였다.

그녀는 수사본 근처의 설렁탕 집에 와서, 끼니를 때우는 중이었다. 일단 먹어야 뭐라도 하지 않겠는가. 뜨끈한 국물은 몸을 녹인다.

어느덧 봄이었다. 3월 초는 아직까지 쌀쌀한 기운이 남아 있었고. 이런 날의 따뜻한 국물 요리는 마음마저 채워주는 효과가 있었다. 물론 맛있는 음식점의 경우에.

형사들이나 사무원들이 자주 찾아가는 곳으로 알고 있었다. 심민아에게도 동료들이 가끔 귀띔을 해준 맛집이었고. 점심이라고 보기

엔 조금 애매한 시간대에, 혼자 찾아와 국물을 욱여 넣고 있는 그
녀였다.

"감사합니다. 어떤 거라도 좋으니 현장 정보를 알려 주시는 것
만으로도…"

후릅.

그녀는 양해를 구하고 국물을 한 숟갈 떴다.

"도움이 돼요."
["다행이구먼. 쓸모없는 얘기라고 치부할까 했는데."]
"그러겠습니까, 설마…."

계식은 그 외 실종 현장이라고 예상되는 지형들의 특징에 대해
서 얼마간 더 설명하고 끊었다. 계식 스스로도 생각을 하고 있기는
하다만. 머리를 빌리는 것이었다. 자신의 머리만이 아니라 심민아
의 힘을 빌리면, 보지 못하던 것을 알 수 있을지 몰랐으니까.

우물.

심민아는 입 안에 느껴지는 쌀알과 국물을 음미하면서, 주어진
정보들로 또 추론을 전개했다.

*

"기쁘구먼."

노인은 덤덤하게 소리를 냈다.

한국에 돌아왔다.

봄.

3월 중순.

짧은 여행이었다. 길게 느껴졌지만 말이다.

천산혁은 갈 때에 비해서는 조금 가벼워진 복장이었다. 코트는 잘 말아서 트렁크에 넣었다. 그 외의 옷가지들은 전부 버렸고.
약간은 단출한 차림이지만 봄 날씨에는 적절했다. 깃이 세워진 흰 셔츠에 조끼를 덧입었다. 스웨터 조끼다.

사내는 공항에 올 때처럼 택시를 잡았고, 자신의 자택으로 향한다.

아무런 일도 벌이지 않았다.
필리핀에서는 말이다.
심지어 화도, 희열도, 어떤 욕망도 들지 않았다.
필리핀에서 저지르는 것에 대해서는.

그의 목적은 이 곳, 이 땅이었다. 그가 나고 자란 곳.
그가 유명해지려고 목표로 삼은 곳.
한국에서 일을 벌여야만 의미가 있다. 그래야만 유의미하게, 스코어를 기록할 수 있을 것 같았다.

위험도가 높지만, 그래서 더욱 의미가 있으리라.

쉽게 가는 길은 아무런 재미도 없고, 흥미도 없는 삶이었다.

공항 근처에서 대기를 하던 아무 택시나 적당히 잡아서 타고, 그는 다시금 관악구 모처의 자택, 안가로 향했다.

*

"결국 이렇게, 새롭게 만들어진 건가?"

"아마도요."

심민아의 집무실.

그녀는 다시금 윤계식과 박주영, 김현식 경위를 불렀다.

현장에서 발바닥에 불이 나라, 뛰어다니고 있는 실무자들이었다.

그들이 3월 내내 고생을 해서 알아본 바에 의하면, 가장 가능성 높은 지점들이 추려진다.

그들끼리 '포인트'라고 이름붙인 곳들이었다.

애초에 심민아가 추정했던 붉은색과, 푸른색 라인 모두 아니었다. 정확히 말하면 그 두 개가 겹쳐지는 지점이 많은 새로운 라인이었다.

"신전동, 동문동, 유현동, 계영동……."

관악, 구로, 동작구 세 지점에 몰려 있었다. 그들이 추론하고 있는 '가상의' 살인마는 좁은 지역에서 여러 번 일을 치렀다. 어쩌면 그게 가장 리스크를 줄일 수 있는 일이라고 생각했을 지도 모른다.

그리고, 역시 살인마도 상당한 시간이 소요된다는 뜻이었다. 제대로 된 '사냥터'를 물색하고 완벽하게 정비하는 데는 말이다.

서울 도심 지역 내에서 사람이나 기계의 눈이 닿지 않는 완벽한 사각을 찾아내야 했을 테고, 또 거기에 사람을 이끌어들여야 했을 테다.

아무도 지나다니지 않는 사각은 결국 아무런 의미도 없으리라.

아주 적당한 시간. 적당한 골목.

그런 지점을 찾은 뒤에, 시체를 은폐하기 위한 도주로 역시 형성되어 있어야 했다.

그에 대해서는 경찰도 짐작하고 있는 바가 없었다. 그러나 어쨌든 중요한 건, 어떤 수를 써서든 '시체'를 끌고 사람과 기계의 눈을 다시 피해 본거지로 돌아가고 있다는 점이다.

상당히 고난이도의 작업이었고, 아무데서나 가능할 리 없다. 아무 때나 가능할 리도 없었고.

어떻게 하는 지는 불명이지만, 살인마 역시 마법사가 아니기에 발바닥에 땀이 나도록 뛰고, 또 열심을 내고 있을 테다.

결국 '인간 사냥꾼', 살인마 새끼가 만들어낼 수 있는 사냥터 갯수도 일정 시간 내에서는 한계가 있게 된다.

지형을 정찰하는 데는 분명하게 시간이 들고, 자신이 탐색할 수 있는 지역을 좁은 범위로 한정시키는 건 확실히 효율적인 방법이리라.

살인마의 근거지가 어디인 지는 모른다.

그러나 저 곳들에서 일을 치렀다면, 그로부터 시체를 옮길 수 있을만한 곳이 되리라.

서울 남부에서 그대로 빠지면 경기권 지역이나, 아랫 지방 쪽으로 가기도 용이하다. 아예 멀리 떨어진 곳은 절대로 아니라고 생각한다.

거리는 그대로 운반 노동의 강도가 되고, 위험도가 올라가는 일이었으니까. 시체를 싣고 몇 번이나 왕복하기에는, 또한 제대로 파악이 되는 길이 필요하리라.

서울이나 그 외 지역에서도 아주 드물지만, 불심검문 따위가 있었다. 트렁크까지 열어보라고 하는 일은 많이 없기는 하다만.

최근 '김연수' 건을 비롯해 여러 범죄들 때문에 흉흉한 치안을 다잡고자 교통과에서 하고 있는 일이었다.

자신이 또한 완벽하게 알고 있는 길을 통해서 움직였을 가능성이 높다.
도주로를 여러 개로 분산시킨다고 해도 그 역시 한계가 있을 것.

새롭게 그려진 범죄 동선, 검은 색으로 칠한 선형도를 보며 심민아가 이야기했다.

"이렇게 좁은 지역에서 여러 건을 터뜨릴 줄은 몰랐네요."
"음, 뭐 확실한 건 아니지. 우리가 발로 뛰어서 얻은 정보를 합쳤을 뿐. 여전히 아무런 단서는 없다네.
이런 식으로 수사를 하는 미친 놈들도 우리 외에는 달리 없을 거야."
"하하…. 우리가 쫓는 놈이 미친 새끼니까요."

맞는 말이었다. 어지간하게 할 줄을 모르는, 정신나간 놈을 잡기 위해서는 추격자들 역시 어느 정도의 광기가 필요했다.
평범한 방법으로는 시작조차 할 수 없는 수사였고, 도저히 진행되지 않을 일들이었다. 대략적인 감에 의존해서라도, 정황 증거들을 그러모아 소규모로 움직이는 일이 있더라도.

어떤 식으로든 발버둥을 치고 있는 것이다. 그런 성기고 어설픈 그물망에 살인마가 걸려들리라, 확신은 없었다만.
마치 확신이 있는 것처럼 구는 것도 중요하다. 움직이지 않으면 결국 제자리뿐 아니겠는가. 잔뜩 발버둥친 뒤에 뒤로 굴러 바닥에 처하더라도. 차라리 그게 낫다, 고 여기는 자들만이 여기 모여 있었다.

심민아는 조금 흐트러진 단발 머리를 쓸어넘겨 정리했다. 긴 고민의 일단락이다.

"이렇게 봤을 때, 가장 근거지로 적합한 곳은 어딜까요?"
"단순하게 생각한다면 범행지 근처가 되겠지요."

김현식 경의가 얹었다. 심민아 역시 고개를 끄덕거렸다. 그러나 정말 그렇게 쉽게 생각하는 게 맞을까. 조금 더 근거를 파낼 수는 없을까.

"그게 가장 간단하기는 할테지만…. 자신의 집 근처에서 이토록 잔인한 범죄를 여러 번 저지르는 게 과연…."

상당한 위험도이리라. 아무리 간 큰 놈이라고 하더라도 지속할 수는 없을만큼. 실수 한 터럭 없이 완벽한 게임을 이어나가는 인간이더라도, 실전에서는 결국 삐끗하는 법이다. 자신에 대한 절대적인 믿음이 있지 않고서야 그런 위험한 짓을 벌일 수 있나.

심민아는 그런 점이 부정적이었다.

그리고 윤계식은 당차게 고개를 끄덕거렸다.

"아, 그거 맞군."
"예?"
"맞다고."

계식의 말에 다른 이들이 그를 쳐다보았다. 낡은이, 아직도 예전의 그 범인을 쫓고 있는 열정적인 사내가 말을 뱉었다.

"말했잖나. 김연수, 그 개새끼는 '스코어'를 올리는 일에 집중할 거라고."
"예?"

박주영만이 고갤 끄덕거렸다. 확실히, 기억이 나는 이야기다. 윤계식이 여러 번 말했으므로. 그와 같이 다닐 때.

"평범한 살인마는 아니야. 놈은 유명해지기를 원하는 데다가, 자신만의 기준이 확고하지.
그러지 않고서야 그 많은 살인 범죄를 통제하며 저지를 수 없었겠지.
'놈'의 목표는 절대적인 위업을 이루는 거야. 게이머들이 게임을 하듯이.
인생이 게임이라는 점에서는, 최악의 쓰레기일 거라네.
그러나… 김연수의 목표는 확실하지.
우리가 생각할 수 있는 길 중에서 '가장 불가능에 가까워 보이는' 범죄로의 길이 김연수의 길이네. 어려우면 어려울수록 좋아. 털끝만치 가능해 보이는 가능성이 있다면. 놈은, 기꺼이 그리로 갈 것이네."

윤계식은 심지어 박수까지, 답잖게 짝 쳤다.

그만큼 자신의 생각에 대한 명쾌한 확신이 드는 모양이다.

"한 가지 길. 놈은 완벽을 추구하기에 한 가지 길을 따르지. 다른 놈들보다, 어쩌면 가장 쉽게 잡힐 놈일 지도 몰라."

"……."

심민아는 혼란스러운 표정으로 늙은이를 바라보았다. 주름진 선배 형사가 무슨 말을 하는 것인가, 이해하기 위해 애썼다.

"저 범죄 지대 근처에 근거지를 삼고, 계속해서 연쇄 살인을 벌이는 게 위험한 일이라고 했지?

당연히 그렇네. 잡힐 우려가 있지.

그러나 그럴수록, 놈은 탑 쌓기를 하듯 반복할 거네.

그리고도 자신이 잡히지 않는다는 사실이, 영원히 역사에 남을 거라고 믿는 미치광이야, 놈은.

도리어 얼마나 오래 들키지 않고 살인을 저지를 수 있는지, 게임을 하는 거지. 저 한복판에서."

윤계식은 블랙 라인이 그리고 있는 어설픈 도형의 중앙 부근을 가리켰다.

정확히 거기에 있으리라고 생각하는 건 아니었다. 그러나 분명히 그 근처이리라.

놈은 그런 새끼니까.

사람이 만들어낸 '인식의 그늘' 아래 숨어서 범죄를 저지를 놈.

수십 년 간 김연수를 생각하며 이를 갈아온 윤계식은 아주 뻔히 알 수 있었다. 놈의 행태에 대해서. 그가 저지르는 모든 일은 김연수의 '작품'이다. 예술을 모욕하는 말이므로, 살인에 대해서 그따위 단어를 붙일 수는 없었지만.

적어도 '행동'이 '작자'의 정보를 나타낸다는 점에 있어서는. 유의미하게, 작품이라고 불러도 좋으리라.

윤계식은 김연수의 작품을 누구보다 많이 직접 보고, 관찰한 열렬한 팬이자 추격자였다. 그는 김연수에 대해서 빠삭하다. 여기에 있는 어떤 사람보다도. 아마 대한민국에서 가장 그럴 것이다.

자신이 몸담고 있는 지역에서 살인이 벌어지고, 그를 쫓기 시작한 그 날부터. 그는 어떤 인물에 대해서 끝없이 그려왔다. 그러다가 '김연수'가 사라졌구나 싶었고, 이후에 다른 사건들을 떠맡다가 자연스럽게 은퇴를 했다.

아직까지 해결하지 못한 '죄'가 있어, 그것에 마땅한 책임을 물리고자 했으나 그러지 못했다. 불가능한 과제에 대한 건 트라우마가 되었고, 여독餘毒이 되어 그의 심장을 눌렀다.

어느 날 젊은 형사들이 그에게 찾아와 '김연수'에 대해 묻기 전까지는 말이다.

다시금 움직인, 천하의 호로새끼를 위해서 윤계식의 머리가 팽팽 돌아간다.

"그러기 어려우니까, 놈은 저 곳에 있을 거네. 절대적이라고 하긴 어렵지만, 내가 아는 놈은 그런 새끼지. '게이머'야. 불가능을 즐기는."

"하⋯."

심민아는 그 말이, 어이없다는 듯 헛웃음을 내뱉으며 다시금 지도를 보았다. 윤계식의 말이 어이가 없는 건 아니었다. 그 내용에 담긴 것이, 그러니까 그가 추론하는 '김연수'라는 인간이 참 얼척 없는 양반이라는 생각이 들어서였다.

심민아는 고운 이마를 찡그리면서, 화장기 없는 얼굴을 제 손바닥으로 감싸안았다. 깊이 생각을 할 때 가끔 나오는 버릇이었다. 눈을 가리면 머리가 빨리 돌아가는, 기분이 든다. 실제로 그런 지는 알 수도 없다.

어쨌거나 그들은 단서 없는 여정을 가는 방랑자들이었다.
이런 식의 넘겨짚기 수사를 해도 좋다는 말은, 그녀가 여태껏 배워 온 어떤 학문서나 가르침에도 없었다. 그럼에도 해야 할 일은 명료하다. 범죄자를 특정하고 잡아내기 위해서. 그들의 짓거리를 멈추기 위해서 배운 모든 게 아니던가.

심민아는 고개를 끄덕거렸다.

"그럼 일단, 관악구 일대의 주택들을 조사해보죠. 이전과 같은 조건입니다. 가족이 없이 혼자 사는, 나잇대가 있는 남성. 연식이 오래된 단독 주택, 저택. 그 집에 살기 시작한 지 그리 오래되진 않았을 것. 집이 위치한 곳이 한적하고, 인적이 없다면 더 좋을 거고….
주차장이 있는 집이요. 거기에 주변 주민들과의 교류도 당연히 없거나 최소한으로 했을 겁니다."
"그것만 하더라도 일단은 추릴 수 있겠군."
"다 돌아볼 수 있을지는 모르겠지만."

계식과 박주영이 고갤 끄덕거리며 얘기했다.

"아마 아무리 빨라도… 작년 김연수 건이 터진 시기에서 멀지 않을 겁니다.

그 지역에서 오래도록 살아온 토박이… 라고 한다면 일단은 배제해야 되겠죠. 사이코패스가 수십 년간 일상적인 주민을 연기하면서 살아오는 것도 힘들다고 보고…. 만약 그렇게 굴었다면, 이미 광증狂症을 다스리고 일반적인 수준으로 교화되었다고 봐야 하는데…. 그런 상태에서 다시 돌아오는 것도 어려운 일일 겁니다."

계식이 동의했다.

"그렇겠지…. 거기에 '김재영'이라는 게 있지 않나. 김재영의 신원은 불확실해. 신분은 제대로 있다지만 그게 진짜 주민번호인 지, 자기의 내력인 지 알 수도 없고. 아마 해외에서 고아 따위를 데려다가 키워냈다는 게 확률 높은 가정일 걸세."

심민아가 맞장구쳤다.

"예… 맞아요. 적어도 40대 중후반에서 그 이후까지. 최근에도 일을 벌이고 있으니 아주 고령의 나이라면 해당하지 않겠으나…. 어설프게 힘이 없는 척을 하고 있을 수는 있을 겁니다.

그리고… 아주 운이 좋게, 마침 얕은 관계의 인간을 옆에 두고 가족인 척 행세하고 있을 수도 있어요. 가능성이 낮은 일입니다만. '연기'를 하고 있는 인간인지, 아닌지 잘 살펴야 할 겁니다."

"오랜 시간 살아남은 사이코패스 살인마라면 연기력이 출중하겠구만."

계식의 덧붙임이다.

"네. 그렇겠죠. 이때까지 살아오기 위해 도시와, 다른 사람들과 완벽하게 떨어질 수 없었을 테니까."

심민아는 볼을 긁적거렸다.

"우리는 아주 노회하고, 머리가 큰 짐승을 잡는 겁니다. 코앞에
두고도 못알아 볼 수도 있어요. 사이코패스를."
"…거 무섭구만."

김현식 경위가, 혼잣말처럼 중얼거렸다.

심민아가 고개만 끄덕였고, 박주영은 '인간상'에 대해 한 번 상
상해보기 시작했다.
김연수라….
실존하는 지도 확실치 않았던 전설적인 괴물, 사이코패스다. 그
런 인간을 마주했을 때 자신이 알아볼 수 있을까. 박주영은 감각이
날카로운 편이라고 스스로 자부했지만, 가끔 헛다리를 짚을 때도
있다는 걸 안다.
그보다 영리하고 오래 살아 경험이 쌓인 괴물이라면, 젊은 형사
의 감각 정도는 피해갈 지도 몰랐다.

박주영은 계식의 존재가 필요하다고 느끼며, 늙은이를 흘끗 보았
다.

계식은 입을 굳게 다물고, '그'를 만날 수 있을지 모른다는 생각
에 고조되는 심장을 억누르려 애쓴다.

인생의 큰 목적이나, 혹은 짐 중에 하나였다.

늙은이는 자신의 과업을 이루기 위해 애썼지만, 실패를 했었다.

기필코 잡아 쳐넣으리라, 는 생각으로 그는 의지를 굳건히 다졌다.

*

"영."

쉽지 않구먼.

천산혁은 차에 올라타서 피로한 안색을 하고 있었다.

손에 낀 장갑을 벗어서, 운전석 옆에 있는 쓰레기 통에 넣었다. 작은 쓰레기통에는 비닐이 씌워져 있었고, 그때그때 정리해서 버리곤 한다.

평범하게 드라이브를 하다가 도로에서 쓰레기통 따위를 발견하면 던져 넣기도 하고. 혹은 그냥 소각을 하기도 했다. '연기'에 관한 문제는 어느 정도는 자유로운 면이 있었으니까.

기체를 빨아들이고 내부에 있는 것만 태울 수 있는 특수한 '도구'가 집 안 지하실에 있었다.

이것으로 7번째였다.

아니, 정확히 말하면 7번째의 도중이리라.

아직 사냥감의 숨통은 끊어지지 않았으니 말이다.

쿠덩.

"……."

천산혁은 승합차를 몰고 운전을 하고 있다.

뒤 쪽 트렁크, 잘 고정해두었다고 생각한 물건이 조금 움직이는 소리가 났다. 다시금 천천히 변속을 해보았지만 다시 소리가 나지는 않는다. 일시적인 문제였던 모양이다.

'짐'이 있으면 소리가 나는 건 당연하다만.

조금의 기척도 나는 걸 원하지 않았다. 천산혁은.

자신의 '죄'와 그 증거물들은 이 세상에 없는 것처럼 여겨져야 했다. 살인을 하고 있을 때의 그와, 그것을 치우고 있는 '그'의 모습 또한 마찬가지다.

경찰 쪽에서 본다면, 그의 그런 강박적인 완벽주의가 도리어 특정할만한 단서가 되어주는 중이었다.
천산혁이 멍청한 건 아니었다. 도리어 아주 똘똘한 편의 인간이었고, 지금도 그렇다.
단지 '증거가 없는' 걸 증거 삼아서 쫓아오는 이들이 지독한 집념을 가지고 있을 뿐이다. 그런 작자들을 염두에 두고 일부러 무언가 흘리면서 움직일 수는 없었다. 천산혁도 몸이 두, 세 개는 아니었고. 신도 아니었으니까.

인간으로서 할 수 있는 극한의 깔끔함을 추구하고 있을 뿐이다. 그게 누군가의 눈에는, 아주 미묘한 공백이나 틈, 혹은 잡음처럼 느껴진 모양이다. 그의 뒤를 쫓고 있었으니까.

'천산혁' 또한 미묘하게 느끼고 있었다.

한국에서 일을 벌이는 건 위험하다. 그리고, 서울에서 벌이는 건 더욱 더.
경찰은 수색을 하고 있었고, 그를 쫓고 있었다. 그의 존재조차 사실은 확신하지 못하면서도 말이다. '그럴 거다'라는 사실만을 그는 흘렸을 뿐이지, 한 번도 경찰에게 직접적 증거를 준 바가 없었다.

존재하되 존재하지 않는 유령. 그게 김연수였고, 천산혁이라는 노인이다.

노인, 은 씨익 웃었다. 자기도 모르게 문득 웃음이 나왔다. 비틀린 웃음이다. 썬팅이 되어 가려진 차의 창문이었다. 내부에서 그가 짓고 있을 표정을 볼 이는 아무도 없으리라.

다시 한 번, 관악구 봉림동에서 일을 저지르고. 자택으로 돌아가는 와중이다.

하도 많이 돌아다녀서 이제는 익숙해진 곳이었다. 차량의 번호판은 매번 바꾸고 있었다. 매일은 아니었으나, 주기적으로.

탈부착이 가능한 번호판이었고, 불법적인 루트를 통해서 구매한 서울시의 번호판이다. 김재영의 신분을 산 것과 마찬가지로, 깨끗한 물건이었다. 걸린다 하더라도 뒤탈이 없는.

깊숙하게 파고 들면 물론 덜미가 잡히기는 하겠지만. 시간이 걸린다는 게 중요하다. 복잡하게 얽혀 있는 불법 차량 번호판의 유통로를 따라갈 시기 쯤이면, 천산혁은 어디로든 이미 도망 가 있을 테였고.

모든 건 '시간'의 문제다. 늘. 추적자가 시기를 놓친다면, 도망자의 입장에서는 완벽한 결말인 셈이고.
천산혁은 하루도 허투로 보내고 살지 않았다. 항상 자신의 도주로를 준비하면서 매일을 쌓아간다. 더러운 삶이었으나.

쿠당.

"……."

천산혁은 인상을 조금 찌푸렸다.

답잖게, 무언가 잘못 만져둔 걸까. 분명히 고정해뒀을 뒷칸의 짐이 한 번 더 덜컹거렸다. 승합차 내부 구조에 문제가 있기라도 한가.
다루고 있는 도구의 성능은 늘 완벽하게 알아야만 했다. 잔고장이 없는 물건 따위는 세상에 없지만, 성능의 최하점과 최고점에 대해서는 파악을 해두어야만 한다. 중요한 시기에 제대로 확률론을 펼칠 수 있도록 말이다.

낮. 거리.

썬팅으로 가려져 있는 창문은 당연히, 내부에서 외부가 보인다.
평범하게 사람들이 지나고 있었다. 인도에서는 여러 행인들이. 그
리고 그가 지나고 있는 4차선 도로에서는 여러 목적을 지닌 차들
이.

그 한가운데 숨어서, 납치범은 제 자택으로 향하고 있었다.

툭, 툭.

천산혁은 가볍게 핸들을 두드렸다. 마치 신난다는 듯 말이다.

살인마는 끝을 보길 원했다.

자신이 어디까지 할 수 있을까.

할 수 있는 최고점의 일을 해내고 난 뒤에, 완벽하게 도망을 칠
수 있다면. 더 이상 바랄 게 없으리라. 그의 이름은 역사에 남는
것이다.
천산혁을 잡고자 했던 경찰들에게도 남겠지.
누구보다도 진하게 기록되는 것. 그게 천산혁이 바라는 바였다.

7번째의 도중이었고, 아직 멀었다.

예전에 달리던 달리기를 끝까지 할 셈이었다. 이제 뒤는 없다.
한 번 더, 김재영같은 도구를 키워내는 것도 불가능하다. 시간이
없었다. 당시에는 30대였기에, 20여 년 뒤를 바라볼 수 있었다.

지금은 50대 중반의 나이였고, 한 번 더 한 세대가 지나면 그는 살인마로서는 폐품에 가까워진다.

일단 완벽하게 상대를 제압할 수 있어야, 말이 되는 과정이다.

거대한 부를 가지고, 치밀한 계획력을 쌓아서.

누구의 눈에도 들키지 않고서 살인을 자행할 수도 있겠다만.

그런 건 천산혁의 스타일이 아니었다. 원초적이고, 야만적인 방식. 상대를 억누르고 짓누르는, 사냥의 방식이 그는 좋았다. 그는 발톱과 이빨을 사용하는 맹수였고, 가만히 기다렸다가 먹잇감을 잡아먹는 독충과 같은 과가 아니었다.

'이것'이 결국 그의 희열을 더하는 것이다.

썬팅이 제대로 된 차 안.

아무도 그에 대해서는 모르며,

그는 언제나와 같은 도심 지역을 활보한다.

뒤에는 희생양이 될 누군가를 억지로 태운 채로 말이다.

그는 이 사회의 반항자였고, 모욕자였다.

선조들이 대대로 세워 온, 이 도심과 치안과 법칙에 먹칠을 하고 싶은 마음이었다.

어디까지 할 수 있을까. 늘 그것이 천산혁의 의문이고.

역사에 대한 반항 말이다.

부릉.

잠깐, 신호대기에 걸려서 멈춰섰던 그의 승합차가 움직였다. 집으로 돌아가는 길은 거침이 없었다. 그를 막는 자도 없다.

경찰이 혹여나 그를 가깝게 쫓고 있을 지도 모른다. 큰 상관이 없는 일이었다. 턱끝까지 다가온다고 하더라도. 그는 그 바로 앞에서 도망을 칠 자신이 있다.

고작 '그럴 지도 몰라'라는 생각만으로 살인을 관두고 피신을 했던 건 부끄러운 일이었고, 도저히 못할 일이었다.

다시금 한국에서 '일'을 시작한 그는 스스로가 살아있다고 여겨졌다.

실제로는 죽어 있었지만.
누군가를 죽여서 생을 확인하는 사이코패스의 영혼이나 마음은, 그 순간 죽어 있는 것이나 다름이 없었다.

*

"김재영이 지하도를 이용했었죠?"
"⋯⋯예."

심민아의 물음에 계식이 답했다. 그들은 수사본의 조금 넓은 회의실을 잡아 이야기를 나누는 중이었다.
김민식과 박주영, 김현식 경위. 윤계식과 박경수 경위. 그 외 '심민아 조'로 움직이고 있는 여타의 인원들까지 함께 모여 있었다.

제법 적잖은 규모다. 그래도 열댓명은 넘는 무리들이었다. 이들이 핵심적 인원이고, 다시 여러 사람들을 끌어모아 협력을 요구한다면 조직 내에서도 상당한 인력이다.

심민아는 화이트 보드를 여럿 늘어놓고, 복잡하게 사진들을 붙여놓았다.

서울 전도, 에서 의심 지역으로 보이는 행정구의 지도들을 따로 확대해둔 것들이다. '실종 지점'이 사실 납치 살인 지점이 아닐까, 하는 생각에서 따둔 지형도들이었다.
수색팀 인원들이 직접 발로 뛰어 확인해 본 곳들이기도 했고. 전부.

심민아는 눈살을 찌푸렸다. 그녀의 손에는 작은 회초리, 비슷한 게 있었다. 툭, 하고 그 끝을 화이트 보드 위 어느 사진에 갖다 댄다. 붉은 색으로 마크가 되어 있는 나무 재질의 봉이었다.

"이 지점들 중에서 사람이 움직일 수 있는 지하도로를 다시 따서 겹쳐보았을 때, '포인트'로 보이는 곳이 더 정확해졌습니다."

말도 안되지만, 아마 김연수는 그렇게 움직인 모양이다. 거대한 사람의 몸뚱이를 끌고, CCTV가 없는 사각 지역을 이용해서 몰래 움직인 뒤에. 인적 없는 곳에서 하수도를 열어 지하도로로 들어가고, 다시 먼 장소에 있는 곳에서 나와 준비해 둔 차량으로 이동을 한다던가 하는 식으로.

기본적으로 맨홀 뚜껑은 사람의 힘으로는 열기가 힘들다. 개폐를 위한 도구가 있다고는 하지만. 보통은 뚜껑에 걸고, 차량 따위를 움직여서 열고 닫는다.

"…그게 정말 가능한 일일지 모르겠네만. 실제로 그렇게 움직이고 있다면 놈의 몸뚱이도 아마 말은 아닐 거야."

윤계식은 상대가 어떤 약물을 복용하고 있을 지도 모른다고 생각했다. 아니, 아마 분명 그러리라. 나이를 먹어서도 그 정도의 운동 기능을 보여주고 있다면. 어느 정도는 현대 의학의 힘을 빌리고 있을 확률이 높다.

사용할 수 있는 건 뭐든지 사용하는 인간이 아니겠는가. 이건 스포츠도 아니었고. 굳이 따지자면 전쟁에 가깝다. 상대, 김연수는 평화로운 시민들을 습격하는 '적군'인 셈이다.

상대의 동기는 저열한 것이지만, 어쨌든 목숨을 거고 뛰고 있는 전쟁터나 다름이 없다. 약물류를 자신에게 투입해서 사용하며 비정상적인 신체 능력을 보이고 있다는 게 차라리 납득하기 쉽다.

그리고 그런 식으로, 제 몸을 상하게끔 다루고 있다면. 그리고 아마 윤계식과 비슷한 나잇대의 인간이라고 한다면. 관절이던 어디던 멀쩡할 리가 없었다. 사람의 몸은 어쨌든 한계가 있었으니 말이다.

그 이상으로 계속해서 치고, 다루다 보면 빠르게 망가지게 된다. 운동선수들만 하더라도 30대를 넘어가면서 슬슬 은퇴라는 걸 생각하곤 하지 않는가.

저 쉬는 날도 없는, 미치광이 살인마는 더할 것이다.

"…포인트로 보이는 곳은 일단 여섯 군데였습니다."

박주영이 거들었다.

영화 속에 나오는 빌런이나 히어로도 아니고. 사람의 몸으로 그렇게 움직일 수 있다는 게 도저히 믿기지는 않았지만. 만약 가능하다면, 물리적으로 '사라질 수 있는' 루트를 따졌을 때 사냥이 가능한 포인트는 총 여섯 곳이었다.

대부분 관악구를 비롯해서 서울 남부 지역, 행정구의 전체적 소득 수준이 그리 높지 않은 곳들에 몰려 있었다. 당연히 골목이고, 인적이 드문 곳들이다.

"그 이후로도 실종 신고는 저희가 계속 받고 있지 않나요?"

심민아가 물었다. 김마윤 주임이 답했다. "아, 네."

"…계속 받고 있어요. 오는대로 수색팀 형사 분들께로 넘겨드리고 있고, 자료 정리해서 경위님께 드리고 있구요."
"새로운 실종 건들 중에서 이전 납치 살인 건과 유사한 건들은 더 없었나요?"

김현식 경위가 볼을 긁적였다.

"딱히."

그는 사람들의 시선이 스스로에게 쏠리자 멋쩍은 듯 말투를 바꿔가며 말했다.

"우리도 계속해서 파다보니 이골이 나서 말이지. '맞는가' 싶은 것들은 조금 더 파봐야 하지만. 분명히 아닌 것들은 금방 알 수 있게 돼서. 당장 들어온 것들은 모두 '분류' 했다네. 거기서 김연수 건이라고 생각되는 건 없었어."

"김연수가 아직도 한국, 서울에서, 일을 벌이고 있을까요?"

심민아는 김현식의 말을 끄덕거리며 들었다. 그리고 다시금 물었다. 다른 모두에게. 그녀는 홀로 생각하고 결론을 내리는 편이었지만, 지지자가 필요할 때도 있다. 한 개의 머리로 알 수 있는 답은 불완전할 때가 많다.

결국 그래서 자신의 답으로 돌아가더라도. 다른 이들의 머리를 빌려 여러 바퀴를 돌려본 생각이 유의미한 법이었다. 심민아의 '답찾기'는 그런 식으로 이루어진다.

"나는 그렇다고 보네. 쉽게 멈출 놈이 아니니까. 아마 턱끝까지 경찰의 총구가 닥치기 전까지, 계속할 거네."

"어째서요?"

"왜냐면, 그게 놈의 마지막이니까."

윤계식은 눈을 빛낸다.

"나랑 나이가 같다면 말이지. 결국 육체는 무너지게 되어 있어. 놈은 운동 선수랑 비슷한 생각을 하고 있지. 저번에 말하지 않았나. 본질적으로 게이머Gamer라고. 스코어를 올리기 위해 혈안이 되어 있는 놈이고.

이번의 연쇄 살인들은 자신의 커리어의 마지막을 장식할 업적들

135

이지. 쉽게 멈추지 않을 거야. 예전에, 한 번은 도망쳤던 놈이지만. 다시 돌아왔으니 도망가진 않을 걸세. 정말로 코 앞에 무언가가 들이닥치기 전에는."

윤계식은 가상의 인물이 보이기라도 한다는 듯 이야기를 했다. 그는 김연수와는 일면식도 없었다.

그러나 그가 다녀간 모든 현장들을 보고, 쫓으면서 알게 되는 게 있었다.

본 적은 없으나, 그는 분명한 인간상을 그리면서 늘 말을 한다. 다른 이들은 윤계식의 말을 들으면서, 그가 그려내는 '상'을 따라 그린다.

아마도 윤계식은 누군가를 보고 있을 지도 모르겠다며, 그 말에서 설득력을 느끼곤 했다.

듣는 자들 모두 말이다.

"최후의 도전이라고 생각을 하겠지. 인생에 있어 다시 오지 않을 기회라며. 다른 방식으로 물론 살인을 할 수도 있을 거네. 그러나 이전과는 다른 방식이야.

놈에게 있어서 '살인'은 '미학美學'과 결부되어 있다네. 방식에 집착하는 미치광이, 사이코지. 예술을 얹는 게 부아가 치미네만, 마치 그런 자들처럼 말야. 과정조차도 결과에 영향을 미치는 자야. 그러지 않고서는… 수십 건, 혹은 그 이상의 수많은 살인 사건을 벌이면서 이렇게 한국 경찰을 농락할 수는 없네.

…내가 몸담았던 조직에 대해서 이야기하는 게 낯부끄러운 짓거리이기는 하네만.

한국 경찰은 씹, 개 호구 집단이 아니거든. 두 눈 멀쩡히 뜨고 그런 얼간이를 놓칠 정도로 무능한 집단은 아니라네.

이 나라에서, 경찰 눈을 피해서 그렇게까지 도망다닐 수 있었다? 놈은 분명 강박증에, 편집증 환자겠지. 완벽주의로 제 시간 한 톨이나 움직임 한 치마저 계산하고 다니는 놈일 걸세.

그 미세한 위화감이야말로 '김연수'를 구분하는 확실한 단서일 거고."

윤계식은 이를 갈았다.

오랜 분노다. 그를 이갈게 하는 건.

심민아는 눈을 꿈뻑였다. 짧게 물은 물음에 긴 대답이 돌아와서였다.

그녀는 잠시 좌중을 쳐다보다가 고개를 끄덕거렸다. 그녀 혼자서 있었다. 브리핑을 하듯 말이다.

"그러면 수사의 진행 방향은 일단 옳은 쪽으로 가는 것 같군요. 관악구 모처에 있는 자택을 찾는 일은 잘 되어가나요?"

"아."

박주영이 슬그머니 손을 들고는 이야기를 시작했다.

"수색 6, 5팀이랑 각 동사무서 직원들과 같이 들쑤시고 다니고 있습니다. 솔직히 다는 못 보겠지만… 일단 전해주신 단서만으로 찾고는 있습니다.

단독 주택에, 주차장이 있는 것만으로도 상당히 좁혀지기는 하니까요. 깨나 재산 규모가 있는 어르신들이 대부분 실 소유자들인데… 개중에서 그저 소유만 하고 있고 실거주는 하지 않는 집도 많았습니다."

"그렇긴 하겠죠…."

쉽게는 안되나. 심민아는 입술을 살짝 물었다 뱉었다.

맨 땅에 헤딩하듯, 여기저기를 들쑤시는 중이다. 그저 되는 일은 없었다. 쉬운 일은. 김재영을 잡아서 너무 만만하게 본 걸지도 모르겠고. 애초에 그를 잡은 것조차 우연일 지 모르는데.

그러나 그렇다면, 더욱 실망하거나 멈출 이유가 없다. 한 번 일어난 우연은 두 번도 일어날 수 있으니까. 경찰 쪽의 입장에서 보자면, 그런 우연은 곧 기적이나 비슷한 것이다.

한 번 일어나 기적은, 두 번도 일어나리라.

"아무튼 확실하게 체크 리스트를 공유해주세요. 정확하게 '아닌' 것들만 정보를 좀 모아서 보내주시고요. 아직 미정인 것들에 대해서는 차후 조금 시간을 들여서라도 더 조사를 해주시고…."

"알겠습니다. 불가능한 일은 아니니까요."

대대적으로 미디어를 통해서 '김연수'에 대해서 거론하며 일을 키우고 있지는 않았다. 그러나 최근 다량으로 발생한 살인 건, 납치 건이 있었기 때문에 행정부 당국은 다양한 관련 부처에 압력을 넣고 있었다.

'수사본'이 생겨나서 경찰 조직 내부가 임시 개편된 것도 그런 이유였다. 검경과는 전혀 상관이 없는 행정부 직원들, 동사무소 인력들이라고는 하지만 어느 정도는 도와줄 책임이 있었다.

민간의 협조를 무조건적으로 바랄 수는 없겠지만. 같은 공무원끼리라면 어느 정도 말이 더 통하지 않겠는가.

상부에서 부처 간 협력이 원활하게 이루어져 있다면. 아랫사람들은 따를 수 있는 법이다. 투덜대기도 하면서도, 실제로 동사무소 직원들은 주택 조사에 상당히 열심이었다. 잘 도와주고 있었다.

그만큼이나 행정부 직원들, 공무원들 사이에서 떠돌고 있는 현재의 '연쇄살인마' 소동은 약간의 공포감을 조성하고 있는지도.

그들도 결국 나라의 치안이 안정적이어야 제대로 일하고 생활을 할 수 있지 않겠는가.

일반 공무원들의 협조 속에서 나름대로 방대한 주택 조사는 성과를 거두고 있었다.

부동산 관련 정보를 마음대로 열람하는 것도 골치 아픈 일이기는 했다만. '주차장'이 있는가, 없는가 정도만 살피는 건 간부급들의 협조를 통해 가능한 일이었다.

그 외에는 행정동이나 구의 상세 지도를 펼쳐놓고 살피던가, 혹은 G사의 맵핑 시스템을 이용했었고.

형사는 결국 '수사'를 하는 인물들이었다. 직접 범인들과 대면하는 순간도 분명 큰 부분을 차지하지만. 범죄를 저지르는 놈들을 만나러 가기까지의 여정 역시 아주 길고 많은 분량을 차지한다.

제대로 뛰기 위해서는 뛸 방향을 먼저 늘, 잘 알아야 한다.

그들은 뛰기 위해서 최소한의 정보를 찾는 중이었다.

"이런 식으로 해서, 정말 잡힐까요?"

라고, 6팀 소속의 경사 하나가 군소리를 얹었다.

심민아는 부정적인 소리라고 일축하지는 않았다. 그녀 역시도 확신은 없다.

그러나 그럼에도 가는 게 심민아 조였고, 6팀의 경사 역시 그녀와 함께 뛸 테니까.

"뭐, 확신 있게 달릴 수만 있다면 좋겠습니다만."

계식이 넌지시 말을 했다.
사내는 손가락 안에서, 펜 하나를 잡고 돌렸다.

"수학 문제를 푸는 게 아니다보니. 때론 답이 없어도 달려야 않겠습니까."

계식은 그렇게 말하는 자신을, 처다보는 젊은 경사를 보며 씨익 웃었다. 이무엽이라는 이름의 사내는, 계식을 바라보다 입술을 다물었다. 은퇴한 아저씨다. 그와는 별 상관도 없는.
그러나 그 말에 반박할 말이 떠오르진 않는다. 모든 형사들은 그렇게 달려왔다는 사실을 어렴풋이 그도 깨닫기에 그럴 테다. 제대로 된 심장을 갖고 있었던 이들은.

"고등 수학 즈음 되면 꼭 답이 없을 때도 많습니다."

심민아가 퉁명스럽게, 혹은 장난 투로 말한다.

사람들은 살짝 웃거나, 무시하거나, 혹은 커피를 홀짝였다. 수사본 건물 내에 있는 자판기에서 뽑는 밀크 커피였다.

"그러면……. 저희가 예상 지점을 먼저 덮칠 수는 없을까요? 어차피 상대가 일을 저지를 거라면 말이에요."
"좋은 생각이긴 합니다."

계식이 맞장구를 쳤다. 좋은 말이다. 알 수만 있다면 앞지르는 게 좋다. 알 수만 있다면.

김현식 경위가 계식을 빤히 바라보았다. 그래서 알 수 있느냐는 표정으로.

허허. 계식은 한참 어린 후배의 시선에 웃어보였다. 물론, 수는 없다. 딱히. 지금부터 다같이 생각을 해보아야 할 일이다.

"새로운 사냥터를 팔 지, 혹은 똑같은 곳에서 난리를 칠 지를 먼저 알아야겠지."
"새로운 사냥터라…."

심민아는 서울 전도를 유심히 살펴본다. 자신이 그 인물이라면 어떻게 행동할 것인가, 떠올려 보는 건 추리의 기초였다.

도저히 종잡을 수 없는 괴물의 마음이기에 몰입하는 게 영 쉽지 않았지만.

심민아는 자신에게 있는 모든 상상력을 동원한다.

"'게임'에서 이기는 게 상대의 목적인 거니까요. 현재 포인트에서 사냥을 하는 게 문제가 없다고 여겨지면 계속 반복을 하겠네요. 조금이라도 위화감이 들고, 문제가 생겼다고 여긴다면 다른 사냥터를 팔 노력을 할 거고."

"같은 시간 내에 최대의 스코어를 올리는 게 상대의 목적이니까."

"네."

심민아의 중얼거림에 계식이 답했다. 그녀가 다시 고개를 끄덕거렸다.

두 사람은 김연수라는 존재에 대해서 어떤 합의점에 다다르고 있는 것 같았다. 당장은 만나본 적이 없어서, 두 사람의 머릿속에 그려낸 가상의 인물이었지만 말이다.

"…게이머라고 한다면….
그러면 일단 압박을 줘야되겠죠.
저희 인원이 몇 명이죠?
이… 김연수선線line에서 몇 장소나 제대로 커버할 수 있을까요."

"…24시간 대기를 말씀하시는 거라면… 저희 형사 수색팀이 가능하겠죠." 김현식 경위가 피곤한 표정을 지어보이며 말한다.

"5, 6, 7팀 다 합치고 서울 남부 관련해서 조금 더 차출 받으면….

아마 세 곳에서 무리하면 네 곳까지는 커버 가능할 것 같습니다."

그의 말에 심민아는 고갤 크게 끄덕거렸다. 고생하는 건 그들이다. 미안한 일이기는 하다만. 어쩔 수 없었다.

"24시간 교대에, '포인트'도 아직 완벽하게 특정된 게 아니라 꽤나 넓은 범위이니까…."

"예, 알아요. 그 정도만 하더라도 괜찮을 겁니다. 그렇게 좀 부탁드립니다."

김현식의 군소리에 심민아가 이해한다는 듯 굴었다.

일단은 '사냥터'로 지정된 곳 근처에서 알짱거리는 것으로 시작한다.

'사냥터'를 새롭게 파는 건 김연수에게도 매우 부담스럽고 시간이 드는 일이었으니까 말이다.

상대가 미리 계획적 장소를 만들어 놓고, 비축분을 가지고 일을 시작했다고 한다면 또 모르겠지만. 어쨌든 서울 도심 한복판에서 완벽한 납치 살인을 저지를 수 있는 공간은 한정되어 있다.

'지하도'라는 키워드 또한 중요했다. 맨홀 뚜껑을 열고, 사람의 신체를 짊어지고, 그 내부의 긴 길을 발로 걸어서 탈출한다는 게. 영화에서나 나올 법한 이야기지, 실제로 가능한 지는 잘 모르겠으나.

어쨌든 물리적으로 길이 연결되어 있다면 김연수가 사용할 가능성은 있다.

본래의 여러 포인트들에 지하수도 관리공들이 움직이는 터널길을 합쳐서 '김연수 라인'을 서울 전도 위에 다시 만들었다.

'김연수'가 움직였지 않을까, 추정하는 곳이다.

"주택 조사는 소수 인원이랑, 행정부 직원들… 동사무소 직원들이 주도해서 조금 하셔야겠네요."

"아마 그럴 것 같습니다." 김현식은 거칠하게 수염이 자란 턱을 매만졌다.

피곤한 일 투성이였다. 서울 전역 조사와 수사망 형성이라는 건.

조금 더 물질적인 증거가 있다면 아마 다른 부처의 인원들도 적극적으로 끌어들일 수 있을 것 같은데.

'건수'가 없었다.

이전의 김재영을 잡으려고 할 때는, 살인 건이라고 판명이 났기에 인원을 움직일 수 있었다. 애초에 그래서 수사본이 형성된 것이었고.

이번에 '김연수'가 움직일 땐, 아무런 흔적을 남겨두지 않았다. 상대도 편집증적으로, 방어적 태세로 구는 게 분명했다. 만약 살인을 지금 자행하고 있는 게 맞다고 한다면 말이다.

결국 그들이 쫓고 있는 '완벽한 실종건'들이, 모두 경찰 쪽에서 놓치는 사실이 있을 뿐. 평범한 실종 건이며 김연수와는 아예 관계가 없는 사건들일 수도 있었다.

기약 없는 길을 같이 가자며, 조직 전체를 떠밀 수는 없었다. 소수의 행동조 인원들이 먼저 움직이는 수밖에.

이전의 '김연수'는 자신이 '돌아왔다'며 알리고 싶어했던 것 같다.

그렇게 여유롭게 살인을 자행하면서, 잡히리라고 여기지는 않았던 듯 싶고.

그러나 우연에 우연이 겹쳐서 놈은 잡혔고, 현재는 유령처럼 굴고 있었다. 조금의 틈도 보이지 않고.

"잠복조… 부탁드립니다."

심민아는 화이트 보드를 바라보다가, 몸을 돌려 좌중을 향해서 꾸벅 고개를 숙여보였다. 머리만 굴리면서 모두를 굴리고 있는 그녀이기에. 가끔은 이런 정확한 표현이 필요할 지도 몰랐다. 다른 이들은 굳이 어떤 오해를 품지는 않았으나.

그녀가 그들을 단순히 부려먹고 고생만 시킨다는 식의 오해 말이다.

어쨌든, 결속을 다지기에 '표현'은 늘 중요하고 필요한 것이다.

박주영이 웃으면서 이야기했다.

"아무렴요."

*

"후."

아무렴요, 라고 말을 했던 박주영은 날밤을 새면서 골목 근처에 있었다. 정확히 말하면 골목의 진입로 근처다.

"……피곤한가?"

옆에 있던 계식이 물었다. 늙은이는 나이에 맞지 않게 정정했다. 아주. 도리어 훨씬 젊은 박주영이 더 피로한 기색을 엿보인다.

커피를 몇 잔 정도 마신 것 같았다. 잘 가늠이 안 간다. 두 사람이 마신 컵들을 차량 가운데의 홀더에 겹쳐거 끼워놓았다.

야식이나 간식은 적당히 빵 따위의 간편식으로 한다. 가장 중요한 건 '낌새'를 드러내지 않는 것이었으므로. 불을 끄고 대강 먹거나. 혹은 교대로 돌아가면서 근처 식당을 방문해 배를 채우고 있다.

계식과 주영은 '대기조'였다.

골목 바깥에서 언제든지 지원을 갈 수 있도록 기다리고 있는 조원들.

김민식과 또 다른 경장 한 명이 안쪽에서 직접 은엄폐를 하고 있었다.

상대가 어느 루트를 통해서 '포인트'로 진입을 할 지 모르니까.

이렇다 할 정확한 프로파일링이 되지 않은 상황에서 지나친 고생이기는 했다만. 건물의 틈새나, 혹은 폐건물의 내부에 잠입해서 숨소리조차 죽인 채 몇 시간 째 정황을 살피고 있었다.

박주영과 윤계식이 있는 곳이 '입구'쪽이라고 한다면 반대쪽 통로를 '출구'라고 할 수 있었다. 복잡하게 얽혀 있는, 재개발이 필요한 골목 인근이다. 양쪽에서 대기조가 무전을 기다리고 있었고. 골목 중심부에서 현장 잠입조가 고달픈 수사를 이어나가고 있다.

김민식과 한경록 경장 둘이 낌새를 포착하고 무전을 때리면, 곧바로 양쪽에서 포위를 하는 식이었다.

상대의 모습만 포착을 하더라도 남는 장사였다. 그리고 실제로 일을 벌이는 장면을 잡아내기라도 한다면 완벽한 성공이라고 할 수 있었고.

사냥꾼, 맹수가 가장 경계심이 옅어지는 순간은 결국 사냥감의 목덜미를 무는 순간이었다. 아무리 훈련받고 경험 많은 암살자라고 하더라도. 그 시점에 형사들이 달려들면 당황을 금치 못하리라. 멀쩡하게 움직일 수도 없을 것이었고.

어둔 밤. 3월 말.
이미 일주일 째 계속되고 있는 잠복 수사였다.

불을 끄고 차 안에서 몇시간 째 대기를 하고 있으면, 드물게 사람들이 지나다닌다. 누군가가 올 때면 내부에 아무도 없다는 양 굴어야 했다. 라이트도 끄고 몸을 조금쯤 낮춰 숙이면서.
보통 전부 평범한 시민들의 기척이었다.
수상쩍은 걸음걸이를 보이는 사람도, 어떤 강력 범죄와 연관이 있어 보이지는 않았고. 골목길에서 노상방뇨를 하거나, 혹은 담배라도 태우러 온 한량도 있다.

지루한 일이었고, 서울 도심 모처에서 이렇게 조를 이루어서 다양한 잠복 임무가 이루어지고 있었다. '덫'이었다. 상대가 완벽하게 덫을 만들어두고 사냥을 하는 종류의 맹수라는 점을 이용한 말이다.

'덫'으로 보이는 완벽한 장소를 역이용해서 상대의 정체를 파악하겠다는 식이다.
걸려들 지 알 수는 없다만.

"교대로 잠깐 눈 붙입니까?"

대기조가 두 명씩 짝을 지은 이유는 물론 휴식을 위해서였다.

윤계식은 느리게 고갤 끄덕거렸다. 새벽 2시다. 인적이 뜸한 시각. 그러나 그들이 잠복한 골목은 어느 시간 때나 사람이 잘 지나다니지 않는 곳이었다. 새벽 2시라고 해서 특별한 건 없다. 원래 아무도 없는 시간이 훨씬 길었으니까.

도심 지역의 이런 곳은, 호기심 많은 아이들이 기웃거리면서 비행을 저지르기 좋은 곳이기도 하다. 단체로 몰려와서 몰래 담배를 태우거나, 혹은 그보다 질이 안좋은 걸 태울 지도 모른다.
요즘은 아이들에게 '마약'이 돌고 있다는 소문도 들은 윤계식이었다. 지독한 세상이었다. 갈수록 더 그렇게 될 테였고.

최소한의 책임감은 있다. 어른으로서, 따위는 아니었다. 윤계식으로서, 이다. 자신이 살아있는 한 해야만 하는 일들이 있다. 그건 나이와 상관 없이, 시간과 조건과 상관 없이, 해야만 하는 것들이다.

손이 작다면 작은대로. 지금처럼 온전히 몸이 다 자라나서 활발하게 움직일 수 있는 때라면 지금 그대로.
사람이 받고 태어나는 사명이라는 건 그런 법이었다.
윤계식은 정의를 위해서 제 삶을 바쳤다.

똑바로 살았느냐?

고 묻는다면 고개를 절레절레 젓겠지만은, 스스로.

그러고자 애쓰긴 했다. '애썼다'라는 말이, 윤계식의 인생을 표현할만한 가장 적절한 단어였다. 젊은 시절에 떠나 보낸 부인에게 미안할만큼 말이다.
사별을 한 건 아니었고, 그가 형사 생활에 미쳐서 지냈기에 보냈다. 제대로 된 가정생활이 아니었었으니까. 어쩔 수 없었다. 누구라도 그런 남편을 두고 싶지는 않았으리라. 지금에 와서 후회되는 것들에 대해 물어본다면, 대단한 논문이라도 쓸 수 있을만큼 놓치면서 살아온 게 많았다.

그렇다고 그게 절망에 빠질 이유는 되지 않는다. 노인에게는 또 노인 나름의 오기와 객기가 있지 않은가. 가만히 눈을 감고, 숨을 쉬고. 몇 초간 흘려 보내며 때를 기다릴 뿐이다.

내 때는 지금이다. 아직 나는 달릴 것이며, 해야 할 일이 남았고, 그것에 목숨을 여러 번 걸어왔다.

그렇게 되뇌이면서 열정을 다시금 되살린다.

한 번 죽어가던 불길은 불씨를 받아서 활활 타오르고 있었다. 지금은.

"…먼저 주무시겠습니까? 선배님."

박주영의 물음에 계식은 옆을 돌아보면서 고개를 가로저었다.

"그러면 먼저 잠깐, 실례하겠습니다…."

박주영은 덜걱, 소리를 내면서 운전석을 뒤로 젖혔다. 잘 때는 아예 몸을 누이는 게 편하다. 그 편이 바깥에서 볼 때도 더 잘 은폐가 되리라.

자는 건 대략 한 시간에서 두 시간 정도다. 각자의 컨디션과 사정에 따라서 바뀐다. 그때 그때. 불침번을 서는 쪽이 도저히 견디지 못할만큼 피곤하다면 상대를 조금 일찍 깨우기도 한다.

윤계식은 말없이, 남겨두었던 커피를 한 모금 마셨다. 쓰다. 샷을 더 추가해서 그렇고, 편의점에서 사온 것이었는데 기계가 영 변변찮은 모양이었다. 싼 값에 카페에서처럼 내려주는 커피를 주기에 먹고 있었는데. 맛은 그저 그렇다.

잠을 깨우기에는 그저 그런 맛이 더 도움이 될 지 모른다.

후릅.

검은 골목, 밤의 어둠.

골목 입구 바깥 즈음에, 그늘 쪽에 자리한 승용차였다. 불은 다 꺼졌고, 폐업한 상가 건물의 그늘이 밤의 어둠 속에서도 더욱 짙게 차량을 가리고 있다.

일직선으로 주욱 이어지는, 조금 넓은 골목이다. 한 번에 골목 쪽으로 들어가는 인원들을 파악할 수 있었다. 한 블럭 즈음 쭉 뻗다가 왼쪽으로, 바깥 시내로 굽어지는 길목이 있었긴 하지만.

어쨌든 중요한 건 중심부에 있는 현장 잠입조가 체크하리라.

이 정도로 사각 지대를 커버하면서 눈이 더 있는데 살인을 벌인다는 건 불가능하다. 김연수는 마술사였지, 마법사는 아니었으니까 말이다. 정밀한 트릭과 단련된 기술로 사람의 눈을 속이는 건 가능할 지 몰라도. 정말로 성립 불가능한 일을 해낼 수는 없었다.

새벽녘. 가만히 귀를 기울이고 있으면, 벌레의 소리가 들린다. 혹은 멀리 시내에서 울리는 시끄러운 소리가 조금쯤 들리는 것도 같다. 음악 소리나 사람들이 떠드는 소리. 많은 양의 차량이 지나가고, 경적을 울리거나 하는 소리.

그런 소음에서는 멀어진 곳이다.
소리가 들린다, 는 점에서는 제법 가깝다고도 할 수 있겠지만. 분위기는 완벽하게 다르다. 도심 지역의 시내에서 아주 약간 떨어진 곳인데 이렇다.
많은 사람들이 평범하게 살아가는, 대도大道의 옆에서 납치 살인, 실종 건이 벌어진다는 게 오싹하기도 하다.

그런 오싹함을 잡아내는 게 윤계식의 일이긴 하다.

이미 식어버린 커피는 영 맛이 없었다. 검은 어둠 너머, 야경에 적응한 그의 밤 눈이 무엇이라도 지나가는지 놓치지 않고 노려본다.

그 날은 한참이 지나도록 별다른 인적이 없었다. 평소보다도 더욱 적은 셈이었다. 비틀거리는 취객이라도 하다 못해 지나가고는 했었는데.

이런 날도 있나. 윤계식은 숨을 낮고, 천천히 쉬며 먹잇감을 기다리듯 고요하게 굴었다.

박주영은 결국 깨우지 않았고, 그대로 윤계식만이 날을 샜다.

해가 뜨는 걸 보고, 박주영이 저절로 일어나고 나서야 늙은이는 지친 몸을 쉬게 했다.

"아니… 진작 깨우시지….”

박주영은 눈을 비비며 일어나서, 곧 잠에 드는 윤계식을 보면서 혼자 중얼거렸고.

*

지붕 위에 사람이 하나 있었다.

달빛도 많지 않은 밤이었다. 구름이 낀 밤.

저 멀리, 지붕 위에서 보이는 먼 시내에서는 요란한 불빛과 사람들이 와자지껄 떠드는 소란함이 있다.

고작 몇 블럭, 수백 여 미터 정도 떨어진 곳이었지만 분위기가 이처럼 다르다. 서울 도심 내에도 재개발을 기다리고 있는 여러 구역들이 있었다. 지난 세대의 흔적이라고 해야 할까. 좋든 싫든, 시대는 변하고 예전 것은 흘러가게 되어 있다. 시간의 흐름 앞에 무한한 건 없었으니까.

천산혁 자신도 그럴 것이다. 싫든 좋든.

지붕 위에 선 인형人形은 천산혁이었다. 늙은이. 그는 검은 모자를 골무처럼 뒤집어쓰고 있었다. 비니보다도 두건에 가까운 느낌이다. 딱 달라붙고 그다지 두께감이 없는 종류다. 머리칼이 떨어져도 상관은 없다. 어차피 인조모였으니까. 그래도 괜히 흐트러지는 게 싫어서 끼고 있는 참이었다.

손에는 얇은 라텍스같은 장갑을 끼었고, 그 위에 착용감이 좋은 가죽 장갑을 하나 덧대었다.

옷은 검은 색 복색이다. 간편하게 입고 벗을 수 있는 운동용 따위의 물건이었다. 방수에 방진 기능도 탁월하고. 뒤집어서 입으면 곧바로 색깔이 변하고, 버리기에도 좋다. 안쪽에는 평범한 옷을 입었다.

미리 준비해둔 '차량'에는 여분의 다른 옷을 준비해두었고.

지퍼를 끝까지 채워 올리면 복면 대용으로도 쓸 수 있었다. 코까지 덮을 수 있는 목이 긴 외투이다.

거기에 골무같은 모자를 푹 눌러쓰면 눈빛만 남고 완벽하게 가릴 수 있다.

숨이 답답해서 당장은 그러고 있지 않았다. 천산혁은 멀리를 바라본다.

밤이 깊다. 어둠이 짙었고. 그는 검은색의 복색이었고, 움직일 때는 전혀 소리를 내지 않는다. 주인이 없는 건물들만을 골라서 조사해두었다. 지붕 위에 약간의 소음이 나더라도 전혀 신경을 쓰지 않을만한, 말이다.

혹은 상가 건물의 외벽으로 지어진 옥상이라면 조금 더 방음이 확실할 테다. 파쿠르, 야마카시, 다양한 이름으로 불리는 이동술은 지겹도록 익힌 것이었다. 천산혁은 나이가 들기 시작하면서 여러 종류의 약물들에도 손을 댔다. '화학'과 '생물학'은 그가 제법 주의를 기울여 공부한 학문이기도 했고.

부작용이 심하지 않은 선에서, 적절하게 신체 능력을 이끌어줄 수 있는 것들을 사용했다. 뭐든지 과용하지 않는 게 중요했다. 적정선을 지킨다면, 그렇잖아도 메달리스트를 뛰어넘는 그의 유전자는 더욱 괜찮은 것으로 탈바꿈한다.

입이 떡 벌어질 정도의 점프나 기행을 그는 소리도 없이 해낼 수 있었다. 그렇기에 사람의 몸뚱이를 짊어지고 담을 뛰어넘는다거나 할 수 있는 것이었고.

모든 것은 완벽하다. 늘 준비되어 있고, 오늘도 그럴 것이다.

천산혁은 범행을 저지르러 왔다. 늘 이 시간 즈음에 괜찮은 타 겟이 지나가는 걸 미리 조사한 뒤였다. '취객'이었다. 술에 취해서 골목길을 지나는 30대 중후반 정도의 남성. 샐러리맨 차림을 하고 서, 비틀비틀 걸어가는 인간인데, 어찌보면 담이 좋거나 머리가 나 쁘다고 할 수 있어쌌.

이렇게까지 인적이 드문 곳을 아무렇지 않게 지나가다니. 자신만 치 나쁜 인간이 또 있다면 어쩌려고 그러는가.

웃기지도 않는 소리이기는 했지만. 어쨌든.
그는 그리 길지 않은 기다림 뒤에 사냥감을 보게 될 터였다.

그리고, 문득 이상함을 느낀다.

그건 살인자의 감각이라고 해야 할 무엇이었다.

그가 '완벽'하게 파악한 사냥터에는 늘 있는 물건들이 있고, 없 던 물건들이 새롭게 생기는 경우가 별로 없다. 애초에 사람의 관심 이 떠난 지형이었다. 쓰레기를 버린다거나, 하는 일이 아니라면 새 로운 물건이 생기는 경우는 없다. 도심지역 내부라서 주차된 차량 들이 제법 있기는 하다만.

이렇게 길이 불편한 골목까지 일부러 차를 끌고와서 대는 사람 들은 정말 많지 않았다. 자연스럽게 지붕 위에서 자신의 '지형'을 관찰하던 천산혁의 눈길에 차량 하나가 눈에 띄었다.

그가 있는 곳을 복잡한 골목이라고 하고, 그 출입구 정도라고 할 수 있을만한 곳이었다. 바깥쪽에 움직이지 않는 차량이 하나 있고, 머리는 골목으로 들어서는 길들을 향해 바라보고 있다.

"......."

김연수金演水는, 이상하다고 생각했다.

그의 직감은 평범한 게 아니었으니까.

일반적인 사람보다 압도적인 질감의 감각을 자랑하는 그다.

대부분의 육체적 기능에 있어서, 그는 보통의 사람들을 월등히 능가한다. 그건 선천적인 부분도 있었고, 선천적 재능을 갈고 닦은 시간의 영향이기도 했다.

어둠 속에서, 눈을 포기하고 가만히 귀를 기울이면 평소보다 훨씬 세밀한 소리를 느낄 수 있다.
사람의 감각이라는 건 결국 정보를 분석하는 뇌의 영향도 큰 법이었다. 집중하기에 따라서, 얼마든지 감각할 수 있는 범위가 늘어날 수 있다는 뜻이다.

언제나 각성제를 맞고 살아가는 인간마냥. 어둠 속에서 사냥감을 쫓거나 추격자의 접근을 피해야 하는 그는 남들보다 예리한 감을 갖고 있었다.
사소한 단서나 변화라고 하더라도 쉬이 놓치지 않는다.

달도 잘 뜨지 않은 어둔 밤.

천산혁, 김연수라는 별명을 최초로 받은 살인마는 멈추어섰다.

작은 판단 실수가 모든 걸 그르칠 수 있었다.

멀쩡해 보일 때가 가장 위험한 순간이다.

김연수는 쓰레기에, 살인마였지만. 적어도 인지 능력이 맛이 간 인간은 아니었으니 말이다. 가식적인 편도 아니었다. 스스로가 최악의 짓거리를 벌이고 있으며, 그건 용납될 수 없는 삶이라는 걸 인지는 하고 있었다.
감각적 수용이 아니라, 그저 머리로 이해할 뿐이다.

고로 그런 삶이 한없이 불안하다는 것도 알고 있었다.

흔들리고 위태로워야 할 그의 삶이 모든 게 멀쩡해 보인다면, 그 순간 김연수는 감각의 이상을 겪고 있는 것이며 무언가를 놓치고 있다는 말이 되리라.

천산혁은 유난히 고요한 골목길을 조용히 더듬었다.

어둔 밤을 꿰뚫어보는 눈으로.

야투경, 은 단안單眼으로 가지고 다니면 그리 무게나 부피의 부담도 없고 괜찮았다. 외투의 지퍼를 내려, 안쪽 주머니에서 작은 물건 하나를 꺼내들었다.

'노인'을 통해서 구매하는 여러 가지 물건들은 시중에서 구하는 것보다 훨씬 기능이 좋고, 특수한 게 많았다.

아마 군 관련한 어느 물자가 비정상적인 루트를 통해서 뒷거리로 흘러들어오고, 그걸 노인이 가로채어 비싼 값에 팔아먹는 게 아닌가 싶었다.

어느 선진국의 연구 개발비가 쓰였을 물건일지 모른다.

끼릭,

하고 작은 소리를 냈다.

손바닥으로 감싸쥐면 쥘 수 있을 법한, 길이 4, 5cm에 지름이 3cm 정도 되는 원통형 물건이었다. 서로 분리되어 돌아가는 각 부위로 이루어져 있었고, 초점을 맞추고 현재 광량과 환경에 따라 조절을 잠깐 하면, '야간 시야'를 얻을 수 있었다.

워낙 작은 물건이고, 또 고정한 채로 움직일 수 없다는 단점이 있다. 넓은 곳을 한 번에 더듬기에도 부적합했다.

대부분의 상황에서는, 그 스스로의 눈으로 직접 본다.

애초에 눈을 감고서도 움직일 수 있을만큼 지형을 외운 '사냥터'의 존재 의의도 그것이었다.

특수한 기능의 물건들은 그의 살인을 돕지만, 결국 가장 중요한 물자는 자신의 몸이어야 했다. 그래야 추격자들의 예상을 뛰어넘고, 불가능해 '보이는' 일들을 실현할 것 아닌가.

몇 가지 예상 외의 도구, 자신의 기량. 두 가지가 합쳐져서 남들이 보기에 이해하기 어려운 마술이 되는 셈이다.

어쨌든, 그의 예민한 감각에 불온한 기색이 잡혔으므로. 그는 더욱 자세히 보기 위해 야간 투시경을 들어 살핀다.

단안의 렌즈를 오른쪽 눈알에 바짝 갖다대었다. 왼쪽 눈은 감고. 숨소리도 쉬이 내지 않은 채 여기저기를 본다.

새롭게 생긴 차량, 이전에 봤을 때와 달라진 부분들 위주로 살폈다.

초점을 맞추는 기능 외에 확대 기능도 조금 있었다. 망원경처럼은 안되지만 어느 정도는.

이처럼 밤에, 높은 곳에 올라와서 골목의 면면을 살피기에는 적합한 도구이다.

사용자의 시력에 영향을 받으므로 그의 경우에는 훨씬 정밀한 색적이 가능했다.

골목 바깥 쪽에 배치된, 구불구불한 길 너머의 차량들을 살핀다. 완벽한 어둠 속. 거리가 깨나 멀어서, 가장 뒤에 있는 차량의 내부까지는 보이지 않았다. 근처에 있는 차들은 그 내부도 보였다.
사람이 있는 차량은 없었다.

"……."

숨을 아주 고요하게 내쉬고, 들이쉰다.

호흡은 중요하다. 주요하고. 인간은. 생물은 모두 숨을 쉰다. 살아 있다면 식물이라 할 지라도 호흡하는 법이었다. 동물과 달리 이산화탄소를 머금고 산소를 내뱉겠지만.

아무것도 움직이지 않는 것처럼 보일 때도 '자연스럽게' 돌아가는 자연계의 흐름이라는 게 있다.
그걸 깨닫고 속에 몸담그는 것이 가장 중요했다. 들키지 않고 살인을 벌일 때는 말이다.

'고요함'의 진정한 모습을 깨달을 때 은엄폐의 의미가 달라진다.

도시의 건물 사이, 상공을 흐르는 대기를 느낀다. 귀를 기울이면 들리는 미약한 소음이나 바람 소리. 그따위 것들에 자신의 호흡을 맞춘다.
누구도 그가 거기에 있다는 걸 알 수 없게끔. 설령 두 눈으로 직접 그 자리를 보면서도 모르게끔.

무정물과 비슷한 상태, 곧 주변의 자연적인 유동성에 제 몸을 맞추어내는 상태.

그는 그렇게 고요하게 집중하면서 골목 속에 존재하는 이질감을 찾으려 애를 썼다.

시각적으로 파악 가능한 범위 내에는 당장 이렇다 할만한 것이 없었다.

'후.'

천산혁은, 일단은.

그대로 돌아가기로 했다.

아주 조금이라도 감이 좋지 않다면 움직이지 않는 게 맞다.

쓸데없는 잡념이나 잡음은 동작의 정밀성과, 나아가서 계획의 완전성까지를 해친다.

오늘이 아니더라도 시간은 있다. 완벽한 시간을 찾기 위한 노력은 그를 여태까지 이끌었다. 붙잡히지 않고, 사회를 누비는 자유로운 몸으로 살 수 있게끔 말이다.

부스럭.

하는 소리가 났다.

천산혁이 몸을 돌려, 그가 들어온 '통로'를 통해서 나가려고 할 때 말이다.

그가 서 있던 어느 폐 저택의 평평한 지붕 위에서 난 건 아니다.

한 블록 앞에 있는 건물. 오래된 상가 건물의 최상층에서 났다. 옥상은 아니었다. 건물 내부. 불은 이미 꺼져 있고, 창문도 너덜거리는 물건이었다. 오래도록 주인이 없이 방치된 듯. 안쪽으로는 황량한 바람이 불고 있었다.

어둔 그늘 속에서 버려진 물건들만이 그 속에 보였다. 밤에 영

문도 모르고 건물 안에 들어간다면 오싹한 느낌과 함께 트라우마를 얻게 될 지도 모르겠다. 물론 천산혁과는 관련이 없는 이야기였다.

그가 미심쩍은 건, 그 속에 있는 무언가다.

'뭐지.'

천산혁은 천천히, 고개를 기울였다.
단안짜리 야간 렌즈를 그쪽으로 가져다 댔다. 거리는 그다지 멀지 않았다. 오로지 어둠만이 장애물이었는데, 잘 만들어진 야투경은 어둠 속을 그에게 비춰준다.

"……."

그가 서 있는 옥상 지붕 건물에서 간신히 보이는 각도가 있었다.

사람의 다리, 로 보이는 무언가다.

정확히 말하면 바닥에 엎드려서, 멀리를 바라보고 있는.

아무리 봐도 옷을 입고 있는 사내의 하반신, 종아리 즈음이었다. 천산혁이 있는 옥상, 지붕의 높이가 앞쪽 건물의 창문보다 고도가 높았기에. 그가 먼저 발견할 수 있었다.
상대는 황량한 건물 내부에서, 바깥으로 향하는 통창 자리 부근에서 반대편을 살피고 있었다.

천산혁은 어둠 속에서 무섭게 얼굴 표정을 일그러뜨렸다.

비틀린 웃음이었고, 짜증이나 분노가 서린 것이기도 했다.

달빛.

지붕 위에 선 사내는, 그대로 얼어붙은 듯이 한참 가만히 있었다. 몇 분 정도가 더 지났고, 그는 천천히 뒤로 물러섰다. 옥상에 올라올 때와 마찬가지로. 큰 소리도 내지 않고서, 많은 도움닫기도 필요 없이 지붕과 지붕 사이를 넘는다.

물론 반대편 건물에 몸이 닿을 때 소리가 나기는 하지만, 쓸려가듯 몸을 굴려 최대한 거리를 멀게 하고 소리를 죽인다.
주변에 이는 자연스러운 소리의 흐름에 자신의 몸을 맡기는 것이 중요하다. '그럴싸한' 소음 중의 하나로 자신의 소리를 만든다면 결국 상대의 귀에 들리지 않게 된다.

말로 하기는 쉽고, 이해하기는 어렵다. 실제로 해내기는 더 어렵고. 천산혁은 악한 일에 쓸데없이 뛰어난 재능을 사용하고 있었다.

그는 왔던 것처럼, 소리없이 뒤로 물러섰다.

몇 번 바람결에 섞여 쿠당, 소리가 멀게 들려왔지만.

건물 내부에서 반대편 골목 쪽을 주시하고 있던 '현장 잠입조'들은 눈치채지 못했다.

살인귀는 그 날의 실행을 포기하고, 조심스럽게 물러섰다.

몇 번 허공에서 몸을 굴렀고, 마지막으로 골목의 어느 한적한 곳에 숨어 들었다.

간단한 연장 손잡이를 품에서 꺼내어, 맨홀 뚜껑을 손쉽게 따버리고.

그 안에 들어가, 지하도로를 사용해서 도심 지역의 먼 곳에서 올라온다.

'올라올' 곳에는 늘 차량이 대기하고 있었다.

김재영에게도 그가 알려준 방법이었다. 도심에 있는 모든 지형을 이용하라는 것. 들키지 않고 어려운 일을 해내야 하는 자들에게 기본이었다.

무언가를 실어 가려 했던 차에는 아무것도 실리지 않았고.

그저 자존심에 상처를 입은 살인마 하나만이, 그대로 운전석에 앉아 조용히 차를 몰았다.

선팅이 되어 바깥이 보이지 않는 승합차가, 새벽녘 거리를 한 바퀴 돌아 자신의 저택으로 들어갔다.

*

"……."

쿠당.

하고 물건이 떨어졌다.

무슨 물건이든 부수는 건 적잖이 화가 풀리는 일이었다.

사이코패스의 감정은 비교적 단순했다. 지독한 무감정과 분노. 가끔, 저열한 희열을 느끼는 게 고작이었다. 슬픔도, 진정한 의미의 기쁨이나 사랑의 의미도. 그에게는 없는 것이나 마찬가지다.

자신이 느끼지 못하는 건 곧 '없는' 것이다. 가장 무지한 인간들의 논리는 늘 그렇다. 천산혁은 머저리는 아니었지만, 그렇게 여기고 살고 있었다.
명민한 지식이 든 머리와는 별개로. 그건 '지혜'의 영역이었다. 머리의 기능이 좋은 머저리들이 가끔 까먹는, 일상적인 진리들이다.

사이코패스는 어둠 속에 살아간다.

자신의 자택 안.

천산혁은 가볍게 물건을 집어던졌다. 유심히 살펴보면 살풍경하고, 언뜻 지켜보면 평범한 가정 집이 되게끔 꾸며주는 인테리어 소품이었다. 도자기의 한 종류였는데, 이미테이션이었고, 잘 깨지지도 부서지지도 않는다.

그것이 거실의 한 구석에 날아박혔고, 그대로 통통 튕기더니 이내 잠잠해졌다.

천산혁은 거실 소파에 앉았고, TV를 다시금 켰다.

인터넷, TV, 라디오나. 혹은 그가 얻을 수 있는 다양한 정보의 파이프 라인을 이용해도, 별다른 일은 없었다.

'경찰'이 대대적으로 움직이고 있는 건 사실이지만. 김연수에 대해서 본격적으로 수사에 착수한 건 아니리라 여겨졌다.

움직이는 건 아마 소수의 인물들이리라. 경찰 조직 내부의 인물들 중에는 '노인'의 간자가 숨어 있었다. 정확히 말하면 '간자'까지는 아니지만. 적어도 막대한 돈을 받고 내부의 움직임을 팔아먹는 비양심적인 인간이 있기는 하다.

'그 비리 경찰'은 자신이 팔아먹은 정보가 어떻게 이용되는 지 모를 것이다. 짐작은 사실에 근접하게 할 수 있어도, 제대로 된 정보는 노인이 제공하지 않을 테니까. 그것을 대가로 막대한 돈을 받는 것일 테고.

'노인'에게서 살 수 있는 것중에는 그런 정보도 있었다. 한국은 치안이 엄격한 곳이었고, 또 선진국이었다.

분단선 위로 휴전 중인 적성 단체의 리스크가 있기는 하지만, 살기 좋은 곳이다.

그런 곳들의 치안력에 대한 정보는 비싼 물건이었고, 언제나 수요가 있는 '잘 팔리는' 물건이다. 실제로 천산혁이 그토록 간절하게 원하지 않는가.

돈과 의지, 사람의 마음을 잘 이해하는 악의에 섞인 노하우들만 있다면 세상에 있는 대부분의 것을 취급하는 암거래 상이 될 수 있었다.

'노인'은 실제로는 크게 드러나지 않아도 많은 영향을 끼친다.

그런 천산혁의 '정보 라인'에 의해서 아무것도 들려오지 않았다. 미디어를 이용해서 경찰 당국이 하고는 하는 정보전의 흔적도 보이지 않는다.

그럼에도 그가 김연수로서 느끼고 있는 어떤 압박감은 실재의 것이다.

말인즉슨, 조직의 주류가 아닌 일부 소규모 단체가 움직이고 있다는 뜻이었다. 정보의 공유가 제대로 이루어지지 않는다는 뜻이다.

적을 속이려면 자신부터 속여라, 는 말은 때로는 아주 적절하며 현실적이고 유용하다.

적에게 정보를 팔아넘길 수 있는 누군가가 자신의 팀 근처에 있다면 더욱 그러하리라.

천산혁은 극도의 짜증을 느낀다.

스코어를 다 채우지 못하고, 도중에 불완전연소하여 붙잡히는 것이 그에게 있어 가장 큰 두려움이었다.

그의 눈빛이 희번득거렸다.

7번째, 는 성공적으로 처리를 했다.

그리고 8번째에서 가로막혔다.

여기서 끝을 내야 할까?

몇 번의 고민을 더욱 겹쳐서 하던 그는, 결국에 용단을 내렸다.

*

27. 블랙 아웃, 빙글빙글

*

번뜩.

눈을 뜬 늙은 사내는 다시금 천장을 보고 있었다.

술을 많이 처먹은 것도 아니었다.

길거리의 무뢰배들에게 둘러 쌓여서 집단 폭행을 당한 것도 아니었고. 이전처럼, 말도 안되는 운동 능력을 가진 젊은 살인마에게 자상을 입은 것도 아니었다.

단순하게 피로해서 그랬을 것이다.

병원의 휴게실에서 깨어난 그는 금세 그렇게 정신을 차린다.

"⋯⋯아."

칵, 하고 목이 턱 막혔다.

목이 좀 마르다.

정신이 끊어지는 기분은 언제나 좋은 게 아니었다. 윤계식은 몸을 일으켜서 주변을 둘러보았다.

이전에 와 본 적이 있는 곳이다.

병원. 그가 입원해 있던, 수사본 근처의 병원이다.

정식 입원실은 아니었고, 임시 휴게실에 작은 이동형 침대 하나를 둔 방이었다. 원래는 침대가 없었고, 그저 앉을 의자 몇 개와 테이블 하나만이 있던 곳이다.

그는 흰, 얇은 이불을 덮고 누워 있다가 막 잠에서 깨었다.

옷을 살펴보면, 마지막에 그가 기억하고 있던 것과 전혀 다름이 없다.

아니, 외투 정도는 벗겨져 있었다. 오래도록 입어 소매가 닳아버린 니트와, 그 속에는 셔츠다. 그 안쪽에는 얇은 민소매 티를 입었고. 바지는 바깥에서 입고 있던 갈색의 기모 면바지였다. 양말도 한동안 신은 것이었고. 신발은…

그가 고개를 돌려 옆을 쳐다보았다. 가지런히 놓여져 있었다. 누군지는 몰라도 세심한 손길이다. 고생을 했을 테였고.

벌컥.

그 때 문이 열렸다. 계식은 침상에서 일어나 걸터앉은 자세로 그대로 바라보니, 문이 열리는 장면이다.

"아."

김민식, 약간은 날카로운 인상에 길쭉한 청년이었다. 경장, 직위의 형사다. 박주영과는 원래 콤비였고, 수색 7팀에 속해 있다.
박주영과 마찬가지로 윤계식을 수사본에 끌어들인 인물이며, 그와 가장 많은 이야기를 나눈 젊은 형사라고 할 수 있었다.

"…내가 혹시 정신이라도 잃었나?"
"…어…… 예. 선배님 차량에서 대기하시다가, 그대로 쓰러지셔서. 영 반응이 없으셨는데 여기 데려와보니 단순 피로라고 하셨어요.
폭 주무시게 두면 된다고 하기에 이리로…."
"…아."

윤계식은 제 손으로 눈가를 문지르고 눌렀다. 뻐근해질 때까지.

한 쪽으로 창이 나 있어서, 그대로 빛이 들고 있어 방 안은 제법 밝은 상태였다. 한낮이었고. 빛을 가리는 덧창이 있었지만 굳이 다 닫아두지 않은 모양이다. 반쯤 틈새를 보인 사이로 바깥의 빛이 안을 채웠다.

달칵. 하고 김민식은 휴게실의 불을 켠다.

"새벽에 쓰러지셔서 박주영 경사가 보고하고 모셨습니다. 옆에 있었으니까요. 저희는 수색 조 인원을 조금 더 나눠서 당일 임무 잘 마쳤고…. 좀 쉬다가 잠깐 들렀습니다. 괜찮으신가 해서."
"아이고."

추태였다. 윤계식은 헝클어진, 그리 많지 않은 숱의 머리를 뒤로 넘겨 가다듬었다. 몸이 늙으니 정신도 오락가락하는가. 사고가 제대로 돌아가지 않았다.

며칠이나 날 밤을 새는 건 무리가 있는 모양이었다.

열정은 좋지만, 기약도 없이 장거리 경주를 하는 데 쉼이 없었던 듯하다.

윤계식은 반성하면서 표정을 가다듬었다.

그는 자신의 품을 뒤졌다. 핸드폰이 어디있더라….

"아, 외투 저기 있습니다."

김민식이 의자에 곱게 접어서 두었던 그의 외투를 가져다 주었다. 갈색의 가죽 자켓이었다. 짙은 색이었고, 그다지 티나지 않는 색감이었다. 오래 입어 헤진 느낌이 아주 듬뿍이다. 그와 오랜 세월을 함께 한 물건이었다.

겉주머니에서 작은 스마트폰 하나를 꺼내들었다. 기술의 발전은 언제 보아도 적응이 안될만치, 늘 놀랍다. 그만큼 수사에 있어서 쓸모 있는 물건들이 늘어난다는 말이기도 했으므로. 달갑기는 했다.

계식은 핸드폰 화면을 두드려 날짜를 보았다.

4월 6일 낮 5시.

연이은 수색으로 몸에 피로가 많이 누적되었던 모양이다. 계속해서 잠도 자지 않고 돌아다녔다. 낮에는 탐문을, 밤에는 잠복 수사를 하면서 미심쩍은 거리들을 감시하던 탓이다.

어떤 소득도 없지만 그래도 그는 멈추지 않았다. 그렇게 돌아다니는 것자체로 의미가 있다고 믿기에 말이다. 같은 공간 안에 살아가고 있다면, 결국 만날 수 있는 법이었다. 그 흔적이나 단서라도 찾을 수 있는 법이었고.

다만 예전과 같은 마음을 버텨줄만한 육신이 아니었던 모양이다.

박주영에게는 폐를 끼쳤다. 늙은이 몸뚱이를 실어다가 여기에 놓느라고, 고생을 깨나 했으리라.

"기왕 쉬시는 김에, 푹 쉬시죠.

인력이 적기는 하지만… 결국 돌아가면서 부담해야 하는 것 아니겠습니까. 잠을 자야 또 움직이죠."

"…맞는 말이네."

윤계식은 마른 세수를 다시 한 번 했다.

사재를 털어서 그냥 CCTV를 설치할까, 도 싶지만 '포인트'는 제법 광범위하게 형성된 공간이었다. 결국은 사람이 다양한 시야각을 가지고, 움직이면서 여러 방면을 살피는 게 제일 좋다.

그냥 도로 공사 신청을 넣어서 가로등이나 CCTV가 빈 구석 없이 만들어지게끔 하면 가장 좋은 것 아닐까 싶기도 했다만….

서울 시내의 예산을 마음대로 유용할 수 있는 이는 일단 아무도 없었다. 정식으로 건의를 하고 공사가 시작되고, 설치가 되기까지 아주 오랜 시간이 걸리리라.

"……."

그럼에도 불구하고 여러가지 생각이 들었다. 이렇게 생짜로, 몸을 녹여가면서 일을 하는 건 더 못할 짓이었다.

옳으냐 그르냐의 문제가 아니라 효율과 가능성의 이야기였다.

"그래도 저희가 감시 시작하고 나서, 김연수 건으로 보이는 실종 신고는 확실히 없었습니다."

"서울 도심 지역 내에서?"

"…예, 그렇습니다. 일단 저희가 커버하고 있는 지역이 그 정도이니까. 수색 팀 중에서 일부는 신고 분류 작업만 행정관들이랑 하고 있기도 합니다. 탐문하는 쪽 애들이 그만큼 또 고생을 하니까는 가능한 일이지만….”

“…….”

윤계식은 깊게 가라앉은 눈으로 아래 쪽을 처다보았다. 생각을 깊이 할 때는 그런 버릇이 있었다. 하단 사십오도 방향. 사람이 없는 빈 허공이나 구석 자리 따위를 처다보면서 깊은 생각을 한다. 머릿속의 정리는 늘 필요하다.

“…아무튼. …알겠네. 고맙네. 미안하고. 박주영이가 고생이 많구만. 늙은이랑 한 조라서.”

“하하…. 그런 얘기는 없었습니다. 별말씀을요….”

김민식도 처음 윤계식을 마주했을 때의 인상과는 전혀 달랐다. 아니, 똑같으나 단지 관계와 거리가 변했을 수도 있다. 그대로의 성격이고.

어쨌든 그도 윤계식 전 경감을 부외자로 여기지 않고, 형사팀의 일원으로 인식하고 받아들이고 있었다.

계식은 자신의 몸을 더듬어, 빠진 물건은 없는가. 정신을 다잡으면서 다시금 채비를 한다.

지갑, 핸드폰, 만년필, 외투의 안쪽에 박아넣은 홀더와 그 속의 가스총. 너클과 포박용의 얇고, 튼튼한 와이어.

제식 도구들은 아무것도 없었지만 나름대로 쓸만한 물건들로 채웠다. 이전에 사용하던 물건들을 대신할 수 있는 종류로, 또 튼튼한 제품으로 잘 골라서 들고 다닌다.

무전기의 경우에는, 박주영이 경찰서 물건을 한 개 더 들고와서 계식과 사용하고 있었다. 여분이 남고, 또 그가 들고 올 수 있던 상황이라 다행스러웠다.

현직 형사들, 그의 파트너인 박주영을 비롯해 다른 인원들은 모두 조금 더 본격적인 무기를 들고 있었다. 정말로 살인마가 나오더라도 현장에서 제압할 수 있도록 말이다.

김민식이 주섬주섬 정리를 하려는 계식을 보고 말했다.

"어차피 병원은 저희 쪽이랑 연계되어 있어서 편하게 계시면 됩니다. 현장에서 어디 부러지고 하면 다들 여기로 오고…… 호의적인 분들이셔서요. 관계자분들도. 휴게실 하나 정도 오래 사용하셔도 아무도 뭐라고 안합니다.
…여기 반쯤 창고로 쓰고 있던 데고."

두서 없이 말하는 바는 한 가지였다. 조금 더 쉬어도 된다.

윤계식은 그 말에 가만히 김민식을 바라보다가 말했다.

"…알겠네. 고맙네. 덕분에 푹 쉬는 중이라네. …일단 화장실 좀 다녀오고 나서 마저 있다 가겠네."
"아, 예."

김민식은 멋쩍은 얼굴로, 문 근처에서 알짱거리다가 길을 비켜주었고, 계식이 몸을 일으키며 그리로 지나갔다.

*

빙글빙글, 손 안에서 돌리고 있는 물건은 대단한 종류는 아니었다.

나이프knife.

손잡이의 끝, 대大검이나 장검 종류에서는 보통 폼멜이라고 불릴 부위였다. 검의 궁둥이 부분에 손가락 하나보다 조금 더 넉넉한 홈이 있어서, 사내는 물건을 휘휘 돌리는 중이다.

그만큼 손에 익은 물건이라는 뜻도 있었다.

지금의 상황이, 그에게 있어서는 별반 이상하지 않은 일상적인 상황이라는 의미도 되었고.

그리 큰 표정을 짓고 있지 않는다.

한 사내는 말이다.

어두운 방.

폐건물, 오래도록 공사가 중지되어서 유령 골목처럼 변해버린 어느 낡은 아파트 단지의 실내였다. 으슥하고, 마치 무서운 일이 벌어날 것만 같은 곳인데.
오늘은 실제로 그런 일이 벌어지고 있었다.

조명도 없는 실내. 달빛과 별빛, 아주 멀리서 비치는 도시의 불빛만이 희미한 광량이었다. 어둠 속에 있는 사내는 여상한 표정을 짓고 있었다. 남에게 보이지는 않지만 말이다.

탄탄한 체격. 턱 근처에는 얇은 복면을 목부터 시작해서 두르고 있고, 머리에도 비니와 비슷한, 두건처럼도 보이는 걸 썼다.

눈매 말고는 잘 드러나지 않는다. 검은 외투에 검은 바지. 신발과 장갑까지 모두 일색의 어두운 복장이다.

마치 그림자 속에서 살아가길 즐기는 듯한 복장이나, 이러고 빛이 밝은 곳에 가면 더욱 눈에 뜨이리라.

그렇기에 사내는 움직임을 늘 조심한다.

지방은 확실히 서울보다는 인적이 드물었다.

시간이 조금 밤이 되고, 사람들이 몰리는 도심 지역이 아니라 한적한 곳으로 가면 벌써 고요하다. 가게들도 문을 닫고, 영업하고 있는 곳도 그리 많지 않다.
유동 인구 또한 제한적이고, 주택가의 주민들은 실내에서 시간을 보낸다. 일부러 으슥한 데를 좀 더 찾아서 들어가면, 얼마든지 적당한 장소를 찾을 수 있었다.

CCTV도 있고, 치안 병력도 돌아다니는 건 사실이었으나. 어느 대도시를 가도 서울보다는 조금 성긴 치안망網인 것이 사실이고, 주변의 위성 도시나 쇠락해가는 소도시 따위에 들르면 보다 심하다.

지방에서 일을 벌이는 건, 서울 한복판에서의 경우보다 쉽다.

그래서 서울에서는 '완벽한 안가'가 있는 곳에서만 일을 치른다.

사람의 눈에도, 기계의 눈에도 걸리지 않는 고요한 동선을 짠 뒤에 그대로만 움직이는 식이다.

빙글,

하고 돌리던 나이프를 정확히 잡아챈다.

어둠 속.

아파트의 7층 즈음 되는 곳, 어느 콘크리트 벽이 드러난 공사장이었다. 철거 공사가 한창 이루어져야 하지만, 건설사의 사정이니, 은행권의 사정이니. 여러모로 얽힌 인간관계가 이런 공실空室을 만들어냈다.

폐허처럼 변해버린 곳에 일부러 찾아드는 이들은, 범죄와 얽혀 있거나, 혹은 그 근처에서 서성거리는 인물들 밖에 없다.

고용하게 서서, 부드러운 눈매를 하고 있는 사내는 물론 그런 인물들 중에서도 최악의 부류이고.

사내가 최악이라는 증거는 그 발 아래 펼쳐져 있었다.

사람이 죽어 있었, 다.

정확하게, 방금 일어난 일이었다. 한 목숨이 타인의 살의에 의해 끊어진 건 말이다.

수면제라고 부르기도 뭐한, 특수하게 배합한 약물은 최소한 피살해자의 정신과 감각을 끊어두기는 했다.

눈매만 드러나 있는 남자, 피가 조금 묻은 나이프를 쥔 김연수가 자비심이 깊어서 그런 방식을 쓴 건 아니었다.
효율적인 문제로.

조금이라도 발버둥을 친다면 흔적이 남게 마련이었다. 현장에 많은 DNA를 남기는 걸 선호하는 이는 아니었다. 사내는.

천산혁은 이번 범행에 시체를 남기려 했다. 그러나 그건 그의 의도에 의해서였고, 의도되지 않은 다른 증거는 모조리 없앨 것이었다.

이건 일종의 '말틀'이었다. 그를 쫓는 누군가에게 보내는.
이 시대, 사회에 살인자들을 잡으려 애를 쓰는 모든 치안 유지자들에게 보내는 편지 말이다.

김연수, 천산혁은 특이한 방식으로 사회와 소통을 하고 있었다.

언어라는 것이 결국 공통적으로 합의된, 사회적 기호에 불과하다는 학문적 고찰을 떠올린다면. 분명 이 현장은 어떤 종류의 '말'이 될 수 있기는 했다.

그가 원하는 정보를 넘기고, 원하지 않는 부분은 모조리 숨기는.

쓸데없는 말을 많이 하지 않았던 것이, 그가 여태 잡히지 않을 수 있었던 가장 큰 비결이다. 상황에 대한 완벽한 통제 의지와 강박은 천산혁의 고질병이자 뚜렷한 개성이었고.

늙은이. 어둠 속에서 눈매만 본다면 잘 알아채지 못할 나이였다.

천산혁의 자세는 곧고, 뻣뻣하다. 관절 어디 하나가 상하지 않은 듯 보였고, 근력도 젊은이들에 비해서 꿇릴 것이 없어 보인다. 멀리서 실루엣만 본다면 노인이라고 여길 이는 적어도 없었다. 얼굴 이모저모를 가린 복면 따위가 더욱 그렇게 느끼게 한다.

"후."

그는 복면 너머로 숨을 조금 뱉었다. 그의 공기가 허공에 섞인다. 이산화탄소 말이다. 그런 게 증거가 될 수는 없는 세상이기에, 숨은 마음껏 쉬었다.
아마 숨을 쉬는 게 증거가 된다면 천산혁은 다른 방법을 고려했을 테였다. 자신의 숨을 따로 봉인해서 폐기할 수 있는 용기나 도구를 찾아본다던가.

아무튼.

천산혁의 아래에 누워, 숨이 끊어진 이는 남성이었다.

불행하다, 라고 말하는 것으로 그의 처지가 다 위로되는 분명 않으리라.

누군가의 사랑을 받았고, 누군가에게 사랑을 주었기에 이 시대, 사회 속에서 살 수 있었으리라. '사람은 무엇으로 사는가'라는 유명한 대문호의 저서에는 답이 적혀 있었다. '사랑'으로 인해 살 수 있고, 유지된다고 말이다.

그리고 지금 그건 동량의 슬픔으로 치환되었다. 천산혁의 손에 의해서 말이다.

빙글,

천산혁은 한 바퀴 더 나이프를 돌린다.

깔끔한 일처리였다. 몇 겹의 비닐들을 잔뜩 가져와 기절한 이를 싸매고, 그 안 쪽에 칼을 넣어서 한 겹 정도만 베며 같이 동맥을 잘랐다.

피가 흘렀고, 비닐에 쌓여 있었기에 멀리까지 튀지는 않았다.

그가 있는 실내, 건물, 창문이 뚫려 있는 콘크리트의 내부에는 배수로가 하나 있었다. 그 쪽으로 피가 흐른다.

여러 겹으로 둘둘 말아둔 시신이었고, 그 옆 쪽으로 작은 구멍 하나만을 냈다.

절묘한 손놀림이나 기술이 조금 필요한 작업이었다. 나이프를 사용하면서도, 손이나 몸에는 피가 튀지 않도록 하고.

또 정해진 길로만 피를 보내는 식의 일처리는.

복잡하게 싸맨 비닐들을 다 뚫지 못하고 피가 내부에 차오르다가, 틈새로 서서히 흐른다. 약간 경사진 바닥이라, 천산혁이 서 있는 곳과 다른 쪽으로 흘렀다.

그는 자신이 만든 꼴을 가만히 바라보고 있었다. '피'는 이미 닦아낸 다음이다. 흔하게 살 수 있는 공장제 물티슈 따위를 가져와서 나이프를 닦았다.
닦아낸 티슈는 시체의 근처에 버려두었고 말이다.

비릿한 피냄새가 퍼진다.

오래 있으면 좋은 꼴을 보지 못할 듯하다.

혈향이라도 짙게 배이면 골치 아프다. 어디 또 바람이 좋은 목에 앉아서 냄새를 다 빼야 할 지도 모른다.

사소한 습관. 흔적. 뭐 그런 것들이 결국 단서가 되어 잡히는 법이었다.

천산혁은 찰칵, 하고 길지 않은 나이프를 그 집에 넣었다. 알맞게 들어가는, 검은색의 물건이었다. 그가 사용하고 있는 도구들은 대개 '노인'을 통해서 얻는 종류였다. 혹은 뒷거리의 불량배들을 상대로 잡다한 것들을 사고파는 이들에게서, 라던가.

다른 나라 다른 지역에도 암암리에 몹쓸 것들을 사고 파는 이들이 있는 것처럼. 이 나라에도 마찬가지였다. 얼굴을 감추고 몰래 들어가서, 하찮은 물건들을 사곤 했다. 간단하게.

'특제'의 도구가 필요하다면 결국 '노인'을 통해서 해야겠지만. 어디에서나 구할 수 있는 물건들의 경우에는 그런 수고와 유통 과정을 견딜 이유가 없었다.

그렇다고 양지에서 사기에는 조금 티가 나는 물건들일 때, 천산혁은 미리 알아둔 그런 잡범들을 이용한다.

오래된, 재건축을 하기에도 너무 복잡한 도심지의 지하상가 어느 곳이라던가. 혹은 지방 모처에 하우스를 꾸리고 잡동사니를 팔아먹는 인간들이 있었다. 천산혁은 얼굴을 가린 채로 그런 데를 방문해서 잠깐 쓰고 버리기 좋은 물건류를 가끔 샀다. 자주 있는 일은 아니었고.

대개 으르렁거리면서 자신들의 영역을 지키려고 하지만, 천산혁이 가벼운 솜씨를 보여주면 큰 일은 없이 지나간다.

대놓고 총을 쓰기는 어려운 나라에서, 그는 늘 압도적인 전력을 보유하는 편이 된다. 김연수, 그러니까 천산혁 말이다.

상황이 그에게 지독하게 불리하게끔 된다면 물론 한계가 있으리라. 그러나 기세 좋게 난전을 유도하며 작은 규모의 무리들과 싸운다면, 천산혁은 그리 큰 어려움 없이 상대를 제압할 수도 있었다.

죽이는 일 역시 가능은 하지만, 조무래기들과 얽히며 괜히 손을 더럽히는 건 그의 방식이 아니었다. 그런 식으로 올리는 스코어는 아무런 의미도 없는 것이었고.

과정조차도 확고하게 정해져 있어서, 그 길을 따라야 한다.

살인마는 이상한 구석에서 미학이 있었다. 이미 인간으로서의 길을 탈락脫落한 자이기에 더욱 집착하게 되는 것일지도 모르고.

지금 그가 다루는 손바닥만한 나이프는 '노인'을 통해서 구한 특제의 물건이다. 잘 상하지도 않고, 대개 현대의 도검류들이 그러하듯 거칠게 다루어도 오래 쓸 수 있는 튼튼함이 있었다. 거기에 조금 군용으로 개조가 되어서 실전용으로 써먹을 수 있다. 나이프 파이팅fighting이니 하는 걸 연출하기에도 좋았고.
그의 경우에는 연출이 아니라 실제가 되겠지만.

약간 각진 나이프집에 칼을 넣고, 외투 주머니에 넣어둔다. 겉주머니 안쪽에는, 딱 나이프집이 들어갈만한 공간이 더 있었다. 주머니를 열고 달려도 잘 빠지지 않게끔 고정이 된다.

천산혁이 한가롭게 떠날 채비를 하는 동안 숨이 멎은 이의 생명은 계속 철철, 넘쳐 흘렀다. 이미 숨은 끊어졌으니, 그의 '생명이었던' 붉은 피가 건물의 한 구석으로 흘러 들어간다.

그는 거기서 더 시체나 현장을 정리하지 않는다. 일부러 남겨두기 위해 저지른 건이었다. 그의 목적은 결국 '도심지'이다. 이 나라에서 가장 번화한 도심지, 서울 말이다. 그 한복판에서 살인을 자행하는 건 그에게도 쉬운 일이 아니었지만. 불가능한 일도 아니었다. 가능한 정도의 일이며, 잘 해왔다.

대체 어떻게 냄새를 맡는 건지는 모르겠지만, 치가 떨릴 정도로 그를 쫓는 사냥개가 있어 자꾸만 그를 방해했다.
아무런 물리적 흔적을 일절 남기지 않았음에도 불구하고.

그런 완벽주의적 기질이 도리어 더 자신을 나타낸다는 걸, 천산혁은 생각하지 못했다. 그건 정밀하게 계산해서 상대의 눈을 속일 만한 지점이 아니었다.

서울, 도심 지역은 사람의 눈이 아주 많은 곳이었고. 조금의 물리적 흔적이라도 흘렸다가는 곧바로 꼬리가 잡힐만한 장소였기에. 환경적 요인이 그의 살인 스타일을 만들어냈다. 거기서 빚어진 특수하고 완벽한 스타일이 곧 아이러니하게 흔적이 되었고.

천산혁은 계속 서울에서 일을 저지르고 싶었고, 그래서 이 지방에 자신의 걸 남겨둔다.

이미 떠나간 그의 흔적을 찾아, 사냥개들은 전국적으로 짖기 시작할 테다.

그것들의 코나 눈을 바깥쪽으로 돌리고. 다시금 중심지로 들어가서 게임을 계속할 셈이었다.

게임Game. 그는 죽기 전까지 계속되는 게임 중이다.

천천히 건물을 빠져나온다.

이 근처에 인적이 전혀 없는 것은 확인했다.

그럼에도 불구하고, 주의를 기울이면서.

촉각을 곤두세우며 걸어나간다.

저벅거리는 소리조차 그리 심하게 들리지 않는다. 소리를 내지 않으며 걷는 방식은 그가 스스로 터득한 기술이다. 밑창을 조금 부드럽게 만든 신발이기도 했다. 그런 걸음술術을 돕기 위해서.

건물의 한 칸 아래로 내려간 뒤에, 적당한 창문을 골랐다. 7층에서 시신이 만들어졌고, 그는 6층으로 들어간다. 저벅이며 걷다가 창문 하나를 골라 지형을 다시금 살피고, 아래를 본다. 그는 자연스레 몸을 움직여 그 난간을 짚는다. 장갑을 낀 손으로 그 난간을 붙들었고, 몸을 아래로 빼낸다.

힘을 주고 있는 손이나 전완근, 어깨 부근을 제외하고, 뺄 수 있는 곳의 힘은 쭉 빼서 축 늘어뜨린다, 몸을.
이완되고 부드러운 몸뚱아리.
그는 발로 가볍게 건물 외벽을 짚었고, 살짝 몸을 뒤로 뺐다가 흔들며 손을 놓는다. 2, 3여 m정도를 자유낙하 하다가, 그대로 아래층에 있는 난간을 턱, 잡았다.

손과 전완근에 상당한 충격이 왔지만, 버티지 못 할 정도는 아니다. 천산혁에게 있어서는 운동거리 수준의 일이었다.

그는 그렇게 한 층, 한 층을 내려가다가 창문이 끝나는 2층 즈음에서 다시 건물 내부로 들어갔다.

다른 계단을 찾아서 내려갔고, 건물을 빠져나온다.

차량을 바깥에 대 둔 것이 하나 있었다.

가볍게 쓰고 버리기 위해서 사둔 소형의, 중고 차량이었다. 물론 번호판은 특수하게 구한 것이고, 그것으로 그를 추적할 수는 없었다. '노인'을 통해서 차량의 본체만을 산 뒤에 다른 번호판을 달았다.

지방 쪽에 존재하는 몇 개의 안가에는, 그런 식으로 쓰고 버릴 차량 따위가 여럿 있었다.

폐건물 터로 들어오는, 원래 입구가 아닌 길로 몸을 훌쩍 날려 떠나가는 그다.

골목을 가로막고 있는 담을 넘든, 지붕 위를 달리든.

보통의 사람이 갈 것 같지 않은 길로 해서 '터'를 빠져나갔다. 들어올 때 역시, 기절한 사내 하나를 지고 가능한만큼은 묘기를 부리면서 건물 쪽으로 진입했다.

평범한 길로 다니면 평범하게 흔적이 남는다. 가능한 최소한의 흔적을 남기고자 하는 것이 이번 일의 목적이었으니.

순조롭게 폐건물 터 근처의 골목을 빠져나가, 대기시켜둔 차량에 닿았다. 본래 거기서 사람 하나를 지고서 작업 장소까지 올라왔었다.

올라올 때는 비교적 직선 거리로 움직였고, 빠져나올 때는 그래도 멀리 돌아온 셈이다.

천산혁은 작은 소형 차량, 검은색에 선팅이 된 차량을 타고 시외곽 도로 쪽으로 움직인다.

부릉, 하고 앙증맞은 소리를 내며 차가 달렸다.

경상북도, 동해안 근처의 어느 작은 마을이었다. 그는 도시 외곽으로 빠져 적당한 해안가 길을 찾았고, 그대로 바닷가를 볼 수 있는 작은 곶을 하나 찍었다. 근처에는 별로 사람이 없었다. 불빛도 없었고.

그는 곶 근처에 차량을 두고, 옷을 갈아입는다. 장갑 따위를 벗고, 모자는 품에 넣고. 외투도 한 번 뒤집어서 입으니 평범한 갈색깔의 자켓이 되었다. 딱히 무언가 오물이 튄 것은 없다. 천산혁은 그대로 툭 튀어나온 곶의 끄트머리 즈음에서, 차량의 기어를 바꾼다. 시동을 걸고.

운전석의 뒤쪽에서 길다란 막대기 하나를 구해둔 것을 앞에 둔다. 발, 대신이었다. 운전석의 등받이에 한 쪽을 끼우고 나머지는 악셀 쪽을 누르도록. 적당히 각도를 맞춘 뒤에, 차에서 내렸다. 창문을 열어 바깥에서 막대를 정확히 조준해서, 사이에 끼웠다.

적당한 길이로 잘라낸 것이었다. 악셀이 눌리고, 차량은 앞으로 간다. 천산혁은 그대로 뒤돌아 가볍게 뛰어갔다.

부으응, 하는 소리가 나면서 차량이 그대로 전진했고, 곶에서 떨어지며 짧은 방파제 구간을 지나서, 바다에 들어간다.

그는 타닥, 하고 가볍게 뛰어서 해안가를 벗어났다. 복면이니 하는 것도 모두 벗었다. 그는 평범한 차림으로 시내를 향해 걸었다.

돌아갈 때는 대중교통을 이용해서다.

어둔 골목, 시골길의 으슥한 곳을 벗어날 때 즈음에 그는 다시금 멀쩡한 얼굴을 하고 있었다. 사람 좋은, 또 어디에나 있을 법한 아저씨의 표정이다.

시내 교통을 이용해서, 적당한 숙소를 찾아 잠을 청한 뒤에, 다음 날 또 부지런히 움직인다.

사냥개들의 시선을 돌릴만치 '사건'을 만들어두려면, 바쁘게 뛰어야 했다.

적어도 서너 건 정도를 이렇게 저지르고 나서, 다시 서울로 올라갈 셈이었다.

*

"지방에서 살인?"

윤계식은 끔찍한 표정을 지었다.

그의 모습이 끔찍하다기보다는, 그런 감정을 느끼는 이의 표정 말이다.

깊이 침잠된 화는 오랜 세월 굳어진 얼굴 낯짝의 가죽을 뚫고 표현이 되었다. 검고 굳은, 오래도록 쌓인 후안厚顔인데도.

여태까지 잘 되어가고 있다, 라고 여겼기에 더욱 반작용이 심한 것일지도 몰랐다. 김연수가 다시 일을 벌이기 시작한 것 같다, 라는 소식은 그만큼 그에게 크게 다가왔다.

그는 '끔찍한 감정'을 느끼는 얼굴이 되었다.

"예. 울진 근처의 작은 마을에서 일단… 한 건이 발견되었습니다. 피해자의 신원은 확인되었고… 용의자의 신상에 관한 건 딱히 정보가 없습니다. 현장에 체모를 비롯해 어떤 DNA도 없었습니다. 피해자의 것을 제외하면요.

…버려진, 오래된 공사 현장 터라서 먼지 때문에 발자국이 많이 남아 있기는 했습니다. 아니… 그것도 조금 문제긴 하네요. 일반적으로 인간이 부지에 들어왔다가 나간 식의 발자국이 아니었습니다.

드문드문 있는 데다가… 들어온 흔적은 있는데 나간 흔적은 없더군요.

이건 뭐… 피해자를 옮기고 살해한 뒤에 하늘을 날아서 떠난 건지…."

"그건 김연수 건의 흔한 특징이잖나."

윤계식에게 말을 전달해주는, 김민식 경장이 고개를 끄덕거렸다. 옆에는 박주영도 있었다. 수사본 건물 3층, 김현식 경위를 비롯해서 수색 5, 6, 7팀이 함께 사용하고 있는 공간 근처의 휴게소였다.

계식은 여느 때나 다름 없이 주택 조사를 마치고, 의심가는 건의 주변인들로부터 정보를 좀 얻고. 서울 여기저기를 떠돌아다니다, 연락을 받고 막 온 참이었다.

그렇게 듣게 된 자세한 내용은 그가 다시는 듣고 싶지 않던 내용이다.

'김연수'가 계속 활동하고 있다고는 생각하고 있었으나. 실제로 증거가 눈 앞에 드러나는 건 또 새로운 충격이었다. 깨나 오래 잊고 있던 감각을 불러 일으켜주는 충격이다. 놈을 잡아야만 하겠다는 의지를 돋궈주는.

'증거'란 피해자의 시신을 뜻한다.
오랜만에 김연수는 자신의 흔적을 남기는 방식으로 일을 벌였다.

이전 김재영이 잡히기 전에 보이던 모습과 유사하다. 당시에 김연수는 김재영을 비롯해 최소한 둘 이상이 함께 움직이고 있었으리라. 전국 각지에서 일어나는 신출귀몰한 살인 사건 때문에 전국의 형사들이 밤잠을 설치면서 뛰어다녔다.

우연에 우연을 더하고. 각고의 노력을 엱은 끝에 개중 하나를 잡았다.
비범한 정신력이나, 특이한 사고를 갖고 있는 듯한 놈이었다. 잡아들인 녀석은 말이다. 어떤 협박이나 회유책에도 결코 입을 열지 않았고, 불필요한 정보는 조금도 흘리지 않았다.
더군다나 '김재영'의 신원조차도 묘연했다. 녀석이 갖고 있는 신상 정보가 진짜 자신의 것이 맞는지.

한국을 벗어난 적이 없는, 어느 고아의 신원을 갖고 있는 청년이었다. 그가 어린 시절 지냈다는 고아원은 예전에 폐쇄된 곳이었고, 학교 역시 마찬가지였다. 이제는 없어진 학교를 잠시 다녔다가, 홈스쿨링 따위로 교육을 대체하고 검정고시를 딴 것으로 되어 있었다.

'그'를 데려다가 키웠다는, 10대 시절의 부모 역시 종적이 묘연하다. 김재영을 거두어들여 홈스쿨링을 시키고, 먹여 살렸다고는 하는데 연락은 전혀 되지 않았다. 미국으로 이민을 갔다는 것만 알아냈을 뿐, 이후의 행보는 알 길이 없었다.

비밀에 휩싸여 있는 인간이었다. 김재영은. 그리고 그와 함께 움직였을, 지금 나돌아다니고 있는 '김연수'도 마찬가지이고.

사회에 존재하기는 하나 유령같은 놈이다. 주민번호를 갖고 실재하고 있지만 그의 지난 이력이 전부 허상처럼 보였다. 현대 사회에 이런 인간이 있을 수 있나, 싶었지만 눈 앞에 있으니 달리 반박할 수도 없고.

사회의 틈바구니에서 태어난 괴물이다, 라고 이해를 하는 것이 가장 납득이 쉬운 정의定意이리라.

김재영은 완고했으며, 김연수에 대한 추가적 정보를 알아낸 것은 아무것도 없었다.
자신이 벌인 납치 살인 미수 건과, 형사 특수 폭행, 공무 집행 방해를 비롯해 여러 건의 사건에 대한 의혹도 부인하지 않았다. 가장 온건한 태도로 형을 부여받는다고 해도 30여 년은 감옥에서 썩을 판이었다.

김재영은 자신을 변호하지도 않았고, 형벌을 거부하지도 않았다. 어디서 어떻게 자라나고, 어떤 생활을 하면 인간이 그렇게 망가지는지 알 길이 없었다.

‘김재영’이라는 인간에게 가장 큰 영향을 주었을 게 분명한, 아직까지 살아서 활동하는 김연수에 대한 수사 욕구가 더욱 활활 타오르는 계기가 되기도 했다.

그렇게 엎어진 기름과 불에, 지방에서 일어났다는 사건이 한 번 더 기폭제가 되었고.

수사본 역시 대외적으로 ‘김연수’가 추가적 범행을 저질렀다는 증거를 잡을 수 없어서, 의욕이 떨어져가던 상황이었다.

절대로 잡을 길이 없는 완벽한 살인마의 존재는, 그 자체로 대한민국의 치안 구멍을 의미한다. 공권력과 치안력의 상징이 되는 경찰 조직의 치부라고 할 수 있었고. 이토록 잘 발달한 현대 사회에서 ‘연쇄 살인마’ 따위가 활개친다는 건, 묵과할 수 없는 일이었다.

상부에서 수사본에 대한 힘 실어주기가 다시금 시작된 것도 사실이었다. ‘지방에서의 살인’이 발견된 건 얼마 되지 않은 일이었지만 말이다.

“울진 건 이외에도… 유사한 사건이 두 건 더 있습니다. 처음으로 돌아간 것 같더군요, 모두. 한 건은 서해안 접경지인 서천군에서 일어났고… 다른 한 건은 내륙 지방입니다. 구미 근처 교외… 산골짜기에서 시신이 하나 발견되었습니다.
시신들의 모습은 대동소이하고… 투명하고 큰 비닐 따위에 싸여 있어서 혈흔이 튀지 않고, 주변으로 흐르는 식이었습니다.”
“…….”

윤계식은 옛날 일이 떠올라서, 기분이 더욱 안좋아졌다.

그가 김연수 건을 조사하러 다닐 때의 일들이었다. 사건 현장을 가장 먼저 딛는 이는 아니었지만, 거의 그에 가깝게 달려가 확인하고는 한 게 그였다.

본래 강남 경찰서 소속이다가, 나중에 '김연수 건'을 따라서 여러 군데 인사 이동을 한 그다. 이후에는 아예 광수대 등 특별 소속이 되어서 전국의 살인 사건들을 쫓아 다녔고.

미친 사람처럼 일에 매진하며 달려가던 수십 년이었다. 그러다가, 가정에 소홀해서 와이프마저 놓쳤고.

후회밖에 없는 인생이지만, 또 후회만 있지는 않았다.
못난 삶을 살았으나 그가 쥐고 버텨온 삶의 심지라는 게 있었다.

사명 의식에 대한 건, 윤계식이라는 인간을 설명하는 큰 가치이자 부분이었다. 그는 그것을 아주 크게 보았고, 크게 느꼈다.
가정보다도 더.

가족의 구성원으로서는 아주 못난 인간이었으나. 또 형사로서도 중요한 범인을 잡지 못했으니 반쯤 실패한 존재였으나. 그래도 이 나라의 국민으로서 그는 열심을 다했다. 사회를 좀먹는 개같은, 새끼들을 잡아 쳐넣고 그 일을 멈추게끔 하려고 젊은 날을 송두리째 바쳐왔다.

'멈추는' 게 본질적으로 그의 일이라 할 수 있었다.
형사가 잘하고 있는 사회 분야의 어느 역군에게 다가가서 독려를 하는 직업은 아니지 않은가. 못된 일을 하고 있을 때 보게 되는 얼굴이지.

김연수는 그가 미치도록 보고 싶은 어떤 얼굴이었다. 부인婦人의 얼굴보다 더 갈구했다. 그러니 이렇게 홀로 쓸쓸하게, 살아가는 꼴이 되어 버렸으나.

그는 아마 다시 과거로 돌아가도 달리는 걸 멈추지는 않을 테다. 그 생각은 지금도 변함이 없었고.

"울진, 서천, 구미… 세 곳인가? 현재까지 발견된 건."
"…예. 다른 건이 더 있을지도 모른다고 해서… 다시 작년처럼 광수대 인원들이 총동원 되어서 지방을 들쑤시고 있습니다. …."

김민식은 자판기에서 뽑은 커피를 홀짝이면서 말을 했다.

"…후. 선배님같은 분이 한 세 명 정도 더 있으면 좋을 텐데요."
"하하."

윤계식은 마른 웃음을 뱉었다. 농담을 한 사람에 대한 예의 정도의 반응이다. 그도 그렇게 생각은 한다. 자기 몸이 세 개 쯤 된다면 얼마나 좋겠는가. 현실적인 이야기는 아니었다. 계식은 눈가를 매만졌다. 피로할 때는 눈이 잘 안 보이게 마련이다. 흐릿한 시야를 복구하기 위해서 손바닥으로 얼굴을 쓸었다.

"…잠시 조용한가 싶더니, 다시 지랄을 하는구만."
"…맞습니다."

박주영이 답했다. 수사본 3층. 현장직이라고 할만한 수색팀들이 모여있는 곳이었다. 파티션으로 대강 나누어져 있었고, 문 역할을 하는 부분은 언제나 열려 있다. 약간 시끌하고, 웅성거리는 정도의 소리는 언제나 나고 있다.

휴게실은 그런 파티션에서 몇 걸음 떨어지지 않은 곳이다. 근처에는 마침 커피 자판기가 하나 있었고.

내부는 밝은 조명으로 늘 광량을 유지하고 있었다. 기본적으로 야근을 하고 있는 집단이라서, 정시 퇴근은 잘 꿈꾸지 못한다. 조직 전체의 일이 밀려서, 라기보다는 확고한 분업 체제인데, 각자가 맡은 프로젝트가 끝나지 않아 퇴근하지 못하는 양상이다.

'수색팀'의 경우에는 퇴근이 문제는 아니었다. 어차피 건물 내에 있으나 밖이나 계속해서 돌아다녀야 한다. 집에 들르는 일은 솔직히 잠깐에 불과했다. 아예 밖에서 지낼 수 없으니 간혹 들어가 옷을 갈아입고 씻거나 할 뿐이었다.
가정이 있는 사람들의 경우에는, 영 못 할 짓이었다. 그만큼이나 밖에서 사고를 치는 놈들이 많다는 뜻도 된다. 형사들이 바쁜 사회라는 건.

윤계식만이 아니라, 박주영이나 김민식도 얼굴에 피로감이 가득하다. 벌써 해가 바뀌었고, 또 봄이다.
작년부터 시작된 지루하고, 지겨운 사건은 아직도 끝이 멀었다.

'김재영'이라는 몸통을 잡아 족쳤으나, 아직까지 그 대가리는 남아서 움직이고 있지 않은가. '김연수' 건이 언제 정리가 될런지.

"…긴, 날입니다."

김민식은 문득 중얼거렸다. 그 말에 동의한다는 듯이, 박주영도 고갤 끄덕거렸고.

이제 그들은 결정을 해야 했다. 지방으로 눈을 돌릴지, 아니면 계속 수도권에 머무르고 있을지. 그들이 잡아야 하는 건 단순하다. '김연수'. 최악의 살인마. 놈이 어디에 있을까. 윤계식은 머릿속으로, 김연수라는 놈과 체스라도 두고 있는 기분이었다.

자신이 어디에 있는지 맞춰보라는 듯, 대한민국 전도를 펼쳐놓고 여기저기에 흔적을 흘리고 다니고 있었다. 놈의 다음 수는 어느 지방이 될까. 지금은 어디에 있다고 봐야 하는가.
수사본의 인력들은 어디로 향해야 하지?
김연수의 생각과 수를 앞지르기 위해서는….

"나는…."

윤계식은 잠깐의 고요와 정적 속에서 중얼거렸다. 골치가 아픈 건 아픈 거고. 어디로 가야하는지 방향은 결국 정해야만 했다.

띠리리.

그 때 윤계식의 자켓, 겉주머니에 있는 전화기가 울린다.

그가 다른 말을 하려고 입을 떼려던 찰나였다.

윤계식은 입을 다물고 전화기를 일단 꺼냈다.

심민아 경위.

직접적으로 윤계식에게 전화를 하는 일은 달리 없다. 추리 중에 무언가 도움이 필요하다거나, 결론이 났다거나 할 때 가끔.

계식은 앞에 있는 두 애송이, 이제는 조금 그럴싸한 표정을 짓게 된 두 형사를 보고 눈짓하며 전화를 받았다. 슬쩍, 화면을 보여주며 심 경위임을 알려주기도 한다.

"어, 심 경위님. 무슨 일이십니까."

계식은 적당히, 존대와 반말을 섞어 받는다. 어느 정도는 외부인이며, 또 어느 정도는 내부인인 그의 처지를 뜻하고 있기도 하다. 형사직은 관두었으니 경감으로 그가 대우를 받을 일은 없다. 심민아의 경우엔 젊은 여자이나 그녀의 직책과 능력은 존중받을 필요가 있었고.
적당하고 애매한 말투를 섞어서 쓰곤 했다. 그녀와 대화할 때는.

["아, 윤 경감님."]
"경감 아니라니까."

이 지루한 말장난을 언제까지 할런지는 모르겠다만. 심 경위는 꿋꿋하게, 그를 경감으로 부르곤 했다.

["아무튼요. 지방 건 얘기 들으셨어요? 김연수가 움직이고 있다는 것 같다는데."]
"나도 지금 막….."

계식이 앞에 있는 두 형사를 쳐다보았다. 박주영과 김민식이 이야기를 전달해준 참이었다.

"들었다네."

["예…. 경찰은 수사본을 비롯해서 대부분의 인력을 바깥쪽으로 빼기로 했어요. 일단 증거가 확실하게 나온 쪽에 집중하겠다는 거죠."]

"그렇구만. 그럼 자네는?"

["그걸 상담드리려고 전화를 드린 거였어요. 저흰 수도권에 김연수가 있다는 가정 하에 움직였었잖아요. 김재영을 잡았는데. 설마 김연수가 셋 이상으로 이루어져 있다는 것도 너무 가혹한 얘기고…."]

가혹하다라. 맞는 말이다. 김연수를 잡아야 하는 형사들이나, 그런 놈들을 견뎌내야 하는 이 나라의 국민들에게 있어서.

윤계식은 그런 이유가 아니더라도 김재영과 신원 미상의 인원. 둘 정도가 아마 '김연수'의 끝이라고 생각하고 있었다. 그런 괴물들은 쉽게 만들어지는 게 아니었다. 타고난 능력를 갈고 닦아서 만들어지는 식이다.

그런 놈들을 양산해낼 수 있었다고 한다면, 이 사회는 진즉에 더 심각한 꼴이 되었으리라.

윤계식은 마침 떠오른 생각을 한 번에 공유할 수 있게 되어서, 말할 수고가 줄었다고 여겼다. 그가 속내를 얘기했다.

"…나는… 계속 서울을 지켜야 한다고 보고 있네."

아무런 단서도, 흔적도 없지만.

그건 단순히 감에 가까운 이야기였다. 직관, 직감이라고 불리는 종류 말이다. 어쩌면 김연수를 오래도록 쫓아온 긴 경험이 그에게 말을 하고 있는 것일지도 몰랐고.

김연수는 쉬운 적이 아니었다. 놈이 함부로 흔적을 흘리고, 자신을 통제하지 못했다면 예전에 잡혔겠지. 긴 시간 대한민국의 형사들을 농락한 놈의 저력을 낮잡아 보는 일은 멍청한 짓이다.

'김연수가' 지방에 나타났다, 라는 말은. 곧 의도적으로 거기에 흔적을 뿌렸다는 말도 된다. 왜 그랬을까. 굳이.
한 명의 동료를 잃어버려서, 손이 줄어든 상태일텐데. 경찰 조직의 경계를 더 사는 짓을 한다고.

윤계식은 한 가지 결론밖에 나질 않았다, 머릿속으로 생각할 때.
놈은 궁지에 몰렸다. 그래서 더욱 시끄럽게 소리를 내는 것이다.
자신을 쫓고 있는 추격자들에게 헛된 먹잇감을 던져주고, 그 스스로는 다른 곳에서 일을 저지르려고.

김연수라면 그렇게 할 테였다. 살인을 위해서 살인을 하고, 더 완벽한 안전을 위해서 리스크를 지리라.

아무리 어려운 길이라고 하더라도 그것이 '가능한' 수준이라면 망설임없이 해낼 테였고.

그건 어쩌면 낙관적인 추론이나 상상의 영역일 지도 몰랐다.

그들, 심민아 조라고 우스갯소리처럼 불린 소수 인원과 협력자들이 서울 남부를 들쑤시면서 김연수에게 어떤 압박을 주었다는. 그런 가정이 있을 때에야 비로소 설득력을 얻는 이야기였으니까 말이다.

전제가 잘못되었다면 아무런 의미도 없는 추론에 불과하지만.

계식은 금방 아침에 면도를 해서 제법 매끈한 턱을 만졌다.

다른 이들이 놓치는 부분을 보고 움직이는 게 팀워크의 진정한 의미이리라. 수사본의 대부분 인력과 경찰 조직의 핵심이 지방, 한국 전역을 살펴보고 있다면. 그들은 경찰의 눈이 비교적 소홀해지는 곳으로 눈길을 돌려야 하리라.

그게 꼭 '서울'이어야 할 필요는 없지만. 거기는 이제 순전한 감의 영역이다. 추론.

김연수는 대도시에 집착하고 있었다. 그리고 서울에서 실제로 여러 건의 살인 행위를 저질렀다고, 윤계식은 확신하고 있었고. 아무런 증거가 없기에 누군가의 동의를 얻을 수 있는 생각은 아니었으나.

한정된 경찰 인력을 전국토로 뿔뿔이 흩어보내어 경계 수준을 낮추고, 자신은 어디로 가겠는가.

"…서울에 그대로 있지. 여태까지와 변함 없네. 서울 남부를 부근으로, 김연수 건이라 짐작되던 실종 사건들을 계속 파지. 관악, 동작, 구로구 중심으로 말야. 어차피 주택 조사도 상당히 진행되지 않았는가."

["네… 그렇죠. 비워져 있는 주택들도 상당히 많기는 했지만…."]

'김연수'. 범인이라고 한다면, 벨을 눌러 집 안을 좀 살펴보겠다는 말에 굳이 대답하지는 않을 테였다. 실제로 누군가 소유를 하고 그저 비워둔 주택들일 경우도 분명 있기는 했다만.

"계속 포인트들을 찾고, 경계 임무를 서지. 놈이 한 몸이라면 적어도 지방에서 일을 벌이는 동안 서울에서는 일을 못 저지른 거니까.

우리 인력의 경계, 수색이 아무런 의미가 없을 수도 있지만. 실제적으로 효과가 있었을 수도 있네. 상대의 눈돌리기 전략에 그대로 쫓아가서 지금 잘 하던 수비 행위를 그르치는 건 바보같은 짓일지도 모르네.

……."

계식은 앞에서 듣고 있는 주영과 민식에게도 이야기를 했다. 어느 순간부터 통화는 스피커 폰으로 다른 이들과 공유하고 있었다.

"나는 일단 서울에서 놈의 종적을 찾으려는 일을 계속 하겠네. 다른 사람들은 어떨지 모르겠군."

["그쵸? 저도 그렇게 생각했어요. 너무 뻔히 보이는 답을 찾아가는 건 왠지, 마음에 안내키더라고요."]

허허… 박주영은 힘없이 웃었다.

그가 믿고 따르는 선배나, 프로파일러는 괴짜인 것 같았다. 그런 작자들이 왜인지 망나니같은 살인마를 잡아줄 것 같기는 했다. 이상한 놈을 잡으려면 이상한 사고방식을 좀 쫓아갈 필요가 있지 않겠는가.

박주영과 김민식도, 이내 동의를 했다.

*

전라남도 영광.

천산혁은 마지막 건을 마무리했다.

4월 말.

짧은 시간 내에 무지막지하게 일을 벌였다.

낮이 점점 길어지고 있었고, 따뜻해진 날씨에 사람들은 나들이를
자주 떠난다. 그런 도심지의 분위기는 어쩐지 그에게 이질적이거
거북스러운 것이었으나, 따라하지 못할 종류도 아니었다.

그는 풀어진 듯한 분위기의 표정으로 낮에는 다녔고, 인적이 드
문 곳이나 밤에서는 다시금 살인귀의 표정을 하며 누군가의 목숨
을 빼앗았다.

평범한 30대 여성이었다. 그가 마지막으로 숨을 끊은 건.

근력이 그리 많지는 않았고, 몸무게도 가벼웠으므로 일처리는 간
단했다.

사회적으로 활발하게 활동을 하고 있고 여기저기 얽혀 있는 처
지라고 한다면, 뒷처리를 제대로 하지 못했을 때의 파급력이 아주
크다.
실수로 작은 실마리 하나라도 남겨둔다면 그에게 달릴 추격자들

의 시선도 만만치 않을 테였고.

그러나 절묘한 위치와 계획이었다, 늘. 필요 이상의 흔적을 남긴 적은 없다. 시체의 냄새를 맡은 개들이 지방으로 움직이며 퍼질 테였다. 시체를 맡는 개.

천산혁과는 정반대라고 할 수 있었다.

천산혁은 늘 산 자의 냄새를 맡는다. 정확히 말을 하자면, 죽이기 쉬운 누군가의 냄새를 맡는다. '죽이는 것'이 천산혁, 김연수의 관심사였으므로. 이미 죽은 시체를 능욕하는 건 이 사이코패스에게 아무런 의미가 없는 일이다.

반면, 형사들은 멀쩡히 살아있는 사람들에게 눈을 돌릴 여유가 없다.
그들이 관심이 있는 건 언제나 '범죄자의 흔적'이었으니까. 이미 드러난 사건을 기준으로, 더 이상 범행이 벌어지지 않게 하기 위해 움직이는 것이 그들이었다.

범죄자는 늘 일을 벌이고, 추격자들은 그 뒤를 쫓는다.
범죄자의 종적을 잡아내어, 일을 치기 전에 잡을 수 있다면 더할 나위 없이 좋겠지만.
안타깝게도 지금 일을 치고 있는 김연수는, 가장 완벽한 범죄자에 가까운 놈이었다. 상황을 통제한다고 말해도 좋다. 그는 완벽한 세계의 지휘자였다. 그가 범행을 저지르는 일련의 과정은 아름다운 씬Scene의 반복이었고, 늘 마무리를 하곤 하는 작은 밀실 따위는 그가 모든 요소를 통제하고 있는 공간이었다.

'아름답다'라는 건, 지독하게 반어적인 표현이겠으나.

미적 감각이 맛이 가버린 괴물이기에 그건 그렇게 느꼈다. 그것, 괴물, 김연수, 천산혁 말이다.

'여성'이 작은 밀실에 쓰러져 있었다.

천산혁은 그녀에게 아무런 손도 대지 않았다. 성性적으로는 말이다. 생사를 가르는 난도질은 물론 저질렀다만.
사이코패스는 생식 행위에 크게 관심이 있지는 않다. 나이를 많이 먹었으나, 그는 총각이었다. 늙은이였고, 성욕을 다스리는 게 많은 어려움이 있는 일이기도 했으나. 천산혁은 생에 얻을 수 있는 모든 정욕과 정력을, 오롯이 그의 살인 행위에 쏟았다.

아직도 그렇게 정력적으로 움직일 수 있는 비결이 그것일 지도 모른다.

악한 일을 하던, 좋은 일을 하던. 어쨌건 남들보다 더 나아가기 위해서는 자신이 가지고 있는 가용자원을, 모조리 투입해야 한다. 낭비하는 일 없이, 순전하게 모아서 완벽하게 빚어 투입했을 때에야 간신히 가능성이라는 게 생길 테였다.

뭐 어느 위인이 말했던가, 말았던가. 어제까지와 완벽하게 똑같은 삶을 살면서 오늘이나 내일이 달라질 거라고 믿는 건 정신병이라고 했던가. 그런 이야기였다.
쓰레기만도 못한 짓거리를 하며, 삶을 살아가는 천산혁이지만 그런 물리법칙에 가까운 진리는 지키고 있었다. 그건 하늘 아래 살아가고 있는 모든 생애生涯의 구속이다. 태어난 이상, 육신을 입고 먹고 싸고, 입고 쉬고 자야 하는 것만큼이나 당연한.

천산혁의 맛이 가버린 눈 안에서는, 자신의 근처에 쓰러져 이미 죽어버린 어느 여성의 시신과. 아무에게도 들킬 리가 없음을 철저하게 확인해서 알게 된 어느 폐건물의 밀실 내부 공간은.
지독하게 아름답게 보이는 것이었다. 평범한 감각으로는, 거기에 들어간 의도와 통제력을 따지기 이전에 살인 현장이라며 그를 신고하는 게 먼저겠지만.

이게 마지막이다.

아까까지 긴 신음을 흘리던 여성은 죽었다.

비닐은 없었다. 대신, 얼음 송곳 하나를 가져와서, 여성의 목을 길게 뚫었다. 피어싱처럼 뚫었다는 게 아니라, 어느 호러 무비에 나오는 것마냥 옆으로 주욱 뚫어 관통했다. 대동맥을 지나게끔, 인체의 혈을 생각해서.

사람을 죽이기 위한 다양한 방법에 대해서는 통달하듯 알고 있는 천산혁이었다. 실증 예제로 거치고 알게 되었으니, 교수라고 해도 되리라. 프로페서 말이다. 물론 살인이란 악의 위에 설 수 있는 학문 따위는 인간사에 존재하지 않았다.
전쟁학이나 군사학과도 궤가 다른 것이다 그건. 단순한 살인마의 농담일 뿐인.

얇으나 충분한 두께와 강도를 갖고 있는 송곳이었다. 특수한 주형을 통해서 만들어낸 것이었고, 긴 보온통을 가져와서 담아왔다. 약간 녹았으나 상관이 없는 지름을 갖고 있었고, 이미 완벽하게 힘이 빠졌던 기절체의 목을 관통했다.

얼음은 부서지지 않았고, 여전히 그로테스크하게 있었다. 저것이 있기에 아직까지 피는 솟구치지 않았으나, 다 녹아버리면 평범하게 피가 빠질 테였다.

고통의 문제에 관해서는, 오로지 효율성을 따져서, 이미 기절시키고 죽였다. 치사량에 이르는 독물이었다. 근육과 신경을 마비시키는 것으로, 시간이 지나면 검출하기도 지독하게 어려운 종류이다.

체내의 무엇을 파괴시키는 건 아니고, 단순하게 불수의근에 속하는 여러 가지 것들을 마비시키는 종류였으니. 질식사에 조금 더 가까우리라.

예리한 검시관이 본다고 해도, 작은 바늘구멍을 찾지 못한다면 그저 질식사나 혹은 목에 뚫린 구멍으로 인한 실혈사로 알게 되리라.

눈에 뜨이지 않게끔, 순식간에 바늘을 찔러 넣는 기술 역시 '암살'을 위한 기술 중 하나였고.

"흠."

천산혁은, 끔찍하게도 만족스럽게 웃었다. 먼지투성이 어느 폐건물의 지하방.

그는 복면 안쪽으로 숨과 웃음을 뱉었다.

김연수는 다시금, 태어났던 곳으로 돌아갈 차례였다.

서울.

적어도 김연수라는 이름은 거기서 태어났으니.

마지막도 거기여야 하리라.

살인마로서의 이름을 그곳에 두고 오려는 속셈이었다.

*

28. 스친

*

처연한 삶이여.

"후."

계식은 혼잣말로 중얼거리듯 생각했다. 웅얼거리는 입 속에 담은 말이다. 소리를 내어 뱉은 듯도 하고. 아닌 듯도 하고. 사람이 피로에 찌들면 감각이 떨어진다. 날카로움, 예리함, 뭐 그렇게 먼저 사라지는 것이다.

계식은 서울 시내를 떠돌다가, 잠시 멈춰 있었다.

운명이라는 게 있는가.

윤계식은 잠깐 서점에 들렀다. 지하철에 마련된 휴게실과 합쳐져 있는 곳이었다. 이동을 하다가 잠깐 피곤하면 쉴 수 있을만한 곳이다.

무료 도서관과도 합쳐져 있는 모양이다.

윤계식은 1호선의 어느 환승역 지하에서 그런 곳에 들렀다. 차량이 없이 이동을 하는 중이다. 밤새 서울 도심의 '포인트'로 보이는 치안 취약 지역에서 경계 근무를 서다가. 낮이 되고 집으로 돌아가는 길이었다.

박주영은 수사본에 소집이 있어서 일을 보러 간다. 윤계식은 미안하게도 박주영의 집에서도 가끔 쉬거나, 자거나 했다. 총각 혼자 사는 단출한 집이었다. 전세였고, 그 성격대로 깨나 깔끔하게 물건들을 두고 사는 박주영이었다.

애초에 집에 잘 들어가지도 않아서 그럴 지 모르지만.

어쨌든 남자 혼자 산다기엔 깨끗했고, 도리어 지나쳐 살풍경한 집이다. 번호키의 락을 열 수 있는 카드를 받은 참이었다. 그들이 헤어진 장소에서 그다지 멀지 않은 곳이었는데.

늙은이는 기력이 다해서 그런 휴게실의 나무 의자에 일단 털썩, 주저앉았다.

간밤을 거의 새듯 보냈다. '상대'가 일을 벌일만한 좋은 시각이 곧 밤이나 새벽이었으니까 말이다.

몸을 갉아먹는 일이나 마찬가지였고, 아주 희박한 심증만이 그들을 인도하는 것이었다. 누구에게 시켜도 괴상한 표정을 지을만한 짓이었지만. 그런 짓을 함께 해주고 있는, 일명 심민아 조의 일원들은 큰 불평이 없었다.

다들 머리에 나사 하나씩이 빠져 있는 지도 모른다. 아니면 범죄를 근절하고자 하는 사명 의식에 미쳐버렸거나.

실시간으로 몸이 축나고 있었다, 디들. 5월이다. 봄, 여름이 한층 다가오는 날씨였다. 모두가 한껏 들뜬 모습으로 피어나는 날씨를 즐기는 때였다. 꽃이 피기 좋은 기온이었고, 청춘들이 그들의 나날을 즐기기도 좋은 날이다.
거리를 걷다 보면 시내를 돌아다니는 아이들이 많이 있었다.
청년들이지만, 계식의 시선으로 보면 아이들이나 다름이 없었다.

피로함에 감기는 눈이었지만, 가물가물하게 바라보면 미약한 흐뭇함이 가슴 한 켠에 남아 있었다. 평안한 일상이다.
아이들이 평온하게 하루를 보내고, 꽃이 필 무렵이면 나들이를 다니고. 안전함 속에 사는 것이 어찌나 보기 좋은지.
그것을 위해서 이바지한다고 생각하면, 썩 나쁘지 않은 삶이고, 삶이었다. 정말로.

계식은 둥글게 깎아 만든 원형의 의자 한 켠에 앉아, 그렇게 지나다니는 사람들을.보다가 잠시 눈을 감았다.
죽은 건 아니었다. 죽을만큼 피곤했을 뿐.
늙은 몸뚱이는 고단함에 젊은 날보다 취약했다.

계식은 잠시 쉬었다.
낡아빠진 외투. 이전, 박주영과 김민식을 처음 만났을 때와 비슷한 차림이었다. 외투는 아예 같은 것이었고. 바지나 신발은 다르다.

조금 더 걸어 들어가면 서점이 있고, 그 외곽에 있는 라운지 겸 휴게소 겸 도서관 자리이다. 계식이 쉬는 곳은.

웅성거리는 행인들의 소리를 ASMR 삼아서. 계식은 짧은 잠을 취했다.

'피곤하구먼.'

어둠이 찾아왔다.

청각은 아득한 가운데 마지막까지 남아 있어 소리를 잡아낸다. 사람들의 걷거나 말하는 소리 따위가 멀게 느껴져갔다.

털썩.

그런 와중에, 옆에 앉은 이가 있다.

"······."

옆이라고 할만한 자리는 아니다, 사실.

원기둥을 따라 빙 둘러 만들어진 목제 의자였다. 물론 현대의 물건이니 깔끔하게 깎이고, 굴곡이 아름답게 나 있다. 유광칠 따위가 되어 있어 잘 벗겨지지 않고. 잠깐 쉬거나 책을 읽는데 쓸만한 의자다.

계식의 뒤편. 그가 앉은 기둥 자리에는 달리 사람이 없다가, 노인 하나가 찾아와 등을 대고 앉는다.

시선은 정 반대다. 등과 등을 마주댔다고 할 수 있으리라. 가운데에 기둥이 있기는 하지만. 노인과 노인.

늙은이는 자신도 피로하다는 듯, 잠깐 눈을 쓸었다.

원래 눈을 쓴다거나, 피로하다는 티를 잘 내는 인간은 아니었다. 지금 앉은 '그'는 말이다.

그러나 휴식은 꼭 필요했다. 분주하게 짧은 시간, 계속해서 움직인 게 무리일 지도 모른다. 그가 '움직였'다는 건 일반적인 사람의 노동보다는 훨씬 강도가 큰 작업에 대한 비유다.

아마 물리적인 강도를 따진다면 세상에서 단시간 내에 가장 고된 일이리라.

정신적인 강도를 따진다면 더욱 그럴테지만. '그'는 그런 인간이 아니니 넘어가자.

주름진 얼굴이다. 마른 세수를 하듯이 쓸어낸다. 이런 식의 쉴 곳을 이용하는 건 그리 나쁘지 않았다. '연기'에도 도움이 되지 않는가.

굳이 구태여, 바깥 활동을 할 필요는 없었지만. 가끔은 이런 식으로 대담하게 사회 안에 녹아드는 일들이 '그'에게는 꼭 필요하다. 단기간을 본다면 쓸모없는 일이었지만 그는 아주 긴 기간 특이한 생활을 반복해오는 인간이 아닌가.

특이한 인간의 티는 아무래도 나기 마련이었다. 그건 아무리 감추려고 애를 써도 드러나는 것이었다. 사람의 몸 체형에 따라 옷을 입어도 실루엣이 드러나고 마는 것처럼. 조금만 오래 사귀어보고 알아보면 그런 태가 나고 만다.

그런 '태'가 그를 사회에서 유리시키는 점이었다. 그리고, 그는 사회에서 벗어나서는 안되었다. 철저하게 양 속의 늑대처럼 자신의 발톱과 이빨을 숨긴 채 살아가야 한다. 최고의 사냥꾼은 무엇인가. 결국 자신의 의도를 끝까지 감추어내고, 완벽하게 먹잇감인 척하는 이를 뜻하리라. 완벽하고 철저한 단련으로 날카롭게 갈아진 발톱은 오로지 감추는 것만이 일이었다.

드러내야 할 때는 너무 날카롭지 않도록 애를 써야 했고.

그래서, 이런 식으로 가끔 사회 기반 시설의 어느 언저리에 앉은 채 시간을 보내는 게 중요하다. 보이지 않는 면까지 제대로 연기를 해내야 할 것이 아니겠는가. 그런 구간에서, '진짜배기' 연기자와 어설픈 가짜 연기꾼이 갈리는 법이었다.

누군가의 뒷덜미를 노릴 때는 그런 행세가 무척, 중요하다.

노인은 단출하고 평범한 차림이었다. 나이가 들었음에도 군살이 없는 체형. 주기적인 운동으로 단련된 몸이었다. 외투 따위를 입고 있으니 그 근육이 드러날 일은 없지만 말이다. 일부러 약간은 구부정하게, 힘을 빼고 느슨하게 굴며 걸어서 그렇지.

제대로 자세를 잡고 있으면, 젊은이라고 할 지라도 긴장을 할지 모르는 체형의 노인이었다.

아직 장년기를 지나고 있으니 마냥 '노인'이라고 칭하는 것도 어설픈 명칭일지 몰랐고. 초로의 노인, 그보다 조금 더 젊은 양반이었다. 희끗한 머리를 손으로 대충 쓸어넘기고.

계식의 뒤에 앉은 노인은, 자신의 눈높이 근처에서 보이는 책을 대강 골라 뽑았다. 앉은 자리에서 엉덩이를 떼고, 한 두 걸음 걸으면 대강 닿는 곳이었다. 때문고, 여러 사람의 손을 거쳐서 헐어진 중고 서적들이 나름 가득 들어 있었다.

오래된 책들에도 좋은 내용은 많다. 아니, 책이라는 건 본디 새 것보다는 오래된 것에 도리어 더 양질의 정보가 들어있는 법이었다. '글'은 책으로 적혀 나온 순간에 죽는 것이고, 죽은 채로 무수한 비판과 의구심을 견디며 오랜 시간을 이어온 책이라면. 언제나 클래식이 되는 법이었다.

새 것은, 아직 비판과 의심을 견뎌내지 못한 책들이었다. 오랜 기간 많은 독자들에게 지적을 받고, 고쳐지고. 혹은 고쳐지지 않았음에도 논리의 정연성을 잃지 않는 명저들.
그런 것들은 때문고 낡은 책이 되리라. 물론 새롭게 증쇄를 했다면 깔끔이야 하겠다만.

아무튼, 책은 담긴 컨텐츠가 중요하지, 표지로 가치를 따지는 물건이 아니었다. '노인'도 알만큼 상식이었다. 계식의 뒤에 앉은 그.
그는 사실 따지자면 무뢰배에 가까운 인간이었으나. 상식 정도는 함양하고 있었다. 자신이 좋을대로 해석하는 상식이었고, 굳이 그걸 따르는 자도 아니었지만. 적어도 사회 속에서 '그런 체'를 하기 위해서 필요한만큼은, 상식을 알고 평범하게 대화를 하고는 했다.

그가 골라든 것은 어느 미국인 작가의 명저였다. 근현대에 많은 영향을 끼친 인물이고, 문학사에서 큰 이름으로 불리는 작가다. 노인이 될 때까지 살았고, 지금은 죽었다. 생전에 FBI에게 쫓기고 있다는 망상증을 앓았다나 뭐라나.

그리고 그의 사후에, 그게 망상이 아니라 사실이라는 게 밝혀졌다나 뭐라나.

아무튼 그런 인간의 대표적인 저서였다. 현실주의적이고, 바다 위를 조각배 하나로 떠다니다가, 큰 물고기를 잡고. 마지막에는 이렇다할 남은 것도 없이 쓸쓸한 최후를 맞이하는 그러한 내용의 소설책.

양식으로 삼고, 다른 사람들과의 교류에서 적당한 교양으로 떠들기에 괜찮은 책이었다.

'노인'은 그것을 시작해서, 한 2-30여 페이지 정도 읽는 시늉을 하다가. 조금 더 쉬다가. 자리를 떠났다.

지하철은 무수한 사람들이 지나가고 엇갈리는 장소였다.

정말 아무나가 지나다닐 수 있었다.

이 사회에 있는 여러 종류의 인간들이 모두 사용할 수 있다. '열린 공간'이란 그런 걸지 모른다. 이 사회는 많은 사람들에게 친절하고, 안정적이었다. 분단선 위로는 최악의 리스크를 지니고 있는 나라 속의 사회이기는 했다만.

그래도 세상 어디를 가도 잘 경험할 수 없는 높은 수준의 치안과, 잘 정비된 기반 시설을 갖고 있다.

깔끔하게 정리가 된 지하철. 어느 앉을 자리. 그런 곳에서 살인귀와 그를 잡으려 애를 쓰는 형사가 문득 마주쳤다가 헤어져도 모를만한 장소도 있고, 그런 사회였다.

*

*

"흠, 흠."

음악을 듣는 건 드문 일이었다. 심민아에게 있어서 말이다. 그러나 가끔은 그런 감수성이 필요할 지도 모른다.

머리가 아픈 퍼즐 풀이만을 계속 반복하다가, 바보가 되어 버릴지도 모르는 일이 아니겠는가. 사람의 정신도 육체와 마찬가지로 늘 휴식과 작동을 반복해야 했다. A구간을 썼으면, B구간을 써주는 일이 필요하고.
몸과 마음, 정신은 어차피 하나이기에. 그리고 사람이라는 건 자신이 느끼고 믿는대로 작용하는 신체를 갖고 있기에.

눈에 보이지 않는 정신도 그렇게, 눈에 보이는 육신처럼 잘 다루어주어야 했다.
논리적인 사고에 골몰하다가, 어떤 것에도 개의치 않고 그저 음악을 흥얼거리는 시간을 갖는 건 그녀에게 아주 중요했다.

어느 유명 가수의 곡이었다. 예전에도 유명했고, 지금도 유명하다. 2000년대 중반부터 시작해서 20년 즈음까지 시대를 풍미했던 보이밴드의 곡이고, 최근까지도 수많은 저작권료를 갖고 돈을 벌어들이는 인물로 알고 있었다.
물론 심민아에게는, 노래의 추억보다는 마약, 조폭 따위와 관련해서 연루가 된 사건의 피의자로 더 기억에 남는 이들이었지만.

오래도록 신실하고 순전하게, 한 가지 일을 하는 건 어쩌면 힘든 일일지도 모른다. 그래도 초창기에 그룹이 나왔을 적, 심민아가 지금보다 훨씬 어리던 무렵의 곡은 나름의 감성을 불러 일으켰다.

이후의 행보를 생각하면 씁쓸하기야 하다만. 중, 고등학생 시절 거리에서 울려퍼졌던 노래를 듣노라면 당시의 분위기를 떠올리게 된다.

지금보다는 훨씬 걱정이 없고, 누군가의 보호를 받고 있던 때였다. 정말 좋은 때는, 언제나 세상의 아이러니처럼 좋은 줄을 모르는 경우가 많다. 보호를 받고 있었음에도 그런 줄 모르는 것이다.

물론 그런 의미에서는, '완벽한 보호'일 지도 모른다. 어떤 불안감에 대해서 떠올리지조차 못한 채, 그 시절을 보냈으니까.

어른이 되었고, 많은 공부를 했다. 남들보다 더 험한 현장을 많이 보았고, 지독한 사건들을 다루는 학문을 팠다. 평범과는 꽤나 거리가 먼 일생을 살아가고 있다고 생각한다. 사회의 민낯을 다루는, 경찰이라는 점에서 다르게 생각하면 또 '평범'과 가장 가까이 있을 지도 모르겠지만.

사실 사회는 이런 것이다. 범죄가 일어나고, 죄악이 판을 친다. 누군가의 욕심은 다른 누군가를 칼로 찔러 꿰뚫고, 죽이고. 직접 찌르던, 혹은 죽이라고 사주를 하던. 여러가지 원한과 욕망 따위가 얽히고 설켜서, 풀기 어려운 실타래처럼 보이는 것이 늘 '그녀'가 보는 사회였다.

대한민국 사회.

어린 시절에는 이런 줄 몰랐던 곳.

아니, 알려고 하지 않았던 곳.

혹은, 이미 보고 있었음에도 알만한 정신머리가 없어서, 그저 몰랐던.

지금의 그녀는 '지켜지는 쪽'보다는 지키는 쪽이 되었다. 십 수 년 전 학생이던 그녀가 평범하게 거리를 걷고, 지켜졌던 것처럼.

지금의 심민아가 거리를 걷는 학생들을 보호해야 했다. 아무런 제동 장치도 없이 멋대로 움직이는 살인귀를 막기 위해 골머리를 썩는 것도 그런 일의 한 부분이다. 아니, 큰 부분이었다.

대한민국 사회의 치안은 높은 수준이지만, 그게 그냥 유지되는 건 아니다. 그녀가 어리던 시절에도, 반드시 누군가 지금의 심민아처럼 애를 쓰고 있었으리라. 군인이던, 경찰이던. 혹은 사회 속에 존재하는 평범한 시민의식의 시민들이던.

사회의 어른들이 발벗고 망가지지 않게끔 애를 썼기에, 지금의 세대들이 자라날 수 있었으리라.

꿈이 많던 10대를 넘어서, 20대를 겪고. 남다른 전공을 골라 공부를 하고, 유학을 다녀 오고. 많은 곳과 것들을 경험하고. 다시금 한국에 돌아와서, 연쇄살인마의 행동 패턴 따위를 분석하고 있는 지금까지.

그녀의 삶은 참, 길었다. 그녀보다 나이가 많은 어르신들이 들으면 비웃음을 칠 일이었으나. 그럼에도 참, 길다. 30대 중반이라는 나이를 먹을 줄은 꿈에도 생각하지 못했다.

-미안해-

틀어둔 노랫말이 흘러나왔다. 핸드폰으로 가볍게 틀어둔 것이다. 집무실 바깥을 새어나가지 않도록 음량을 조절했다. 그녀는 자신의 방에서, 운동화를 신고. 편한 정장 바지에 외투 하나를 걸치고 있었다. 화이트 보드는 여러 사건에 관한 서류와 사진들, 그녀가 그린 도형들로 꽉 차 있었다.

바닥은 비교적 깔끔하다. 그래도 구석 부근에는 여전히 서류들이 널려 있었지만.

이전에 비해서는 계산의 양을 줄이고 있었다. 그녀가 고려해야 할 것들이 줄어들었다는 뜻은 아니다. 그저, 그녀가 스스로 범위를 줄인 것이다. 막대한 범위의 일을 생각해봤자 어차피 답이 나오는 게 아니었다. 그럴 바에야 적은 지역에 관한 가능성을 염두에 두고, 생각의 정확성과 예리함을 높이는 편이 나았다.

그렇게 한 지역을 면밀하게 살펴보고, 가능성을 확인하다가, 아니면 다른 카테고리로 넘어가면 될 뿐이다.
한 번에 모든 일을 할 수는 없다. 수사본의 대부분 인력과, 경찰 조직의 상당수가 전국적으로 뛰고 있었다.

'김연수'가 벌여놓은 살인 사건은 늘 경찰을 고생시킨다. 밤잠을 설치게 하고, 여기저기를 돌아다니게 한다. '홍길동'이라는 의적의 이름을 갖다 대고 싶지는 않지만. 마치 그것을 떠올리게 할만큼 신출귀몰한 것은 사실이다.

경찰들은 늘 먹잇감이 던져진 개처럼 사건 현장의 냄새를 맡고 쫓는다. 그것 역시 아주 중요하고, 김연수에게 적절한 압박이 되리라고 생각한다.

그러나 그녀는 윤계식이 했던 말을 기억했다.

'김연수'의 의도.

놈은 머리가 좋다. 그리고 계획적이고. 사건과 상황을 통제하려는 욕구가 지독하게 높은 인간이다. 김재영에 관한 짧은 단상과 프로파일링, 관찰에 대한 결론 또한 그렇다. 사이코패스 중의 사이코패스. 미치광이 중의, 미친 놈. 그것이 '김연수'라는 별명 아래에서 활동하는 놈들이었다.

같은 살인마들 중에서도 공포의 대상이 될 지도 모른다. 확실히, 어마어마한 신체적 능력을 갖고 모든 살인 계획을 주도 면밀하게 짜며, 실수를 하지 않는 인간이라는 건 말이다.

대부분의 살인범들은 우발적이거나, 단발성의 범죄에 그친다. 현대 과학 수사의 기법이 많이 발전을 했고, 프로파일링 역시 도입된 지가 꽤나 시간이 지났기에.

'연쇄 살인마'가 활동하기에는 힘든 시대이자 장소였다. 대한민국, 그리고 그 대도시들은.

그럼에도 불구하고 김연수는 20여 년 전과 같이 떳떳하게 활동을 한다.

자신의 일이라는 양, 불필요한 어떤 조건 단서 정보도 남기지 않은 현장을 경찰에게 보이면서.

감식팀에게서 도출되는 여러가지 결론은, 지독하게 용의주도하며 또 다양한 손기술을 익히고 있는 살인마라는 점 정도였다. 죽음에 대한 단서를 제대로 잡기도 힘들만큼. 사인이 되는 상처 이외에는 별다른 흔적도 시체에 남지 않는다. 손속이 깔끔하다는 뜻이고, 낭비되는 동선이 없다는 말이었다.

마치 살인을 위해서 평생 기술을 연마해 온 프로페셔널, 스페셜리스트같은 흔적들이다. 예전부터 '김연수'라는 사이코패스 살인마의 코드 네임이 유명했던 이유가 그것이기도 하다.

지금 일어나고 있는 전국적인 살인 사건 역시, 어떠한 물증은 없으나 그 단서가 적고 살해 수법이 완벽하게 깔끔하다는 점에서 '김연수'의 행적으로 보고 있었다.

'윤계식'은 늘 경찰 조직이 내놓는 결론을, 미리 알고서 내놓는 인간이기도 했다. 평생 김연수를 쫓던 자였으니 어련하겠는가.

심민아는 젊고, 간혹 주변 동료나 선후배들로부터 천재라는 소리마저 듣는 인간이었으나. 그런 장인 정신에는 늘 고개를 숙이는 겸손함이 있었다. 머리가 좋기에, 자신의 능력이 전능하지 않다는 걸누구보다 빠르게 파악하는 것이다.

윤계식 전 경감의 몇 마디 말들은 늘 그녀가 결론을 내리는 데 지대한 공헌을 한다.

김연수.

상황과, 자신의 육체, 시간적 계획, 동선 모든 걸 완벽하게 통제하려는 미치광이.

누구보다도 절제된 살의를 갖고 한국을 돌아다니는, 사나운 이리.

아마 완벽하게 연기를 하며 사회 속에 녹아들어 있으리라.

222

고지능의 사이코패스가 지방에 자신의 흔적을 남겨두었다는 건, 다시 말해서 '유인책'일 것이라는 의견에는 그녀 또한 결론적으로 공감했다.

결국 '서울'이 김연수의 목적지가 될 테였다.

–사랑했지만–.

흥얼거리는 멜로디가 핸드폰의 스피커를 통해서 나왔다. 날카로운 고음부마저 깔끔한 음색으로 소화하곤 하는 리드 보컬의 목소리다. 노래를 잘하고, 랩도 곧잘 하고. 음악적 구색마저 대중적으로 잘 뽑아내던 어느 보이밴드의 노래였다. 한 곡을 계속해서 반복해서 틀어두던 참이다.

어느새, 그녀는 불 켠 작은 집무실 속에서 다시 고민의 소용돌이 속에 들어와 있었다.

음악에 대한 생각이나 흥얼거림은 멎어버렸다. 잠시 여유를 가지려고 했으나, 몇 가지 단상을 나열하다보니 다시금 돌아왔다. 김연수 건에 대한 생각들로.

한국에 있는 경찰 인력들은 결국 제한적이다.

살인마의 체력과 재력, 시간이 유한하듯 말이다.

지방으로 시선을 돌리는 건 놈이 서울로 돌아온다는 말과도 같다.

확신할 수는 없지만, 조금의 실수도 하지 않는 게 김연수라고 생각을 한다면, 그렇다.

그에 대한 더없는 확언을 해준 건 윤계식이었다.

놈은 실수하지 않는다. 사람인 이상 실수를 하게 되어 있으나, 적어도 김연수는 여태까지 한 톨의 실패 없이 달려왔다. 놈의 능력을 생각한다면, 이번에도 그럴 것이리라.

그 말은 곧.

'서울'에서 그들이 하던 수색과 수사가 김연수에게 어느 정도 부담스러웠다는 이야기도 되리라. '심민아 조'를 제외한 다른 경찰 인력들은 별다른 일을 하지 않았다. 그들 역시 나름의 업무를 최선으로 해내고 있기는 했으나. '김연수'를 실질적으로 잡기 위해 탐문 수사를 하고, 현장에서 최근 뛰어다니던 건 그들이었다.

다른 이들은 현장 증거를 찾아내기 위해 프로파일링을 반복하고 있었지. 또 입을 절대로 열지 않는 김재영을 회유하려고 애를 쓴다거나. 답이 나오기도 전에 먼저 움직이고 있던 건 심민아 조가 유일하다.

평소와 같은 경찰 인력.
개중에서 특별하게 움직인 건 그들 일부 수색팀과 그들에게 협조한 공무원들 뿐이다.

'포인트'라거나, 김연수 건으로 의심되는 완벽한 실종 건이라거나. 그런 추론들이 정말로 효과가 있었던 것일까. 보기 좋게, 또 타이밍이 적절하게 김연수가 일탈을 벌였다. 일탈이 일탈인 이유는, 일상과는 거리가 먼 변수 때문이다. 김연수의 생활에 변수가 생겼다는 것이고, 그는 경찰을 부담스러워 한다.

일상적으로 흘러가듯 순찰 임무를 행하던 다른 경찰에게 김연수가 걸렸을 수 있을까?

가능성을 열어두고 생각해야 하니, 당연히 그럴 수 있다고 본다.

그러나 심민아는, 결론을 위해서 조금 더 극단적인 가설로 추리를 이어나가기로 했다.

특이 행동을 하던 그들, 심민아 조 소수의 인력들의 행동이 김연수의 심기를 건드렸다. 사자의 코털을 건드리듯이. 맹수의 사냥터 어딘가를 건드렸고, 놈의 사냥을 심지어 방해했다.

'완벽한 실종'은 정말로 김연수가 벌인 살인으로 인한 것이거나, 혹은 적어도 김연수는 앞으로 그럴 의도를 갖고 있었다.
놈은 살인을 하고 싶어서 몸이 달아오르는 미치광이 사이코패스였고, 방해를 받자 이상한 행동을 하기 시작한다. 지방으로 가서 자신의 흔적들을 모두가 보게끔 흩뿌리는 식의 말이다.

최근 지방에서 시체가 대놓고 발견된, 김연수 추정 건이 5건이다. 미친 놈이라고 할 수 있다. 이 짧은 시간, 한 두 달 정도 되는 시간 동안 다섯 명이라니.
거진 테러에 준한다.
이 정도쯤 되면.

그래서 수사본이 만들어지고, 미디어, 언론을 통제하면서 상부에서 계속 채근을 하고 있는 것이었고. 바깥으로 소리가 새지 않도록 단속하면서, 내부 조직에게는 어서 성과와 결과를 가져오라고 닦달을 하는 것이다.

그런 비상 상황이니, 심민아와 같은 특이 분자가 있다고 해서 문제가 될 것 없으리라. 공개적으로 한국 사회에서 떠들고 있지 않을 뿐, 수사본을 비롯해서 치안 조직들 내부적인 분위기는 과장을 보태어서 계엄령 직전의 상황이었다.

"흠."

어느새, 반복되던 노래는 끊어졌다.
핸드폰 배터리가 다했을 수도 있고. 업데이트가 걸리거나, 연락 따위가 와서 그대로 멎었을 수도 있다. 그녀의 핸드폰은 다른 기능보다는 연락을 최우선으로 설정해두었다.

고요한 집무실.

두서 없이 이런저런 결론을 끝맺고, 혹은 맺지 못하고. 여러 생각들을 반복하던 그녀는 다시금 생각의 종착지를 향해 나아간다.

3, 4평 즈음 되는 집무실 내부를 부지런히 돌아다니던 그녀는 어느새 다시 탁상 앞 의자에 앉았다. 틸트 레버를 조작해서 등받이를 뒤로 젖히고, 그녀는 천장의 어느 구석을 바라본다. 팔짱을 꼈다.

끼익, 하고 싸구려 의자에 앉아 몸을 흔들거린다.

고운 눈썹, 이마 근처가 찌푸려진다.

화장기가 없는 민낯이었다. 로션이나 선크림 정도는 바르지만. 그마저도 않을 때가 있었다. 집무실에 화장 가방을 두었으므로, 급

하게 대회의 따위가 잡히면 그래도 뭔가를 좀 찍어 바른다. 지금은
별 것 바르지 않은 얼굴이다.

그럼에도 이목구비는 제법 뚜렷하다.

"……."

따리리리리리리.

한참 그렇게 팔짱을 끼고 앉아 있는데, 전화가 울렸다. 조직 내
메일이나 개인 메세지가 와도 아마 음악은 끊어졌으리라.
통화음은 상념 중이었으니 지금 처음 들은 것이었다. 놓친 전화
는 없다.
그러나 심민아는 여전히 움직이지 않았다. 한 번 들어간 몰입과
생각을 방해하고 싶지 않아서였다. 전화는 있다가 걸어도 되리라.
어지간히 중요한 게 아니라면야.

몇 초 정도. 그렇게 앉아 있던 그녀는 문득 생각의 끝을 맞닥뜨
렸다.

"아."

그녀는 당장 실현은 어려우나 해볼만한 수색의 방향성을 생각해
냈다.

따리리리리리.

전화는 여전히, 끈질기게 울렸다. 심민아는 그제서야 자리서 일

어나, 데스크 한구석에 놓아둔 핸드폰을 찾아 들었다.

박경수 경위였다.

그녀가 핸드폰을 조작해 통화를 받는다.

"전화 받았습니다."
["어, 심민아. 본부야?"]
"…응."
["일단 지방에서 현장 판단 종결하고 올라간다, 나도 지금. 여긴
더 이상 나올 거 없어. 정신나간 녀석이야. 이렇게 깔끔하게 사람
목숨을 해먹을 수 있다니. 말이 안나온다."]
"여태까지 많이 봐놓고, 뭘 그래."

박경수와는 한 살 차이였다. 생일로 따지면 얼마 나는 차이도
아니었고. 유학 시절의 연을 따지면 손윗사람 대접을 하기도 애매
하다. 본 시간이 오래되기도 했고. 나이도 위에, 연차도 그가 조금
더 위였으나 편하게 반말을 하고 있었다. 언젠가부터. 박경수 경위
도 그것을 자연스럽게 받아들이고.
조금 공적인 자리가 되면 직책에 맞게 서로 존대를 하는 것이
옳지만.

["그래도. 작년 사건 때는 직접 현장을 보진 않았으니까. 지금
광수대 인원들, 수사본 인원들 따라 다니면서 현장 검증 같이하고,
검시관들 결과 내주는대로 바로 보고 토의하고. 그 짓만 반복하면
서 주욱 있었다. 지친다. 여기서 내가 할 일은 더 없는 거 같아서,
위로 올라가려고.

228

뭐, 너는 좀 진전이라도 있어? 수색은."]

"……."

심민아는 긴 얘기를 토해내는 박경수의 물음에 잠깐 입을 닫았다가 답했다. 왜 이렇게 수다스럽담, 사람이. 지방 연쇄 살인 현장을 돌아다니면서 고생을 많이 한 모양이었다. 지난 노고를 동료이자 친한 친구에게 털어놓는 모양이다.

"…응. 뭐, 별 건 아니고. 그냥 똑같이 대기나 타야겠다, 하는 거지."

["대기?"]

"어. 그냥 가설이야. 여태까지처럼."

["그게 중요하잖아."]

가설이 중요하다.

심민아는 감이 좋았으니까.

통계, 심리, 형사학에 쓰일 수 있는 다양한 분석 자료들을 갖고 시행하는 프로파일링이다. '감'이 끼어들 자리가 어디에 있겠는가, 문외한은 말할 수 있겠지만. 경험과 방대한 양의 자료 분석에서 오는 직관이라는 건 그런 추론 과정에서 지대한 영향을 끼치는 부분이다.

사람은 자신이 한 번에 정리하지 못한 어떤 결론을, '직감'이라고 설명할 때가 있다. 수많은 데이터를 분석하면서 얻어낸 하나의 도출값을, 과정이 복잡하니까 그렇게 말하는 셈이다.

심민아와 같이 머리를 쓰는 작자들에게 '직감'이나 '이성적 판단의 결과값'은 그리 간극이 크지 않은 두 결과물이다.

박경수는 자신이 천재라고 생각해본 적은 없었다. 그러나, 어딜 가던 수재라는 이야기를 들어는 보았다. 애초에 분석과 프로파일링을 업으로 삼고 있는 경찰 인력이면서, 머리가 잘 굴러가지 않는다는 게 말이 되겠는가.

박경수는 스스로 머리가 좋다는 걸 안다. 그리고 그래서, 심민아가 자신보다 더 뛰어난 두뇌를 갖고 있다는 걸 덤덤하게 인정할 수 있다.

["뭔,"]

뭔데, 라고 말을 하려는데 심민아가 이야기했다.

그녀는 화이트 보드에 난잡한 도형들을 흘끗 보면서 말했다.

"음… 본거지 찾기. '포인트'에서 문제가 생겼으니까 연쇄 살인마는 지방으로 눈길을 돌리게끔 굴었다. 그리고… 경찰 인력들이 지방으로 퍼진 틈을 타서 다시 서울로 돌아온다.

'김연수' 패거리의 다른 한쪽은 잡혔고, 남은 건 홀몸의 사내 하나다. …뭐 여럿일 수도 있지만 일단 그런 가능성은 차치하고.

아무튼 혼자 남은 놈은 서울로 부랴부랴, 올라온다.

'포인트'에 대한 수색과 경계는 효과적이었다.

그런데, 주택 조사도 꽤 쓸만은 한 방법이었다고 생각해."

["그래서."]

심민아는 자신의 생각을 주욱, 적혀진 자료를 읽듯 평서문으로, 반말투로 읊었다. 마지막에는 구어체로 돌아왔고.

스스로 말하면서 한 번 더 생각을 정리하고 있었다.

230

"말했잖아. 지방에 갔다가 돌아온 놈이라고. 살인마는.

이전의 조건들.

연식이 오래된 단독 주택. 주변 주민들과 교류가 적고, 어느 정도 주택간의 거리가 떨어져 있는 집. 노인, 남성 혼자 살며 가족이나 깊은 관계성의 동반 거주자가 달리 없는 곳.

주차장이 있어야 하고, 비교적 최근, 길어야 근 1, 2년 내에 살기 시작한 집.

서울 남부, 평균 소득이 조금 적은 지역구 위주.

'완벽한 실종건'들이 벌어졌던 의심 지역인 관악, 동작, 구로 따위의 지역들을 위주로 찾아봤었지."

["아."]

"응. 최근에 적어도 한, 두 달은 집을 비웠을 테니까. 다시 조사를 해봐야겠지. 근래 주택 조사에 주인이 있었던 곳은 모두 제외하고.

조사 기간 내내 주인이 없었던 곳이나, 혹은 최근에 비워졌던 집 위주로 다시 돌 거야. 그리고 일단은 의심되는 거처를 특정한 다음에, 인원을 분산해서 그곳을 모두 감시한다."

["살인마는, 서울에서는 흔적을 남기지 않으니까?"]

"그렇지. 지방에서는 몰라도, 서울에서는 '김재영'처럼 굴 수 있으니까."

'김재영'이 저질렀던 방식은 이미 경찰에게 알려졌다. 말도 안되게도, 주택 지하를 멋대로 불법 개조해서 살인하기 위한 지하실을 만들어두었다. 거기다가 주변 지하도로와도 연결이 되게끔.

영장이 없는 이상 민간 주택 내부를 멋대로 조사할 수는 없겠지만. 그것만 특정하고 의심하더라도 한 번 더 이야기는 진전이 있게 된다.

'살인마'도 사람이고, 유령이 아니었다. 발이 달려 있는 이상, 흔적을 지우기 위해서 특정 공간이 필요하다. 어떤 트릭이나 방식을 사용하는 지는 모르겠으나, 적어도 시간과 노력, 또 공간이 필요할 테였다. 시신을 완벽하게 처리하는 데 있어서 말이다.

그것을 위한 '집'일 테였다.

'포인트'에서 수색 경계를 지속하는 것도 쓸만한 방법이라고 심증적으로는 결론이 났지만. 결국 더 확실한 건 '집'을 찾는 일이다. 포인트는 가변적인 장소였으나 집은 움직이지 않는다. 어느 포인트에서 사냥을 하던, 개만도 못한 인간 사냥꾼은 결국 자신의 거처로 돌아오리라. 특히 일을 끝마치고 난 이후에는, 더욱 확실히 또 빠르게 돌아오리라.

["…그래. 뭐든 찾으면 되는 거긴 하지."]

"음. 정신이 나간 게 아니고서야… 전국 각 지방을 계속 돌아다니면서 서울에 있는 아지트까지 왕복을 했을까. 불필요한 흔적을 남기지 않는, 깔끔한 살인이 쉬운 것도 아닐텐데. 한 번 더 특정할 수 있는 조건을 준 거나 다름 없어. 만일 김연수가 정말 혼자 남은 살인마라고 한다면 말야."

["클레버Clever하구만."]

"단순한 얘기지."

["그렇긴 하다만. 가설에 가설을 더한다는 점이 대담하니까. 그런 식으로 사람들을 막 부려먹을 수 있는 지휘관이 대체 어디에 있겠냐."]

"…음. 군대는 안갔지만. 아마 많지 않을까? 생각보다. 어딜 가던 거대 조직들은 허술한 구석들이 있어."

["지독한 구석들도 있지만 말야."]

"언제나 그렇지."

박경수의 농담같은 이야기에 심민아가 고개를 주억거리며 답했다.

어쨌든 할 일은 대강 정해졌다. 인력이 절대적으로 부족할 테였지만, 일단의 자료 조사로 범위를 좁힐 수 있는 데까지는 좁힌다.

대부분의 것들이 심증이나 가설로 이루어져 있는 추리와 행동 계획이기는 했다. 대신, 들어맞을 때는 더욱 더 쾌감이 크리라. 쾌감을 위해서 다른 일선의 형사들에게 계획을 짜주는 직책을 갖고 있는 건 결단코 아니었다만.

심민아 경위가 말했다.

"일단 선배랑, 다른 수색팀 형사들에게 말해야겠지."
["어, 잘 하고. 나는 일단 오늘 올라가니까… 가서 보자고."]
"응. 와서 봐."

무미건조한 어투로 대화를 마무리하면서, 두 사람의 통화가 그렇게 끝났다.

심민아는 손바닥에 한 번에 쥐기엔 조금 큰 스마트폰을 휘휘, 돌려대면서 갖고 놀다가. 마음을 정한듯 어딘가로 연락을 했다. 일단은, 김현식 경위다. 일선의 형사들을 움직이기 위해선 수색팀장에게 말을 하는 것이 편하리라.

그 다음에 윤계식에게 말을 하려고 했다. 자신의 가설을 조금 더 탄탄하게 해줄 수 있는 이였다. 결정은 지금 했고, 바로 행동하게끔 계획도 전달을 하려고 했으나. 보완은 계속해서 필요하리라.

*

부르릉.

배기음을 내면서 달리고 있는 승용차가 있었다. '일반적'인 경우에 사용하는 류였다. 지방에 있는 안가에 대기시켜 두던 차량이기도 하다.

철지난 은색의 승용차를 끌고 있는 이는 노인이었고, 그는 자신의 자택으로 들어간다.
봄 날씨였으나 때때로 추위가 찾아오기도 한다. 요즘의 기후라는 건 영 변덕스러운 면이 많아서. 갑자기 찬 바람이 불 때도 있다. 벌써 6월을 앞두고 있는 늦봄이었는데도.

덕분에 조금 두께감이 있는 니트 하나를 입고 있는 사내다.

차량 안에서, 부드러운 인상을 한 남자가 머뭇거리며 운전을 한다.

골목길을 접어들어 좁은 길을 굽이굽이, 지난다.

인도나 차도에 따로 구분이 없는 지형이었다. 덕분에 속도를 줄이고 천천히 걸어야 한다. 군데군데 비치되어 있는 볼록 거울도 살피면서.

234

사람이 혹시나 걷고 있는지, 갑자기 튀어나오지는 않는지. 인적이 드문 골목이었다. 학생들, 젊은이나 어린아이들이 사는 곳이 아니다. 보통 나이대가 조금 있는 노인들이 사는 곳이었고, 노년의 생을 마무리하면서 조용히 지내는 거주자들이 많았다.

은색의 낡은 승용차를 끌고 있는 운전자 역시 그와 같다.

아직은 50대 중반의 나이였고, 말년을 마냥 기다리기에는 조금 젊은 나이기는 했다만.

무언가 일을 더 해 볼 수 있는 젊음이기도 했다. 진짜 젊은이들이 본다면 기가 차겠지만. 반대로 그에 비해 2, 30년 정도는 더 먹은 노인들이 본다면 그야말로 젊은이이리라. 50대 중반의 장년인은.

주름살이 좀 있고. 희끗한 머리칼 따위가 그의 나이보다, 언뜻보면 더 들어보게끔 만든다.

부드러운 인상에, 자주 미소를 지었던 것인지 은은한 웃음기가 붙어 있다. 어지간하면 호감상이라고 인식을 할만한 외모다. 사내는.

천천히 골목길을 지나, 차를 몰고 자신의 집 안에 도착한다. 그는 주머니에서 무언가를 꺼내어, 앞으로 갖다대며 달칵하고 눌렀다. 리모컨, 혹은 버튼처럼 생긴 물건이었다. 키Key였다. 그 자신의 집에 들어가기 위해 필요한.

골목을 지나 나오는 낡은 단독 주택이었으나 의외로 그런 설비가 갖춰져 있었다. 사람이 드나드는 정문 옆으로 차문이 있었고, 차고의 슬라이드 도어가 위로 올라가며 열린다.

슬라이딩 도어가 모두 올라가고 넉넉하게 지날만하자 사내는 차를 끌어 들어간다. 들어간 뒤에 다시금 뒤쪽으로 리모컨을 향하며 버튼을 누르자, 차문이 내려온다.

스르르 움직이며 소음을 내는 것을 뒤로 하고, 내부에 있는 차고까지 승용차를 옮긴다. 문이 하나 더 있었다. 깔끔하게 도색되어 있는 검은 문이었다. 아까 다루던 리모컨과는 다른 것을 손가방을 뒤적거려 꺼낸다. 버튼을 누르자 바로 앞의 문과 같이 전자동으로 열린다.

어둑한 차도에 차를 갖다 넣고 나서야, 사내는 운전석에서 몸을 떼며 집으로 들어섰다.

한 달이 조금 넘었는가.
그 정도, 지방을 떠돌다가 돌아온 참이었다.

길다면 긴 여정이었다. 대한민국 국토가 뭐 대단하게 넓은 건 아니었고 그가 다닌 곳이 대단한 오지도 아니었지만. 도심 지역 근처에서 많은 일을 벌이고 오는 길이다 보니 피로감이 상당했다.

노인, 천산혁은 여행을 마치고 귀가했다.

그에게 진정한 의미의 집이라는 건 사실 없는 셈이었지만. 이곳을 집이라고 하면, 할 수 있을 테였다. 어쨌든 근거지였으니까. 한국에 돌아온 뒤, 그리 긴 시간이 지난 건 아니었으나. 그에게 있어 지금 살고 있는 관악구 모처의 자택은 가장 중요한 장소다.

여태까지 그래왔고, 앞으로 당분간 안정적으로 살인행을 할 수 있도록, 도와주는 곳이 될 테니까.

서울은 세계적으로도 손꼽히는 대도시였고, 선진국의 반열에 올랐다나 말았다나, 하는 처지의 나라에서 가장 많은 자원이 집중된 곳이었다.

그만큼 자원을 지키기 위한 인력이나, 치안 유지를 위한 병력들도 많다. 그 이전에 천 만이 넘는 인구가 바글거리며 살아가는 찜통같은 장소다. 그런 곳에서는, 편하게 그의 일을 할 수가 없었다.

주도면밀하게 계획을 짜더라도 결국 사람의 눈을 피할 수 있는 특수한 포인트는 제한적이었다. 그마저도 그가 도심지 내의 한적한 곳들을 일부러 찾아다니고, 길이 아닌 곳으로도 갈 수 있는 신체적 능력이 있으니까 발견할 수 있는 포인트들이었다.

지방에서처럼 허술하게 굴다간, 곧바로 꼬리가 잡힌다. 그래서 서울에서 연속적으로 일을 벌일 때는 꼭 '근거지'가 필요했다.

그가 한국으로 다시 돌아오기 전보다도 조금 더 고약해진 상황이다. 예전에 그가 한국 경찰들에게 존재감을 각인시켰을 당시에는 지금처럼 기반 시설이 촘촘하게 깔려 있지 않았다. CCTV니 하는 것들 말이다. 이십 여 년 전에는 지금보다 일하기가 편했다.

그가 하는 건 일도, 뭣도 아니었지만 아무튼.

'천산혁'에게 있어서 가장 중요한 건 '살인'이었다. 이 사이코패스의 정신과 인격의 중심부에 그것이 자리잡고 있다고 해도 좋았다.

곧 그에게 있어 '집'의 의미라는 건, 살인을 얼만큼 효과적으로, 안정적으로 할 수 있느냐. 그것이었다.

행위가 기초가 되어 지어진 인생이라는 건 참으로 덧없는 것이었으나. 천산혁에게는 달리 다른 가치가 있지 않았다.

사이코패스는 애초부터 인간 관계를 갖고 있지 않았다. 그가 부모를 죽인 건 아니었으나, 자연스럽게 멀어졌고 연을 끊었다. 탈락된 인격, 부서진 인간성. 그따위 것들을 갖고서 자라온 그였다. 예전부터 한결같이 생각했던 것이 지금 그가 살고 있는 삶이었고, 그는 만족을 한다.

털썩.

주차장에 차를 놓고, 내부에서 집으로 들어오는 통로를 지나 거실에 다시금 앉았다.

오래도록 비워두었던 집은 약간의 먼지를 제외하고는 아무 달라진 점이 없다. 그는 자신의 집에 다른 이를 들여놓는 법이 없으니까. 아무런 변인이 없이 통제되는 집 안은 언제나 그의 계산대로이다.

평범한 옛날 주택의 인테리어가 채우는 실내였다. 약간 붉고, 진한 갈색이 주류를 이루는 우드 톤의 배경이다.

천산혁은 커튼 사이로 빛이 들어와 광량이 조금 있는 거실의 소파에, 앉아있다가 등을 푹 기대어 반쯤 누웠다.

한 십분 쯤은 그렇게 멍하니 있다가, TV를 켠다. 소파 앞에 있는 테이블의 리모컨을 써서. 평범하게 지상파, 공중파 가릴 것 없이 연결된 TV이다. 인터넷이나 TV선 설치니 뭐니 하는 것은 '노인'이 집을 팔 때 기본적으로 해주는 서비스에 포함되어 있었다. 천산혁이 이 집에 들어올 당시 이미 되어 있던 상태다.

여기저기 돌리면서 뉴스를 찾는다.

지방에서 그가 벌인 사건에 대해서 어떻게 말을 하고 있는가, 보기 위해서.

[⋯경찰은 충남 서천에서 벌어진 살인 사건에 대해 촉각을 곤두세우고 있으며, 용의주도한 계획 범죄의 가능성을 주시하는 중입니다. 당국 관계자는 이와 같은 살인 사건의 용의자가 결코 대한민국 사회에서 돌아다닐 수 없게끔 조치하겠다며 호언장담을 했습니다.
관련해 경찰 조직은 특수 수사대를 꾸려 전국적인 감시 체제의 확립에 들어가겠다며⋯]

어느 뉴스의 아나운서 하나가 그가 벌인 일에 대해서 떠들고 있었다.

'연쇄 살인'의 가능성에 대해서는 말하고 있지 않았다.

잠시간 뉴스 채널들을 돌리며 확인을 했지만 마찬가지이다. 경찰쪽에서 미디어를 통해서 말하고 있는 바는 한 건에 대해서 뿐이었다.

언론 통제는 경찰이 늘, 잘하는 일이었다. 결국 사회 전체의 불안감을 높여서 좋을 게 없었다. 천산혁, 김연수라는 코드 네임을 가진 살인마가 움직이고 있다고 홍보를 해보았자. 그를 잡는 데 도움이 되지 않는다면 홍보 자체가 무의미하다. 오히려 더 안좋을 수도 있었고.

그런 점에서는 현명하다고 판단된다.

"하하."

노인은, 집 안에 들어왔으니 편안한 표정을 짓고 있었다. 표정을 이루고 있는 다양한 감정적 근육 부위들이 잘 움직이지 않는 인상이다. 지독하게 무감한 낯짝이었다. 그런 상태에서 메마른 톤으로 웃음을 지으니. 비웃음으로 보인다. 냉막한 조소였다.

경찰들은 언제나 느리다. 천산혁은 저들이 한동안 지방 쪽에 시선을 둘 것이라고 생각했다. 최근 어찌된 일인지는 모르겠으나, 그를 노리고 있던 경찰 내부의 인사가 있는 것 같았는데. 그의 시선 역시 바깥으로 향한다면 더할 나위 없이 좋으리라.
설령 그렇지 않더라도 좋다. '김연수'의 행동을 앞질러 꿰뚫어보는 천재적인 통찰력의 수사관이 여럿이라고 생각하기도 힘들었다. 어차피 특출난 직관을 갖고 있는 건 하나일 테였고, 하나가 아니더라도 많은 수는 결코 아니리라.

'김연수', 그의 경우에는 움직이기 좋은 면이 있었다. 경찰 인력이 쫙 깔려있으나 그는 먼저 그들을 알아볼 수 있다. 잠복 수사를 하고 있는 형사들이라면 물론 해당되지 않겠지만. 어느 정도 경찰의 동태 따위가 이렇게 미디어에도 나오니만큼 말이다.

그는 도망치는 입장이었지만 선도해서 일을 저지르는 쪽이라고 볼 수도 있었다. 경찰들은 언제나 그의 뒤를 쫓는, 정보가 부실한 상태의 후발 주자들이었고.

홀몸이기에 그는 빠르게 움직일 수 있으나 거대한 몸집을 가진 경찰들은 언제나 비대한 몸뚱이를 느리게 굴려야 하리라.

그는 신출귀몰하고 빠른 기동력으로 상대를 농락할 수 있었다. 반면 그의 범죄 행위를 완벽하게 근절해내기 위해 경찰들이 겪어야 하는 인력적 리스크는 방대하다. 제대로 된 직관을 가진 수사관이 있다고 하더라도, 결국 쓸만한 손발이 붙어 있어야 의미가 있는 법이었다.

수사관 하나가 막말로, 직접 뛰어와 그를 잡을 수도 없는 것 아니겠는가. 그가 어디에 있는 줄 알고. 누구인 줄 알고서.

경찰들이 김연수의 정체를 파악할 수 있는 유일한 방법은 방대한 물량을 처리하는 조직의 위력을 마음껏 보여주는 식이다. 사람을 쏟아붙든, 막대한 자금력을 감당하든.

서울에서 김서방 찾기식의 수사를 계속해야 하리라. 천재적인 수사 기법을 사용해서 범위를 계속 줄여나간다고 하더라도, 그가 제 발로 경찰에 자수를 하지 않는 이상 어느 정도 수고는 반드시 동반된다.

조직의 시선을 지방 쪽으로 기울게 했다면 결국 그것만으로 대부분의 위험은 청산한 셈이리라. 한국 경찰이 무능한 것은 누구보다도 천산혁이 잘 알고 있었으니까. 자신이 상대해야 하는 적의 실체를 깨닫고 있는 건 무엇보다도 중요하다.

천산혁은 멍청한 인간이 아니었다. 잔인하고, 자신의 운명을 볼 줄 모른다는 점에서는 아둔하지만. 사람을 상대하는 일에 있어서 지능이 떨어지는 편은 아니다.

이성적으로는 타인의 처지와 인생에 대해 완벽하게 이해하고 있으면서, 잔인한 살인을 저지르는 인간이다. 피해자들을 생각하면 가장 끔찍한 종류의 범죄자라고 할 수 있으리라.

어쨌건 천산혁은 지난 긴 시간 동안 한국에서 먹고, 자고, 살고, 살인행을 반복하며 자신을 쫓는 적에 대해 많은 걸 파악했다.

개인으로서 움직이는 천재라고 할만한 그에 비해서, 경찰은 언제나 느릿하다.

"하하하."

마치 재미있는 일이라도 있는 양.

시끌시끌, 뉴스를 읊어대는 아나운서의 말을 들으면서 천산혁은 몇 번 더 웃는다. 재미있지 않은가.

지금 그가 살고 있는 세상의 꼴이.

눈빛은 무미건조했다.

입만 움직이고, 소리만 날 뿐이다.

천산혁이 느끼는 건 작은 재미이기는 했다. 그는 감정이 거의 다 죽어버린 류의 인간이었으니까. 감정을 '빛'이라고 한다면 그는 시커먼 어둠 속을 살아가는 맹인이나 다름이 없었다.

그런 검은 세계 속에서, 간신히 미약한 빛을 느끼는 것이 지금과 같은 때였다.

다른 사람의 생명을 꺼트리는 때라거나, 혹은 자신이 벌이는 행보를 전혀 짐작도 하지 못한 채 거대 세력이 헛발질을 할 때.

대한민국이라는 크나큰 집단을 자신의 힘으로 농락하고 있다는 실감이 날 때면 천산혁은 웃음이 났다. 그게 그만큼 말이 되지 않는다는 걸 알고 있기에 말이다. 원래 그래서는 안되는 일이지만, 벌어지고 있다.

세상이 망가지고 있다.

다른 사람의 생명을 없애는 것과 같은 일이다. 사회 구조, 나라를 망가뜨리는 일도.

무언가를 파괴하고, 어지럽히면서 재미를 느낀다. 그에게 있어서 정상적인 류의 재미라는 건 이미 사라져버린지 오래다. 아니, 그런 방식의 일에서 즐거움을 느껴본 적은 태어난 이래 한 번도 없었다.

어디서부터 잘못되었는지 알 수도 없을 만큼 잘못되어 있고, 비틀린 생명이 그였다.

"흐흐흐흐."

천산혁은 미치광이보다 더 섬뜩하게, 홀로 뉴스를 보며 웃어댔다. 끝까지 얼굴의 근육 전체를 사용하지는 않았다. 누가 봐도 위화감을 느낄만한 꼴로 그는 '편안한' 시간을 보냈다.

그의 정체를 감추어야 하는 누군가가 있거나, '바깥'이라면 그는 아무리 몸을 뉘이고 있어도 진정 편할 수는 없었다.

살인마로서의 본성을 오롯이 나타낼 수 있는 '집'에서만 그는 쉴 수 있다.

바깥으로 나돌았고, 이제는 본 거처로 돌아왔다.
조금 더 푹 쉬다가, 그는 서울에서 마지막으로 커리어 하이를 위해 달릴 셈이었다.

*

"끄응."

김현식 경위는 편의점에 들러 몇 가지 물건을 고르고 있었다. 자기도 모르게 앓는 소리가 나온 것은 힘들어서였다.

나이를 먹을수록 체력은 감퇴한다. 순간적인 폭발력이 가장 먼저 줄어든다. 한 번 바닥을 찍었다가 다시 정상 궤도로 올라올 때까지의 충전 시간은 늘어나고.

그러나 정신력만은 단련되어 가는 것 같기도 하다. 나이를 먹고 생을 반복할수록. 단순한 목표의 임무를 반복하면 할수록 그 일을 진지하게 대하게 된다.

그가 막 형사가 되었을 때 사건 하나, 범죄자 새끼 하나를 대하는 태도와 지금은 많이 달라졌다. 혹자는 열정이라는 게, 순진무구함과 관련이 있어 연차가 오를수록 깎인다고도 하지만. 김현식은 그게 개소리라는 걸 알고 있었다.

꺾일 열정이었다면 애초에 열정이 아닌 것이다. 다만 표현되는 방법이 조금 더 영리해지는 것 뿐이다.

젊은 시절, 어린 시절. 방법을 모를 때는 자신의 행동이 주변에 어떻게 비춰질 것인지에 대해 고민이 부족하니까. 여기저기에 대가리를 디밀고, 각이 보이면 대강 처박아 소란을 일으키곤 한다.

그러다가 조직 사회와 자신이 몸담고 있는 주변의 관계성이라는 걸 이해하고 나면, 조금 더 조심스레 움직이게 된다. 그건 자연스러운 것이다. 조직도, 알력 관계라는 건 분명히 알아두어야 할 필요가 있으니까.

효율적으로 움직이는 법을 배워간다고 해도 좋다. 자신의 힘이 얼마나 미력한 것인지에 대해 깨달아가는 과정이라고 해도 좋고.

인간이 사회적 동물이었다는 사실을 뒤늦게 한 번 더 배우는 과정이다.

물론 가장 중요한 사실을 시간이 지난다고 해서 잊어버려서는 안되리라. 그걸 잊어먹을 리도 없지만.

한 번 모든 걸 걸어야 할 때가 온다면, 망설임없이 옷을 벗어야 한다는 점이다. 형사 조직에 몸담고, 계급장과 명찰을 지니고. 따박따박 봉급을 받아먹기 위해서 이 짓거리를 하고 있는 게 아니었다.

형사가 된 다음부터 범죄자들을 추격하게 되었지만. 그럴 수 있다면 형사 옷은 당연히 벗어도 좋았다. 범죄를 근절하고, 사회에 문제를 유발하는 쓰레기 새끼들을 잡아 쳐넣을 수 있다면 말이다.

그게 올바른 사명감이었다.

물론 조직의 룰을 따르면서 긴 시간, 많은 범죄자들을 잡을 수 있다면 더 좋기야 하겠다만. 가끔은 택일擇一을 해야 하는 때도 있지 않겠는가.

뭐가 가장 중요한 지 잊지 말아라.

그건 김현식이 오래도록 기억하고 마음에 새기고 있는 말 중 하나였다. 초등학생 무렵이었던가. 당시의 담임 선생님이 해주었던 말 같은데.

"흠."

냉장 기기 따위가 돌아가는 소리만 적막한 가운데 울리고 있다. 백색 소음이라고 해도 좋다. 말없는 편의점 안에서, 그는 마실 것과 빵 종류 몇 개를 골라다 계산대에 가져갔다.

턱, 하고 물건을 놓으니 휴대폰에 집중하고 있던 젊은 남자가 계산기를 만진다. 띡, 띡 거리면서 얼마 걸리지 않아 처리한다.

"11,000원입니다."

현식은 말없이 카드만 결제기의 구멍에 집어넣었다.

"아, 봉투 하나만."
"예-."

청년은 반쯤은 내리깐 눈으로, 큰 의욕도 없어 보이는 동작을 하며 비닐봉투를 찾아 담는다.
표정은 그렇지만 손놀림은 아주 숙달된 편이다. 턱, 턱 하고 금세 집어넣어 그에게 전해주었다. 김현식은 청년을 보지도 않고, 대충 받아들어 편의점을 나섰다.

딸랑-.

거리면서 문에 걸려 있는 종이 울었다.

새카만 밤이었다. 새벽녘이 밝기 전. 야심한 시각이다.

그가 있는 곳은 또 마침 인적이 드물고 어두운 곳이라 더욱 어둡고 고요하다.

김현식은 터벅거리는 걸음으로 걸어나갔다.

멀지 않은 곳에 차를 주차해두었다.

조금 더 걸으면 주택들이 나온다.

그는 관악구 모처에서, 의심 지역으로 구분되는 단독 주택을 관찰하면서 밤을 새는 중이었다. 경위직을 달고, 현장에서 밤새 이게 뭐하는 짓인가 싶기도 했다.
말단 간부직을 달았다고 고생이 덜한 건 분명 아니었으나. 대강 이런 정도의 중노동은 휘하 팀원들한테 시킬 때가 많았으니까 말이다.

그러나 지금은 달리 수가 없다. 고양이의 손이라도 빌릴 수 있으면 빌리고 싶을 정도로 인력이 부족한 탓이다.

저벅이며 움직이니 곧 골목가 깊숙한 곳에서 차 한 대가 보인다. 검은색의 승용차로, 불도 꺼놓고 있다. 운전석 쪽에는 사람이 타고 있었다. 그는 빙 돌아 반대쪽으로 들어가 문을 연다.

달칵, 하고 들어가자 군소리가 반긴다.

"어, 오셨어요."
"그래, 임마."

안쪽으로 들어가 앉으며 조용하게 답한다.

김민식.

휘하 팀원으로 있는 형사였고, 같이 일한 지도 벌써 시간이 꽤 지났다. 팀원으로까지 챙긴 건 김연수 건이 터지고 나서부터였지만. 이전부터 같은 서 소속으로 계속 알고 지내던 놈들이다.

피곤한 표정으로 단독 주택 하나를 노려보고 있는 김 경장이었다. 김현식 경위는 달칵, 하고 다시 보조석 쪽 문을 닫으며 비닐 봉투를 건넸다.

"골라라."
"예."

김 경위의 말에 김민식이 비닐 봉투를 뒤적거렸다. 보고 집는 것 같지도 않다. 대강 손에 걸리는대로 잡아서 제 것을 챙겼다. 남는 건 김현식의 것이고, 또 남은 새벽간 마실 것들이었다.

김현식은 커피 하나를 돌려 까서 마신다. 알루미늄 병에 든 종류다. 당분이 들어가니 조금 살 것도 같았다. 새벽 2시 40분이었다. 벌써 지칠만한 시간대는 아니지만. 이 짓거리도 5월 내내 반복을 하고 있었다.

5월 24일. 금요일. '불금'이라며 젊은 애들이 놀아 제끼는 시간대는 아니었다. 목요일에서 금요일로 넘어가는 새벽이다.

주말이라고 해도 그다지 다를 바는 없으리라. 살인마가 범죄를 저지르는 데 요일을 가리지 않으므로. 형사들도 덩달아 놈의 스케줄을 따라야 한다. 가장 부아가 치미는 일 중 하나이다. 살인마의 행보에 그대로 끌려다녀야 한다는 게.

라이트도 켜지 않고, 그냥 정차해 둔 차량이다. 날이 포근했으므로 딱히 히터도 틀지는 않았다. 이대로 밤이 깊어지다보면 추울 때도 있으나 아직은 아니고.

"후."

김현식은 짧게 숨을 쉬었다. 담배는 근래에 잘 피고 있지 않았다. 그렇잖아도 스트레스를 받을 일들만 넘쳐나지 않는가. 가장 큰 스트레스의 원인이 되는 것이, 그가 지켜보고 있는 주택이라고 할 수 있다.

물론 '주택'은 아직 살인마의 것이라고 판명나지 않은 집이다. 여러 군데, 그들이 몇 달간 조사한 집 중 의심가는 지역들이 있었다. 거기에 살인마가 최근 움직였을 동선을 심민아 경위가 파악해서 그들에게 알려주었으니. 다시금 범위가 좁혀졌고, 몇 개를 2인 1조로 나누어서 지켜보고 있는 중이다.

이만한 일을 외부인력에게 시킬 수는 없으니, 팀장급인 그도 꼼짝없이 현장 수색에 동참해야 한다. 매일, 김민식과 함께.

피곤한 일이다. 수사본의 인력들 중 절반은 지방 쪽으로 빠져나갔다. 애초에 김연수 수사를 위해서 모인 조직이었으니까 어쩔 수 없다. 실질적인 증거가 남아 있는 곳에서부터 추리를 시작하는 게, 수사의 기본이 아니겠는가.
심민아 경위가 아무리 천재적인 면이 있다고 해도 그런 흐름을 막을 수는 없었다.

다만, 그녀와 그 계획을 따르는 소수의 인원들이 서울에 남아서 단독적인 임무를 하는 것 까지는 가능했다.
어차피 남의 눈치 볼 것도 없었고. 현장 쪽의 중진들도 대충, 뭐라도 해서 어떤 결과든 제발 가져와만 달라- 는 식의 입장이었다. 모두들 벼랑 끝에 몰려 있는 듯한 분위기였다.

연쇄 살인마라는 단어가 최근 잘 쓰이지 않게 되었다. 아마 2010년이 넘어가면서부터, 였으리라.
그 이전까지는 그래도 뉴스에 종종 나오고, 개인이 몇 명을 연속적으로 잡아 죽였느니 뭐니 하는 흉흉한 사건들이 보도되었다.

도시가 현대화되면 될수록, 또 수사기법의 도구들이 발전하면 할수록 살인마들이 '연속'적으로 움직이기 힘든 세상이다.
그런데, 20여 년이 지난 지금에도 예전과 같은 악의 카리스마를 유지하고 있는 김연수였다. 그 좁은 틈바구니를 기어코 비집고 들어가서, 연쇄 살인마라는 타이틀을 여전하게 걸고 있었다.
씨팔, 그게 챔피언 타이틀도 아니고 말이지.

김현식은 속으로 뇌까렸다. 거칠게 욕을 내뱉을 기력도 아깝고, 또 없었다. 실제로는 커피만 홀짝였다.

김민식은 기계적으로 탄산수를 까서 마셨다. 그 옆에서. 김현식의 기분이 오락가락 하는 것처럼 느껴졌다. 벌써 직속 상사로 깨나긴 시간을 보냈으니 그의 기분 파악 정도는 쉬웠다. 가만히 내버려두면 옆에 해를 끼치는 사람은 아니었다. 김현싱 경위는.

김민식은 임무에 집중했다. 불꺼진 저택이었다. 고요하다. 그들이 있는 위치에서는, 담 위로 올라오는 2층 부근의 창문 정도를 확인할 수 있다. 담이 그리 높지는 않았다. 바로 앞까지 내려 걸어간다면 높게 느껴질테지만.
높게 지어진 저택 건물을 온전히 가로막기엔 부족했다.

"흐암."

김민식은 탄산수를 몇 모금 삼키고 시선을 떼지 않는다. 지독하게 지루한 일이었다. 트름보다 먼저 하품이 나왔다. 불빛도 쓸 수 없었다. 노래를 듣는 것도 불가했고. 결국 감각을 집중한 채 감시 대상을 바라보는 게 이 임무의 요지이다.

밝기를 낮춘 스마트폰을 이따금씩 뒤적거리기는 하지만. 촉각은 계속 저택 쪽을 향해 있어야 한다.

저택의 정문으로부터 약 2, 30여 보 정도 떨어진 거리에 있는 차량이었다. 아래로 내려가는 골목이었고, 비스듬한 각도로 차를 정차해두었다. 옆에는 언덕 지형이 벽처럼 있어, 그 벽 가까이에 차를 대두었다.

김민식은 눈은 떼지 않으면서, 고개를 운전석 뒤쪽에 대며 몸을 조금 쉬게 했다.

김현식도 말없이 커피만 홀짝거린다.

"······여기 주인이, 한동안 없었다고 했지?"

김현식 경위가 문득 이야기를 걸었다. 민식이 답한다. 굳이 쳐다보지는 않고 조용한 말투다.

"···예. 저번에 주택 조사 때도 딱히 사람이 없었고요. 그 다음에 이 주 전에 한 번 더 들렀을 때도 반응이 없었어서.
주변 주민들한테 물어보니까··· 근래에 입주를 했다고 하더군요. 집만 가지고 있다가 할아버지가 말년을 보내러 온 건지···."
"흐음."

김민식은 손깍지를 끼며 자신의 뒤통수를 감쌌다. 늘어지듯 몸을 뒤로 눕혔다. 보조석의 등받이 각도도 조절해서 편안한 자세를 잡는다. 감시를 둘이 꼭 할 필요는 없었다. 하나가 집중하고 있을 때는 다른 사람이 쉬어도 된다.

만약의 만약에. 실제 상황이 터진다면 반응해서 같이 달려나갈 정도로만 경계를 하고 있으면 된다.
강력계 형사들이니만큼, 실탄도 어느 정도 보급받아 온 상태였다. 다섯 발 들이 리볼버 안에 세 발이 실탄이었다. 초탄은 공포탄. 그 다음 것은 저살상탄이었다. 두 발로 제압이 안되는 종류라면 아마 세 발 째를 쓰게 될 테였다. 김 경장과 자신의 것을 합쳐서 장전된 것만 열 발의 총알이었다. 보조용으로 각자 두 발씩을 더 챙기고 있었고.

어둔 밤. 주민들은 아무도 길거리로 나서지 않는다. 흔한 취객들도, 시내의 주점과 가까운 곳에서나 있지 이런 주택가까지 걸어오진 않았다. 근처에 사는 주민들이 귀가하려야 올 수 있겠다만.

이 거리 근처에는 어린 학생이나 그 가정 조금. 그리고 노인들이 주로 있다고 알고 있다. 조용한 동네였다. 아무런 문제가 없는 것처럼. 가로등은 그들이 대어 둔 골목의 코너에는 있지 않았고, 조금 거리가 떨어진 곳에 서 있다.

골목을 올라와 오른쪽으로 턴을 하면 평지가 펼쳐지고, 주택들이 주욱 늘어서 있었다. 낡은 빌라니, 하는 건물들도 조금 있고. 그대로 직진을 주욱 하면 골목을 따라 올라가게 되는데, 개발이 되었다고는 하지만 결국 산동네, 달동네라고 부를만한 곳이었다.

시내를 가려면 그대로 길따라 쭈욱 내려가야 한다.

주택을 지나쳐 가는, 왼쪽 골목에 가로등이 불빛을 비추고 있다.

조용하다.

가끔 고양이가 운다거나 했고.
지금은 김민식과 김현식 둘 다 입을 다물고 있었다. 음료수를 마시기 위해 덜그럭거리는 소리 정도만이 들렸다.

먼저 말을 걸었던 김현식은 잠시간 대꾸가 없다가 입을 열었다.

"…노인 혼자 산다고 했었지."

"예 뭐…. 동사무소에 물어본 바로도 그랬습니다. 다른 거주자나 부양 가족은 딱히 없는 걸로 나왔고…. 집에만 계시고 가끔 산책이나 하신다네요. 평판은 별로 나쁘지 않은 것 같았고."

"그래…."

노인이라.

그들이 지켜보고 있는 건 결국 노인이었다.

늙은이는 늙었기 때문에, 그렇게 부른다. 김현식도 늙음을 향해서 한발짝 매일 다가가고 있는 입장이기는 했지만.

점점 더 체력이 꺾여가는 것을 느낀다. 30대에도 그럴진대. 50대를 넘어가면 어떻겠는가. 사건 현장에서 많은 정보를 얻을 수는 없었지만. 그래도 적어도 김연수에 대한 기초적 프로파일링은 된 상황이었다.

일반적인 남성을 압도할만한 신체 능력. 신출귀몰하다는 표현이 어울릴 정도로 과감하고, 행동력이 좋은 인간. 살인을 위해서 갈고 닦은마냥 출중한 기량을 보이는, 괴물, 미치광이, 사이코패스.

'암살자'니 뭐니 하는, 영화에서 등장하는 부류가 떠오르는 그런 모습이다. 초인적인 힘을 가진 괴물같은 인간.

그런 사내를 쫓고 있는 형사들이었는데. 노인이라….

김현식은 문득 이게 맞는 것일까 고민을 또 했다.

세상에 참 다양한 일이 있다지만. 그만한 나이에도 절정의 운동 선수 못잖은 기량을 보일 수 있는 인간이 과연 있는가. 약물 등의 힘을 빌렸다고 해도 어려운 일이었다. 그만한 약물에 부작용이 없을 리도 없고. 결국 타고난 유전자 자체가 평균적인 사람들과 많이 다른 종류라는 이야기가 된다.

그렇게 생각을 해도, 쉽사리 상상이 가지 않는 게 사실이었다.

그러나 살인범 수사라는 건 때론 상상의 영역에서 이루어져야 할 때도 있는 법이었다. 어차피 눈에 보이지 않는 가설을 정립해나가는 일이었기에. 번뜩이는 아이디어나 과감성 따위는 언제나 필요했다.

별다른 식견도, 재주도 없이 발휘하는 과감성이라면 늘 문제가 되겠지만은.

김현식은 나름대로, 윤계식이나 심민아에 대해서 믿음이 있는 편이었다. 그들의 능력에 대해서.

'은퇴한 노형사'를 찾아가라는 지시를 내린 건 그였다. 윗선에서 시킨 건 조용수 과장이었고, 그보다 위가 있을런지는 모를 일이었지만. 어쨌든 박주영과 김민식을 다루는 직속 상관이 그였으니까.
위에서 시킨다고 아무런 생각도 없이 주워섬길 정도로 속없는 인간은 아니었고, 따로 윤계식 경감에 대해서 찾아본 바가 있었다. 그가 접근할 수 있는 데이터베이스 내에서는 말이다. 활자로 적혀 있는 경력의 나열들이었으나, 수사본 내라거나 그가 알고 지내는 간부급들 중에서 윤 경감을 기억하는 인물들도 있었다.

독고다이, 괴짜.
대강의 평은 그런 식이었다. 원래 있던 배속지까지 옮겨가면서 미스테리 사건을 쫓아 다니던 남자. 그게 가장 유명한 윤계식의 이미지였고, 인간상에 대해서까지 파고들어가면 그리 나쁜 이야기는 없었다.

좋게 보는 중역들도 조직 내에 많이 있는 것은 같았고. 오히려.
뒤를 신경쓰지 않고 멋대로 걸어나가는 면이, 의외로 먼 친구들을 만들기에는 좋을 때도 있는 법인 듯했다.

한량처럼 형사 생활을 한 인간은 아니었고, 도리어 연차에 맞지 않게 진창을 구르면서 일을 한 것으로 알고 있었다. 늘 일선에 있었고, 연쇄살인범의 기미가 보이는 사건 현장에 가장 앞서서 들어갔다가 나오는 편인 인간.

한 가지 일을 계속해서 반복하다보면, 둔재라고 해도 전문성을 얻게 되지 않겠는가. 그가 경위가 될 때까지 십 년은 넘게 형사 생활을 했으나, 아직 가야할 길이 멀다. 그러나 얻은 것들도 있다. 나름의 감도 있었고.
한 종류의 사건 수사만을 전문적으로 맡아온 형사이며, 그보다 더 뛰어난 열의와 재능을 갖고 있었다고 했을 때. 단순히 은퇴한 부외자라고 치부할만한 양반은 아니었다.

능력 외의 인간성에 대한 신뢰도, 어느 정도 있기에 조용수 과장이 말을 한 것이었겠고.

다른 면은 몰라도 적어도, 김연수를 잡고자 하는 의지에 있어서는 신용해도 좋지 않은가 생각했다.

덜컥.

김현식은 등받이를 더 뒤로 젖혔다. 깜깜한 골목. 움직이지 않는 풍경이었다. 그는 눈을 감으면서, 옆에 있는 김민식에게 지나가는 말처럼 이야기했다.

"좀, 잔다."
"예- 주무십쇼."
"말끝이 길다."
"경위님도 군소리가⋯."
"이 새끼가."
"주무십쇼."

후우.

김현식은 부쩍 달라붙어 다니면서 개기기 시작한 한참 어린 후배의 재롱에, 별달리 화는 내지 않고 잠에 집중했다. 한 두어시간 자다가 깰 테였다. 그때부터는 또 자신이 지루한 주택 풍경을 바라보고 있겠고.

뭐하는 짓인지 도무지 모르겠다만.
원래 그런 짓이었다. 형사 짓거리라는 게.
미친 놈을 잡기 위해선, 어느 정도 미친 짓거리를 하는 게 맞지 않겠느냐 논리였다.

*

충분히 쉬었다고 생각한 천산혁은 자신의 집에서 나왔다. 오후 무렵이었다. 누군가 집 밖으로 나와도 그다지 이상하지 않은 시간이다. 야심한 새벽녘에 움직이는 것도 참으로 선호하는 방식이기는 했다만.

굳이 다른 이들의 눈에 띌만한 짓은 하지 않는 게 좋다. 인적 없고, 평화롭고 늘 같은 패턴을 유지하는 골목길을 나서는 건 눈에 띌만한 짓이 아니겠는가. 이런 조용한 주택가가 아니라 차라리 멀리 있는 시내의, 숙박업소 따위에서 지내다가 새벽에 이동을 하는 게 차라리 낫다.

아니면 차량을 이끌고 움직이다가 밤에 몰래 차에서 나오던가.

'연기'라는 건 늘 극한의 디테일을 요구하는 일이었다. 천산혁은 연기에 대해서 배워본 적도 없기는 하다만. 그의 생이 많은 부분 연기로 이루어져 있었다는 걸 생각하면 누구보다도 전문가일 지 모른다.

그야말로 생존을 위해 하던 연기가 아닌가. 누군가를 죽이며 살아온 인생이었고. 그 리스크를 고스란히 짊어지고 사는 인생이다. 들키면, 자신 역시 죽는다. 죽지 않더라도, 그에 버금가는 형량이 기다리고 있겠지.

극한의 스트레스가 동반되는 삶이나 마찬가지이지만. 천산혁은 굳이 일부러, 그런 삶을 택했다. 평범한 삶은 그에게 아무런 자극이 되지 않으니까 말이다. 그런 고생들이 천산혁을 살게끔 하는 주요 요소였다.

여자에게도, 식도락에도 심지어 흥미가 많지 않은 그이다.

주변의 '상식'과 어느 정도 선을 맞추기 위해서 미식을 추구하고 알아본 적은 있었지만. 진정으로 음식 맛에 깊이 집중하거나 한 적은 딱히 없었다. 그런 것이야 어찌되든 좋은 것 아닌가.

안락한 삶도 마찬가지이다. 몸이 편안하고, 많은 돈을 모아둔 채 안정적으로 사는 생활도 좋기는 하겠다만. 그에게는 그것 역시 큰 의미가 아니었다.

시커먼 어둠이 집어삼킨 그의 감각과 마음, 정신은 절대적으로 불빛이 필요했다. 사이코패스는, 그 불빛을 타인을 잡아 죽임으로써 찾고자 했다.

뒤틀린 방식이었고, 그것이 도리어 더 짙은 어둠으로 그를 인도하는 것이었다만. 어쨌든 천산혁은 멈출 줄을 몰랐고, 스스로는 서지 않을 테였다.

차량을 끌고 움직인다. 여러 곳에, 들키지 않을 안가와 차량을 배치해두었긴 하지만. 지방까지 왕복을 하는 건 동선이 복잡하다.
그는 검은색의 승합차를 끌고 밖으로 나선다.

평소와 마찬가지로 주차장의 문이 두 번 열렸고, 닫혔다. 저녁 식사를 생각하기에는 조금 이른 오후, 낮 시간. 제법 덩치가 큰 차가 용케 주택가 골목을 빠져나갔다.

골목가에는 인적도 없었고, 누군가와 마주치지도 않았다. 차 안에 있었으나. 그가 빠져나가는 모습을 보는 이를 느끼지 못했다.

화창한 태양이 미치광이의 뒤를 비추었다.

그림자 속에 숨지 말라는 듯이 말이다.

*

다시, 천천히 시작하는 것이다.

천산혁은 마음을 새롭게 먹었다. 즐겁지 않은가.

아니, 어떻게 즐겁지 않을 수 있겠는가. 자신이 가장 좋아하고, 행복해하는 일을 할 시간이었는데.

그의 나이가 55세였다. 말년을 준비할 때다. 보통이라면. 돈이라면 적잖게 통장에 쌓여 있었다. 그러나 그것들로 말년을 보낼 생각은 없었다. 그에게 필요한 건 참 좋은 추억이다.
어디까지나 뒤틀린 사고와 시각을 갖고 있는 살인마에게나 '좋은'이다.

외부의 시선으로 그것을 바라보면 끔찍한 기록이 되리라.

천산혁은 평생 자랑거리로 삼을만한 방점을 찍고 싶었다. 자신의 인생의 하이라이트. 그래도 육체적인 능력이 필요하다는 점에서. 젊은 나이보다 50대가 넘은 지금에 그런 방점을 찍고자 하는 노력이 참으로 남다르다.

뛰어난 재능, DNA, 노력과 온갖 과학적 도움이 없었다면 불가능한 일이었다.

약물에 관해서는 제대로 지식을 갖추고 조금씩 복용해왔다. 근성장을 돕는다거나, 체력 회복을 돕는다거나 말이다.

물론 건강에 있어서 그리 좋은 작용을 하지는 않을 테였다. 그러나 어차피, 천산혁이 겪은 실전이나 그것을 위한 트레이닝들은 정상적인 경우에 도저히 겪어낼 수 없는 강도였다. 그만한 운동의 강도가 있다면, 약간의 약물은 깨나 좋은 도구가 된다.

당연히 일반적인 경우에서 말할 수는 없는 것이다. '천산혁'은 제 몸뚱이를 그저 살인을 위한 기계로밖에 보지 않았으니까. 그 이외의 문제들에 대해서는 별로 신경쓰지 않으리라. 정상적인 삶을 살아가길 원한다면, 사적으로 약물류를 복용하고 제 몸을 다루는 일은 참신한 자살법일 뿐이다.

아무튼 특이한 여러 우연과 기적들을 겪어서 천산혁은 살아남았고, 그 생을 더러운 흔적들로 가득 채우려 하고 있었다.

한낮, 아직 해가 지지 않은 시내의 거리를 운전하는 그는 즐거운 기분이었다. 썬팅이 되어 있어서 바깥에서는 그의 표정이 잘 보이지 않는다.

그러나 그는 '부드러움'을 일부러 연출했다. 바깥에 나온 이상 연기는 필수적인 일이다. 눈치가 빠른 인간들은 누군가의 분위기나 눈빛만을 보고도 그 속내를 잘 짐작하곤 하니까 말이다. 연기란 늘 디테일이 중요한 법이었고.

차에서 내린 순간에 누군가를 속이기 위해서는, 차에 타고 있을 때에도 준비가 필요하다.

"흠흠."

천산혁은 콧노래를 흥얼거리면서 차의 뮤직 플레이어를 만졌다. USB가 들어가는 방식이었다. 이미 삽입되어 있었고, 노래 리스트에서 고르면 된다.

조금은 경쾌한 것으로 하자.

천산혁은 밝은 분위기의 밴드 곡을 골랐다. 그가 듣는 것은 대개 죽은 이들의 것이었다. 그냥 취향이었다. 살아있는 인간들의 곡을 좋아하지는 않았다.

누군가에게 집중하다보면, 그 사람들의 인생에 관심이 생기니까 말이다. 인간관계를 깊이하는 것은 좋지 않은 일이다. 그건 천산혁의 본능을 자극시키니까.

그는 괴로움의 결정체같은 놈이었고, 행복이라는 걸 만들 능력도, 느낄 감각도 없다. 그에게 있어 진실된 발산이라는 건 누군가에게 고통을 주는 식 뿐이다. 그 외에는 모두 연기였으니까.

가족에게서 멀어질 수 있게 되자마자 거리를 벌린 것도 같은 이유이다.

가족을 소중히 여겨서가 아니라. 섣불리 가족을 죽여버려서는, 그의 정체가 탄로날 걱정이 있으니까.

그는 '사라지고자' 했다.

성공했고, 수십 여 년이 지나 지금 누구의 간섭도 받지 않고 이 거리 위에 있다.

시끄럽게 떠드는 정치인이나, 연예인이나. 자신이 어떤 사업에서 성공을 했다며, 값싼 이야기들을 하고 돈을 긁어모으려는 사기꾼들이나.

천산혁은 별달리 관심이 없었다. 그러나 관심이 생기는 순간, 죽이고 싶어질 지도 모른다. 그게 그가 다른 누군가와 소통하는 유일한 방식이었으니까. 제대로 된.

그는 누구를 죽이고, 망치고 싶었고. 이 세상 역시 그래야 하는 대상으로만 본다.

세상이나 사회를 좀먹고 망치는 자들은, 그에게 있어 같은 일을 하는 작자들이기도 했지만. 달리 보면 경쟁자들이기도 했다. 그가 먼저 나서서 누구보다 망쳐야 할 대상을 저들이 손대고 있지 않은가.

가끔 바라보면 천산혁은 살의가 솟구치기도 했다. 그러나 늘 억누른다. 힘없고, 소리없는 일반적인 시민들을 죽여야 뒤탈이 없으니까.

그는 오랜 시간 많은 일을 하고 싶었다. 가급적이면 많은 사람의 숨통을 제 손으로 끊는 감각을 느끼고 싶어했다. 유명인을 죽이는 건 지독하게 어려운 일이었다.

링컨 대통령을 쏜 암살자는 아직도 밝혀지지 않았다고는 하지만. 자신에게 어떤 특수한 상황을 대입시켜 보려는 건 꼭 멍청한 이의 실수였다.

생각처럼 되지 않을 확률이 훨씬 높을 테니까. 애초에 알고 있는 '특수한 경우의 사실'이 사실이 아닐 경우도 많았고.

유명하고, 떵떵거리고. 자신의 의견을 개진할만한 많은 스피커 Speaker를 가진 인간들을 죽여서 득될 것이 없었다. 그에게 어떤 사회적 정의에 대한 관념이 있었다면, 시도를 해봤을 지도 모르겠지만. 그는 그런 건 별로 관심이 없었으니까.

천산혁 자신의 살인행에 방해가 될만한 일이라 일부러 관심을 두진 않는다.

지금도 그렇다.

이미 죽은 누군가의 음악을 들으면서. 충분히 시간을 보내고, 자취를 어둠속에 감추고. 날이 어두워지면 도시의 사각을 이용해 '포인트'로 향할 것이다.

사냥은 참 즐거운 일이었다.

천산혁은 원래 그렇게 웃지는 않지만, 자신의 얼굴 근육들을 한껏 사용해서 인상을 찡그렸다. 기괴한 웃음이었다. 행복이라는 건 전혀 느껴보지 못한 누군가가 얼굴을 일그러뜨리는 것처럼도 보였다. 그건 표정 속에 눈빛이, 지독한 무감함을 담고 있기에 그럴 지도 몰랐다.

*

"응."

박시윤은 학교가 끝나고 걸어가는 중이었다. 학원으로 가는 길이다. 손에는 스마트폰 하나가 들려 있었고, 통화 중이다. 반대편의 상대방은 친구다.

"응…. 지금 학원 가는 길이야. 갔다가… 글쎄. 11시쯤? 끝나서 갈 거 같은데.
……
에이, 안 위험해. 무슨. 맨날 가는 길이고만…. 우리 동네에 뭐 없어….
……응. ……야식? 야아… 내일 화요일이야…. 주말도 아니고 밤에 무슨…."

건너편의 상대와 긴 얘기를 두런두런, 나누면서 걷고 있었다.

머리는 조금 긴 편이다. 뒤로 길게 늘어지는 검은 생머리. 등쪽으로 내려와 걸을 때마다 옆으로 흔들렸다. 치마는 그리 짧지 않고, 아주 길지도 않고. 무릎보다 조금 아래 내려오는 단정한 모양새다. 움직이기 편한 폭이었다. 하복에 외투 하나만 걸치고 있었다. 후드가 있는 짚업zip-up. 암녹색의 평범한 스타일.

뒤로 검은 가방 하나를 메고 있었고. 안경도, 화장기도 없는 얼굴이다. 그러나 깔끔한 용모였다.

최근에 잡티가 조금 많이 생긴 것 같기는 했다. 고등학교 2학년 중순. 아직 학창 시절은 깨나 남아 있었지만, 대학을 생각하면 스트레스가 슬슬 오기 시작하는 구간이었다. 1년 반이라는 시간은,

노력을 하면 많은 걸 바꿀 수 있는 기간이다.

1년 반.
그래.
많은 걸 바꿀 수 있겠지.

시윤은 언제나와 같은 거리를 걸으면서 문득 그렇게 생각했다. 입으로는 친구와 계속 이야기를 하고 있었고.

"…으응. 아, 이리로 온다고? 됐어…. 그러면…… 집 가기 전에 조금만 늦는다고 하고. 근처 맥버거에서 봐. 사거리에 있는 데. 으응. 너 보고 잠깐 햄버거나 먹고 들어가지 뭐.
……."

고개를 천천히 끄덕거리면서 걷는다. 학교에서 학원까지. 또 학원에서 집까지의 길은 워낙 익숙해서, 고개를 들지 않고도 걸어갈 수 있었다. 그 거리를 메우고 있는 사람들이 어떤 부류의 사람들인지까지 대강은 익숙하다.

약간은 붐비는 거리. 시내에서 조금 떨어진 학교에서 십 분 정도는 걸으면 대로가 나온다. 거기에서 다시 오 분에서 십 분 정도. 한 두 블럭 정도를 더 가면 학원 건물이 있다.
그녀가 걷는 거리 옆으로는 6차선의 차도가 있었고, 지나는 길목에 다양한 음식점이니 주점인미 하는 것들이 불을 밝히고 있었다.

여름에 가까운 봄이었으나, 가끔 밤에는 날씨가 추울 때가 있었다. 후드의 옷깃을 말아 쥐면서 그녀가 약속을 다 정한다.

"…그래, 끝나고 연락할게. 있다가 오면 메세지 보내. …뭔 일 있는 건 아니지? 갑자기 왜 밤에 만나서 얘기를 하재…."

["아냐…, 무슨 일은. 그냥 보고 싶어서 그러지이-."]

"됐어. 이상한 애교야, 갑자기."

["암튼 있다 봐."]

"그래."

통화에 집중하면서 걷다 보니, 어느새 학원 근처였다.

시윤은 핸드폰을 겉옷 주머니에 대충 넣었고, 약간은 낡은 건물로 들어갔다. 들어가자마자 느껴지는 건물 속의 냄새조차 익숙하다.

밤까지 주욱 붙잡혀있어야 하는 공간이었다. 반절 정도는 수업시간이었고, 나머지 반은 자습이다.

보통 학원이 끝나면 집까지 걸어서 돌아간다. 시내가 끝나는 지점에 약간의 골목이 있기는 하지만, 워낙 익숙한 지형이라 그다지 무섭지는 않았다. 밤 11시 즈음. 그 주변의 동네 주민들도 모두 알고 있었고.

그런데 오늘은 또, 시윤의 친구인 민지가 갑자기 밤에 만나자며 연락을 했다. 이런 일은 잘 없었는데, 원래.

무슨 심경의 변화라도 있는지. 그녀나 민지나, 여태까지 남자친구 한 번 사귀어본 적이 없는 심심한 인생들이었다. 갑자기 남자에 관련한 얘기를 할 것도 아닐테고. 부모님이나, 오빠랑 싸우기라도 했는지.

시윤에 비해서 민지는 그다지 공부에 열심을 갖고 열의를 보이는 편은 아니었다. 나름대로는 하지만, 아마 시윤보다는 조금 낮은 성적의 대학교를 가지 않을까 싶었다. 시윤은 지금 그대로 성적을 유지해서 서울 중상위권의 대학에 갈 수 있었다. 여기서 더 공부를 하고 성적을 올린다면, 손가락에 꼽을만한 대학교에 갈 수도 있었고.

물론 올린다는 게 쉬운 일은 아니었지만.

터벅, 하고 건물 계단을 오르면서 시윤은 혼자 작게 한숨을 쉬었다. 그녀가 올라가는대로 불이 켜졌다. 학원 1교시 수업 시간까지는 제법 여유가 있는 때였다. 건물 계단의 인기척은 그녀 뿐이었다. 엘리베이터도 없는 4층짜리 건물. 3층이 강의실이었고, 4층이 자습실이다. 고등학교 시절 내내 신세를 지고 있는, 지겨운 곳이었다.

허름한 외관이나 내부 풍경에 비해서 나름대로 실력 있는 강사진이 있었고, 공부를 하는 데는 별다른 문제가 없기에 다니고 있다.

"에잉."

시윤은, 애꿎게 혀를 차며 오른다. 고단한 인생이다! 참으로.
아직 고등학생밖에 되지 않았지만. 그렇기에 더욱 느끼는 걸지도 모른다.

삶의 질고는 꼭 어른들만이 겪지도 않는다.

풍부한 감수성이 있을 때 더욱 선명하게 느끼기도 하는 법이었다. 앞으로 일 년, 그리고 반. 다 포기하고 싶은 마음도 가끔 든다. 아니, 자주. 그렇지만 어쩌겠는가. 쳇바퀴처럼 굴러가는 것이 삶인 걸.

시윤은 그대로 4층까지 올라갔다. 엘레베이터도 없는 건물이었다. 저녁은 학교에서 이곳까지 오는 길에 자주 들르는 한식집에 가서 먹고 왔다. 삼십 분 정도, 자습실에 짐을 놓고 미리 책을 좀 보고 있다가 내려가려고 한다.

딸랑, 하고 그녀가 4층의 유리문을 열자 작게 소리가 났다. 자습실 내부에서는 들리지 않고, 복도에서만 들리는 인기척 소리다.

주욱 일자로 이어지는 복도. 가끔 켜지는 계단의 조명보다 약간 어두운 형광등. 오른쪽으로 몇 개의 문이 나열해 있었다. 개중에서 시윤은 가장 안쪽의 문을 열고 들어간다.
문을 열면 다시, 조금 큰 방이 꾸며져 있었다. 앞뒤로 등을 대고 서로 공부에 집중하는 자습실용 책상과 의자가 늘어서 있다.
가장 안쪽, 5번째 자리까지 들어가서 그녀는 자신의 사물함 열쇠를 만졌다.

매번 이용하고 있는 자리였고, 그녀의 지정석이다. 번호키를 달칵이자 금세 열린다. 선 채로 딱 시선 높이 즈음에 있는 높은 사물함의 짐들을 정리한다. 가져온 수험서 따위를 넣고, 학원에 두고 간 것들을 빼낸다.

당장 자습할 거. 있다가 수업 시간에 쓸 것들.
대강 정리한 뒤에야 자리에 앉아, 조명을 켰다.

탁, 하고 버튼을 누르자 밝은 백색 빛이 책상을 가득 채운다.

앉은 채로 보이는, 7, 80여 cm정도 되는 폭의 공간. 너비는 3, 40cm정도 될까.

시윤은 자리에 앉은 채 턱을 괴면서, 책을 뒤적거렸다.

핸드폰을 꺼내지 않고 책의 내용에만 짧은 시간이라도 집중한 건 칭찬해줄만한 일이었다. 스스로에게 말이다.

*

"…그래서, 다음 시간까지 복습 꼭 하고. 숙제 내준 것도 잊지 말고. 알지? 너네가 결국 스스로 해야 하는 부분이다. 선생님이 알려줄 수 있는 건…"

"알아요오."

길게 끝을 늘여서 말하는 남학생이 있었다. 언제나 말을 많이 하고, 교실의 분위기를 밝게 만드는 학생이었다. 시윤은 크게 관심을 두지 않고 책을 가방에 넣으며 정리하는 중이었다. 마지막 수업이 끝났다. 10시에 수업은 끝난다. 11시까지는 보통 자습을 하면서, 마무리 공부를 하고 돌아간다.

학원에서 내주는 수업은 보통 그 때 그 때 바로 처리하는 편이었다. 뒤로 미루어봐야 자신이 하지 않을 거라는 걸 잘 알고 있는 그녀였다.

뒷자리. 한 20여 명 정도가 앉을만한 강의실이었다. 3층 전체는 강의실들이 빼곡하게 차 있었다. 대 여섯개 정도는 되는 것 같았다. 보통 학생들이 쓰는 곳은 서너개 정도였다. 언제나 가득 찰만큼 학생들이 있는 것도 아니었고. 학년 별, 진도별로 해서 깨나 많은 학생들이 있었다. 보통은 중3부터 대비하는 예비반, 이후에 고1, 2, 3의 반으로 나뉜다. 그녀는 물론 고2반의 수업을 따라가는 중이었고.

매일 학원에 오는 방식도 있고, 필요할 때 특정 과목의 수업만 듣는 수강 방식도 있었다. 그녀는 월화수목금, 평일 전부를 학원에 다니면서 시간을 쏟고 있었다. 수업만 듣는 것도 아니고, 중간중간 자습도 충분히 하고 있었으니까.

게다가 주말같은 경우에는 따로 시간을 빼서 더 공부를 하고 있었고.

받아들이기만 하고 스스로 굴려보지 않으면 결국 실력이 늘지 않는다.

마지막 교시를 마친 수학 선생님, 30대 초반 정도로 보이는 남자 교사는 늘 엄한 척 하는 표정을 지으면서, 그렇게 말을 하곤 했다.
공부는 결국 너희 스스로가 하는 거라고.

동의하는 말이었다. 수업 내용도 충실한 편이었으므로, 불만도 없었고.

앞자리에서 선생님과 투닥거리며 농담을 나누는 남학생의 이름은 김재한이었다. 고2반, 그녀와 함께 수업을 자주 듣는 친구들은 열 명을 조금 넘는다. 거기에 가끔 듣는 친구들이 몇 명 더 있었으나. 매일 보는 건 그 정도.

이름은 대강 알고 있다. 친하지도 않고, 딱히 말을 하지도 않았지만.

"그래, 그럼 조심히들 들어가고. 다음 수업 때 보자."
"네에-."

선생님의 말에 아이들은 대강대강 대답을 주워섬기며, 짐을 쌌다. 시윤은 먼저 뒷문을 열고 자습실로 향한다.

*

"으휴."

사람은 스트레스가 과도하게 쌓이면 혼잣말이 느는 지도 모른다.

시윤은 그렇게 생각했다. 자신이 혼잣말을 가끔 하는 이유를 생각하다보니까.

사실 혼잣말까진 아니었고, 이래저래 움직일 때마다 군소리가 느는 것이었는데. 한숨이 늘었다고 해도 맞으리라. 에효.

박시윤은 학원 건물을 이제 막 나서는 참이었다. 유리문을 열고, 바깥으로 나선다. 건물 내에는 사람이 별로 없었다. 마지막까지 자습실을 지키는 학생들이 깨나 있기에, 원장 선생님을 비롯해서 몇몇 분이 돌아가며 야근을 하신다. 학원의 불은 꺼지지 않았다.

학생들이 나오는 시간이 11시고, 야근을 맡은 교사가 뒷정리를 하고 퇴근하는 게 그보다 조금 늦으니까.
이 시간까지 남아서 공부를 하는 이들은 원생 전 반을 합쳐서 10명이 넘지 않는다.

시윤은 익숙하게 걸어 나왔고, 거리에 발을 딛는다.

유리문 바깥은 제법 떠들썩하다.

음식점들, 주점들. 밤까지 영업을 계속 하니까. 학원가라고 하기에는 조금 난처한 곳이었지만. 실내는 방음 처리가 잘 되어 있어서 공부를 하는데 큰 지장은 없다. 두꺼운 유리문을 밀고 나가면 거리의 바람이나 냄새, 소리 따위가 확 덮쳐온다, 늘.

익숙한 길이었다. 어쨌거나 사람이 많기도 하고. 시윤은 주머니에 손을 찔러넣고, 핸드폰을 만지작거리면서 걸었다. 메세지를 보내는 중이었다. 민지에게.

[지금 나왔어. 맥버거로 가는 중.]

삐링.

하고 익숙한 소리가 들렸다. 곧바로 답장이 왔다.

[-응. 나도 가는 중. 거의 다와감.]

거리, 인도를 걷는 사람들은 아주 많았다. 그리고 대부분은 시윤보다 키와 덩치가 컸다. 사람들의 틈바구니 속을 그녀는 걸어나갔다.

*

274

차도, 인도에 딱 붙어선 차선 가에 세워둔 차량이 하나 있었다. 승합차였는데, 아슬아슬하게 세워둘만한 자리가 있었다. 그래도 주차를 시켜놓고 마냥 방심하면 딱지를 받을 것도 같다.

다행히 차량 안에는 사람이 있었다.

밤 거리였다. 시내. 주점이니 음식점이니. 이런저런 사정에 의해서. 혹은 유흥을 즐기러. 인파가 모여 있는 지역이다. 이런 곳의 분위기는 그다지 선호하지 않는다. 딱히 못견딜 것도 아니었으나.

운전석에 앉아 조용히 밖을 바라보는 '그'는 조금 더 조용한 편이 좋기는 했다.

사람들이 시끄러우면, 그만큼 상황을 통제할 수 없지 않나. 그는 변수를 참 싫어하는 인간이었다. '그'는 노인에 가까운 사람이었고, 주름이 진 얼굴을 갖고 있다.
선팅이 된 검은색 승합차였고, 서울의 이곳저곳을 떠돌아다니다가 이내 이 근처에 정착해서 시간을 보내고 있었다.

시간을 보내는 건 무언가를 기다림이다.

사냥감을 낚아 올리기 위해서는 언제나 기다림이 필요하다.
제대로 된, 좋은 사냥감 말이다.

적절한 먹이를 고르는 데는, 직관 역시 개입을 한다. 그건 '살인범'으로서의 직관이라고 불러야 할 테였다.
그런 것이 과연 의미가 있는 지는 모르겠지만.

시내 한 도로가에 주차를 해두고 시간을 때우던 남자. 천산혁은 자신의 직감을 나름대로 신뢰하고 있었다. 평생 한 가지 일에만 몰두하고 살아온 것이 아니겠는가. 비록 이 한국 사회, 고도화된 최근의 도시에서 지낸 시간은 개중에서 좀 빠져 있다고는 하지만. '최근의' 한국 사회가 낯설 뿐이지 이 나라 자체는 아주 익숙했다. 누가 뭐래도 그가 태어나고, 견뎌왔던 보금자리였으니까.

괴물, 살인마, 사이코패스. 괴물 중에서도 괴물이라고 불러야 할 그를 태어나게끔 했다는 점에서, 아주 약간의 티가 묻기는 했다만. 그래도 이 나라는 천산혁에게 있어서도 '보금자리'였다.

그리고 천산혁은 자신의 집, 보금자리, 터전을 부수고 싶어하는 인간이었다.

그는 철저한 편이었고, 얼마간은 오랜만에 돌아온 사회에 적응하기 위해서 적응기간 삼아 가만히 지내기도 했다.
어느 정도 준비가 되었다고 생각한 이후에, 이전보다 더욱 완벽하게 일을 치고 있었는데.

그가 데려온 완벽한 병기, 무기, 도구 하나가 잡혀 들어갔다.
그런 고난이 있음에도 불구하고 천산혁은 굴하지 않는다. 온전히 제 재미를 위해서 하고 있는 모든 일이었으니까. 불가능적 요소가 더 늘어났다면, 도전자로서는 호승심이 일어나야 옳을 부분이다.

그는 다소 오랜만에 일을 저지르려고 하고 있었다. 먹잇감을 고르는 과정과 눈빛은 아주 신중해져야 한다. 그는 적당한 물건을 하나 점찍었다. 도로변. 지나다니는 수십, 수백, 수천의 사람들을 그저 보냈다.

지나치게 오래 시간을 끌다보면. 아무래도 유동 인구가 많은 곳이고, 온갖 인간들이 떠도는 곳이기에 시비가 걸릴 지도 모른다. 갓길에 차를 주차해놓고 있으니, 지나가던 차량의 양아치가 한 소리를 할 지도 모를 일이고.

그런 건 별로 상관이 없었으나. 소요가 일어나는 건 천산혁이 늘 피하고 싶은 일이었다. 그는 조용히 살고 싶었으니까. 그가 하고자 하는 일에만 전념을 한 채, 완벽한 고요함을 평생토록 누리고자 했다. 그것이 천산혁이 꿈꾸는 말년이자, 이상적 삶의 모습이다.

물론 그렇게 되게끔 두지 않을 인간들이 아주 많았지만. 천산혁역시 나름대로 싸우고 있었다. 고난이 없다면 재미가 없으니까, 말이다.

차의 운전석. 핸들에 손을 올리고. 약간은 웃음기가 어린 얼굴로바깥을 처다본다. 선팅이 되어 있는 유리창이라 밖에서는 안이 보이지 않았다. 사람이 있는지조차 제대로 분간이 안되리라. 그러나안에서는 바깥이 보였다.

그는 사람을 고른다.

'고른다'라는 것이 그만큼 끔찍해질 수 있는 단어였다.

무엇을 위해서, 어떤 기준으로 고르고 있는가가 중요하니까 말이다. 천산혁은 괴물같은 기준을 갖고 사람을 보고 있었고. 악한 일을 자행할 행동력을 넘치도록 갖고 있는 인간이었다. 불행하게도말이다.

지나가는 평범한 소녀 하나가 보였다. 체구는 그리 크지도 않다. 160 근처의 키. 무게도 그리 많이 나가보이지 않고. 튀지 않는 듯한 인상과, 복색이었다. 거리 안에 스며들어 아무렇지 않게 지나가는 모습이, 참으로 마음에 들었다.

저대로 한 명이 사라져도, 주변 사람들은 아무 눈치도 못챌 것 같지 않은가. 지나치게 화려하고 미모가 돋보여서, 여러 사람들에게 주시를 받고 있다면 까다로운 일이 되리라.
유명인을 상대로 범행을 저지르지 않는 것과 같은 이유로, 까다로웠다.

그가 늘 만들어서 실행하는 '완벽한 루트'에는 대상이 누구냐에 따라서 난이도가 달라지는 점이 있었다. 마술을 하는 것과도 일견 비슷하다고 볼 수 있었다. 사람들의 시선이 다른 곳에 집중되어 있다면, 그건 근처에 누군가 있더라도 목격자가 없는 상태였다.

CCTV의 경우에는 확연하게 피해서 지나쳐야만 한다고 하지만. 사람의 눈이라는 건 때로는 아주 정확하나, 때로는 별로 믿을만한게 못된다.

주변에 큰 영향을 끼치고 있고, 많은 이들의 이목이 집중되어 있는 이라고 한다면 당연히 난이도가 아주 올라가리라. 아무런 특색도 없고, 일상적이어보이는 어느 소녀.
천산혁이 목표감으로 군침을 흘리기에 아주 좋은 대상이었다.

이런 밤거리에 움직이고 있다는 것조차 깨나 마음에 든다. 크게 불안한 기색을 보이지도 않고, 그저 핸드폰에 집중하면서 밤거리를 걸어가고 있었다. 시내이고, 사람이 많다고는 하지만 말이다. 이런 시내이기에 주변에 해를 끼치려는 불량배들이 더 있을 수도 있는 법인데,

소녀는 이 거리가 아주 익숙해보였다. 그 말은, 자주 또 정기적으로 이 시간에 밤거리를 걷는다는 뜻이었다.

일단은 지켜보는 게 중요하다. 사냥감을 정했다면, 그것의 정기적인 행동 습성과 동선을 알아낸 뒤에, '포인트'가 될만한 곳과 그 동선이 겹칠 수 있을까를 알아보아야 한다.

'사냥'은 많은 힘이 드는 노동이었다. 시간도 들고, 수고롭기도 하다. 그럼에도 불구하고 천산혁은 모든 신경과 집중, 재능과 자원을 써서 이 일을 한다. 그것만이 삶의 목표이기에 말이다. 부서진 삶이었고, 있어서는 안되는 존재였으나. 안타깝게도 천산혁은 지금 이 시간, 아직도 잡히지 않고 버젓이 활동하고 있었다.

부릉.

노인, 운전자, 살인마는 다시금 차량을 움직였다. 검게 선팅된 차량이다. 그것이 소녀가 지나가는 방향을 따라서 밤거리를 움직인다. 미행을 할 때는 각별히 조심을 해야 한다. 대상의 눈에 절대 띄지 않도록 말이다. 그는 이 주변의 지형도를 빠삭하게 머리에 넣고 있었다. 그가 바라보고 있던 차량의 방향과, 소녀가 지나쳐 간 방향은 서로 달랐다.

일단은 골목 사이를 지나 빙 돌아서, 반대 차선으로 옮긴 뒤 소녀를 따라가야 했다.

어느 정도 거리가 벌려지게 되겠지만, 큰 거리는 아니었다. 당분간은 시내를 따라서 죽 직진을 하리라, 소녀는 말이다.

그 사이에 있는 골목길로 들어가봤자 유흥가로 이어질 뿐이었다. 학원을 마치고 여학생 하나가 그리로 들어갈 이유는 전혀 없으리라.

밤거리를 걷는 소녀라고 한다면 대로를 따라 걷는 게 당연한 수순이다.

천산혁은 눈이 좋았다. 이미 걷고 있는 인파들 사이에서 그가 원하는 목표 하나만을 찾을 수 있을 정도로. 한 수십 미터 정도 거리를 빙 돌아서 반대 차선에 안착했다. 검은색 승합차가 아주 천천히 따라붙었다. 그의 눈은 전후방과 옆을 동시에 살폈다.

'소녀'의 걸음걸이를 머릿속으로 상상한다. 속도를 느끼고, 거리감을 계산한다. 상상력이라는 게 이토록이나 쓸모가 있다. 결국 현실을 머릿속에서 시뮬레이트 하는 일이었으므로. 정확한 입력값과 계산 기구가 있다면, 가정값은 종종 현실과 들어맞게 된다.

천산혁의 머리는 잘 돌아가는 계산기나 비슷했다.

뛰어난 능력을 가진 인간이었다. 천산혁은. 그 능력을 올바른 곳에 쓰고 있지는 못했지만, 전혀.

소녀가 걷는 속도와, 마주 다가오는 인파의 방해를 생각해서 실제 움직였을 거리를 가늠해 차로 살핀다.

천산혁의 눈이 거리를 더듬었다. 한 번 놓친 인물을 찾는 건 조급해서 될 일이 아니었다. 숲 속에서 사냥감을 놓치지 않으려 애쓰는 것과 비슷한 일이다, 결국. 눈으로는 보이지 않는 대상을, 다양한 장애물들 사이에서 잡아내는 것이니. 공감각이 중요하다.

검은색 차는 다른 차량들의 속도에 맞춰 평범하게 움직였고, 두어 번 정도 섰다가 가기도 했다. 혹은 샛길이 있으면, 그 쪽으로 슬쩍 들어갔다가 한 바퀴를 돌아 나올 때도 있었다. 지나치게 눈에 띄게 움직이지 않는 게 중요하다.

차 없이 인도를 직접 걸을 때도 연기가 필요한 것처럼. 차량에 타고 걸을 때도 결국 마찬가지였다. 주변의 움직임에서 크게 벗어나지 않는 게 중요하다. 결국 사람의 눈과 감각은, 특이한 것, 눈에 띄는 것들을 위주로 먼저 잡아낼 수 밖에 없다.

그것이 자신에게 어떤 위협이 될 지도 모르니까 말이다. 일상적으로 흐르듯 지나가는 무리 중에서 튀어나오는 모양, '뾰족한 것'이라고 인식될만한 물체는 언제나 사람들의 시선을 받고 기억에 남게 된다.

천산혁은 누구보다도 날카롭고, 또 잘못 만들어진 칼날같은 인간이었으나. 그런 관심에서는 최대한 멀어져야만 하는 입장이었다. 조심하고 튀지 않게끔 연기를 하는 건 그의 피부에 달라붙어 있는 종기같은 무엇이었다.

시내의 대로를 따라서 한적한 주택가 쪽까지 이어지는 긴 길이다. 천산혁은 두어 번 정도를 차로 돌았고, 두 번째 바퀴에서 소녀를 발견할 수 있었다.

그녀는 다른 곳으로 새지 않았고, 주택가쪽 도로로 들어간다.

시내에서 멀어질수록 조금 인적이 드물어진다. 아예 없지는 않으나, 화려한 불빛이나 인파와는 확연히 거리가 있다. 늦은 시간까지 문을 열고 있는 동네의 상가나, 혹은 그 근처를 돌아다니는 주민들이 조금.

이제 시내로 나가려는 사람들이나, 혹은 들어오는 사람들. 여자아이 혼자서 걷기에는 깨나 먼 길이다. 그럼에도 소녀는 아무렇지 않아 보인다. 천산혁은 가능한 도로에서 튀지 않으며, 낼 수 있는 가장 완만하고 느린 속도로 움직였다. 여학생, 의 최종 목적지를 파악하는 것이 우선이었다.

동선을 한 번 알고. 이후로도 계속 시간을 들여 그 행적을 파악한다. 어떤 시간에 어느 장소를 지나는지 따위의 정보들이 가장 중요한 부류다. 사냥감에 대해서 알아내야 하는.

이렇게 공을 들여도 쓸모 없는 인간일 때가 종종 있기는 했다. 그가 이 근처에 만들어둔 '포인트'나, 혹은 앞으로 포인트가 될 수 있음직한 곳을 들르지 않는다면. 그럴 땐 차라리 완벽한 장소를 선점하고, 이후에 대상을 고르는 것이 나은 방법이다.

이렇게 처음부터 아무 사냥감이나 잡아서 그 행동 반경을 조사하는 식은, 자주 사용하지는 않는다. 반드시 성공하리라는 보장도 없었고.
그러나 다소 무계획적이며, 조금 즉흥성이 오를 때 이런 식으로 움직이기도 했다. 천산혁은. 가만히 있는 것보다는 움직이는 편이 언제나 일을 이루기에 좋다는 걸 알고 있었다.

쥐죽은듯 가만히 이어야 하는 순간도 물론 있으나.

아이디어가 별로 없을 때는, 일단 거리로 나가 아무 타겟이나 잡은 뒤 계획을 수립해나가는 것도 좋은 방법이다.

살인마에게 좋은 방법론 따위가 있는 것도 참 우스운 일이었지만. 심지어 악행을 하는데도 수고와 노력은 들고, 필요한 법이었다.

이 사회에서 인정받을만한 '제대로 된 일'로 성과를 내기 위해서는, 물론 더욱 고되다.

언제나 모든 긴 여정이 그렇듯, 한 걸음씩 걷는 것에는 별 부담이 없겠지만 말이다.

천산혁은 악한 일을 위해서 한 걸음씩 걷고 있었다.

그 길의 끝에 무엇이 있을런지, 그는 소설 속 악역에 불과하기에 알 수 없었다.

소녀가 향하는 길목은 여러 곳이었다. 당장 시내가 끝나는 구간만 하더라도, 좌우로 쭉 뻗은 대로가 있고 직진해서 들어가는 동네로의 길이 있었으니까.

이미 한적한 구간이다. 천산혁은 그 뒤, 한 이, 삼십 여 미터 정도를 떨어진 자리에서 천천히 쫓는다. 그리고 같은 자리를 계속 뱅뱅.

돌면서 소녀가 향하는 방향들을 사진 찍어 기억하듯이 추적한다. 차가 소녀의 걸음걸이보다 훨씬 빠르기에 가능했다.

그렇게 어느 정도 가는 방향이 특정되자, 깨나 먼 곳에 승합차를 주차했다. 갓길에 대강 주차한 것이었으나, 아까의 시내보다 훨씬 한적한 곳이기에 주차 딱지를 끊길 염려도 크게 없었다.

늘 골치 아픈 일은 원하지 않을 때 일어나곤 한다.
주정차 하나 잘못해서 괜히 검문을 돌던 경찰의 눈길을 사고, 차량 안쪽을 보이게 되는 일까지 상상을 해보아야 한다. 겉보기에, 이상해 보이는 물건들은 두지 않았다. 모두 차량 시트 아래쪽 따위, 어둡고 빈 공간을 활용해서 숨겨놓고, 잘 포장을 해두었다.

천산혁은 T자형으로 만들어진 거리에서 주욱 따라 걸어와, 왼쪽으로 꺾어 멀어지는 소녀의 걸음을 기억한다.
그는 오른쪽으로 꺾어져 조금 더 달려와, 차를 세웠고.
적당한 자리에 정차 뒤 차문을 열고 내렸다. 시간은 많다. 밤 말이다. 그는 낮보다는 밤에 어울리는 인간이었으니까. 다른 이의 눈을 피하기에도 좋은 시간이었고.

조금은 어두운 톤의 복색이었다. 평범해 보이기도 하지만. 검은 톤의 면바지. 바람을 막아주는 매끈한 재질의 검은 외투. 깊게 눌러쓰는 모자까지 쓰면 도리어 눈총을 산다. 그는 지퍼를 조금 내려 받쳐 입은 스웨터를 조금 드러냈다. 목으로 밤바람이 스며든다.

여름에 가까운 날이었으나 가끔은 날씨가 추웠다. 오늘도 그렇다. 가로수가 스산하게 흔들렸다. 달빛은 밝았고.
미치광이가 걷기에 좋은 밤이었다. 천산혁은 오랜만에 다시 시작하는 짓거리에 차마 웃음을 짓지는 못했다. 평소처럼 웃으면 아마 분명 눈에 띌 테니까 말이다.

어둡고, 그를 지켜보는 사람이 아무도 없다고 해도. 늘 인격의 가면은 써야만 한다. 그는 갈 길이 아주 멀었다. 여기서 붙잡히고 싶은 마음은 조금도 없었고.

아주 달디단 케이크를 야금야금 먹는 것처럼. 남아 있는 인생을 즐길 것이다. 죽기까지 수십 년.

그가 망칠 수 있는 생명은 얼마나 될까.

천산혁은 그런 걸 낙으로 삼아 남은 날의 수를 계산했다.

늘 뜻처럼 되지는 않는 게 인생이지만.

*

29. 연애상담

*

"응."

민지는 제법, 애교를 많이 부리는 계집애다. 시윤은 눈을 가늘게 떴다. 그래서 뭐 어쩌라고, 라는 표정이다. 민지는 그 모습을 보아도 별다른 말은 않고, 햄버거 집에서 감튀만 집어 먹는다. 감자 튀김.

바깥은 이미 옛저녁에 어두워졌다. 옛저녁. 어린애가 쓸만한 단어는 아니었다. 시윤은 그런 말을 가끔 쓰기는 한다. 언어 영역은 그녀에게 자신이 있는 부분이었고, 다양한 소설을 읽고 어려운 단어 따위를 쓰는 걸 좋아하기도 한다.

시윤은 소설가가 되고 싶기도 했다. 아직 제대로 써본 적은 없지만. 연습이라면 종종 하고 있었다. 제대로 된 작품 하나를 완전히 만드는 건, 터무니 없이 어려운 일처럼 느껴져도 말이다.

자기가 하고 싶은 일과, 되면 좋은 것. 어느 대학을 가고 무슨 과를 가게 될까. 어떤 인생을 살게 될까.

여러가지 고민들이 충돌하는 지점이었다. 고등학교 2학년의 1학기 중간은.

송민지는 의뭉스러운 표정을 하고 있었다. 두 사람은 패스트 푸드점, 유명한 체인점에 들어와 있었다. 구석 자리. 벽에 가깝게 붙은 곳이었고, 옆으로 돌아다니는 사람들이 보인다. 시내 쪽에 위치하지는 않았고, 학교와 주택가 쪽에 있는 햄버거 집이었다.

벌써 시간이 늦었고, 돌아다니는 사람도 별로 없다. 민지는 옆으로 보이는 인도를 따라 주욱 들어가면, 학교가 나오는데, 거기서 오른쪽으로 한참 걸어가서 집으로 돌아가야 한다. 시윤은 반대편인 왼쪽으로 한참 걸어서 들어가야 하고. 낡은 아파트였고, 가는 길에 골목들이 조금 있었다.

언제나 지나다니는 길이고, 골목 중에서 밝은 곳을 지나기도 하고, 이웃 주민들을 잘 알고 있는 길목으로 간다. 불량배를 만나는 적은 별로 없었다. 남자애들은 가끔 털리기도 한다던데. 여자애들을 건드리는 종류는 아닌 모양이었다.

여학생 양아치들을 만나면 조금 위험하기는 하겠다만.

아무튼 그렇게 집에 돌아가야 한다. 학원에서 자습이 끝나고 곧

바로 돌아가도 이미 늦은 길이었는데. 기어코 이 기집애가 만나자고 해서 이 난리였다. 야식으로 햄버거 세트를 먹으면 속이 더부룩하고, 살도 조금 찔 지 모른다.

가뜩이나 운동이 부족한 것 같기도 했는데 요새. 고등학생은 학년이 오를수록 체육 시간에 그다지 뛰어다니질 않는다. 남자애들은 몰라도, 여자애들은 더욱.

그 시간에 체력을 아꼈다가 공부에 쓰는 추세였다. 박시윤도 그랬고.

송민지는 많이 먹어도 잘 찌지 않는 체질인 것 같았다. 아니면 남몰래 늘 운동이라도 하고 있다거나. 학교에서도 곧잘 보고 얘기를 나누는데, 학원이 끝난 뒤에 만나자고 조르는 건 또 드문 일이었다.

주말에야 가끔 볼 수 있지만 평일에는 별로 시간이 없지 않나. 학원을 매일 다니고 있었으니까.

"뭐."

시윤은 좁힌 눈을 뜨지 않은 채 물었다.

패스트 푸드점 안에는 사람이 그다지 많지 않다. 형광등 불빛이 약간 깜빡이기도 한다. 24시간 영업이라서, 밤에 들르는 사람들이 종종 있기는 했다. 시윤과 민지처럼 먹고 가는 사람들도.

보통 시내에서 흠뻑 취해서 놀다가, 이제 집으로 돌아가는 길에 잠깐 들르는 이들이 여기에 많이 왔다.
혹은 가끔 일탈을 즐기러, 조금 떨어진 주택가에서 학생이나 가족 무리 따위가 오는 경우도 있었고. 한 구석에 조용히 앉은 두 여학생은 별로 말이 없다.

시윤이 물었음에도 민지는 별로 이야기를 않는다. 시윤은 약간 짜증이 나기까지 했다.

"말 없으면 그냥 간다?"
"아니이."

민지가 말끝을 늘이면서 왜 그러냐는 듯 굴었다. 시윤은 먹고 있던 햄버거를 전투적으로 왕, 물었다. 치킨 버거의 매운 소스 맛이 잘 느껴졌다. 야식은 보통 매운 걸 먹는다. 스트레스를 받을 때 먹기 좋은 맛이 아닌가. 과도한 탄수화물, 지방, 단백질 따위의 부담스러움을 잡아주기도 한다.

제로 칼로리의 콜라를 빨아 마실 때 즈음이 되어서야 민지가 말을 한다.

"후⋯. 아니, 그니까⋯⋯ 하⋯⋯."
"⋯⋯."

박시윤은, 단전에서부터 깊은 짜증이 올라오는 걸 느꼈다. 아니 이 년이. 누구 앞에서 간을 보고 있다는 말인가. 차마 말하지 못할 것이라도 있는 양, 한숨을 쉬면서 과도한 제스쳐를 취하는 민지를 빤히 노려봤다.

송민지가 시윤의 표정에서 깊은 분노를 느낀 듯 순순히 말하기 시작했다.

"…백윤석이 나 좋아한대."

"……."

쪼로록, 하고 제로 콜라를 마시다가 얼음에 걸려 빈 공기 소리가 났다. 시윤은 이상한 표정을 지었다. 시윤이나 민지나, 얼굴에 화장기는 없었다. 평소에 잘 하고 다니지 않는다. 그러나 그럼에도, 제법 괜찮은 편에 속하는 외모라는 건 부정하기 어려웠다.

자랑하고 다니지는 않으나, 평판이 나쁘지는 않았다. 두 소녀가 다니는 곳은 남녀공학이었고, 또 분반이다. 남학생 반, 여학생 반으로 갈려 있다는 말이다. 나쁘지 않은 '평판'이라는 건, 주로 남학생들의 입에 오르내리는 그 평판을 말함이었고.

여학생들 사이에서 성격으로 따진다면, 깨나 좋은 편에 속했다. 시윤이나 민지나 시원스러운 편의 성격이었으니까. 이것저것 재고 따지고, 지나치게 소심하게 굴면 여자애들 사이에서도 그다지 좋은 소리를 못들을 때가 있었다.

머리 아프게 인간 관계 속에서 구는 걸 좋아하는 성격이 아니다. 둘 다. 호불호가 분명하고 확실하게 표현하는 타입이었지.

그렇기에 친한 친구로 지내는 걸지도 모른다. 성격, 생각, 표현법 따위가 닮았으니까.

"하."

시윤은 일단 헛숨을 뱉었다. 백윤석. 알고 있는 애였다. 평판은… 뭐 나쁘지도, 좋지도 않다. 외모나 성격 둘 모두 말이다. 만나지 말라는 듯 남자와 여자를 갈라 놓으면 오히려 더 만나기 위해서 애를 쓰게끔 되는 게 인간의 본성일 지 모른다.

분반을 해두었지만, 그네들끼리 이성에 대해서 이야기하는 건 자주 있는 일이었다. 시윤은 남학생들에게 큰 관심은 없었는데. 교실에 가만히 앉아서 공부를 한다거나, 멍 때린다거나 하다 보면 들려오는 이야기들은 있었다.

그리 친하진 않아도 자주 얘기하는 친구들에게서 건너 듣는 것들도 있었고.

만나서 이야기도 많이 해본 적이 없는 사람이었다. 백윤석은. 그녀가 알기로는, 민지와도 그랬고. 가끔 합동 수업 때 마주친다거나, 민지의 친구 중 하나가 백윤석과 친하다거나… 했던 게 고작이다.

물론 얼마나 친하느냐, 가 반할 수 있는 기준이 되지는 않는다. 시윤은 앞에서 쫑알거리는 민지의 얼굴을 가만히 뜯어보았다. 그래, 제법 괜찮게 생겼다. 다시 보아도 말이다. 맨날 뚱한 표정으로 있기는 하고, 시니컬한 편의 아이였지만 생긴 것은 나쁘지 않다.

왕, 하고 박시윤은 치킨 버거를 마저 물었다.

"갑자기?"

그렇게 먹다가 일단은 물어본다. 자세한 이야기가 궁금하기는 하다.

"응. 그…. 김예린이 말하던데. 좀 전해달라는 부탁을 받았다면서. 그리고 오늘 아침에는 편지도….”
“콜록.”

박시윤은 버거를 먹다가 사레가 들려서, 한참을 고생했다.

1, 2분 정도가 지난 다음에야 다시금 말을 이었다.

“우와. 편지? 메세지도 아니고? 직접? 신기하네.”

요즘에 자필로 편지를 써서 마음을 전하는 아이가 얼마나 될까.
고백을 한다고 해도 그렇다. 그런 애들은 별로 없다. 만나서 직접
이야기를 하는 것만은 못하겠지만. 그래도 편지라…. 나름의 정성
이나 감수성 정도는 엿보인다.
 감수성 가지고 누구를 사귀느니, 마느니 하는 건 불가한 이야기
였지만.

시윤은 입을 가리면서, 눈을 좁혀 뜨며 말한다.

“그래서. 뭐래? 자세하게는. 언제부터 좋아했대.”
“……그,”

민지는 슬쩍 얼굴을 돌리면서 말을 한다. 얼버무리는 톤이, 약간
부끄러워 하는 것처럼도 보였다. 친구의 이성 관계에 대한 모습은,
좋은 놀림거리가 되기도 한다. 쉽게 보기 힘든 장면이기도 하고.
 박시윤은 더 케물을 생각밖에 없었다.

“음…. 후. 그. ……. 입학했을 때부터? 그 때부터 좋아했는데,
쭉 말을 못하고 있다가 지금 말한다고….”

"와아⋯."

어지간한 순정이다. 박시윤은 그리 생각했다. 백윤석은 같은 중학교 출신이 아니었다. 송민지와 박시윤은 같은 중학교에서 만나서, 오랜 친구였지만. 고등학교에 올라오고, 처음 봐서 반하고, 지금까지 마음을 감추고 있었댄다.

"그래서, 어떻게 할 거야. 이야기 해봤어?"

연락처 정도는 갖고 있었다. 친구의 친구 정도니까. 메신저에도 등록이 되어 있고, 전화번호는 알 지 모르겠다. 이야기를 하는 데는 보통 메신저면 충분하다.

"아니이⋯. 야 어떻게 이야기를 해⋯."

그래서 나를 불렀구만. 박시윤은 햄버거를 내려놓았다. 어차피 거의 다 먹어가던 참이긴 한데.

"그래도 얘기는 해줘야지. 니 마음은 뭐⋯ 좋아? 사귀게?"
"아니⋯ 후⋯."

송민지는, 갑자기 우울한 표정을 지으면서 어둔 창 밖을 바라보았다. 한숨마저 내쉬면서. 마침 창 밖으로 사람이 하나 지나갔다. 반대편 도로다. 멀리, 어둔 색의 자켓 따위를 걸치고 있고 구부정한 걸음걸이. 마을 주민일 지도, 모른다.

박시윤은 그런 민지를 가만히 지켜만 본다. 여자의 마음은 복잡하다. 박시윤도 여자였지만. 또래 애들의 마음은 그런 그녀의 그것보다 조금 더.

시윤 역시 나름대로 많은 고민을 하고 살고 있다. 미래에 대한, 진로에 대한. 꿈에 대한. 여러가지 것들이 뒤엉켜서 가끔 머리가 터질 것 같기도 하고 그렇다. 사실 삶이라는 건 인간 관계를 빼놓을 수 없는 것이다 보니, 그런 부분에서의 고민도 물론 있다.

친구들의 연애 문제같은 것들은 아니었지만. 송민지는 무언가 부담스러운 점이 있는 모양이었다. 시윤이 보더라도 그렇다. 민지 역시, 남자에 목을 매는 스타일은 아니었다. 사귈 수도 있으나, 안 사귈 수도 있지. 대충 그런 식.

윤석은 나쁘지 않은 외모에, 그럭저럭 괜찮은 매너를 가졌지만. 누군가를 사귄다는 건 또 많은 게 생활에 있어서 변한다는 뜻도 된다. 변화는 새롭지만, 피곤하다. 어떻게 마음가짐을 갖느냐가 중요할 지 모른다. 연애를 과연 좋은 변화로 받아들일 수 있을까.

시윤의 친구들 대부분에게 물어보면 거의 그렇게 답을 할테지만.

적어도 시윤은 조금 부정적이었다. 피곤하다. 사람과 사귄다는 건. 달뜬 감정이 지나가고 나면, 피차 피곤한 일밖에 남지 않는 것이었다.

"너 알아서 해라."

시윤은 대충 조언을 던지곤, 마저 햄버거 세트를 욱여 넣었다. 감자 튀김은 한 군데 모아서 같이 먹고 있었는데,
정신 차리고 보니 송민지가 대부분 집어먹어버렸다. "악."

시윤은 발로 송민지의 신발을 툭, 건드렸다. "하하."

송민지는 어이없게도 웃으며 왜 그러냐는 듯 굴었다.

"백윤석보다 감자 튀김이 더 중요한 문제인데. 이걸."
"아니, 그건 아니지…."

송민지가 어이가 없다는 듯 대꾸했다.

그 날은 그렇게, 시덥잖은 이야기들을 나누다가 돌아갔다.

*

후.

작은 한숨을 내뱉는다.

밤이 조금 쌀쌀했다. 어둔 길을 걷는 건 영 달가운 일이 아니었다. 그러나 어쩌겠는가. 집이 골목을 넘어서 있는 걸.
그래도, 이 주변 주민들은 그녀가 잘 알고 있는 부류들이었다, 이미.

박시윤은 어두운 길을 걸었다. 가로등도 드문드문 있었고. 이 어두운 길을 지나가야만 그녀의 집에 다다른다. 낡은, 오래된 아파트. 시윤이 느끼기에는 아무런 부족함이 없는, 안락한 집이었다.

"큼."

혼자서 마냥 걷기 심심해서 소리를 냈다. 스마트폰을 들고 불빛을 밝혔다. 손가락으로 몇 번 문질거려서, 음악을 금세 틀었다. 최근에 유행하고 있는 남자 아이돌 그룹의 노래가 나왔다. 좋아하지는 않는다. 아이돌을. 노래는, 그럭저럭 들을만했다. 가사도 그렇고, 보컬도 그렇고.

결국 캐릭터성을 팔아먹는 사업이었다. 아이돌 사업이라는 건. 시윤은 그런 걸 좋아하지는 않는다. 물론 멋진 남자를 본다면 두근거리기야 하겠지만은. 그런 게 인생을 사는데 얼마나 쓸모가 있다고. 그녀는 회의적이다.

조용한 골목길. 멀리 고층 건물 따위가 보이기도 한다.

양 옆으로 주택가들이 있었다. 보통은 불이 밝혀져 있었고, 혹 몇 개는 꺼져 있다. 창문으로 보이는 거주자들의 실태다. 사람이 없는 집도 있기는 하지만. 그런 집들 사이에 있는 골목길 구간이 길지는 않다.

으슥한 골목을 지나면서 시윤은 앞을 쳐다봤다. 자연스럽게 앞, 뒤를 살피게 된다. 주광빛으로 빛나는 가로등이 띄엄띄엄, 그녀를 데려다준다.

밤하늘에는 별이니 달이니 하는 것들이 조금 불을 더하고 있었다. 서울에 살다보면 제대로 된 하늘을 보기가 어렵다. 물론 낮의 하늘이야 가릴 수 없다지만. 명절 때 가는 시골에서 보던 하늘과는 영 딴판이었다. 시윤은 문득 고개를 들어 밤하늘을 잠깐 쳐다봤다.

부스럭.

근처에서 무슨 소리가 난 것 같았다. 그리고 그 때.

"……."

시윤은 크게 이상하게 생각하지는 않았다. 골목길을 걷다 보면, 감각이 강화된다. 누구라도 그럴 것이다. 고등학교 2학년, 여자가 아니라고 하더라도. 아주 건장한 남자일 지라도 어둠은 두려운 법이었다.

희미한 보이 밴드의 음악 소리가 들린다. 그것을 벗 삼아서, 시윤은 터벅이며 걸었다. 한 손은 스마트폰. 한 손은 배낭의 어깨끈을 부여잡고 있었다.

거침없이 걷는다. 늘 다니는 길이니까. 어둠을 두려워해서 혼자 길을 가지 못하고 얼쩡거려봐야, 도와줄 사람은 없었다. 제법 긴 구간이었으나 시윤은 계속 걸어갔다.

한 삼 분 정도. 그렇게 굽이굽이 진 골목길을 걸어서, 다시 탁트이는 곳에 다다른다. 아파트 앞의 차도가 나타난다. 사실 차도나 인도나 크게 구분은 하지 않는다. 트럭 두 대가 넉넉하게 서로 엇갈려 지나갈 수 있는 포장 도로였는데, 사람들이 우선적으로 먼저 건너곤 한다.

이런 밤에 지나다니는 차는 없었다.

도로를 건너서, 시윤은 아파트 단지 내로 들어갔다.

언제나와 같은 하루였다. 민지가 속내를 털어놓은 건 제법 재미가 있었지만. 뭐 별 일 있겠는가. 백윤석이랑 잠깐 사귄다고 해도, 재미있겠지.

친구의 연애라는 건 늘 그렇지 않은가. 재미있는 일이다. 잘 된다고 해도 그렇고, 잘 안된다고 해도 그렇다.

잘 안되었을 때 웃는 건 너무 못된 심보인가 싶기는 하지만. 뭐, 재미있으면 된 것 아니겠는가. 10대 때의 일상이다. 큰 사고를 치는 정신나간 친구는 별로 없었고, 다들 선을 지키면서 놀고 있었다.

돌아올 수 있는 정도의 일탈이나 변화라면 언제나 환영해야 할지도 모른다. 인생은 짧고, 경험할 날은 길다. 남자애랑 사귄다고 송민지가 미쳐가지고, 선을 넘는 일탈이나 외도를 할 애도 아니었고.

시윤은 송민지를 그렇게 키운 적이 없었다. 친구끼리의 사이에 키운다는 게 무슨 말이냐, 할 수도 있겠지만은. 친한 친구들끼리는 어쩌면 서로를 그렇게 바라보고 있었다.

박시윤이 송민지를 어느 정도 걱정의 대상으로 보고 있는 것만큼이나, 송민지도 그녀를 그렇게 보고 있을 지도 모른다.

집에는 잘 들어갔겠지. 얼마 전에 헤어진 친구의 얼굴이 떠올랐다. 달이 밝았다. 아파트 단지 내로 들어가면서는 빛이 밝아졌다. 가로등의 수도 많고, 불이 켜진 단지 내의 호수들도 참 많다. 멀리로 경비실이 보였고, 그 안에는 자주 보는 경비원 할아버지가 있었다.

시윤은 익숙한 발걸음으로 귀가했다.

*

구름이 많은 밤이었다. '후.'

누군가는 바람을 불었다. 작게, 들리지 않게. 고요하게.

사람의 눈에 뜨이지 않고 길을 걷는다는 건 아주, 아주 어려운 일이다. 그는 지붕 위에 올라와 있었다. 어둔 밤이다. 도시의 시내와는 다소 떨어진 자리였고. 이런 곳의 폐건물 지붕에 올라와 있다고, 누가 보지는 않으리라 생각되었다.

'일'의 영역에 들어갈 때는 착용하는 복장들이 따로 있었다. 천산혁은 복면을 썼고, 비니같은 걸 뒤집어 썼다. 손에는 장갑이었고, 위 아래의 복장들 역시 빛이 새지 않는 검은색이다. 그는 그림자같은 복장을 하고서, 골목 옆의 건물 지붕에서 멀리까지를 지켜보았다.

야간 투시경이었다. 그가 들고 있는 건. 단안의 물건이었고, 렌즈를 조절해서 멀리 있는 것을 뚜렷하게 볼 수 있는 망원경의 기능도 미약하게나마 들어 있었다.

주름이 진 노인. 그러나 몸의 체형이나, 자세 따위는 젊은 운동선수의 그것이라고 해도 믿을만한 사내는 숨을 죽이고 관찰을 마쳤다.

'사냥감'으로서는 아주 적절했다. 의외로, 기쁘게도 말이다. 거리에서 아무렇게나 찍어서 따라갔던 사냥감이 곧바로 괜찮은 포인트를 지나는 일은 자주 있는 일이 아니었다.

'장소'와 '사람' 모두가 충족이 되어야 늘 그가 일을 벌일 수 있는 것인데. '사람'을 찾으면 장소가 마땅치 않은 경우가 많았다. 그래서 그는 언제나 포인트를 먼저 발견해서 정리해둔다.

자신이 진입할 경로와, 퇴각로를 설계한다. 주변 지형과 연계해서 완벽하게 도주를 할 수 있을만한 동선을 짜둔다. 근처의 지도와 3D맵을 찾아서 확인하고, 인적이 드문 시간에 가서 직접 걸어보는 식으로 말이다.

치밀한 주변 조사가 필요했다. 그렇게 장소에 대한 것들을 완전히 준비해두고 천천히 사냥감을 기다리는 게 평소의 루틴이었는데.

이번에는 거진 장소와 사람이 모두 한 번에 갖추어졌다.

'대상'은 정해진 시간에 이 길을 지나는 모양이었다. 천산혁은 자신이 행운이라고 생각했다. 섬뜩한 행운이었고, 천산혁이 벌일 일을 생각하면 감히 행운이라는 말을 써서는 안되겠지만.
어쨌든 돌아버린 인간은 그렇게 여기고 느낀다.

그는 히죽이며 혼자 웃었다. 복면 속에서. 천산혁은, 여학생 하나의 뒤를 쫓았다. 긴 시간이 걸렸다. 그는 딱히 직업을 갖지 않고, 24시간과 모든 정력을 한 가지 일에 몰두하고 있었으므로 큰 상관은 없었다만.

곧바로 집으로 돌아갈 듯 보였던 여학생은, 맥버거라는 햄버거집에 들어가서 친구와 담소를 나누고, 그 다음에 골목길을 지나 최종적으로 귀가를 했다.

한 시간 정도는 족히 버린 것 같았다. 통 움직이지 않자, 그녀의 움직임을 관찰할만한 적당한 주변 건물 옥상을 찾느라 고생을 했다. 가만히 숨을 죽이고 단안의 망원경으로 사람의 뒤를 추적했다. 움직이는 것을 확인하고 거리를 유지한 채 따랐다.

소리를 내지 않고 건물의 담을 오르거나, 또 거기서 지붕으로 올라가거나. 도심 속에 사는 원숭이보다도 더 날렵하게 그는 움직였다. CCTV의 각도를 확인하는 것도 물론 필수적인 일이었다.

함부로 이상한 짓거리를 하는 건 좋지 않다. 그는 전진을 하기 전에 늘 '사람의 눈'이 어디에 있을까, 그리고 '기계의 눈'이 어디에 있을까 확인하며 움직였다. 어둔 지도를 서서히 밝혀나가는 탐험자의 자세나 같았다.

보통 사람들이라면 아무런 문제도 없이 걸어 나갈 수 있는 평범한 지형이었지만. 천산혁에게는 달랐다. 그는 모든 이에게 정체를 숨기고 살아가는 괴물이었으니까. 그 터럭이라도 남았다가는, 결국 붙잡히고 말리라.

'천산혁'은 존재해도 괜찮은 인물이었다. 그러나 누군가 다른 사람의 뇌리에 '살인마 천산혁'이 존재해서는 안되었다. 그런 일이 벌어진다면, 천산혁은 반드시 그 목격자를 죽여야만 한다. 자신이 살기 위해서는.

이 사회에서 살인을 용납하고 있지 않으므로. 그리고 아마 동서고금을 막론하고 어느 인간 공동체에서도 허락되지 않았으므로. 이 괴물은 타인과 공존할 수는 없는 처지였다.

고대에 태어나서, 적대적 민족을 죽이는 장군 따위가 되었더라면 만족을 했을까. 천산혁은 그런 상상을 해본 적도 있으나, 결론적으로는 아니라고 여겼다. 그것들로 만족을 하지 못하니까, 하고 있는 짓거리인 것이다.

자신에게 달려드는 무언가를 파괴하는 건 지루하고 재미가 덜했다. 완벽하게 통제한 상황 속에서. 자신에게 조금도 반항할 수 없는 대상을 확실하게 죽이는 것이 즐거웠다. 그는 통제주의자적인 면모가 있었다. 그런 정신병이 있는지는 모르겠으나, 대강 그런 이름이 붙을만한 이상한 성격이다.

상황을 제어하지 못하면 자신이 언제 위험에 처할 지도 모른다는 불안감을 느끼며 살아온 게 문제였을까.

아무튼, 천산혁은 반항하지 못하는 곱고 여린 무언가의 목을 꺾는 순간을 최고로 여긴다. 괴물 중에서도 질이 나쁜 종류였다.

한 여학생의 귀갓길은 샅샅이 분석을 했다. 어느 각도에, 어느 자리에 CCTV가 있는가도 대강은 확인을 했고. 어둔 밤중에 최대한 걸리지 않게 움직였다. 한 번에 이 정도까지 가깝게 근접 미행을 한 것만으로도 충분한 성과였다.

나머지는 시간을 들여 천천히 한다. 암살, 누군가를 몰래 죽이는
건 결코 쉬운 일이 아니었다. 재미삼아서 할 수 있는 일도 아니었
고. 천산혁은 물론 재미삼아서 하고 있었지만. 그것을 '일'이라고
분류하고, 그 노동의 강도만을 따진다면 분명 그러했다.

누구에게는 아무리 많은 돈을 주어도 할 수 없는 정도로 고강도
의 일일 테다.

천산혁은 확고하게 자신만의 스타일을 완성시킨 괴물이었고, 그
렇게 되기까지 상당히 많은 시간이 걸렸다.

'김연수'라는 이름으로 대한민국에 보도가 되고, 알려지고. 일반
적인 시민들보단 경찰 조직 내에서 유명하게 되기 전.
그 전에도 이미 몇 건의 일을 저질렀었다. 그 때의 그는 훨씬
더 미숙하고, 뒤처리를 하지 못하는 편이었다. 그러나 나름대로 최
선을 다했고, 솜씨를 높이기 위해서 많은 준비를 했었다.

그 당시엔 지금보다 시설이 많이 노후화되어 있었으니까. 90년
대, 세기말은 7080에 비하자면 그래도 현대적인 면이 있었지만.
지금의 서울과 비교를 한다면 그가 일을 벌이기 아주 쉬운 환경이
었다.

덕분에 그가 들키지 않고 지금까지 살아남을 수 있었던 것이다.

몇 번의 실험적인 살인행 끝에, 이대로는 안되겠다고 여기면서
더욱 많은 준비를 했다. 훈련을 했고, 도구를 그러모았다. 완벽한

계획을 세웠고, 갈고 닦은 기량과 육체적 능력으로 그걸 실행했다.

계획에 변수가 있었을 때도 있었지만, 그는 놀라운 우연과 기적적인 행운으로 그것들을 통제했다. 그는 자신이 원했던 것처럼 아무것도 남기지 않았고, 시체만을 둔 채 언제나 현장에서 빠져나갔다.

이제는 서울에서 일을 벌일 때는, 시체조차 남기지 못하게 되었다. 만약 살해 후 시체에 대한 처리를 완벽하게 하지 못한다면 반드시 꼬리가 잡히리라. 일을 저지르고, 곧바로 밀입국 루트를 통해 해외로 도망이라도 가지 않는 이상에야 말이다.

그건 천산혁이 바라고 있는 이상적인 살인행의 방식이 아니었다. 그는 유유하게, 이 도시에 버젓이 살아 있으면서 살인자로 존재하고자 했다. 그가 원하지 않는다면 언제나 평범한 시민의 탈을 쓰고, 일상 생활을 즐길 수 있게끔 말이다.

지독한 오만이자, 이루어져서는 안될 바람이기는 했다만. 지금까지는 가능했다. 56세. 긴 세월이었다. 자신도 이 정도까지 할 수 있을 줄은 몰랐다.

천산혁은 지붕 위에 서서, 단안 렌즈를 다시금 품에 넣는다. 몸을 구부렸다. 평평한 지붕 끝에 약간의 굴곡이 있었다. 그의 입장에서는 아주 안정적으로 뛰어 다닐 수 있을만치 튼튼한 바닥이다. 그는 그런 지붕에 잠깐 주저앉았고, 쉬었다.

긴 시간 살아왔다. 자신이 생각해도 말이다. 그러나 앞으로 남은 시간을 더욱 이렇게, 즐겁게 보내기를 바라고 있었다. 이제 올해를 마지막으로 육체적인 방식으로 일을 하지는 못하겠지만. 이런 게 아니더라도 얼마든지 사고는 칠 수 있지 않겠는가.

역사적으로, 또 해외에 있는 여러 종류의 살인범들은 다양한 방식을 사용해 사람들의 목숨을 앗아왔다. 독물을 쓴다거나, 기구를 쓴다거나. 적당한 트릭을 쓰면 육체적으로 힘을 들이지 않고도 얼마든지 가능하리라.

그 때는 지금처럼 대담하게 할 수는 없을 테였고, 여러가지 트릭을 섞고 또 조심스레 자중하며 일을 벌여야 하리라. 지금처럼 한 해에 십 수 건의 일을 시도할 수도 없을 것이다.

고작해야 한 해에 한 두어 건 정도일까.

그런 미래가 기다리고 있었다. 나쁘지 않았다. 아직 달릴 수 있는 지금, 최대한 뛰어 다니면서 크게 일을 쳐둔다면 말이다. 살인마는 올해를 최고의 해로 만들고자 했다. 커리어 하이career high. 마치 운동 선수들마냥. 나중에 추억을 할만한 메달처럼 한 해의 기록을 세우고 싶은 것이다.

'김재영'이 잡히지 않았다면 아마 작년에 그랬을 텐데. 한 해가 늦어졌다. 이미 그의 완벽하게 단련된 육체도 빠르게 저물고 있었다. 56세가 쉬운 나이는 아니었다. 어떤 보조적 약물의 도움을 받고 있다고는 하지만. 신체의 내구성 자체에 문제가 생긴다면 그런 것도 결국 임시방편에 불과하리라.

천산혁은 비열하게 복면 속에서 웃음을 지었다. 제딴에는 즐거움을 표현했으나, 눈빛은 여전히 시리도록 무감無感스럽다.

달빛을 쬐며 월광욕을 하다가, 천산혁은 조용히 왔던 루트를 통해 골목 지붕에서 사라졌다. 툭, 혹은 작게 쿵, 하는 소리만이 몇 번 들렸고, 그는 감쪽같이 그곳에서 모습을 감췄다.

*

눈을,

번쩍 뜨고 일어난다.

"어우,"

신음처럼 소리를 내면서 고개를 들었다. 낯선 천장은 아니다. 익숙한 집 안의 풍경. 윤계식은 잠시 지방에 있었다.

서울에 있는 건 그것만으로 체재비가 드는 일이다. 꼭 그것 때문만은 아니었지만. 잠깐 작전의 전선에서 벗어나서, 지방의 자택으로 돌아온 상태였다.

사건이 일어난 곳은 여러 곳이었다. 충청도, 전라도, 경상도를 가리지 않고 여기저기에서 일을 벌여놨다. 김연수가 말이다. 심민아 경위는 여전히 서울에서 김연수를 잡기 위해 수사를 계속해야 한다고 주장했다. 윤계식 역시 동의하는 바였고, 똑같이 말하기도 했다.

그러나 일단 살펴는 보고자 했다. 그는 평생을 연쇄살인 전문 형사로 살아온 인간이었다. 김연수 건에 대한 일이라면 그가 누구보다도 뛰어나다. 자격증을 발부받을 수 있는 일은 아니었지만, 그는 스스로 그렇게 생각했다. 누군가한테 검증받을 필요는 없는 일이었다. 그럴 수도 없는 일이었고.

'김연수'의 흔적이 조금이라도 닿아 있다면 그는 제 눈으로 직접 확인하고자 했다. 사건이 벌어진 뒤, 시간이 꽤 지난 후에야 그가 지방으로 내려갔다. 사건을 담당하는 인접지의 형사들이나 광수대 인원들이 현장을 모두 치운 뒤였다.

사건 구역으로 폴리스 라인이 여전히 쳐져 있었지만, 수사본을 통해서 그 정도의 연락을 취할 수는 있었다.

윤계식은 지난 며칠 동안, '김연수'가 지방에서 벌였다는 사건의 흔적들을 그대로 따라가면서 감식을 했다. 감식을 할 시체도, 혈흔도 남아있지는 않았다. 아니, 혈흔은 지워지지 않고 남아있는 구석들이 있기는 했다만.

어쨌든 현장 보존 후 감식반들의 관리 하에 증거물들은 전부 옮겨졌다. 텅 비어버린 '장소'만이 지방에 남아 있었다.

흉흉한 소문들이 미디어에서 살인마의 소식을 알리지 않더라도 들끓었다. 알음알음 퍼지는 것이었다. 전국적인 매스 미디어에서 말을 하지 않아도, 지방의 소문이라는 게 있었다.

그리고 이 시대는 개인 컴퓨터가 아주 발달해 있는 시대였고. '그렇다더라' 하는 소문들은 조금씩 살이 붙어 멀리까지 걸어갔다.

아직 언론은 이번 지방의 살인들이 연속적인 범행임을 알리지 않고 있었다. 미디어 통제는 적절하다. 빨리 알려봐야 좋은 건 없었다.

해결을 한 뒤에 말을 하는 것도 괜찮은 방법이었고. 제대로 된 속보가 살인마의 행보에 압박을 가할 수 있다면, 얼마든지 방송에서 떠들어대겠지만.

윤계식 역시 수사본에 직접적으로 관련하고 있지 않았다면 몰랐을 정보이리라. 또한 예전의 인연들을 제법 도움이 되었다. 그가 수사 현장에 자유롭게 개입할 수 있도록, 꽤나 막강한 권한을 주었으니까.

물론 '수사'에 영향을 주지는 못하지만 말이다. 그가 팀으로 일하고 있는 건 수색 7팀 뿐이다. 그리고 그 팀을 맡은 김현식 경위나, 함께 논의를 진행 중인 심민아 경위 정도가 윤계식의 의견을 적극적으로 받아들인다.

이미 은퇴한 늙은이가 현장의 다른 부서에 가서 입을 열어봤자 좋지 않은 눈초리만 받을 게 뻔했다.

시신은 사라지고 없는 현장들을 돌아보면서, 윤계식은 '김연수'의 행보에 대해서 진지하게 상상을 해보았다. 머릿속에 가상의 살인마를 하나 두고서 말이다. 결국 하나 남은 놈이었다. 그가 잡고자 한 놈은 예전부터 한 명이었고.

이십 여 년의 시간이 지나서 다른 놈 하나를 데려와서 어줍잖게 팀플레이를 시도했겠지만, 지금 다른 젊은 놈은 잡혔다. 자신과 비숫한 나잇대. 그러나 어떻게 육체적인 능력을 유지하는지 모르겠는 놈 하나가 남았을 뿐이다. 그 놈이 김연수다.

여러 지방에서 벌어진 각각의 사건들을 결국 한 명의 인간이 일으켰다면. 놈은 아주 부던히 움직여야 했으리라.

마치 살인 기계나 같지 않은가. 한 달이 조금 넘는 시간 만에 5, 6명, 아니 혹은 그 이상을 죽였을 지 모른다니.

혼자서 어느 시대를 살아가는 건지. 기가 찬 노릇이었다. 분명한 건 현대인의 사고방식은 아니었다. 현대 사회에는 완벽하게 적응을 했는지, 수많은 범죄를 저지르면서도 어떤 DNA도 남기지 않았지만.

범행의 피해자들은 전부 일면식도 없는 타인들이었다. 피해자 간에도 어떤 연결고리가 전혀 없었고, 아마 범인과의 관계성도 전무하리라.

완벽한 타인을 죽이는 데 어떤 동기가 있을까.

놈이 순수하게 살인을 즐기고 있다는 말밖에는 되지 않는다.

세상에 대한 난폭한 분노, 의지, 격정?

그런 것도 아니었다. 윤계식이 볼 때는. 김연수의 사건 현장들은 늘 완벽하고, 깔끔했다. 그건 분노와는 거리가 먼 것이었다. 자아도취, 라는 말이 차라리 조금 더 어울리리라.

김연수는 다른 이들에게 살인을 통해서 무언가를 말하고자 하는 놈이 아니었다. 다른 특별한 사연이나 이유가 있어서 살인을 목적으로 삼고 있지도 않았고. 그저 순수하게 그것이 하고 싶어서, 즐기기 위해서 하고 있었다. 그렇기에 그렇게, 아무런 흔적도 남지 않고 완벽한 현장들을 만들 수 있는 것이리라.

흔들림이 없다는 말과도 같았다. 변인을 완벽히 통제하고, 자신의 육체를 움직이고, 철저하게 계획적으로 움직여서 사람을 죽이고 그대로 사건 현장을 빠져나가기까지. 감정적인 동요가 전혀 없는 인간만이 그렇게 이성적으로 굴 수 있으리라.

사람을 죽이는 일에 이성적일 수 있을까. 보통은 어렵다. 아무리 이성적인 사람이라고 하더라도, 눈 앞에서 누군가의 목숨을 앗아가는 그 순간에는 격정이 치밀기 마련이었다. 감정을 모른다고 말을 하는 인간이더라도 말이다.

죽는 이의 발버둥은 그렇게 살해자에게도 어느 정도 영향을 미치리라. 감정이라는 건, 사람의 마음이라는 건 전염성이 있고 영향력이 있는 것이라서.

놈은 사이코패스들 중에서도 지수가 높은 놈이었다. 완벽한 무감. '감정'이라는 걸 빛에 비유하자면, 완벽한 어둠 속에 살아가고 있는 인간이라고 할 수 있으리라.

놈의 빛은 무엇일까.

아마 '살인'일 것이다. 다른 누군가의 인생을 이유없이 망치는 일 말이다. 그것만이 놈에게 있어 재미요, 빛이요, 희망이리라.

그 정도로 완벽하게 망가진 괴물이 있을 수 있을까. 불행히도, 이 세계에는 있었다. 이미 예전에 자신의 두각을 나타낸 놈이었고, 그 놈 때문에 윤계식의 인생이 달라졌다.

익숙한 천장.
성유동의 자택. 오래도록 똑같은 장면을 보고 깨어났다. 그 모든 날들의 잠이 그저 평안하기만 했느냐고 묻는다면, 윤계식은 아니라고 답하리라.

낡은 이불. 정돈되지 않은 집기들. 책들. 여러가지 도구들. 집 안은 조금 지저분했지만, 남자 혼자 늙어가는 처지의 방이라고 한다면 제법 깔끔한 편이었다.

언뜻보기에 아무렇게나 어질러져 있는 듯 보이지만, 다 제자리였다. 익숙한 배치였다. 마음이 놓이는 배치이기도 했고.

윤계식은 소파겸 침대에서 잠들었다가 일어난 참이었다. 고된 잠이었다. 허리가 조금 아픈 듯도 싶었고. TV를 켜서 뉴스를 본다. 별다른 기사의 소식은 없었다.

매스 미디어보다는, 그가 직접적으로 내부 소식을 전해 듣는 게 훨씬 빠른 상황이다. 요새는.

그의 날들이 평안하지 않았던 이유에 큰 부분을 차지하는 놈이 김연수다.

지방에서 놈이 저질렀던 곳에서, 놈의 흔적을 느꼈다. 눈에는 보이지 않지만, 정밀하게 상상을 한다. 어디서 어떻게 구르고, 어떻게 뛰어넘고. 또 어떻게 흉기를 휘둘렀을까.

김연수가 쓰는 것은 결국 총기가 아니일테니, 냉병기 류가 될 수 밖에 없었다. 독극물을 주사한다거나, 예리한 흉기를 사용해서 피해자의 목숨을 끊었으리라.

예전부터 알고 있었다. 김연수가 무기류를 다루는 전문가일 거라는 사실을. 그 덕분에 조금 더 열심히 수련을 해야 하기도 했다. 근접 전투에 대비해서 다양한 무술을 더 심도있게 배우고, 난전 상황에서 빠르게 총을 쏘는 법 따위를 말이다.

김재영을 앞에 두고는 변변찮은 솜씨만을 보였지만. 자신이 늙은 데에 비해서, 김재영은 지나치게 젊은 괴물이었다. 철저하게 싸움과 살인을 위해서 갈고 닦은 기술이 있었고, 김연수라는 이름을 달 자격이 있을만치 놀라운 신체적 능력이 있었다. 아마 대부분의 건 장한 젊은이를 그 앞에 가져다 놔도 비슷한 꼴이 되리라.

지방에서의 볼 일들은 대강 다 봤다.

그는 이제 서울로 올라가려 한다.

김연수가 남긴 것이라면 아무리 사소한 것이라도 직접 봐야만 직성이 풀리기에, 서울에서 고생을 하고 있는 수색 팀의 동료들을 내버려두고 내려온 것이다. 김연수가 지방에 있던, 서울에 있던.

살아서 이 대한민국 땅에 있다면 그는 기필코 잡을 테였다. 대한민국의 형사였으니까, 윤계식은. 은퇴는 했지만. 그런 건 은퇴를 한다고 해서 변하는 게 아니었다. 한 번 해병은 죽을 때까지 해병 이라는데.
그는 예전에 그 형사직을 위해서, 김연수를 잡기 위해서 달리던 그 시절에 한 번 목숨을 버렸다. 아니, 한 번만이 아니라 무수하게 많이 버렸다.

그 날이 그의 열정의 전부였고, 그의 본심이었다. 그건 고작 명

311

찰을 반납한다고 사라지는 시절들이 아니었다. 그렇게 형사 시절을 보냈기에, 지금 수사본의 중진으로 앉아 있는 이들에게 호의를 받을 수 있는 것이기도 했다.

따리리리리.

전화가 울렸다. 윤계식은 소파에 앉아서 덜 깬 머리를 흔들면서 잠시 있다가, 일어나 전화를 받는다. 소파에 누워서 보면, 발치에 있는 데스크에 핸드폰을 두었다.

집무용 데스크에 어지럽게 책이니 스크랩이니, 다양한 잡동사니가 널브러져 있었다. 한동안 집에 들르지 않고 쭉 서울에 있었기에 먼지가 좀 쌓인 것도 같았다. 햇볕이 들었다. 책상 쪽으로.

데스크에 앉아서 책을 본다거나. 다양한 자료들을 늘어놓고 연구를 한다거나 하면 햇살을 받으며 즐겁게 할 수 있는 가구 배치였다.

그렇게 쓰던 것은 이미 오래 전이기는 하다만. 스마트폰의 액정에 뜨는 것은 박주영의 번호였다. 그가 터치해서, 전화를 받았다.

"어이."
["선배님? 서울에 언제 오십니까."]
"지금 갑니다, 지금."
["기다리고 있겠습니다. 현장에는 계셔야지 않습니까, 그래도."]
"내가 간다고 뭐, 해결 되는 것도 아닌데 노친네를 왜이리 찾아."
["그래도 그냥, 선배님이 계시는 게 마음이 놓입니다. 기분 상의

문제입니다."]

"…거, 말이라도 도움이 된다고 해주지 그러나?"

["예 뭐… 일단 저희들 사기에는 도움이 됩니다. 다들 고생중입니다. 실마리는 여전히 한 가닥도 안 보이고. 캄캄한 게, 아주 좋습니다."]

"언제나 그런 법이지, 수사란."

윤계식은 말을 하면서 입술을 말아 올렸다. 그래, 언제나 그런 법이었다. 맨 땅에 대가리를 처박고. 이리저리 들쑤시고 다니고. 그러면서도 단서는 한 톨도 나오지를 않고.

기어코 무릎을 꿇고 신이시여, 소리가 절로 나올 때 한 두 번 정도 기적처럼 나아갈 길이 앞에 생기기도 하고. 그게 수사였고, 곧 윤계식이 겪은 인생이기도 했다. 삶이라는 게 모두 그렇다. 그저 걸어가는대로 길이 생기고, 뭐든지 잘 풀리기만 하면 인생이라는 이름이 붙지도 않았으리라.

그런 것에 조금 더 어울리는 이름은 장난이라거나, 허풍. 뭐, 누군가가 지어낸 작은 이야기小說. 그따위 류의 단어가 보다 잘 맞으리라.

계식이 웃으며 전화를 끊었다.

"어이, 알았소. 아무튼 지금 올라가니까… 점심 좀 늦어서는 도착을 하겠어."

["예, 알겠습니다. 조심히 올라오십쇼. 전쟁터로."]

"어디에 있든 전쟁터 아닌가, 이 놈의 나라는."

["하하, 정말 그렇…"]

뚝, 하고 계식은 전화를 끊었다. 그 정도 들었으면 충분했다. 박주영이 아마 투덜대기는 할 테지만. 나름대로 후배와 친하게 지내고 싶은 노친네의 장난이라고 여길 테다.

전쟁터, 참으로 그랬다.

비유적으로도 그렇고. 현실적으로도.

아직까지도 분단선 위의 국가는 늘 사람들의 삶의 위협이 되고 있지 않은가. 어려운 삶이고, 힘든 땅이었다.
그럼에도 그는 범죄자를 잡는다는 자신의 일을 하기엔, 조금의 망설임도 없었다. 설령 내일 세상이 멸망하더라도, 그는 해야 할 일을 해야만 한다.

김연수, 그 개새끼를 잡아 쳐넣는 것 말이다.

윤계식이 올라가기 위한 채비를 했다.

*

"좀 졸린데."

박시윤은 혼잣말을 또 뱉었다. 스트레스가 많은가. 스스로도 생각을 했다.

TV에서는, 혼잣말이 느는 게 중년이나 갱년기의 증상이라고 말하는 것 같기도 했다. 뭐 저명한 의학자가 나와서 하는 말은 아니었다. 그저 그 나이대의 연예인들이 스스로 지껄이곤 하는 말들이었다.

신빙성이 크지는 않지만, 어느 정도 그럴싸한 이야기다. 적어도 누구나, 자신이 겪은 경험에 대해서는 자신있게 말할 수 있지 않겠는가.

시간은 11시.

어느덧 학원, '대영학원'이라는 간판이 크게 적힌 곳에서 나오니 그런 시간이었다. 어둑하다. 시내는 늘 그렇듯 시끌벅적했고 말이다.

사람들은 내일과 오늘이 똑같은 듯이 놀아제낀다.

공부에 지친 애들은, 더러는 대학에 가면 자신들도 저렇게 놀 수 있을거라 여기면서 버티는 종류도 있었다. 저런 삶이 정말로 행복일까. 박시윤은 생각을 해본다. 아니라는 결론이었지만 항상.

송민지와 이야기를 한 지, 2주가 지난 때였다. 벌써 날이 꽤 지났는데, 걔는 백윤석과는 별다른 차도가 없었다. 둘 다 답답하리만치 둔한 성격이었다.
백윤석이 대체 뭘 보고 송민지를 좋아하기 시작한 건지 알 수는 없지만. 적어도 성격은 비슷한 것 같았다. 꼭 같은 성격의 이성을 만난다고 즐겁고 행복할 지는 모르겠다.

송민지는 썩 나쁘지는 않은 모양이었다. 그 이후로도 종종 이야기를 해보았는데.

유리문을 밀고서, 시내로 나가고. 박시윤은 천천히 사람들 틈바구니를 헤집고 지나갔다. 학원을 끝마치고 돌아가는 길. 조금 험하기는 하다, 사실은. 워낙 오래 산 동네고 지역이라 이렇듯 아무렇지 않게 다니고는 있었지만.

매일 택시를 탈 수도 없었고. 학원에 따로 버스가 있지도 않았고. 아버지는 밤 늦게까지 일을 하신다. 어머니도 딱히 시윤을 챙길만한 여력은 없으셨고.

가정에 불만이 있지는 않았다. 위로는 언니가 하나 있었는데, 지방의 국립대에 합격해서 지방살이를 하고 있었다. 연락은 아주 가끔 온다. 아주, 가끔.

삐릭.

하고 소리가 나서 스마트폰을 열어보았다. 늘 걸치고 다니는 회색 후드티의 주머니에 들어있던 핸드폰이다.

[-뭐해?]

송민지였다. 대뜸, 뜬금없이 이야기를 던질만한 친구는 송민지 외에 딱히 없었다. 가장 친하다고 할 수도 있으리라.
그러고보면 송민지가 백윤석과 사귀고 나면, 같이 할 시간이 조금 줄어들거나 할까….
박시윤은 생각해본다. 그런데, 그럴 것 같지도 않았다. 지금도 공부한다 뭐한다, 하면서 어느 정도 거리를 두고 있는 친구 사이였으니까.

　또 송민지가 남자애를 사귄다고 그 애한테 자신의 24시간을 할
애할 것 같지도 않았고. 아마 지금처럼 뜬금없이 연락하고, 학교에
서 매일 보고.

　그렇게 지내지 않을까. 둘의 사이에는 큰 변화가 없을 것 같았
다. 대학은 큰 변화였다. 누가 어디를 가게 되건. 혹은 일자리를 구
하게 되건 말이다. 그러나 1, 2년이 지난 뒤에라도 송민지와는 다
름없이 지내고 싶었다.

　길고 긴, 학창 시절의 끝을 맞이하게 되더라도 말이다. 그 정도
는 남는 게 있어야 되지 않겠는가. 그래도 열심히 살았는데. 친구
한 두 명 정도는 변함없이 곁에 있어주어야지 말이다.

　시윤은 핸드폰을 만지작거리면서 답장을 보냈다. 가장 흔하게 쓰
는 메세지 어플을 통해서였다.

　그녀는 중저가형의, 국내 대기업의 물건을 쓰고 있다. 핸드폰 말
이다. 최근에는 그 대기업의 물건이 촌스럽다느니, 어떻다느니 하
는 말들을 애들이 하는 것도 같았으나 시윤은 전혀 상관하지 않았
다. 그런 걸 신경쓰는 편은 아니다.

　어떤 애들은, 핸드폰의 뒤에 있는 로고나 일련번호를 지우고 다
닌다고도 한다. 그런 일이야말로 촌스럽다고, 시윤은 생각했다.

　[-그냥 걷고 있지. 학원 끝나서 집가는 중이야. 이제 나왔어.]

　삐릭.

　[-글구나. 심심해서. 백윤석은 연락을 했다가, 말았다가 해.]

[-너한테 사실 관심 없나보지.]

삐릭.

[-넌 참 싸가지가 없어.]
[-그걸 이제 알았니, 요 년아.]

박시윤은 거릴 걸으면서 피식, 웃었다.

다시 앞을 보고 조용히 길에 집중했다. 음악을 잘 듣지도 않았다. 이런 길에서는. 누가 툭, 치고 지나갈 수도 있지 않겠는가. 한국 시내에 소매치기가 그리 많은 것 같지는 않았지만. 양아치들은 어딜 가나 있었다.

밤거리를 지나가는 소녀의 전략은, 그냥 눈 똑바로 뜨고 정신 잘 차리고 걷는 것 뿐이다.

오늘도 고단한 하루였다.
늘상 똑같은 문제를 풀고 있는 것 같은 기분도 들었다. 학원이 끝나고 걷는 길. 쳇바퀴처럼 이어지는 일상. 변화를 딱히 바라지는 않았다. 그냥 지루하고 힘든 시간들이 잘 끝났으면, 하는 바람 뿐이었다.

어머니도 아버지도, 그녀가 대학을 잘 가기만을 바라고 있었다. 기대감에 실망을 주는 것도 못할 짓이다. 물론 그렇다고 할 수 없는 일을 할 생각은 아니었지만은. 할 수 있는 데까지는 최대한 노력을 해봐야 하지 않겠는가.

위에는 언니가 있기야 했다만. 언니한테 모든 걸 맡길 수는 없는 노릇이었다. 막내도 잘 되어서, 부모님의 말년을 편안하게 책임져 드리는 것도 괜찮은 일일 것이다.

밤 거리. 술에 취한 아저씨나, 혹은 젊은 청년들의 객기. 길거리에서 소란스럽게 떠들고, 와자지껄하게 다니고. 남자들이나, 여자들이나 비슷한 무리들이다. 그와중에 또 일상을 살아가는 이들도 있고.

근처에는 지하철 역이 있는 터라서, 어딘가에서 일을 하고 늦게 돌아오는 회사원들의 무리도 결국 박시윤의 방향과 같았다. 늦은 귀가를 하며 터벅거리며, 주택가 쪽으로 걸어가는 중이다.

사람들은 물결처럼 이리저리, 각자 무리를 지은 뒤 여러 방향으로 움직인다. 섞이기도 하고 떨어지기도 하고.
번쩍거리는 시내의 불빛은 늘 요란스럽다. 그렇잖아도 심란한 마음에 집중력을 늘 뺏어가기만 한다. 학원을 왜 이런 곳에 지었는가, 궁금하기는 하지만. 뭐 여러가지 사정이 있을 것이다. 저기만 모종의 연유로 개업 비용이 좀 저렴했다던가.

대신 학원 건물 내부는 방음이 잘 되어 있었고, 자습실이나 강의실로 들어가면 한 번 더 방음 처리가 된다. 공부를 하는 데는 전혀 방해가 없었다. 나와서 집까지 걸어가는 길이 심란할 뿐이지.

터벅이며 걷는 걸음. 걸을 때마다 치마가 흔들거렸다. 후드 짚업 외투의 주머니에 양 손을 푹 찔러넣고, 박시윤은 대충 걷는다.

그녀가 그리 큰 키는 아니어서, 대부분의 시야는 사람들의 어깨

즈음에 걸려 막힌다. 여기저기로 움직이는 사람들이었지만 아예 이성이 없는 종류는 아니었다. 잘 보고 걸으면 부딪히는 일은 별로 없다.

신발은 약간 닳고, 먼지가 묻은 운동화였다. 회색깔의. 원래의 색보다 조금 더 바랬고, 이런저런 얼룩이 묻어 있었다. 편하게 신기 좋은 종류였다. 박시윤은 꾸미는 데 그렇게 큰 관심이 있지는 않았다. 수수하게 다녀도 썩 나쁘지 않은 외모였고. 객관적인 평가로.

차도를 옆에 두고 그녀는 조용한 길까지 멈추지 않고 갔다.

*

칠흑같은 어둠.

어.

라고 생각을 했다. 박시윤은. "……."

가로등이 조금 이상한가. 앞에 있는 몇 개가 꺼져 있는 모양이었다.

긴 길을 지나 집으로 들어가는 골목 부근에서의 일이었다. 늘 켜져 있는 가로등이 꺼져 있었다. 골목은 몇 개의 가로등이 이어서 비춰주고 있는 길이었다. 개중에서 앞에 있는 두어 개만 꺼져도 길이 참 어둡다.

늘상 지나는 길이었고, 아는 사람들이 근처에 살고 있다는 걸 인지하고 있음에도 잘 발이 떨어지지 않았다.

"…크흠."

박시윤은 작게 헛기침을 했다. 주머니에서 스마트폰을 꺼내들었다. 요즈음의 핸드폰은 다양한 기능이 있다. 거리를 재기도 하고, 불빛을 내기도 하고. 그녀는 음악과 함께 랜턴을 켰다.

[너의 곁에 서 있을게~]

하는 가삿말의 음률이 흘러나왔다. 평소 골목을 지날 때 트는 것보다 조금 더 소리를 키웠다. 왜인지 그런 밝은 소리가 채워져야만 어둠이 조금이라도 물러날 것 같게 느껴졌다. 골목이 여러 군데가 있기는 했다. 그러나 앞에 있는 길이 가장 빠르게 집에 닿는 쪽이다. 다른 데로 돌아갈까, 생각을 하기도 했는데.

어차피 큰 차이는 없을 것이다. 그리고 이웃 주민들과 늘상 인사를 하며 지나는 길은 이 쪽이었다. 만약의 만약에. 봉변을 당한다고 했을 때. 소리를 질러서 누군가의 도움을 받을 수 있는 건 이 쪽 길이 되리라.

불안한 상상을 하는 건 그다지 좋아하지 않았지만, 박시윤은 걱정이 많은 편이었다. 최악의 경우까지도 늘 생각을 해보는 편이었고. 어쩌면 그런 조심스러운 성격 때문에 이성을 사귀지 않는 걸지도 모른다.

사람 마음이라는 게 참 알기 어려운 것 아니겠는가. 좋다고 만났다가, 언제 돌변할 지도 알 수 없는 것이었고. 평안하고 지속적인, 안정감있는 관계가 시윤이 좋아하는 것이었다. 가족간의 관계 역시 그렇다.

늘 조용하지만은 않지만, 나름대로 평안하다. 가끔 사이가 좋지 않을 때도 물론 있기야 했다만. 그래도 떨어지지는 않지 않는가. 가족이라는 건 원래 그런 법이었다. 투닥거리면서도 늘 함께 있는 것. 서로 결국은 이해를 해내야만 하는 것. 그러지 않는 가족도 세상에는 아주 많다는 걸 알지만.

자신의 가족에 대해서는, 시윤이 잘 해서라도 최악의 상황까지 닿지 않게끔 할 테였다. 그런 생각으로 늘 하루를 보내고 있었다. 가정 안에서는.

공부를 할 때는 지루하고, 힘들고, 지겹기도 했지만 또 나름대로 좋았다. 그래도 한 가지 일에 몰두해보는 게 괜찮은 일이다. 여러 가지 일에 신경쓰지 않아도 되지 않는가. 오히려 걱정이 사라지는 것같은 느낌도 있었다.
그런 면을 생각해보면, 박시윤은 공부를 좋아하는 걸지도 몰랐다.

미야옹.

이런저런,

생각을 하면서 어둔 길로 발을 딛었다.

한 손에는 스마트폰이 있다. 배터리는 그다지 많지 않았다. 32%.

그래도 고작 몇 분 정도 플래시 라이트를 켜고 골목을 걸어가기에는 충분했다.

고양이 소리가 들린다. 음악이 잠시 쉬는 구간이었다.

[항상 나만을 바라보며-.]

가사가 거지같다고 생각했다. 시윤은. 들려오는 남자 아이돌 밴드의 노랫소릴에 말이다. 고양이 소리는 다시금 묻혔다. 울지 않는 걸지도 모른다. 밤에, 골목길을 걸어가면서 시끄럽게 노래를 트는 게 조금 민폐일 지도 모르겠지만.

무서운 것보다야 낫지 않은가.

인기척을 내면서 거리를 걷는 게 차라리 나을 것이다.

사람이 아주 많은 시내 역시 술에 취한 사람이나 불량배들을 생각했을 때 조금 무서운 면이 있지만. 아예 아무도 없는 길을 걸을 때가 조금 더 오싹한 것 같았다.

멀리 가로등이 보였다.

당장 비추는 불빛은 아니었지만. 깜깜한 구간이 어디에서 끝나는 건지는 알 수 있었다. 시윤은 이왕 걷기 시작한 것이라, 망설임 없이 발을 내딛는다. 불필요하게 뛰어가는 것도 웃긴 일이었다. 아무도 없는데 말이다.

갑자기 골목에서 누가 튀어나와서 그녀를 납치한다거나, 과연 할까. 드라마나 영화 따위를 보면 흔하게 일어날 수 있는 일이기는 했다. 그러나 현실이 꼭 드라마와 같지는 않았다.

어느 순간부터 시윤은 말이 없었다.
혼자 걷는데 말소리를 내는 것도 이상하기는 하다만. 그저 입을 꾹 다문 채, 숨도 아끼면서 걷고 있다. 괜스레 긴장을 하고 있다는 증거였다. 터벅.

자신의 발소리가 아닌, 다른 누군가의 발소리나 인기척을 들은 것도 같았다.
노랫소리의 사이사이, 쉬어가는 구간에 들리는 주변의 잡음이었다.

쓸데없이 긴장한 정신은 작은 소리로도 불안한 스토리를 만들어낸다. 우울한 상상들. 자신이 위험에 처하면 어떡하지, 하는 생각들.

시윤은 혼자서 고개를 붕, 한 번 흔들었다. 애써 굳은 몸을 털어냈다.

늘상 가던 길인데. 가로등 몇 개 꺼져있다고 이렇게 다른가. 박시윤은 스스로의 정신을 다잡았다. 스마트폰의 불빛이 앞을 비춘다. 터벅, 터벅.

양 옆으로는 그녀의 키보다 한참 높은 담이나 건물의 외벽 따위가 있었다. 개중 한 폐빌라의 문도 있었고. 거기에서 누군가 숨어 있다가 덜컥, 나오기라도 한다면.

밤이나 아주 이른 새벽에 골목을 지나가면 하게 되는 상상 중의 하나였다.

"......"

낡고 지저분한 빌라의 유리문은 바로 그 너머에 누군가 서있는 다고 해도 속이 잘 보이지 않았다. 더군다나 이렇게 어두운 상황에 서는, 빌라를 앞에 두고서 걷는다. 자신도 모르게 대각선 방향으로, 최대한 반대쪽 벽에 붙어서 천천히 걸어간다. 빌라의 문을 주시하면서.

조심스럽게 걸었지만, 속도를 늦추지도 않았다. 어둔 길은 결국 빨리 지나가고 싶었다.

박시윤이 겁이 많은 편인 건 아니었다. 그러나 여자아이가, 혹은 홀로 이런 길을 걸어갈 때 어쩔 수 없는 일이다. 아무리 담력이 센 사람이라도 어둡고 좁은 길을 빛도 없이 홀로 걸어가야 한다면 불안한 상상이 들게 마련이었다.

그 공포를 어떻게 떨어내느냐의 문제였지. 사람인 이상 별에별 생각이 다 들기는 한다. 생각에 잡아먹히지 말자.

박시윤은 그렇게 되뇌였다.
중요한 말이었다. 시험을 볼 때. 어색하고 낯선 누군가와 대화를 해야 할 때. 인생에서 여러모로 긴장을 하게 되는 순간들이 있다.

그럴 때마다 스스로 하는 말이었다.

집중해서 하는 생각은 문제를 풀어내기도 하지만, 가끔 현실이 아닌 생각 자체에 자신의 감정이 잡아먹힐 때가 있었다. 일어나지도 않은 일을 지나치게 걱정한다던가, 말이다.

….

박시윤은 말없이 걸었다. 꼴깍, 자신도 모르는 새 침을 삼키기도 했고. 예전에 사람이 사라진 폐빌라 건물을 지났다. 아무 일도 없다. 골목의 반은 걸었다. 그녀는 스마트폰을 문질러서, 전화 어플을 켰다.

집에 누가 있을까. 아버지는 늦게까지 일을 하신다. 택시를 운전하셨다. 가장 많이 돈을 버는 때는 아무래도 밤 시간이 될 수 밖에 없었다. 새벽까지 일을 하시지는 않지만. 늦은 오전, 점심 조금 전에 나가셔서 12시간은 족히 일을 하시는 것 같았다.

어머니도 집안일을 돌보고, 시간이 남으면 식당에 가서 일을 하셨다. 손재주가 좋은 분이셨고, 아는 분의 소개로 들어간 식당이었다. 아주 고되게 하시는 것 같지는 않았지만. 오늘은 저녁 늦게까지 일을 하시는 날이었다. 아마 쉬고 있으리라.

그렇다면 언니나, 친구가 떠올랐다.

박시윤은 혼자 걷기가 불안해서, 그냥 전화를 걸기로 했다. 평소에 늘 지나다니는 길목에서 웬 호들갑인가, 싶기도 하다만. 의외로 시커먼 어둠이라는 건 당해보면 제법 겁이 나는 상황이다.

326

띠리리리.

착신음이 조금 지나가고, 노래가 들려왔다. 플래시 라이트는 그
대로 켜져 있었다. 스피커 폰이다. 앞을 비추는 각도 그대로 통화
를 하려고 했다. 대신 보이 밴드의 노래 소리는 사라졌다. 차라리
잘되었다. 그다지 인생에 도움도 안되는 가삿말이다. 예쁘장하게,
혹은 멋지게 생긴 남자 아이돌 그룹이 애교를 부리는 건 눈에 재
미있는 일이기는 했다만.

그녀의 앞 날을 생각하면 별로 큰 도움은 되지 않았다. 그네들
이 하는 말도, 결국은 자신들의 한정된 삶 안에서만 튀어나오는 것
들이었고.
사람은 시야가 좁아지면 생각이 좁아진다. 그리고 시야나 생각이
좁아지는 건, 지나치게 매몰될 때의 일이었다. 욕심이라던가, 그런
것에.

과연 어마어마하게 돈을 벌고 있고, 매스 미디어에 나와서 좋을
대로 춤을 추고 예능적 재능을 뽐내며 살아가는 그들이 온전한 인
생의 답을 줄 수 있을까. 그들이 평범하게 살아가는 수많은 사람들
의 대변인이 될 수 있을까.

불가능한 건 아니었지만, 딱히 그 정도로 특별하고 천재적인 인
간처럼 누군가가 보이지도 않았다.
매스 미디어에 이미 유명해진 사람들은 대개, 자신이 할 수 있
는 일만 할 수 있을 뿐이다. 노래를 잘한다고 딱히 모든 분야에
통달한 철학자가 갑자기 되는 것도 아니었고 말이다. 기술직. 그
뿐이다.

그 사람의 사상과 기술이라는 건 결국 다른 문제였다. 그 사람의 노래와 삶, 인격도 다른 문제였고.

아이돌이라는 건, 온전하게 신용할 수 없는 대상이다. 박시윤은 늘 그런 생각을 하면서, 눈을 좁혀 뜨며 TV를 보곤 했다. 시니컬한 여자 아이였다. 생각이 많은 아이이기도 했고. 어쩌면 깊을지도 모른다.

"후."

자기도 모르게 또 한숨을 쉬었다.

컬러링이 계속해서 울렸다. 언니는 전화를 받지 않았다. 너무 늦은 시간인 것도 있었다. 보통 친절하게 받아주지는 않고, 퉁명스럽게 틱틱거리면서 받는 언니다. 그런 시니컬함을 한참 견뎌내야 제대로 이야기를 들어주곤 한다.

갑작스러운 상담이나 대화의 상대로 적합하지는 않았다. 그렇다면 친구는. 송민지는 박시윤처럼 공부에 열심이지는 않았다. 나름대로 하고는 있었지만, 지금의 자기 성적 이상의 어딘가를 가려는 생각도 없었다.

그저 예전에 해둔 것의 현상 유지만을 원하고 있었다. 중학교 때는 박시윤보다 송민지가 훨씬 공부를 잘했다. 한 번 바짝 공부에 불타올랐다가, 이후에는 예전 것을 저금 삼아서 지내고 있는 것 같기도 했다.

중학생 시절 어떤 과목에서도 송민지를 이겨본 적이 없다는 걸 생각하면, 그 계집애는 하고 다니는 행동보다는 훨씬 머리가 좋은 아이일 지도 모른다.

따리리리.

언니가 받지 않자, 송민지에게 전화를 걸었다.

얼마 지나지 않아서 전화를 받았다.

"응."
["갑자기? 웬 전화야. 집 가는 길?"]
"응. 그냥. 집 가는데… 우리 아파트 앞의 골목 있잖아. 조금 긴데. 거기 가로등이 꺼져 있어서…."
["아아."]

송민지는 알겠다는 듯 대꾸를 했다. 그녀 역시 자주 박시윤의 집에 놀러가보았다. 밤에도 말이다. 혼자 걷고 있다고 생각을 하고, 가로등이 꺼졌을 걸 상상해보면 시윤이 왜 자신한테 전화를 걸었는지 알만했다.

["그래서. 다 왔어? 아직도 골목 걷는 중?"]
"응. 걷고 있어. 좀 남았네. 빌라 지나서 마저 가고 있어."

음산하게 생긴 폐빌라는 그 골목에 있어 흠이라고 할 수 있었다. 그렇잖아도 무서운 길목인데. 저런 게 있는 게 과연 맞는 일일까. 맞냐 아니냐로 따질 수는 없었지만 괜히 옆을 지날 때 고약한 인상을 쓰게 된다.

민지와 시윤이 함께 시윤의 집에 놀러갈 때도 자주 보던 건물이고, 종종 이야기하고는 했다. 골목의 중간보다 조금 앞쪽 지점에 있었다. 2분의 1지점에서 입구 쪽에 가까운.

골목에서 시윤의 아파트 단지가 보이는 길로 빠지는 곳을 출구라고 한다면 말이다.

["그래. 잘했네. 아무래도 어두운 길 걸을 땐 좀 그렇지."]

송민지는 웬일로 상냥한 톤의 말투로 부드럽게 이야기했다. 민지와 시윤은 여자아이들 중에서도, 장난기가 조금 있는 편이었다. 둘이 있으면 별로 질리지가 않는다. 서로 계속해서 짓궂게 농담을 쳤으니까.

집요하게 놀린다거나, 하는 장난이다. 그건 사실 남자아이들이 서로 친해질 때 하는 방식이었는데. 두 소녀에게는 그런 게 잘 맞았다. 물론 다른 여자아이들한테 하면 쉽게 삐지기 때문에 조심해야 했지만.

아무튼 그렇게 서로 놀리다가도, 진지한 일이 생기면 그에 맞게 이야기를 하고는 했다. 박시윤은 가끔은, 송민지가 정상이 아닐까 생각을 했다. 평소에 그녀를 보고 있으면 영 정상은 아닌 인간으로 여겨졌는데.

송민지는 부드러운 톤으로 박시윤을 달래주었다.

["응. 집이야?"]
["응, 난 집이지."]
["뭐하고 있었어어."]

박시윤은 말끝을 늘였다. 불안하다는 증거이기도 했다. 평소에 잘 쓰지 않는 투로 말하는 건. 애교스럽게 장난을 치면서 상대의 심기를 긁는 건 원래 송민지가 잘 하는 짓이었다. 송민지는 전화기 너머로 헛웃음을 뱉었다.

["그냥 누워있어. 침대에. 나야 뭐 할 거 있니. 자야지, 이제. 너 한테 전화 안왔으면 그냥 잤을지도?"]
["그래. 방해했네. 요새는 게임은 안 해?"]
["응. 별로 재미없더라."]

종종 송민지가 하고 있던 모바일 게임을 말하는 물음이었다. 학교에서도 쉬는 시간에 켜놓고, 캐쥬얼 RPG게임 따위를 하고 있었다. 캐릭터가 귀여워서 보고 있으면 제법 빠져드는 맛이 있었다. 스스로 할 생각은 들지 않았지만. 박시윤은.

["속 편하게 산다."]
["어어? 갑자기 또 잔소리를."]
["하하."]

시덥잖은 농담을 구원삼아서 어두운 길을 탈출했다.
그리 길지 않은 길목이었다. 이렇게 다른 생각에 집중하면서 걷다보면 말이다.

부르릉.

골목에서 나와 고개를 들었다. 아파트 단지가 그리 멀지 않게 보였다. 인도로도 차도로도 쓰이는 건널목이 하나 있다. 좁은 골목은 끝났고, 좌우로 나름 대로변이었다. 오토바이인지, 배기음이 들렸다. 아파트 단지 근처에 배달이라도 왔다가 돌아가는 모양이었다.

박시윤은 길을 건너 단지 내로 들어갔다.

언제나와 같은 귀갓길이다. 달만이 그녀의 머리 위를 비추다가, 이제는 단지의 불빛들이 반겨주었다.

["골목 지났다."]
["아이구, 그랬어용, 우리 시윤이."]
["이 년이."]

박시윤은 들어가며 경비실 쪽을 쳐다보았다. 언제나 성실근무하는 할아버지가 있었다. 불이 제대로 켜져 있다.
단지 안에는 공원이나 놀이터라고 하기는 민망한, 아주 오래된 시설이 조금 있었다. 그것을 빙 돌아 집이 있는 아파트 동으로 들어간다.
민지에게 이제 다 끝났다며 이야기를 했더니, 아주 애기 어르듯 말을 한다. 박시윤의 입에서 험한 말이 튀어나왔다. 사실 그리 험한 정도는 아니다. 그냥 농담 삼아서 둘이 언제나 하는 정도의 말이다.

["응, 아무튼…. 고마워. 집 들어왔어, 지금."]
["엉. 소리 들린다."]

아파트 동으로 들어가자 울리는 소리가 들렸다. 텅, 텅 하고 걸을 때마다 발소리도 달라졌고. 지민은 그걸 이야기했다. 엘리베이터를 누르면서, 시윤이 답했다.

["끊어. 잘 자고. 덕분에 잘 왔다."]
["알겠어잉. 내일 봐."]
["그래."]

시윤은 조금 무뚝뚝하게 답하며, 전화를 끊는다.

띵.

하고 엘레베이터가 1층에 도착했다.

*

부르릉.

하고 차를 몰아 돌아가는 사내가 있었다. 오토바이는 아니었고, 낡은 승용차였다. 차량이 있던 곳은 '골목'에서 깨나 떨어진 자리였다.

제법 긴 거리를 짧은 시간 내에 주파한 사내였다.

미약한 불빛에 어른거리는 면상은, 조금 늙은 얼굴이었다. 50대, 혹은 60대로도 보이는 꼴. 나름대로 인자한 인상을 하고 있었다. 천산혁은.

어느새 옷은 갈아입었다.

완벽하게 검은 색 일색의 복장을 하고 있었는데 원래는. 아까까지, 한 3분 전까지만 하더라도 말이다.

순식간에 그는 외투를 뒤집어 입고, 복면이나 모자, 장갑 따위를 내팽개친 꼴이었다. 어디에나 있을 법한 평범한 아저씨, 혹은 초로의 노인.

관악구 근처의 어느 주택가 골목에서 그가 천천히 빠져나갔다.

흔히 해외 영상 사이트에서 '묘기'라는 이름을 달고 보이는 모습들이 있었다. 지붕과 지붕 사이를 날듯이 뛴다던가, 말이다.

천산혁은 그런 종류의 움직임에 있어서 달인이라고 할 수 있었다. 일반적으로 '전문가'라고 불리는 인간들보다 훨씬 더 탁월한 기량을 가지고 있다. 조금도 들키지 않고, 최소한의 소음으로 움직여야 하니까 말이다.

강렬한 운동성은 늘 큰 소음을 동반한다. 총이 그렇고, 크게 뛰어서 어딘가에 착지하고, 빠르게 이동하는 일이 항상 그렇다.

착지의 순간에 데미지를 최소한으로 만들기 위해서 여러가지 장치들이 필요하다. 제대로 멀리 구르고, 몸의 관절부에 최대한의 충격을 흡수시켜서 바깥으로 소리가 새어나가지 않게끔 하고.

사람의 몸뚱이, 관절이 견딜 수 있는 충격량은 결국 제한되어 있는 것이기에. 특수하게 테이핑을 좀 한다던가, 다양한 소도구를 쓴다던가의 준비가 필요하다. 그리고 결국 가장 중요한 준비는 근육이었다.

천산혁은 겉으로 보기에는 평범해 보이는 체격의 노인이었으나, 구부정한 자세를 펴고 얇은 옷을 입으면 아주 건장한 체형이었다. 노인이라고 믿어지지 않을 만큼의 근육량을 보유하고 있었다.

이미 예전의 신체적 기량이 반감되고도 남았을 나이였지만, 아직까지 운동 선수에 비견되는 힘을 유지하고 있는 것이다.

김재영과 같이 지속적으로 폭발적인 운동을 하진 못한다. 그러나 순간적인 일이라면 아직도 뒤지지는 않았다.

만일 김재영이 체포되지 않은 상황이었다면, 아마 천산혁보다도 더 많은 '일'을 할 수 있었을 지 모른다.

물론 다른 사람들에게는 재앙이나 다름 없는 상황이었겠으나. 그것도 천산혁으로서는 조금 아까운 일이었다. 그는 달리 견줄 자가 없는 게임을 하고 있는 중이었다. 유일하게 같은 게이머로서 경쟁을 할만한 이가 '김재영'이었는데.

자신이 직접 키워낸 괴물이 잡혀 들어간 이상, 자신 뿐이었다.

누구의 위협도 받지 않는 커리어다. 경찰들의 시선만 피할 수 있다면 그를 막아설 인간은 아무도 없다.

한국의 경찰은 무능하다. 아니, 미약한 능력이 있었다. 그들이 가진 자원, 인적 재원 따위를 따진다면 물론 개인에 불과한 천산혁을 한참이나 압도하고 있었지만.

결국 그들은 편견이나 상식 따위에 쉽게 가려지는 눈을 하고 있었다. 지금까지처럼, 천산혁이 조심하며 다닌다면 잡아내지 못하리라. 그는 자신이 있었다. 여태까지 완벽하게 일처리를 했기에 말이다.

그래서, 다시금 시작하는 서울에서의 '살인행'은 조금 더 주의를 기울이고도 있었다. 완전범죄에 대한 감각을 최고조로 날카롭게 끌어올려 일을 저질러야지 않겠는가, 하는 말이다.

아까도 아쉬웠다.

원래는 오늘 실행했어도 괜찮았다. 충분히 많이 지켜봤고, 대상은 전혀 특이한 행보를 보이지 않았으니까.
변함없이 일정한 루틴을 보이고 있다면 그로서는 잡기 쉬운 사냥감이다. 거기에 '포인트'가 될만한 곳을 제 발로 걸어 지나가고 있다니.

CCTV가 만능은 아니었다. 골목에 접어들 때, 조금 전에 하나가 있고, 아파트 단지 근처에 하나가 있었다. 출입을 정면으로 하지 않는다면 골목 사이에서 무슨 일이 일어나든 기록에 남지는 않는다. 정 불편하다면 우연을 가장해서, 다른 면으로 진입해서 CCTV를 가려버릴 수도 있었고.

CCTV 1개가 보고 있는 각도의 사각에서 다가와서 위력이 조절되는 페인트 건이라거나, 원거리 투척물을 이용해 때려버리면 된다. 혹은 전선을 끊어버릴 수도 있었고.
물론 그런 짓거리를 하기 위해서, 또 다른 CCTV에 걸리지는 않을 지 면밀히 주변 지형을 조사할 필요가 있었지만.

일정 반경의 지형을 완벽하게 조사해서 제 앞마당으로 삼고 나면, 움직일 수 있는 동선들이 대강 모습을 드러내게 되어 있었다. 보통의 사람들은 각이 나오지 않을 지도 모르겠으나. 건물의 위나 외벽 따위를 넘나드는 비정상적인 동선을 포함한다면 의외로 다양하게 오갈 수 있는 자리가 생겨난다.

정 불편한 것들에 대해서는 말했듯 CCTV를 처리하는 방법을 쓸 때도 있었고 말이다. 가급적이면, 천산혁이 지향하는 건 '완벽한 무음無音'이었기 때문에. 불필요하게 자신의 흔적을 남기는 건 지양하고 있었지만.

그것밖에 수가 없다면 우연을 가장해서 몇 개 정도 카메라를 부수는 일은 쓸만한 방식이다.

사건이 벌어졌지만 대부분의 사람들은 벌어진 줄도 모르고. 그 주변 사람들만이 사라진 피해자에 대해서 인식을 할 뿐. '살인 사건'이 벌어졌다는 사실이 아예 드러나지 않는 거. 그게 천산혁이 바라는 자신의 범행 후의 풍경이었다.

천산혁은 존재하되 존재하지 않는 인간이 될 셈이었다. 지방에서는 시신을 남겨두고도 그게 가능했지만. 대도시에서는 불가능하다.

사람의 눈과 눈, 기계의 눈과 눈이 얽힌 보호망의 틈바구니를 기어코 찾아내어, 이 일을 계속할 셈이었다.

'소녀'. 이름은 '박시윤'. 시내의 학원 건물에서 빠져나와 밤이면 언제나와 같이 주택가로 향해 귀가를 하는 고등학생. 근처의 고등학교를 다니고 있는 걸로 보였다. 그저 주변에서 맴도는 것만으로도 다양한 정보를 얻을 수 있었다.

그 이상은 사실 알 필요가 없었다. 언제 어디를 지나는 지. 그녀가 사라진 뒤에 사회와 공동체에 어떤 반향이 일어날 지. 그 정도만 파악을 하면 되기 때문에.

학생 하나가 사라진다고 그리 큰 일이 벌어지지는 않으리라.

살인이 아니라 완벽한 실종이었으니까. 천산혁이 그 근처에 있었다는 사실조차 아무도 모를 것이다.

그녀의 뒤를 따라 천천히 걷다가, 먼저 앞질러 가서 건물을 넘고, 골목 내부를 지켜보고 있었다. 단안의 야투경으로. 적절한 때를 찾았는데, 그가 움직이려고 마음을 먹을 때 즈음에 그녀가 전화를 걸었다.

누군가 증인이 생긴다면 일이 언제나 복잡해진다. 천산혁은 완벽한 무음을 지향한다고 하지 않았는가. 예상하지 못한 증언이 들어오면 그 때부터 완벽한 무음은 이미 글러먹은 것이었다.

전화기 너머에 있는 상대방이 현장의 소음을 듣고 무언가를 유추할 수도 있었다. '살인마'로서의 천산혁은 이 세상에 존재하지 않는 인간이 되어야 했다. 아무도 그에 대해서 유추하거나, 알아서는 안된다. 그의 모습도, 소리도. 어떤 DNA도 남지 않아야만 하리라.

그는 늘 제모에 신경을 쓴다. 지금도 마찬가지이다. '일'을 벌일 가능성이 있을 때면 전신의 털을 하나도 남기지 않는다. 작은 각질 하나라도 떨어질까봐, 피부를 노출시키지도 않았고. 피부를 감싸는 얇은 재질의 옷이나 특수한 천은 그다지 덥지 않은 것이기에, 여름에도 일을 저지를 수 있었다.

동남아 지방에서 만난 '노인'이라는 존재가 없었다면 일이 훨씬 어려워졌으리라고 생각은 한다. 천산혁은 무모한 도전을 하는 인간은 아니었기에. 아마 다양한 특수 도구들이 없었다면 지금보다 훨씬 더 일을 줄였을 테였다. 걸리지 않고 계속해서 이 짓거리를 반복하는 게 그의 절대적인 명제였기 때문에 말이다.

"흠흠."

천산혁은 콧노래를 부르며 차를 운전해서, 시내로 들어갔다. 바깥에서 밤을 마저 보내고, 아침 나절에 집에 들어갈 예정이었다.

일이 빠그라져서 하루를 날리게 되었으나. 나쁜 기분은 아니었다. 나쁠 게 있겠는가. 고작 며칠 뒤로 미뤄졌을 뿐인데.

하필 늘 멀쩡하던 골목의 가로등이 고장이 나서 이렇게 된 것이었으나. 단순한 시간문제라고 보았다. 낡은 승용차를 끌고 가는 그는, 속으로 '가로등 고장'에 대한 민원이라도 동사무소 따위에 넣을까, 하다가 말았다.

조금이라도 사건 현장 근처에서 냄새를 풍기지 않는 게 중요했다.

하루는 그렇게 별 탈 없이 지나갔다.

*

"오셨습니까."
"어이."

계식은 자신을 반기는 박주영의 말에 고개를 끄덕거렸다. 손도

한 번 올려주고. 수사본 근처 기사 식당에서 밥을 먹고 있던 박주영은 윤계식의 등장에 일어나려 했지만, 계식이 앉으라는 듯 손짓을 해서 말았다.

박주영과 김민식, 김현식 경위도 같이 있었다.

김민식과 김 경위는 등돌린 채 밥을 먹다가, 인기척에 고개를 돌려 아는 체를 하려 했다. 계식이 먼저 반겼다.

"고생들 많으십니다."

박주영의 옆 자리, 가장 앉기 불편한 안쪽이 비어 있었다. 계식은 들어가면서 말한다.

"여기 제육 하나만 더-."
"예, 제육 하나-."

옆에 서 있던 주인장인지, 종업원인지 모를 사내는 주방 쪽으로 계식의 주문을 전달한다. 와구와구, 급한 일이라도 있는 양 밥을 먹어대던 사람들이 잠깐 수저를 놓고 계식을 본다.

"이제 오셨습니까."

김현식 경위가 말했다. 외부인이었지만, 신뢰하는 외부인이었다. 수사 중에 협조를 많이 받고 있기도 했고. 또 은퇴한 사내라고는 하지만 전관 예우는 어느 정도 있어야지 않겠는가. 경감 정도면 김현식의 위치로서는 까마득한 직급이다.
전 경감이었어도 말이다.

"예. 지방에 있다가요. 김연수 그 놈이 일을 거하게 쳤던데."

김현식은 허허, 웃으면서 민망한 표정을 지었다. 입을 가리는 듯
한 손짓도 보였다. 김연수에 대한 이야기는 아직 공론화되지 않은
건이었다. 지방의 살인이 연속 살인이며, 그 범인이 이전 세대에
이름을 떨쳤던 그 놈일지도 모른다는 식의 드라마는 말이다.

'범죄자의 드라마'는 공론화가 되어서 좋을 게 없는 이야기였다.
그렇지 않은가. 긴 이야기, 소설, 작품, 드라마의 주인공은 결국 생
명력을 가지게 마련이었다. 정의로운 이의 이야기는 길게 이어져도
좋다. 그러나, 현실에서의 범죄자란 빨리 잡히는 편이 좋았다.

악행을 일삼고 있는 인생의 날 수가 길어봐야 좋은 게 무엇 있
겠는가. 사회의 건전성이나 안전을 위해서도 일찌감치 끝나는 게
좋다.
제 스스로 멈추지 못한다면, 다른 누군가가 잡아 감옥에 쳐넣어
서라도 멈추게 해야만 했다.

이십 여 년이나 넘게 시간을 두고, 다시 활동하기 시작한 연쇄
살인마의 이야기는 부각되면 될수록 경찰의 무능을 증명하는 것이
나 다를 바 없었다.
경찰의 무능이 과장되어서 좋을 건 없다. 그들은 어쨌든 밤을
새워가며 일을 하고 있는 중이었고, 반드시 김연수를 잡을 셈이었
다. 경찰의 무능이 과장되이 홍보돼서, 범죄자들이 활개치기 좋은
환경이 만들어진다면 결국 좋을 게 없는 일이다.

수사본을 조직한 경찰 조직의 우두머리들이 늘 말하는 바였다.

어서 성과를 보이고, 잡아라. 그 뒤에 언론에 공개를 하고, 사후 처리를 하는 것이 가장 깔끔했다. 덕분에 닦달을 받는 휘하의 말단들은 잠도 제대로 자지 못하고 난리를 치는 중이다.

수색 7팀에 속한 인원들도 그러했다. 그들은 수사본의 주류와는 조금 다른 방향으로 수사를 진행하고 있기는 했지만.

"성과는 좀 있습니까?"
"예, 그래도 뭐 많이 줄였습니다."
"흐음….".

병력이나, 사람의 신체에 관한 것은 어느 정도 속일 여지가 있는 것들이었다. 그들이 서울 남부, 몇 개 구에 있는 수 많은 주택을 전부 돌아보면서 24시간 감시를 할 수도 없는 일이었고.
조건에 맞는 주택들을 수사하면서 하나하나 걸러내야만 결국 진전이 있는 것일텐데.

최근부터 해당 주택에 살고 있었는지. 다른 부양 가족은 없는지. 주변 이웃관의 관계성은 얼마나 깊고, 잦은지. 어떤 평판을 가지고 있는 인물인지.
'노인'처럼 보이지만 혹시 다른 건장한 사내를 압도할만치 대단한 완력을 갖고 있지는 않은. 최근 김연수가 살인을 저지른 것으로 보이는 기간 동안에 지방에 내려갔다 온 일이 있는지.

주민번호의 앞자리 따위를 확인해서 구체적인 나이를 알아내기도 하고, 집의 주인을 직접 보기도 했다.

여러가지 조건들은 명확하게 명제화가 되어서 범위를 좁혀나갈 수 있는 것들이기는 했지만. 눈으로 보았을 때 어느 노인이 지나치게 늙었다던가, 연약해 보인다던가 하는 점들은 조금 애매한 사실이다.

범죄자가 마음을 먹는다면 연약한 척을 할 수도 있는 법이었고. 어떤 병력을 의도적으로 꾸밀 수도 있는 것이었으니까. 또한 주민등록번호 역시, 나름의 루트가 있다면 가짜 신분을 가지고 있을 수 있었다.

실제로 사람을 죽이고 납치하는 일을 하는 놈에게, 데이터 상의 신분을 조작하는 일은 차라리 쉬울 테였으니까.

"그래도 나름대로 최선을 다해서 줄여 나갔습니다. 지금 저희가 중점적으로 수사하고 있는 주택은 총 28가구입니다. 개중에서 저희 팀이 2가구를 돌아가면서 계속해서 보고 있고… 이제 선배님도 오셨으니 해당 위치에서 아마 같이 근무를 설 것 같습니다."

심민아 조, 에 속하는 이들이라고 해보았자 형사들이 열 댓명이 전부였다. 거기에서 형사가 아니더라도 수사본의 다른 인력들을 지원을 좀 받고, 또 동사무소 따위에서 인력을 다시 조금 지원받아서 무리하게 일을 하고 있었다.

당연히 밤샘 수사 같은 걸 외부 인력에게 시킬 수는 없었다.

정 사람 손이 없다면 그냥 차량을 적당한 위치에 세워놓고, 블랙박스같은 CCTV 류를 사용해서 감시를 하기도 했다. 결국 주택 조사가 목적이었으니까.

심민아를 비롯해서 그들은, 서울에서의 살인이 결국 어떤 개인 사유지, 주택 내에서 벌어지고 있다고 확신하고 있었으니까. 김재영의 때와 마찬가지로 말이다.

다른 곳에 시체를 유기하고 있다면 성립이 되지 않는 정도의 건수였다. 사람의 시신이라는 건 어떻게 처리해도 흔적이 남을만큼 어마어마한 열량 덩어리였다. 태우던, 바닷물에 빠트리던. 잘라서 땅에 묻던.

살인이라는 건 흔적이 남게 마련이다. 동물의 피라는 게 쉽게 흔적이 지워지는 것도 아니었고. 무계획적으로 무차별 살인을 벌여댔다면, 아마 그 살인범은 한 두 건 정도의 실행 이후에 곧바로 잡혀가게 되리라.

어느 정도 계획성을 띤다고 해도 마찬가지였다. '어느 정도'의 용의주도함으로 벗어날 수 있을 정도로 현대 한국의 수사 기법과 수준이 어설프지는 않았으니까.

완벽한 계획성으로 일을 벌이고 있을 테였다. 심민아던 윤계식이던 그렇게 생각했다. 그리고 그들과 행동을 함께하고 있는 수색팀의 일원들도 그들의 추론에 동의했고.

'완벽한 계획성'이라는 건.

아주 치밀한 살인 계획과, 그것을 완성 시킬만한 도구와 노하우, 장소까지를 의미했다. 이 현대 도시에서 그렇게 제멋대로 굴 수 있는 것은, 사유지 안쪽의 내밀한 장소 뿐이었다. 아마 어지간한 집이라면 바깥으로 새어나올 수도 있었다. 시체 처리 따위를 집 안에서 한다 하더라도 주변 이웃들이 의구심을 가질 지도.

그러나 김재영의 경우에는, 오로지 살인만을 위해서 지은 듯한 완벽한 건물을 가지고서 일을 벌였었다. 그 정도의 철저한 준비성이 아니라면 말이 되지 않는다고 심민아는 확신한다.

"제육 나왔습니다."

윤계식은 일단, 기사식당의 한 구석에 앉은 뒤 밥을 먹는다. 다른 사람들도 마찬가지였다. 전 날 거의 밤을 새듯이 잠복 수사를 했다.

어떤 정확한 물증에 의해서가 아니라, 심증과 추론의 영역에서 굴려지고 있는 것이었지만 크게 불만은 없었다. 살인범을 잡는 건 원래 이런 일이다, 라고 김현식 경위도 생각하고 있기도 했고.

"가장 유력한 후보지가 있습니까?"

계식이 젓가락으로 붉은 제육 볶음을 집어 먹으면서 물었다. 김현식 경위가 인상을 조금 찌푸리면서 답한다. 고민을 하는 표정이었다.

"아뇨, 마땅히 없습니다. 그래도 굳이 고르자면… 지금 저희가 보고 있는 곳이 되긴 할 겁니다. 관악구 신전동에 2, 3번째입니다."

"2, 3번째라면…."

"저희가 임의상 붙였던 순서 말입니다. 서울 전도에서 좌상단을 기점으로 옆으로 움직이고, 아래로 내려오는 순서로 지역별로 번호 정했지 않습니까.

지금… 그래도 나름대로 주택 조사를 성실하게 마쳐서요. 그간 정해놓은 범위 설정에서 벗어나는 주택 없이 모조리 조사를 마쳤습니다."

"호오…."

얼마 전까지는 계식도 함께 하고 있던 일이다. 이미 알고 있던
내용이 포함되는 이야기이기도 했으나 흥미롭다는 듯 고개를 끄덕
였다. 그가 없던 와중에도 잘 해낸 모양이다.

"아, 그러면 거기입니까."

"예, 김민식 경위가 방문했었던 곳."

"아하."

계식은 그들이 지금 조사하고 있는 주택이 어디인지 깨달았다.
김민식 경위가 이전 주택 조사에서 직접 방문했던 곳이라고 말한
바가 있었다.

지금의 수색, 조사, 수사가 지지부진한 건 '새로운 건'에 대한
소식이 잘 들려오지 않아서도 있었다. '범인'은 분명 새로운 사냥
감을 물어다가 자신의 보금자리로 돌아온다, 는 게 지금 하고 있는
수사의 논리였다.

그러나 맹수가 사냥을 하지 않는다면 그 중간에서 포획을 한다
는 작전이 전혀 통하질 않는다. 맹수의 동선을 미리 파악해서 덫을
놓는다는 작전이었는데. 애초에 집에만 있거나, 혹은 다른 일만을
하며 탈을 뒤집어 쓰고 있다면 알아챌 방도가 없다.

수사본의 인력 과반수 이상이 지방으로 빠진 상황이었다. 수사본
은 급하게, 특별히 만들어진 조직이었고. 거기에는 당연히 기존 경
찰 조직의 인력들이 들어가 있었다. 서울에서도 차출된 인원들이
많다.

이전에 광수대가 구성되는 방식과도 조금 차이가 있는 식이었다. 전국에 존재하는 형사들 중 상당수가 지금의 일에 관계되어 있었고, 촉각을 곤두세우는 중이었다. 수사본의 인력 대부분이 지방으로 빠졌다는 건, 어찌보면 일시적으로 서울, 수도권 지방에 치안인력이 조금 줄었다는 말도 된다.

애초에 사람을 새롭게 뽑거나 허공에서 만들어낼 수는 없는 일이니까 말이다. 아마 김연수는 그래서 더욱 지방에서 활개를 쳤을 테였다. 싫든 좋든, 혹은 의심이 있든 아니든. 무조건적으로 발길을 돌리도록.

유능한 수사관들이 지방으로 빠진다면 김연수는 더욱 자유로울 테였다. 지금까지의 서울에서도 아무렇지 않게 일을 저질렀지 않은가.

도저히 상식적으로 이해할 수 없는 수준의 능력과 기량. 메달리스트를 뛰어 넘는 신체적 자질과 운동 능력에, 기이한 도구 따위를 쓰는 듯도 싶었고. 지능도 높은 편이라고 보고 있었다.
계획을 수립하는 것도 가능할 지 모르고, 아주 천운을 타고 태어나 괴물같은 신체 능력을 보유하는 것도 가능할 지 모른다.
그러나 확고하고 흔들림 없는 악의로 그 계획을 철저하게 실행하는 데는, 차원을 달리하는 독심이 필요하다.

심민아와 윤계식 등, 김연수의 뒤를 바짝 쫓는 수사관들은 수색과 수사를 하면 할수록 상대가 더 괴물이라고 여기게 된다.
물론 그래서 겁을 먹는 수사관은 아무도 없었다. 그렇기에 더욱 빨리 잡아내야 한다고 전의를 불태울 뿐이다.

윤계식도 그랬고, 김현식도 그러했다. 휘하의 젊은 형사들도 마찬가지였고.

쩝.

계식은 제육 볶음을 빠르게 해치우고 있었다. 몇 마디 말을 더 나누고, 점심 식사에 집중했다. 먹어야 움직인다. 낮 동안에는 또, 의심이 가는 지역이 있는지 살펴보고. 또 아직 다 의심이 풀리지 않은 주택과 거주자가 있다면 그들의 평판이 어떠한지 알아보러 가야 한다.

이전까지 벌어졌던 '완벽한 실종 건'에 대해서도 수사가 진행되고 있었고. 보통 지금 수사본에 소속된 형사들이 직접 할 일이 아니었는데. 심민아 조의 경우에는 적극적으로 나서서, 다양한 실종 사건들에 개입하는 중이었다.
거기에 김연수에 대한 단서가 반드시 있으리라 여기면서 말이다.

＊

"우리 애가, 그럴 리가 없는데……."

사람이 언제 무너질까.

절대로 쓰러지지 않을 것 같던 단단한 사람도, 사람인 이상. 속절없이 허물어질 때가 있긴 한 법이었다.

348

아무리 강한 의지를 갖고 버티며 살던 사람이라도 말이다. 사람의 인내심이나, 정신적인 용량에는 한계가 있었다. 그리고, 자식에 대한 비극을 접한 부모는 늘 그런 한계를 훌쩍 넘는 고통을 겪는다.

박정아, 씨는 슬픔 때문에 횡설수설하듯 말을 뱉어댔다. 절대로 그럴 리가 없다는 말만을 반복하면서 말이다.

윤계식과 박주영, 그리고 김민식은 셋이서 함께 움직였다. 김현식 경위는 잠깐 본가에 볼 일이 있어서 오후의 일정은 빠진 참이었다. 반차, 라고 해도 좋았다. 사실 웃기는 일이었다. 최근 수사본의 현장 인력들은 24시간을 전부 근무에 때려박고 있었으니까. 24시간 중의 12시간을 휴가로 셈한다면, 반차가 맞기는 하리라.

세 형사, 아니. 두 형사와 전직 경감 하나.

그들은 김연수 건에 대한 확고한 의지를 갖고 심민아 조와 연합해서 움직였다. 현장에서 움직이고 있는 현장 수사관들이 있었고, 또 서울시 내의 다양한 범죄 신고 접수를 받고, 그 정보를 나누어 주는 사무관들이 있었다. 사무관들은 형사나 경찰은 아니었고, 경찰 조직 내나 근처에서 일을 하고 있는 베테랑 공무원들이었다.

수사본이 지금 제대로 돌아갈 수 있도록 가장 힘을 쓰며 일을 하는 이들이라고 해도 좋았다. 심민아는 늘 그런 사무관들의 도움으로 정보를 얻고, 행동 전략의 거시적인 동선을 짜낸다. 윤계식을 비롯한 현장 인력들은 다시 헤드head가 짠 작전 계획에 따라서 움직였고.

다시금 움직이면서 얻은 현장 전보를 헤드에게 전달한다. 심민아는 홀로 정보를 취합하고 계속해서 시뮬레이션을 돌리고 있었다. '김연수'가 있었다면. 그가 서울에 있다면 어디에 있고, 어떻게 움직이고 있을까.

지금의 수색이 과연 김연수에게 어떤 유의미한 영향을 주고 있는 걸까. 그런 류의 무수한 사고들이 그녀의 머릿속 안에서 떠다녔고, 그러다가 행동 계획을 바꿀만한 어떤 결과가 나오면 다시 회의를 하며 거시적인 계획을 브리핑하곤 한다.

지금은, 깨나 오랜만에 '완벽한 실종'에 관한 수사를 하고 있는 중이었다. 목격자도 없고, 실종자의 어떤 정신적, 금전적인 사정도 없는. 완벽하게 멀쩡한 정신 상태와 신체적 건강함을 지닌 청년이 일상 생활을 이어오다가, 갑자기 사라진 건이었다.

가장 먼저 떠오르는 가능성은 역시 납치에 관한 것이었는데…. 모든 범죄에는 동기가 있지 않은가. 범죄라고 하더라도, 물리적으로 보면 상당한 양의 노동이 되는 법이었다. 어마어마한 열량을 소비하고, 시간적 체력적인 낭비가 요구되는 거친 일.

그런 거친 일을 해내기 위해서는, 강렬한 동기가 늘 필요했다. 인간은 보통 '그냥' 움직이지 않으니까 말이다.

수사관들은 늘 그런 실종 신고에 대해서 일반적으로 처리한다. 평범하게 처리해 온 양식대로 바라보는 것이다. 그러나, '김연수'를 쫓고 있는 이들은 달랐다. 그들이 쫓는 건 전무후무한 미치광이 살인마였으니까.

그것에게는 별다른 동기가 없다. 그런 식으로 사람을 죽인 사이코패스 살인마들이 역사적으로 여럿 있어왔지만. 김연수는 궤를 더군다나 달리하는 놈이었다.

정말로 현대 사회의 대도시에서, 사냥감을 찾듯 한 명을 고른 뒤.
집요하게 따라다니며 완벽하게 실종으로 만들어 대상을 없애버 릴 수 있는 놈이었다.

그게 '가능하다'는 점에서 무엇보다 의심스러워지는 것이다. 이 런 류의, 납치범에 대한 흔적이 전혀 남지 않은 실종들이.

상식적으로 일을 처리해야 하는 보통의 경우라면 어떤 다른 연 유가 있겠거니, 할 테였다. 일부러 먼 거리를 돌아 찾아와서 아무 연고도 없는 대상을 납치한다니. 판타지에 가까운 일이지 않은가.

그 정도로 단단히 미친 놈이, 정말로 수사관들을 다 속이고 어 떤 흔적도 현장에 남기지 않을만큼 철저한 능력자일 가능성이 또 얼마나 될까.
윤계식은 김연수를 길게 쫓아왔다. 그리고 그는 김연수가, 그 희 박한 확률을 뚫고 존재하는 괴물임을 분명하게 알고 있었다.

현대 한국 사회에는 괴물이 존재한다. 윤계식은 놈을 잡는 용사, 는 아니었고. 그저 평범하고 늙어빠진 수사관에 불과했다. 현실은 늘 상상이나 소설 속과는 다르기에. 괴물을 때려 잡으려 하다가 도 리어 그가 죽을 수도 있었다.

그러나 그게 두렵지도 않았고, 망설일 희박한 이유조차 되지 못 했다. 중요한 건. 그가 쫓고 있는 놈이 개새끼냐 하는 점이었다. 개 새끼가 괴물같은 놈이건, 아니면 연약한 놈이건. 그런 게 윤계식의 행동 방향과 속도를 결정하지 못한다.

얼마나 지독하게 악독한 놈이냐. 그런 것이 결정에 큰 영향을 미치는 요인이었지.

"어흐으으…."

급기야, 박정아 씨는 울기 시작했다.

윤계식을 비롯해 수사관들은, 살인마에 대한 강렬한 수사 의지를 불태우면서 또 한 켠으로는 피해자를 위로해야 했다.

평범한 아파트 단지의 주택이었다.

조심스럽게 방문한 신고자의 집은 낡고 허름한 느낌이었고. 그 안까지 굳이 들어가지는 않았다. 현관문 앞에서 그저 사담처럼 나누던 이야기들이었다.

46세, 의 박정아 씨는 조금 살집이 있는 여성이었다. 평범하게 곱슬 머리를 하고서. 머리는 목을 뒤덮을 정도로 기른 정도. 갈색 머리에, 단출하게 입을 수 있는 추리닝을 걸치고 있었다.

그녀는 사건에 대해서 설명을 하고 싶었지만, 결국 그 내용에 대한 전반적인 건 전부 '딸 아이'에 대한 묘사가 될 수 밖에 없었다.

고작 며칠 사이의 일이었다.

착한 딸이었고, 언제나 변함 없이 집 안을 채우고 있던 아이였는데.

언제나와 같이 학원을 갔다가, 집에 돌아오고. 또 학교로 향하고. 다름없는 일상 속에 딸 아이가 있었다. 첫째는 지방의 국립대를 다니느라 자리를 비운 상태였고.

남편은 당장은 일을 해야 하기에 바깥에 나가 있는 상황이었다. 딸 아이가 실종되었다는 걸 안 처음에는 말리지 못할 정도로 난리를 피웠지만, 결국 할 수 있는 건 기다림 뿐이었다.

최대한 덤덤하게 생각하려고 했었으나 박정아 씨는 결국 울음을 터뜨리며 무너졌다.

사람이 언제 무너질까.

윤계식은 지난 수십 여 년간 형사 생활을 하면서 많은 사람들의 모습을 보아왔다. 수많은 이들이었고, 또 그들이 보여주는 여러 인생의 모양들이었다.
개중에서 늘, 자식을 잃어버린 부모는 가장 참혹한 모습을 하고 있었다. 지금도 마찬가지였고. 만약 와이프와 헤어지지 않았더라면 어땠을까. 계식 역시 딸이나, 아들이 있었을 테였다.

그는 누구보다도 굳은 의지로 범죄자들을 쫓는 형사였으므로. 아마 개중에서 심보가 고약한 놈이 있었다면 보복성으로 그의 가족에게 위해를 끼쳤을 수도 있겠지.
그럴 때 자신은 어땠을까.

계식은 한 낮, 아파트 단지의 어느 가구 앞. 열린 현관을 근처에서 울고 있는 아주머니를 바라보며 여러 상념들을 떠올렸다가, 흘려보냈다.

서울에 천 만이 넘는 인구가 몰려 있었다. 대한민국엔 그 다섯 배 즈음이 되는 인구가 살고 있었고. 누구나가 그렇듯, 하나하나 제각기 무거운 인생을 빚어내고 있었다. 소홀히 할 수 없는 무거운 말이다.

공적인 서비스를 담당하는, 수사관이라는 위치는 사람들의 삶과 밀접한 연관을 지닐 수 밖에 없었다.

"아이고, 아주머니…."

김민식은 멀대같이 크고, 또 무뚝뚝한 표정을 잘 짓던 것과는 반대로 살갑게 부인을 챙겼다. 세 건장한 수사관을 두고 아주머니는 이야기를 하다가 무너져서 울었다. 눈물이 계속해서 흘렀다. 손수건 따위가 마침 김 경장의 자켓 안쪽에 있었기에 그가 건넸고, 중년의 여성은 제대로 된 사실 전달도 다 하지 못한 채 한참을 울어야 했다.

주변 주민들 중 누군가가 나와서 그 모습을 보기도 했다. 박정아 씨의 말에 따르면, 이미 주변 이웃들도 다 알고 있는 사연이라고 했다. 그만큼 딸 아이는 착하고, 반듯했다. 같은 아파트에 살고 있는 주민들이나, 근처 동네의 사람들에게도 잘 인사를 하고 다니고 있었고.

또래 친구들에게도 늘 잘했다. 어디에 넣어도 아프지 않을만큼 귀한 딸이었고. 일하느라 바빠서 자주 챙겨주지는 못했지만 그렇다고 사랑이 덜한 것은 아니었다.

사랑이 덜한 것은 결코 아니었다.

"아이고……. 아이고오….."

박정아는 한참을 흐느꼈고, 진이 조금 빠질 때가 되어서야 수사를 하러 온 형사들에게 제대로 된 이야기를 해줄 수 있었다.

*

"저희 아이가 제 발로 집을 나갈 리는 없어요…. 얼마나 착한 아이였는데…."

결국 집에 들어가 사연을 듣게 된 형사들은 뻘쭘히 서 있거나, 혹은 식탁에 둘러 앉아 아주머니를 마주보았다.
박정아는 흐느낌이 다했어도 슬픔이 묻어나는 표정을 한 채 말을 이어나갔다.

얼마나 착한 아이였는데, 라는 말은 논리적으로는 마땅한 근거가 아니었지만. 한 번에 다 말하지 못하는 여러가지 이유와 사연들이 섞여 있는 말이었다. 그럴 리가 없다, 는 이야기다. 어머니의 관점에서 아이에 대해 다양한 신상 정보를 알고 있는 상황에서 판단하기로서는.

"…3일 전 밤이었어요. 언제나처럼 학원에 갔다가 돌아왔어야 할 시간인데 보이지 않아서…. 우리 애가 갑자기 가출을 할 리도 없고…. 어디 연고가 달리 있는 것도 아닌데….”

보통 이런 류의 실종은, 신고자가 미처 파악을 하지 못했을 뿐 다른 이유가 있을 때가 많았다. 이미 다 큰 아이라고 한다면 언제나 부모의 기대나 상상을 뛰어넘을 가능성이 있었으니 말이다. 연고가 없다, 고 하지만 마음만 먹으면 다른 곳에 지낼만한 사정을 알아보았을 수도 있다.

그런데 그렇게 할만한 이유가 분명하게 있는가. 가출의 이유가 있는가, 가 중요한 점이다. 박정아는 그에 대해서 결코 아니라고 설명했다. 자신과 딸 아이가 주고받았던 메세지 내역까지 보여주면서 말이다.

“…그런 점은 조금도 없었어요. 집 안에 불만이 있다거나…. 그냥 평범하게 학교를 가고, 학원을 갔다 오고…. 그것만 반복하던 애였는데…. 당장 대학 입시를 걱정하면서 그렇게 공부하던 애였는데 갑자기….”

딸 아이에게서는 어떤 불안한 징조나 흔적도 보이지 않았다. 어미에게 보여주었던 모습들이 연기라고 하기도 어려웠다. 박정아는 그런 류의 말만을 계속해서 반복했다.

형사들은 어머니의 적극적인 인도 아래 딸아이의 방 안 모습까지 보게 되었다. 확실히, 별다른 건 없었다. 이 정도로 실종 건의 신고자가 적극적인 협조를 하는 건 드문 일이었다.

보통 무언가 켕기는 게 있다면 자연스럽게 감추게 되어 있다. 그러나 박정아 씨의 경우에는, 자신의 생각이 맞지 않냐는 듯 다양한 근거를 제시하고 있었다.

실종 사건. '납치'라는 결론의 근거가 될만한 어떤 흔적도 목격자도 없는 상황.

일단 딸 아이의 동선을 확인하면서 근처 CCTV를 돌려보기는 했다. 공적으로 관리하는 CCTV도 있었고, 사유지 따위에 설치된 사적인 CCTV도 있었으나. 일단 당장 확인 가능한 몇 개를 이미 확인했다.

딸 아이, '박시윤'은 확실히 집으로 돌아오고 있던 중이었다. 3일 전의 밤에 말이다.

학원에 갔다는 것도 알게 되었고, 언제나처럼 11시에 자습이 끝나고 집으로 돌아오던 것도 확인이 되었다. 그러나 그 중간부터 행적이 묘연하다. 집 근처에서 일이 벌어졌을까.

단순 가출에 의한 실종이라고 한다면, 그것도 역시 어떤 흔적이 있어야 했다.

CCTV상에서 모든 길목을 확인했는데, 어느 순간 자취가 사라졌다면. '납치범'이 박시윤을 데리고 모습을 사라진 것이거나. 혹은 제 발로 그 모든 감시 카메라를 피해서 사라진 것일 테다.

사라진 장소로 의심되는 건 집 근처 골목이었다. 어둡고 좁은 골목이었고, 폐 건물도 몇 개 정도는 있었다. 사람들이 살고 있는 가구들이 양 옆으로 있었으나 아예 누구의 눈길도 닿지 않는 구간들이 있었다.

소녀가 그 골목에서 길을 걷다가 갑자기 하늘로 솟구쳐 올랐는지, 땅으로 꺼져버렸는지.

기계의 고장이 아니라면 미스테리에 가까운 일이었다. 보통 이런 식의 정황이라면, '알 수 없음'으로 처리하고 넘어가는 게 일반적인 경우였다. 가출로 보던, 그냥 미해결 사건 따위로 넘기던.

어떤 식으로 수사를 종료하기는 해야 했으니까. 행정력, 공적인 치안력은 무한하지 않고 한계가 있다. 그리고 서류 상 남게 되는 수사 상의 기록은 어떻게든 결론이 나야만 했고.

고도화된 사회에 살고 있다지만 정말 모든 문제들이 그만큼 잘 처리되는 건 아니었다. 때로는 이렇게 빈 구멍처럼 아무도 알아주지 못하는 사건들도 존재한다. 아니, 생각보다는 빈번할 테였다. 모든 살인범이 잡히는 것도 아니었고. 복잡한 사회 속에서 벌어지는 온갖 문제들이 늘 그 원인을 드러내는 것도 아니었으니까.

"……정말로, 딱히 가출을 했을 것 같지는 않군요."

방을 둘러보고 난 뒤에 윤계식이 박정아에게 한 말이었다. 여인은 슬픔에 제 정신이 아니었으나 대화가 안 될 정도는 아니었다. 김민식과 박주영도 우울한 표정을 하고 가만히 있었다. 누군가의 슬픔에 공감한다는 건, 어느 정도 전염된다는 뜻도 된다.

그렇게 전염이 되어 잠시간 톤을 맞춰주는 것만으로도, 사람은 조금 힘이 나게 되어 있었다. 일시적으로라도 말이다. 박정아는 연거푸 고개를 끄덕거렸다.

"예, 예…. 그럼요…. 꼭 찾아주세요. 저희 딸……. 제발… 꼭 찾아주세요……."

박시윤의 모친은 그렇게만 말을 했다.

"저희가 힘 닿는 데까지는 최선을 다하겠습니다. ……. 그래도 나름대로 실력 있는 수사관들이니, ……곧 진척이 있을 겁니다 분명. 마음을 잘 추스르시면서 기다려주세요…."

계식은 할 수 있는 최대한의 말을 했다. 덧없는 소리처럼 들릴 수도 있었지만. 그런 식의 말이, 현장 수사관이 할 수 있는 고작이었다.

반드시 찾게 되리라, 아무런 문제가 없으리라, 는 말을 할 수는 없었다. 차마. 그렇게 말을 하고는 싶었는데. 정반대의 결과를 들고 신고자를 다시 찾아야 할 때를 견딜 수 없을 것 같았다.

"으흐흐으으으…."

모친은 테이블 위에 고개를 처박고, 기어코 다시 울음을 시작했다.

김민식과 박주영을 비롯해서 영 표정이 좋지 못했다.
무한정의 슬픔을 보고 견딜 수 있는 사람은 그리 많지 않았다. 계식은 잠시간 더 기다리다가 입을 뗐다.

"수사 중에 다른 정보가 있으면 또 찾아 뵙겠습니다. 오늘은 이만 돌아가죠…. 감사합니다."

지익, 하고 가정 집의 바닥을 나무 의자가 긁었다. 윤계식은 식탁에서 조심히 일어섰다. 옆에 있던 박주영도 마찬가지였고.

박정아, 가 경황이 없는 와중에 내어준 차는 한 모금 마시지도 못했다. 누르스름한 색깔의 찻물이었다. 레몬 티였다. 향만이 식탁에 퍼졌다.

낮이었다. 그럼에도 집 안의 불은 꺼져 있다. 다 치지 못한 커튼만이, 바깥의 햇빛을 안으로 들여보내 밝게 만든다. 집 내부의 광량은 자연광이 책임지고 있었다. 어둑한 실내. 주인의 마음을 대변하는 것도 같다.

윤계식은 주름진 손으로 자신의 눈가를 매만졌다. 고통스럽다. 혹은 피곤하다. 피해자들을 만나는 건 쉬운 일이 아니었다. 살인범을 잡는 것도.

그럼에도 해야 할 일이 있으니까, 사내들은 다시 밖으로 나가야 했다.

"…이만 가보겠습니다."

박정아가 정신을 차리지 못하는 듯하자, 한 번 더 이야기를 했다. 그녀는 들썩이는 어깨나 등을 간신히 추스르고 일어나서, 그들을 배웅했다.

"꼭, 꼭 무언가 찾으면 알려주세요…."

현관문을 열고, 형사들을 보내면서도 박정아는 마지막으로 당부했다. 계식은 주름 진 면상으로, 환히 웃으며 고개를 끄덕였고. 달리 할 수 있는 위로의 말이 더 없었다. 형사는 최악을 생각해야 한다.

그러나, 잡아야 할 놈은 반드시 잡을 것이다. 그의 손이 닿는 곳에 피해자의 안위가 있다면 반드시 잡아챌 것이었고. 그가 할 수 있는 최선을 다하리라.

그는 그런 마음을 담아서 웃은 것이었고, 신고자에게 전달이 조금이라도 되었는 지는 알 수 없었다. 덜컥.

박정아가 문을 닫았고, 세 형사는 덩그러니 아파트 복도 위에 남았다. 인기척은 달리 없다. 휑한 바람만이 고층의 복도로 불었다. 옆으로 바로 난간이 있었고, 아파트 단지의 가운데 공간이 보인다. 낡은, 놀이터라고 하기도 뭐한 것이 가까이 보인다. 발을 잘못 디디거나, 일부러 뛴다면 떨어질 수 있었다.

낡은 아파트다. 최근에 지어지는 것들은 이렇게 복도가 외부로 노출되게 짓지 않으니까, 잘.

"…가지."

계식이 말했고, 두 젊은 형사가 따랐다.

"예." "탐문 수사도 어려운 일입니다, 참."

박주영이 곧이 답했고, 김민식은 기어코 말을 얹었다. 퉁명스럽게 말하는 사내였지만 김민식의 마음이 따뜻한 편이라는 걸 계식은 알고 있었다.

*

30. 저벅

어둔 공간 속에서 소녀는 정신을 잃지 않고 있었다.

눈이 또렷하다.

다른 감각은 조금 이상한 것 같았다. 귀가 먹먹했다. 아무런 소리도 들리질 않는다. 자신의 귀가 멀어버린 건지, 아니면 정말로 아무 소리도 나고 있질 않은 건지, 주변에.

알 수 없다.

알 수 없는 것 투성이다.

박시윤은 일단, 자신이 눈을 뜨고 있다는 것만은 제대로 인지를 했다.

그러나 볼 수 있는 건 별로 없었다.

시꺼먼 어둠.

소녀의 앞에 펼쳐진 것이다.

숨을 쉬고 있는 것 같았다. 자신의 몸에 대한 감각도 아주 둔했다. 촉각도 잘 느껴지지 않는다. 아주 오래도록 불편하게 있다가 쥐가 나버려서, 감각이 통하지 않을 때처럼. 피가 잘 통하지 않는 신체 부위의 감각이 둔해진 것처럼 조금 늦게 알 수 있었다. 신체의 변화를. 멀리서 일어나는 일처럼 자기의 팔다리, 몸의 느낌이 전달된다.

둔하고 막힌 느낌으로 볼 때 숨은 쉬고 있었다. 아니, 당연한 걸까. 숨을 쉬고 있지 않는다면 지금 살아있는 게 아닐 테니까.

코로 호흡은 하고 있는 것 같았다. 그러나 아무런 냄새도 느껴지지 않는다. 입 안에도 별로 감각이 없다. 신경성의 약물이라도 작용을 하고 있는 건지.

박시윤은 공포에 휩싸이지 않았다. 그건 소녀의 성격 탓이었다. 지독하게, 지나친 공포를 맞닥뜨리면 뇌의 어느 한 부분이 마비가 되는 것도 같았다. 공포를 느끼는 부분 말이다. 팔이나 다리 등 신체 부위가 절단되는 상처를 입었을 때, 아드레날린인지 뭔지 신경 물질이 어마어마하게 분비되면서 순간적으로 고통을 느낄 수 없는 것처럼.

살기 위해서 박시윤은 지금 자신이 처한 상황과, 그로부터 오는 공포감으로부터 자신을 분리시켰다. 그저 감각과 정보, 그로 인한 분석만이 있을 뿐이었다. 생각보다 그녀는 냉철하게 굴 수 있었다. 정신적으로.

육체적으로는, 냉철하지 않는다고 하더라도 무언가 할 수 있는 게 없었다. 그녀는 뜨고 있는 눈 외에는 지금 자기 마음대로 움직일 수 있는 신체 부위가 아무데도 없다.

시꺼먼 어둠. 아무것도 들리지 않았고. 냄새가 느껴지지도 않는다. 손, 발. 온 몸의 촉각은 아주 둔하고 미련하게 감각되었고, 몸도 제뜻대로 움직이지 않는다. 아마, 누워있는 것 같았다. 느낌 상의 일이었다. 촉각이 둔하다지만 어떤 자세로 있는 지는 천천히 느끼다보니 알 수 있었다.

누워있을 때의 그런 느낌이었다. 갑자기 일어서면 피가 쏠릴 것 같은.

자신이 왜 이런 곳에 있을까.

스스로가 죽지 않았고, 지금 눈앞에 보이는 어둠이 환상이 아닌 것도 분명하다. 박시윤은 생각을 하려 했다, 생각을.
그녀의 마지막 기억은 무엇인가.

두려움이 거세된 것처럼, 소녀는 굴었다. 소녀에게 '거세'라는 단어적 비유가 올바를 지 모르겠지만 말이다. 자신의 지난 장면들을 재조립한다.

......

학원에서 언제나처럼 길을 나섰고, 평소와 같이 걸었다. 늘 걷는 길은 더 위험할 게 없었고, 덜 위험할 것도 없었다. 며칠 정도 가로등이 고장이 나서 계속 민지와 통화를 하면서 걷기는 했다.

자주 전화를 걸어도 송민지는 귀찮다는 듯이 굴지 않았고, 도리어 더 자주 얘기를 해서 좋았다. 둘이.

백윤석과는 잘 되어가고 있었던 것 같았고⋯. 송민지가 의외로 여자들이랑 있을 때와 달리 남자애에게는 조금 시니컬하게 굴기는 했지만. 워낙 남자애가 민지를 좋아하고, 헌신적으로 굴어서 마음을 약간 열어주고 있는 와중이었다.

아직 사귀는 것은 아니었지만, 시간이 지나면 사귀겠다… 싶은 정도의 진전.

송민지도 그게 그렇게 나쁘지 않은 것 같았고, 툴툴대면서도 즐겁다는 듯이 이야기를 했다. 즐겁다. 그래. 당장 내년에 시간과 노력을 갈아넣어서 공부를 하고, 수능을 쳐야 하기는 하지만. 송민지는 과도하게 스트레스를 받는 편은 아니었다.

아마 서울에 있는 적당한 사립대 정도를 갈 모양이었다. 지금은 팽팽 노는 것처럼 보이지만, 중학교 때는 공부를 아주 잘 했으니까.

그 가락은 어디 가질 않는다. 은근히 머리가 좋은 친구였다. 그녀는. …….

…….

반면, 박시윤은 조금 조급한 면이 있다. 그럭저럭 평범하게 중학교 생활을 마쳤다. 나름대로 공부는 소홀히 하지 않았음에도 불구하고, 송민지를 이겨본 일은 없었다. 고등학교에 들어오고 나서부터는 달라졌지만 말이다.

그녀가 공부를 열심히 했고, 송민지는 공부와는 거리가 멀어졌다. 공부를 하는 만큼 성적이 곧잘 오르기도 했고, 지금의 성적보다 고등학교 3학년 때 훨씬 좋은 성적을 받을 수 있을 거라고 생각을 했다.

가는 대학교가 달라진다는 건, 그 이후의 기반이 달라진다는 뜻도 된다. 대학이 모든 걸 결정하지는 않는다. 그러나 거기에 들어가기 위해서, 그 이전에 했던 노력에 대한 증명이 된다는 건 부정할 수 없는 사실이었다.

사람이 노력을 한 건 어디로 사라지지 않는다. 물론 헛된 노력도 많지만. 세상이라는 건 물리적 법칙으로 이루어져 있는 현실이기에. 어떤 형태로든 남게 되어 있었다.

그렇다면, 자신이 지금 이 자리에 있는 건 어떤 누구의, 노력이 있기 때문일까.

귀가 먹먹했다.

앞이 어둡다.

심장이 두근거리는 것 같았다.

감각은 둔하다.

정신은 날카롭게 살아 있었다. 눈이 조금 아팠다. 지독한 어둠 속이라고 하더라도 두 눈을 뜨고 있는 건 사실이었다.

박시윤은 눈을 감았다.

그럼에도 달라지는 건 없다.

······.

저벅.

발소리같은 게 울렸다. 둔한 귓속으로, 그게 파고들었다. 날카롭게 날이 서 있는 정신이, 그 둔한 소리를 잡아챘다. 박시윤은 그대로 계속 눈을 감고 있었다. 그냥 직감이었다. 눈을 떠서는 안될 것 같은. 어떤 일이 벌어지더라도 말이다.

상대에게, 자신이 정신을 차렸다는 걸 알려주면 안될 듯 했다.

*

저벅.

하고 발자국 소리를 내며 내려온 것은 윤계식이었다.

김민식과 박주영을 대동하고, 아파트의 바깥에 발을 내딛었다. 엘레베이터를 이용해서 1층에 도착하고, 조금 걸어 유리문을 열고. 몇 계단을 넘어 보도블럭을 밟았다.

계식이 이야기했다.

"주변 CCTV는 아직 다 확인을 못 한 거였지, 우리가?"
"예, 선배님. 일단 공기관에서 바로 조사 가능한 것들은 까봤는데…. 혹시 근처에 주정차 되어 있던 차량 블랙박스 따위에서 뭐가 나올 지도 모르겠습니다. 그게 아니면 다른 상가나 아파트 건물에서 CCTV가 따로 설치되어 있었는지 알아봐야 하겠고…."

367

"그래."

계식은 말하면서 걸었다. 박주영과 김민식도 따라 걷는다.

그들이 '아이'가 납치된 곳으로 추정하고 있는 곳은 어느 작은 골목이었다. 아파트 단지, 203동에서 나와 왼쪽으로 턴을 한다. 아파트 출입 현관에서 말이다.

왼쪽으로 돌아 보도블럭을 밟으며 조금 걷는다. 단지 내의 공터가 있었고, 옆으로 공터와 놀이터가 있었다. 모래밭 위에 아주 오래되어 보이는 놀이 기구들이 조금 있다. 보기만 해도 삐걱거리는 그네나, 시소같은 것들. 시소는 몰라도 그네는 조금 위험해 보이기까지 한다. 아이들도 타고 놀지는 않는 것 같았다.

아파트 단지의 주민들이 단단히, 자기 아이들에게 주의라도 주었는지 말이다.

세 명의 남자는 계속 걷는다. 203동을 지나 202동, 201동. 약 60여 미터 정도를 걷다 보면 바깥에 단지의 출입구가 코 앞이다.

아파트 단지로 들어오는 출입구 양 옆으로 작은 돌담이 쳐져 있었다. 그리 높지도 않았다. 10대 아이들의 시선으로 보더라도, 안쪽을 들여다 볼 수 있을 듯하다. 돌담 근처에는 가로수니, 화단이니 하는 것들이 있었고. 출입구에서 다시 왼쪽을 쳐다본다.

이미 들렀던 곳이 보였다. 한 4, 50여 미터 정도 떨어진 곳에 경비실 건물이 하나 있었다. 그 쪽으로도 출입구가 하나 더 있었고, 101, 102동 등이 있는 단지 쪽을 지키고 있는 경비원이다.

201동 등으로 들어오는 출입구보다, 저 쪽이 더 컸다.

'박시윤'이라는 학생에 대해서는 경비실의 할아버지 또한 인지 하고 있었다. 매일 평일 밤이면 한결같은 시간에 들어오는 학생이 었고, 바로 코 앞의 골목을 지나쳐 와서 집으로 온다고. 경비실에 서도 곧장 아이가 귀가하는 모습이 보였다.

경비실에 앉은 상태로 골목 내부까지는 보이지 않았지만 말이다.

계식은 경비실 쪽을 잠시 지켜보고, 또 근처 지형을 살핀다. 출 입구에서 몇 발자국 더 걸으면 곧바로 차도겸 인도이다. 포장 도로 가 있었고, 트럭이 양 방향으로 서로 지나가도 넉넉할 정도의 도로 이다.

딱히 신호등 따위가 이런 주택가 골목에 있을 리는 없었고. 알 아서 사람들이 잘 보고 피해다녀야 하는 길목이었다.

아파트 단지와 마주보고 있는 낮은 높이의 주택가와, 폐건물들 따위가 있었다. 이 근처는 재개발이 들어가야 할 구역처럼 보였는 데, 아직까지 공사가 이루어지진 않는 것 같았다. 계식은 계속해서 주변을 살핀다. CCTV가 어디에 있는가.

경비실 쪽에도 하나가 있을 테였다. 아파트에서 자체적으로 설치 한 것으로, 경비실에서 양 쪽으로 뻗어나가는 시야각을 보인다.

아파트 단지 내에 출입하는, '정문'이라고 할만한 세 출입구는 모두 지키고 있었다. 그 외에 '도로'의 가로등 근처에 설치되어 있 는 공공 CCTV가 있었다. 근처 구청이나 경찰서에서 조회할 수 있

369

는 물건이었고, 관리 자체는 아마 구청이나 동사무소 쪽에서 할 테였다.

CCTV역시 길게 좌우로 뻗어 있는 단지 앞의 건널목을 지켜보고 있다. 복잡한 주택가에는 골목이 여러 군데 있었다. 개중에서 200번대 동단지로 통하는 골목이 하나 있었고. '시윤' 학생은 언제나 그 골목을 통해서 나온다고.

골목을 통하지 않고 오는 길도 있었으나, 대로변을 따라서 아주 길게 빙 둘러야 한다고 했다. 3, 4분이면 걸을 거리를 10-15분 가까이 걸어야 하기에 학생은 전혀 쓰지 않는 모양이었다. 시윤 학생이 걷는 골목 자체는 주택가에 형성된 여러 좁은 길 중에서도 조금 수상한 구석이 있는 곳이다.

일단 CCTV도 골목 내부에는 없었고, 폐건물들이 여럿 끼어 있어서 중간에서 어떤 일이 벌어져도 목격자가 생기기 쉽지 않았다. 불을 밝히고 있는 주택 내부에서, 창문으로 바깥을 지켜보고 있다면 혹시 모르겠지만.

주민들이 언제나 창문 밖을 주시하고 있을 리도 없을 테였고. '김연수'가 일을 저지를 때는, 정말 마법이라도 부리는 건지 뭔지 모르겠지만. 언제나 흔적이 남지 않았다. 미치광이같은 놈이었다. 주변 사람들의 시선까지 생각해서, 완벽하게 진공 상태나 다름 없는 범죄 포인트를 구축한 뒤에 일을 치는 것이다.

윤계식은 이게 아주 높은 확률로, 김연수가 저지를 법한 사건이라고 생각했다. 서울에 있으면서, 아직까지 살인 행위를 반복하고 있다고 여기는 것이다.

사이코패스는 멈추지 않는다. 한 번 멈췄고, 종적을 감춘 채 홀연히 사라졌지만. 다시 돌아온 이상 놈은 브레이크를 가지고 있지 않을 테였다. 심지어 단단히 준비까지 해서 돌아오지 않았는가.

수사본의 유능한 신문관 따위가 온갖 회유나 협박을 가하더라도 입을 꾹 다문 채 열지 않는 김재영이었다. 더군다나 그 김재영이 움직이는 것을 직접 눈 앞에서 본 게, 박주영과 윤계식 두 명이었다.

인간같지 않은 몸놀림이었다. 올림픽이었다면 박수를 치면서 금메달을 수여해야 했을 정도로 말이다. 그들에게 무기가 없었다면 손쓸 새도 없이 당하고 말았으리라.

그만한 괴물을 키워가지고 나타난 것이니. 마음에 품었던 의지나 독심이 대단했으리라. 끝을 알 수 없을만치 악의를 품고 있는 놈이, 단단히 마음을 먹은 셈이다.

놈은 어떤 장애물이 있더라도 뚫고 움직이고, 사람을 죽인다. 그건 어떤 면에서 보자면 '믿음'이라고도 할 수 있었다. 사실에 대한 믿음 말이다. 놈이 어떤 괴물인 지는, 윤계식이 잘 알고 있다.

반드시 범죄를 저지를 것이니, 자신은 반드시 잡는다.

세 명의 수사관들은 도로를 건넜고, 골목으로 들어갔다. 박시윤이 사라졌으리라 추정되는 골목. 좁고, 긴 길이었다. 여자 아이의 보폭과 속도로 깨나 오래 걸어야 하리라. 3분 정도? 100미터는 넘는 것 같았다.

주변 주택 단지들은 조금 복잡하게 지어져 있었다. 난개발이라고 해도 좋은 모양이었고. 아무렇게나, 빠르게 지어졌고 또 금세 버려졌다. 지금은 주인이 없는 상가 건물 따위가 주택가 내부에 몇 개나 있는 것만 봐도 그렇다.

단독 주택 따위가 그래도 여전히 주민들이 살고 있는 건물이었고, 빌라 따위의 건물들은 텅 비어 있어 괜히 을씨년스런 모습만 더한다.

양 옆으로 붉은 벽돌담이 길게 이어져 있었다. 처음부터 끝까지 그런 건 아니었고, 군데군데 색깔이 달라지기도 한다. 가로등이 몇 개나 서 있었다. 골목의 길은, 수사관 셋이 동시에 지나가면 불편함을 느낄 정도였다. 이렇게 좁은 길을 만들어 둔 의의가 무엇일지 알기 어려웠으나.

어차피 근 몇 년 내에 철거가 되고 사라질 길목들이다. 잘못 만들어졌다고 봐도 좋으리라. '사건'이 이 골목 내에서, 정확히 며칠 전에 일어났으리라 예상이 된다면 남아있는 건 탐문 수사였다.

별다른 낌새는 없었는가, 사건 당시의 현장을 봤거나 기억하는 사람이 조금이라도 있는가.
일단 실종 신고를, 김연수가 개입한 건으로 파악하기 위해서 먼저 처리해야 하는 간단한 절차들이었다. 완벽한 트릭과 알리바이로 감추어져 있는 사건인가 구분하는 건 말이다.

골목과 접하고 있는 건물의 주민들에게 접촉해서, 몇 번이나 사건으로 추정되는 시각의 기억들을 물어봤지만 돌아오는 대답은 모두 '별 것 없었다'라는 말 뿐이었다.

지금은 한낮이었으나, 밤 시간에 이렇게 좁고 긴 길목을 여자 아이 혼자서 걷는다고 생각하면 제법 무서울법한 장소였다. 그럼에도 불구하고 매일 오갔던 것은, 바로 집 앞이기도 하고, 또 동네 주민들의 주택이 바로 골목과 접하고 있다는 사실 덕분이었으리라.

아마 조금 떨어진 외지였다고 한다면 여자아이, 박시윤 또한 굳이 이 골목을 이용하지 않고 대로를 따라 길게 돌아왔으리라.

그렇다면. 실종자가 납치가 된 상황이라고 추론을 할 때, 박시윤은 작은 소리조차 내지 못했다는 뜻이 된다. 비명이라도 한 번 질렀다면, 그 밤 중에 어둡고 고요한 골목에서 난 소리가 주변에 들렸으리라.

밤 11시는 늦은 시간이었지만 아주 깊은 새벽도 아니다. 사람들이 충분히 깨어있을만한 시간이다. 퇴근을 하고 집에 와서 TV라도 같이 시청을 하고 있을만한.
시선을 비롯한 감각이 집 내부에 쏠려 있다고는 하지만, 들릴 리 없는 특이한 소리가 바로 옆 골목에서 났다면 아마 주민들이 눈치를 챘을 테였다.

신체가 건강한 여자 아이였다. 어떤 지병이나, 신체적인 약점이 있을까 싶어서 이것저것 물어봤지만 딱히 없다고 했다. 고등학생 여자 아이. 청소년기의 신체는 왕성하고, 활동적이다. 상처가 나더라도 쉽게 아물기도 하고, 체력이 계속 솟아난다고 해도 과언이 아니었다.

어느 정도 강한 힘을 가졌다고 하더라도, 금방이라도 뛰고 소리칠 수 있는 여자 아이를 이렇게 좁은 장소에서 순식간에 제압하는 건 아주 어려운 일이다.

누가 생각하더라도 마법이라도 부린 게 아닌가, 싶은 상황이었지만 그렇기에 '김연수'가 일을 저질렀으리라고 윤계식이 생각하는 바였다.

세 사내는 좁은 길목을 주욱 걸었다. 중간 즈음에 왔을 때, 폐빌라를 발견할 수 있었다. 아주 오래 방치라도 되었는지, 때묻은 유리문이 그들을 반겼다. 한낮이었는데, 유리문에 반사되는 모습이 불투명하고 흐려서 제대로 꼴을 확인할 수도 없었다.

걷다가 문득 멈추어서서 다시금 두변을 바라본다.

골목의 중간보다 조금 더 들어온 지점이었다. 앞으로도 뒤로도, 갈 길이 많이 남아 있다. 가로등과의 거리… 약 10미터 정도. 앞뒤로 비슷하게 있다.
지금은 낮이었으므로 물론 불이 꺼져 있었다. 저 자리에 CCTV가 있었더라면 참 좋았을텐데. 윤계식은 생각했다.

"……뭐 보이시는 게 있습니까, 떠오르시는 거나."

박주영이 물었다. 윤계식은 문득 옆을 바라보았다. 김민식은 박주영보다 키가 크다. 박주영은, 윤계식보다 조금 더 컸고. 그는 무감한 듯한 표정을 하고 젊은 형사에게 답했다. 턱을 매만지면서 말이다.

박주영은 거친 수염을 쓰다듬고 있는 그의 꼴이나 무표정한 얼굴을 보니, 처음 만남이 생각이 났다.

김현식 경위의 명이 있어서, 충청도까지 내려가서 그를 만났다. 길을 걷고 있던 은퇴한 형사를 반쯤 강제로 끌고서, 허름한 컨테이너 박스에 데려갔었고. 거기서 다소 거칠게 말을 이어나갔다.

윤계식은 조금도 당황하지 않고 두 형사를 대했고, 어찌보면 환대했다고 할 수도 있었다. 어쨌거나 그들이 물은 말에 고스란히 대답을 해주었고, 심지어 적극적으로 협력까지 해주었으니까.

특이한 인간이었다. 윤계식은. 박주영은 눈 앞의 노인을 보며 그리 생각했다. 반대로, 박주영을 보는 윤계식 역시 젊은 형사를 보며 그리 생각했지만 말이다.
요즘 젊은 것들은,

이라는 말을 하고 싶지는 않았지만. 나름대로 깡이 있는 놈이라는 건 합격점을 줄만한 부분이었다. 박주영에게 말이다. 김연수를 눈 앞에 두더라도 물러서거나 도망칠 것 같지 않았다. 박주영은. 실제로 김재영의 앞에서 그러하기도 했고.

또, 수사를 하다가 언제나 겪게 되는 시커먼 어둠. 절망감이니, 낙심이니 하는 부분들. 답이 나오지 않아서 무릎 꿇게 되는 그런 난항 중에도 잘 멈추지 않을 것 같았다. 그런 마음의 부담감을 이겨내는 힘이, 결국 형사를 형사답게 한다. 박주영은 긍정적인 놈이었다.
윤계식은 살인범 수사에 그런 힘이 무엇보다도 가장 필요하다고 여기고 있었고.

윤계식은 고개를 저었다.

"내가 뭐 알겠나."

"그러시면서, 늘 사건 현장 의심 지역에 직접 가시지 않습니까."

"그렇긴 하지."

윤계식은 대충 대답을 하고는, 골목의 돌담벽을 바라보았다. 빌라의 유리문 앞에서 뒤돌아서 바로 보면, 거의 무너지듯 한 붉은 벽돌로 이루어진 데가 있었다.

그 너머는 단독 주택이었다. 불이 꺼져 있었는데, 아예 사람이 살지 않는 듯도 싶었다. 집의 외관을 보면 그래 보였다. 여기저기 건물 외벽에 균열이 가 있었고, 담쟁이 넝쿨 따위가 생겨나 있기도 했다. 건물 유리창 역시 아주 지저분했고, 헐거워 보인다. 사람이 살고 있다면 자연스럽게 관리했을 것들이 그냥 남아 있었다.

계식은 무너진 돌담을 바라보았다. 지형을 전체적으로 살폈다면, 그 다음에는 세부 사항들이다. '김연수'는 신이 아니다. 마법사도 아니었고. 그냥 땅에 발 딛고 살아가는 망나니, 괴물, 살인범에 불과했다.

놈이 대단한 신체 능력이나 특별한 기량으로 완벽한 범죄를 저지른다고 하더라도. 밟을 곳은 있어야지 않겠는가.

결국 이 골목 지형에서 밟을만한 곳은 바닥이나, 외벽 뿐이었다. 보통 '벽'이 바닥이 될 수는 없겠지만. 기이한 능력을 가진 살인범이라고 한다면, 일시적으로 벽을 바닥처럼 이용할 수 있을지 모른다.

그런 관점에서 보면 벽은 바닥과 똑같다. 살인범의 발자국이 남았을 지도 모르는 공간이다. 김연수를 이해하기 위해서는 지형을

3차원적으로 바라보는 관점이 필요하다. 일반적으로 사람이 움직이는 방식의 동선을 예측하고, 거기에 김연수의 동선을 끼워 넣으려는 식으로 추리를 하면 영 해답이 나오지 않는다.

그들이 상대하는 건 사람이었지만, 사람 중에서 기이한 놈이었다. 특이한 능력을 가졌고, 그 능력을 온전히 살인을 위해 발휘하고 있는 괴물 말이다. 세상에 괴물 같은 건 없지만. 적어도 괴물과도 같은 마음을 가진 인간은 얼마든지 있을 수 있었다.

땅에 발 딛고 살아가는 인간들 중에 천사도 없었지만. 그만큼 선한 마음을 가진 인간이 있을 지도 몰랐고 말이다. 윤계식은 그렇게 생각했다. 밸런스가 맞지 않았다면, 이 놈의 세상은 예전에 박살이 났을 테였다.

겉으로 드러나지는 않더라도, 그래도 양심이 유지되고 있으니까 세상이 버티는 중일 거다. 그는 그리 믿는다.

"자네에게 70kg즈음 되는 무게를 걸치고,"
"예?"

윤계식은 갑작스레 뒤에 있던 박주영에게 그런 말을 했다. 무슨 생뚱맞은 소리냐는 듯 그가 의문스런 표정을 짓는다.

윤계식은 그대로 돌담에 걸어가서 높이를 재려는 듯 손끝으로 외벽을 어루만졌다. 자신의 눈높이에서 조금 더 높은 부근이었다. 거친, 오래된 돌벽의 질감이 그에게 느껴졌다.

"단숨에 2, 3m 정도 되는 담벽을 뛰어넘을 수 있는 힘이 있다고 한다면 어떻게 움직이겠나?"

"그게 무슨….."

박주영은 여전히 갈피를 잡지 못했다. 윤계식은 어깨를 으쓱거렸다.

"같이 봤지 않나. 이미. 김재영이라고. 그 새끼가 일반적인 범주에 들어가는 운동 능력이던가."

"그건… 아니죠."

박주영이 고개를 저었다. 확실하게 아니라고 할 수 있었다. 김재영의 주먹질은, 어둔 골목이라고 하더라도 인지하기도 어려울 정도로 빨랐다. 그리고 몇 걸음은 떨어진 곳으로 정밀하게 칼날을 던지던 동작이라거나.

저살상탄이나, 심지어 실탄을 맞아서 일부 살이 패였음에도 불구하고 움직이던 그 독기는 보통의 것이 아니었다. 특수하게 훈련을 받은 군인이라고 하더라도 상상하기 쉽지 않은 모습이다.

삽시간에 몇 걸음을 좁혀오는 속도라거나. 직접 눈 앞에서 보는 게 아니라면 믿기 어려울 정도의 신체 능력을 가진 게 김재영이었다. 윤계식은 그런 '누군가'에 대해서 묻고 있는 중이었고.

"갈퀴라거나, 밧줄이라거나. 뭐… 적당히 도구를 썼을 지도 모르겠지."

웃차.

윤계식은 그렇게 말을 하면서, 담벼락 위로 손을 얹었다. 자신의 키보다도 높은 담장이었다. 허술하고, 부서져 가는 벽이다. 함부로 올라가거나 무게를 싣는 것은 위험할 지 몰랐다. 그럼에도 꽤나 무게가 나가는 윤계식은 자신의 몸을 벽에다 비볐다. 우스운 꼴이었으나, 그는 그러려는 게 아니었다.

단순히 몸을 문지르는 게 아니라 올라가고자 했다. 무게가 많이 나가고 근력이 떨어져서 쉽지 않을 뿐.

"뭐하십니까."

김민식이 물었지만 윤계식은 애를 쓰며 끙끙댈 뿐이었다. 곧, 그가 양 손으로 정확히 그립을 잡고 발을 박찼다. 지면을 차며 올라가고, 허리와 완력으로 몸을 끌어올린다. 도중에 발을 벽에 박아넣듯 대며 차오르는 것도 동시에 해야 했다. 휙, 하고 늙은이가 담벽 위로 올라갔다.

윤계식은 확실히 나이대에 비해서는 아득하게 좋은 운동 능력을 보여주고 있었다. 김재영 같은 인간 앞에서 버티고 살아난 것도 우연만은 아니었다.

무너져가는 담벽 위에 말을 타듯 올라선 윤계식이다.

"후."

그는 자세를 바르게 하면서 주변을 쳐다보았다. 낮이었다. 골목에는 사람이 없었지만, 그 근처로 지나가는 이들이 안쪽을 바라보거나 하기는 했다. 담벼락 위에 올라가 있는 아저씨는 확실히 이상해 보이는 꼴이었다.

"뭐가 보이십니까?"

박주영이 물었다. 김민식은 의문스럽다는 듯 인상을 조금 찡그리고 있을 뿐이었고. 윤계식은 이런 식으로 시점에 변화를 주어야 한다고 생각했다. 놈이 움직였을 동선을 머리에 담기 위해서는 말이다.

놈은 평지만이 아니라 벽까지도 바닥으로 사용하며 자유자재로 움직인다. 그 왜, 동영상 사이트나 혹은 영화 따위에서 볼 수 있는 모습들이 있지 않은가. 도심 지역의 지붕 위에서 제멋대로 몸을 날리고, 멋있게 낙법을 취하고.
얼마 되지 않는 작은 디딜 곳만으로도 중심을 유지하면서 움직이는 묘기꾼들. 그런 이들에 비해서 자신이 쫓고 있는 '김연수'가 부족할 거라고 생각되지 않았다.

뭐 특수한 신발이나, 장갑이라거나. 혹은 줄 같은 도구를 썼을지도 모른다. 그런 것들을 이용해서 순식간에 이런 담벼락을 넘고, 또 마당을 넘어 지붕 위로 올라갔을 수도 있고. 어쨌거나 '무게'가 있는 무언가를 들고 이동을 했다면 흔적이 남게 되어 있었다. 놈은 용의주도하다.

이런 식으로 살펴 보아도 알기 어려울 정도로, 작은 곳에만 흔적을 남기면서 움직였으리라.
흔적이 아예 남지 않는 건 불가능한 말이었다. 그건 놈이 인간이 아니라는 뜻이 되니까. 그러나 김연수는 머리가 좋은 놈이다. 발자국을 남겨야 한다면, 이미 흐트러져 있는 곳을 밟을 테였다.

사람의 눈길이 닿지 않는 곳. 담벼락 위에서도 발자국이 남지 않을만한 곳. 그런 곳을 밟고, 범행을 저지를 때 신는 신발이니 장갑이니 하는 종류도 모두 특제의 무언가를 쓰고 있을 확률이 높았다.

신발 밑창이 기형적으로 생겨서 무게를 분산시키고, 눈에 확 띄는 발자국이 남지 않는 식으로 말이다.

윤계식은 어쨌든 그런 희미한 무언가를 찾고자 했다. 땅바닥에 직접 눈을 갖다대고 보지 않는 이상 찾을 수 없는 흔적들.

이 실종 사건은 범인이 드러나 있지 않은 사건이었다. 김연수가 저질렀는지 확신할 수도 없다. 실종이기는 한데, 실종자가 가출을 한 것인지 아니면 타의에 의해서 모습을 감춘 것인지도 알 수 없다.

그런 상황에서 경찰 인력은 제한되어 있고, 사람의 기력 역시 한정적이니 무작정 깊이 살펴볼 수가 없는 게 현실이었다.

그러나 윤계식은 김연수에 대해서 쫓는 것에 인생을 바친 인간이었고, 미친 인간이었다. 미친 놈을 잡기 위해서는 추적자에게도 어느 정도 광기가 필요하다. 미친 놈의 동선을 파악하기 위해서라면, 그들의 마음을 한 번 이해해보려 머리를 굴리는 연기 따위의 행위가 필요할 지 모른다.

어쩌면 심민아와 윤계식은 그런 면에서 가장, 나름 광기가 있는 인물들일지 모른다. 눈에 보이는 단서 없이도 지금 수사를 진행시켜가면서 확정적으로 움직이고 있었으니까. 아무것도 보이지 않는 길을 확신하며 걷는 인간은 모두 미친 사람들이다. 무엇에 미쳤는가, 혹은 그게 몇 걸음 앞을 내다 본 지혜의 직감을 동반한 것이었는가, 뭐 그런 건 모두 시간이 지난 뒤에 드러나게 되리라.

윤계식은 타인의 이해를 굳이 바라지는 않았다. 누군가가 자신을 방해하지만 않으면 족하다.

적어도, 그의 옆에 있는 김민식이나 박주영은 방해하지 않을 셈이었다.

"웃-쌰."

박주영은 한 술 더 떠서, 자신 역시 담벼락 위에 올라갔다. 좁은 담벼락이다. 발 디딜 곳도 그리 마땅치 않고. 그러나 반 보 정도 되는 폭의 담벼락이고, 잘 균형을 잡으면 설 수도 있었다.

박주영은 난데없이 아무도 없는 폐가의 담벼락 위에 서서, 주변을 멀리 둘러봤다. 윤계식이 하듯이. 여기저기를 살피기도 한다. 추리, 추론, 수사라는 건 결국 관찰로부터 시작해야 한다. 과학 수사가 많이 발전한 요즘이다.

수많은 수사기법이 발달되어 있었고, 도구들이 있다. 전문적으로 움직이는 검사관들이 있었고. 그럼에도 불구하고 윤계식은 오감을 모두 발휘해서 현장을 더듬어야 한다고 여기는 인간이었다. 아날로 그틱하고, 어찌보면 답도 없는 방식이었다.

그러나 그런 노고에 반드시 보답이 있으리라고 여겼다. 없으면, 뭐 어떤가. 기껏해야 몸을 좀 굴리고 애를 쓰는 일에 망설임은 조금도 없다. 윤계식은 그렇게 골목길 주변의 담벼락이나, 그로부터 넘어갈 수 있어 보이는 사람이 없는 건물들의 외벽, 지붕들 따위를 면밀히 살폈다.

사람이 있는 건물의 지붕 역시 밟을 수도 있었다. 그러나 자신이 김연수라고 한다면, 가급적이면 폐건물 위주로 딛어서 움직였으리라.

아무리 뛰어난 기술이 있어서 큰 소리를 내지 않으며 순식간에 움직일 수 있다고 하더라도 말이다. 다른 이의 감각에 걸린다면 그게 곧바로 단서가 될 수 있었고, 김연수는 자신의 흔적을 조금도 노출시키지 않으려고 하는 완벽주의자다.

폐허, 이미 부서진 담벼락 위. 밟거나 망가뜨려도 티가 나지 않는. 원래 어질러진 어딘가. 혹은 담벼락과 담벼락 사이의 교차하는 지점들 따위. 밟기 어려우나 그대로 지나간다면 종적을 찾기 어려운 루트가 곧 김연수의 발자취를 찾을 곳이리라.

가장 어려운 길을 가면 된다. 단순한 이야기였다. 김연수는 미치광이였고, 아무런 동기도 없는 쾌락 살인에 자신의 인생 전부를 바칠만큼 돌아버린 인간이었으니까.

전국의 여러 지역들 중에서, 서울로 방향을 잡고 지금 이렇게 수사를 하고 있는 것과 마찬가지였다. 대한민국에서 가장 살인의 난이도가 어려운 곳이 이 대도시 안이었으니까.

종적을 감춘, 유령 흉내를 내는 살인마를 잡기 위해서 계식과 주영, 그리고 그 뒤를 따르는 민식은 한동안 이상한 짓거리를 반복했다.

그들의 기행에, 주민들은 별다른 말을 하지는 않았다. 그들이 형사로서 현장에 왔다는 사실을 알고 있는 탓이었다.

*

저벅.

하고 발걸음 소리가 울렸다.

눈을 감았다. 도저히 뜨지 못할 일이었다. 한 번 머리 뒤켠으로 멀리 미뤄두었던 공포가, 다시금 스멀스멀 기어오르는 것 같았다. 촉감이 잘 느껴지지 않는 신체다. 그럼에도 가상의 감각인지, 뒷목이 싸한 것 같은 기분이 들었다.

소름이 돋았을 지도 모른다. 그럼에도 불구하고 박시윤이 할 수 있는 일은 아무것도 없었다. 그녀가 제어할 수 있는 자신의 몸 부위는 오직 두 눈동자 뿐이다. 아니, 그 위의 눈꺼풀까지.
감느냐 뜨냐, 의 두 가지 선택지 중에서 박시윤은 감는 쪽을 선택한다.

철컥.

하고 무언가 육중한 문을 여는 소리가 났다. 철제 문의 기척이었다. 멀게 느껴진다. 분명히 가깝게 들리는 것 같았고, 선명한 소리였는데. 이건 청각의 문제인 것 같았다. 물에 빠졌다가 나왔을 때처럼 청각이 먹먹하고 둔했다.

방금 깊은 잠에서 깨어난 것처럼 감각이 이상했다. 시각을 제외하고는 느껴지기까지 약간 시차가 있기도 했다. '어지럽다'라는 게 정확한 표현이리라. 기이한 일이었다. 박시윤의 정신 자체는 또렷했는데.

청각, 촉각, 후각, 그런 다른 마비된 감각에 집중하면, 지금 자신의 감각이 정상이 아니라는 걸 분명 알 수 있었다. 반쯤 꿈 안에 있는 듯한 기분이었다. 자각몽, 혹은 가위에 눌린 것과도 비슷하다.

지금 보고 있는 것이 어떤 꿈이 아니라 현실이라는 인지 능력만큼은 무섭도록 뚜렷했지만. 비유하자면 그렇다는 말이다.
그리고 그 뚜렷함은 그만큼의 불행이었다.   ***

*

뚜벅.

　박시윤의 감각은 현실보다 조금 느렸다. 미세한 시차가 있는 것
같다. '소리'가 물체라고 한다면, 돌아가는 통 안에 넣어놓고 한
번을 흔들고 비로소 멈췄을 때 시윤에게 들리는 정도였다.
　울리는 느낌이 와서 지금인가, 라고 속으로 생각을 했을 때.

　실체는 이미 박시윤의 앞에 와 있었다.

　"……."

　누군가는 지하실의 울리는 계단을 지나, 콘크리트 바닥을 밟고
시윤 앞에 섰다. 어둠 속이라 얼굴은 보이지 않았다.
　그러나 그녀를 납치할만한 솜씨가 있는 것은 현재 대한민국에
하나 뿐이었다. 일반적인 납치가 아니라, 어떠한 흔적도 남지 않고
깔끔하게 인간 하나를 업어다가 사라질 수 있는 사내였다. 괴물이
나, 마술사라는 별명이 어울린다.

　살인범에게 붙여진다면 가장 끔찍한 류의 별명이 될 것이었는데.
남자는 아직 잡히지 않은 살인범 중에서 가장 끔찍한 놈이었다. 이
미 잡혀버린 작자들을 포함하더라도, 변함이 없는 수식어일 테였
다. '가장'은.

　완벽한 어둠 속이다. 보통 사람은 오래 있기 힘들 정도로 말이
다. 사내는 아무렇지 않았고, 또 평안했다. 밤도 아니고 잘 시간도
아니었지만.

그리고 자신이 있는 지하실 속은 완벽하게 구조를 익혀두었기 때문에, 빛이 있든 없든 다닐 수 있었다. 문을 열고, 지하실에 들어와 도로 닫은 뒤에. 아무렇지 않게 가운데로 정확히 걸어올 수 있었던 것도 그 덕분이었다.

평평한 판이 있었다. 침대라고 해도 좋았다. 제 의지로 거기에 눕는 자는 아무도 없었지만. 황량할 정도의 지하실. 넓이를 가늠하자면, 그래도 제법 넓었다. 6평 정도는 될까. 그보다 조금 넓을 수도 있다. 복잡한 기구 류 따위를 구석에 배치하고, 다양한 도구들을 놓고, 가운데에는 어떤 체형의 사람이든 누울 수 있는 '침대'를 설치해 둘 정도가 되어야 하니까 말이다.

침대는 철제 판으로 이루어져 있었다. 차갑고, 딱딱하리라. 사람의 편안함을 배려해서 만든 물건은 아니었다. 쓰잘데기 없는 배려가 될 테였다, 오히려. 푹신하거나 하면 재질 상의 어려움이 있다. 어차피 피를 흘려야 하는 자리였는데, 쓸데없는 흔적이 남게 되리라.

상하수도 시설이 있는 지하실이었다. 그대로 물을 뿌려서, 청소를 할 수 있었다. 특수한 약품도 함께 있었으니. 철제 침대에 피가 흐른다고 하더라도 금방 흔적을 지울 수 있었다.

보통 이 침대 위에 눕는 자들은 정신을 잃은 뒤다. 그리고 다시 깨어나는 일이 보통은 없다. '약물'을 이용해서 납치를 해오고, 그다음에 시간이 지나 적당한 타이밍이 오면 '천산혁'은 일을 치른다.

잡혀 온 사냥감이 얼마나 길게 목숨을 부지하고 있는지는 그 때 그 때 다른 일이다. 단순히 기분의 문제로 오래 놔두는 경우도 있다. 보통은, 다음 일을 생각해서 잠시 내버려두는 때가 많았다.

사냥감을 잡아오고, 목줄을 끊는 일까지는 일의 절반 즈음 되는 구간이다. 정말로 복잡한 건 이 도시에서 살해의 흔적을 남기지 않는 뒤처리 부분이다, 늘.

사람의 몸뚱이는 그대로 불태운다면 어마어마한 양의 연료로 써먹을 수 있을만한 덩어리다. 온갖 복잡한 화학물들의 총합이 인체를 구성하지만, 기본적으로 말을 하자면 고기와 기름, 물이라고 할 수 있다. 물론 뼈 따위도 문제가 된다만.

완벽하게 끓이고, 불태울 수 있는 시설이 있다면 뼈를 치우는 것도 특별한 어려움은 아니다.

지하에서 '작업'을 한다고 해도, 사람의 혈향은 지독하다. 기본적으로 유기물로 구성이 되어 있으니까 그것이 남아서 썩는다면 훨씬 더 멀리 가고 오래 남게 된다. 향이.

'작업자'이자 지하실의 방문자인 천산혁에게 그 향이 묻을 수도 있으니 늘 문제가 된다.

작업은 철저해야 한다. 시기를 따져서.

웬만하면, 한 번에 하는 것도 그리 나쁘지 않은 일이다.

'박시윤'을 대상으로 한 짓거리는 꽤나 오래 걸린 편이었지만. 이처럼 자세한 조사나, 많은 시간을 들이지 않고 금방 다음 건을 해낼 때도 있었다. 계속해서 반복 작업을 하다보니, 어느 때는 쉽게 되는 날도 있는 것이다.

반대급부로 아주 어려운 경우도 있으나.

두어 명 정도를 한 번에 처리하는 것이 낫다.

템이 아주 길어지면 사냥감을 살려두는 것도 어려운 일이 되지만. 물 정도만을 흘려준다면 의외로 사람의 숨은 쉽게 끊어지지 않는다.

시체가 되어 썩기 시작할 때, 그것의 방부 처리를 위해 복잡한 과정을 거치느니. 살아있는 동안을 잘 이용해서 보관을 하다가, 한 번에 뒤처리를 하는 것이 편한 일이었다.

천산혁에게도 체력의 한계라는 건 존재를 했으니까. 조금 더 효율적이고 편한 쪽을 추구하는 건 당연스런 일이다. 인간인 이상은 어쩔 수 없는 사정이리라.

나이를 먹을수록 더욱 그런 것도 같았다. 한 번 바짝 힘을 쓰고 나면 쿨다운 타임이 필요해진다. 가혹할 정도의 운동과 약물 보조제 따위로 노화를 막고 있기는 했으나. 아예 체력의 반감을 막을 수 있는 방법은 없었다.

천산혁 스스로 '숨이 찬다'라는 느낌이 드는 때가 점점 잦아지고, 또 빨라지고 있었다. 힘을 쓸 때, 순간적으로 고점에 오르고 나서 바로 풀썩 꺾인다. 다른 이들이 보기에는 여전히 얼굴과 어울리지 않는 괴물같은 운동 능력을 보이고 있는 이였으나. 천산혁 개인의 기준에 있어서는 서서히, 그러나 확실히 쇠락하고 있는 육신이었다.

50대 중반을 넘어서 '서서히 쇠락한다'고 표현할 수 있는 점에서 그의 타고난 유전자의 강인함을 알 수 있으리라.

확실히 젊은 시절의 그는 막을 수 있는 자가 없었다. 물리적으로는 말이다. 어떤 운동 종목에 들어가도 메달을 차지할 자신이 있었다. 실제로 하지는 않았지만. 그런 일은 그에게 큰 의미가 없었다. 극악한 범죄를 저지르는 일에 비하자면, 조금의 흥미도 감흥도 일지 않는 것이다.

사회적으로 대단한 부와 명예를 거머쥔 다음에, 그것을 바탕으로 죄악을 저지르는 것 역시 재미는 있었으리라. 그런데, 세계적인 스포츠 스타가 되어서도 과연 지금처럼 편하게 범죄를 저지를 수 있을까.

천산혁은 그게 불가능하다고 판단했다. 어지간한 일도 아니었고. 무고한 다른 사람을 죽이는 일이다.

커다란 부와 명예. 입지를 얻은 뒤에 공범을 잔뜩 만들어서, 조직화된 범죄를 저지른다면 이야기가 달라지긴 하겠다. 그러나 그건 천산혁의 취향이 아니었다. 그는 오롯이 개인만의 '득점'을 원했다.

그에게 있어 극악한 범죄는 스포츠같은 일이었으니까. 이미 인생이 무너져 있는 인간이라, 그런 식으로밖에 삶의 의미를 찾지 못하는 셈이다. 천산혁의 정신은 애초에 부서져 있었는지. 후천적으로 점점 더 망가져갔는지.

아마 둘 다일 것이다. 사이코패스라고 하더라도, 개중에서도 천산혁과 김재영은 지독한 정신머리를 가진 괴물들이었으니. 경찰학, 수사학, 또는 범죄심리학 따위에 포함되어 있는 정신병력 테스트가 있었다.

범죄자가 어쩌다 그런 일을 저지르게 되었는지 명확하게 이해하고 연구하기 위해서 발달한 검사 도구였다. 심민아 경위도 익숙하게 알고 있는 테스트다. 김재영은 '사이코패스 지수' 테스트에서 일반적 기준에서 만점으로 보고 있는 구간을 훨씬 뛰어넘었다.

테스트 상으로 나올 수는 있으나, 실제적으로 사용하는 구간은 아닌 점수 구간에 그의 결과가 있었다. 김재영을 신문하고, 회유하려고 하는 전문 경찰 인력들의 의욕이 꺾이는 계기가 되기도 했다.

인정, 인간스러움, 을 흰 빛으로 표현했을 때 검은 면밖에 없는 산혁은 어쨌건 자신의 이유로 인해 박시윤을 살려두었다.

그는 어둠 속에서 아래를 빤히 바라본다.

눈으로는 아주 희미한 윤곽만이 보인다. 그의 눈은 어둠에 아주 잘 적응한 상태였다. 지하실 바깥도 온통 커텐을 치고 어둡게 해둔 상황이다. 한 건을 어느정도 마무리한 다음에는 늘 그렇게 했다.

언제나 말하듯 인간의 정신 역시 육신처럼 한계와 실체가 있어서, 사이코패스의 그것이라 하더라도 최소한의 유지를 위해서 쉬는 구간이 필요하기에 말이다.
육신을 쉬듯이. 범죄를 저지르고 나서 천산혁은 그렇게 어둠 속에 자신을 가린다. 그럴 시간을 두지 않는다면, 다시 바깥에 나가서 천연덕스럽게 연기를 하는데 아주 약간의 티가 생길 지도 몰랐다.

연기의 완벽성을 위해서 정신적으로 휴식 시간을 가지는 것이다. 그리 길게 가질 필요는 없으나, 어쨌든 최근의 3일간은 계속 그러했다.

'박시윤'의 윤곽과, 그것이 숨을 쉬는 소리 따위를 듣는다. 체온 역시 느껴진다. 선명하게 느껴지는 존재감과 무게감이다. 철제 침대 위에 묶여 있는 인간.

오르락 내리락하는 가슴께이다. 눈은 감고 있는 듯했고.

아마 뜬다고 해도 별다른 게 보이지는 않으리라. 정신이 깨어나지 않았을 수도 있다. 그가 사용하는 '포획용 약물'은 강력한 효과를 가지고 있었으나, 사람에 따라서 그 지속력이 다르다.

신체 내부 장기의 활발함과 상관이 있는 듯도 했다. 꼭 체구가 크고, 무게가 많이 나가는 성인 남성이라고 효력이 빨리 사라지는 게 아니었으니 말이다. 조금 일찍 깰 때도 있었고, 사냥감이 아예 깨지 못할 때도 있었다.

베스트는 어쨌든 의식을 완벽하게 잃는 것이다. 약간의 반응이라도 하지 않는 쪽이 확실하게 목숨을 끊기에 좋았다. 쓸데없는 발버둥이나 반항을 천산혁은 좋아하지 않는다.

그와 비슷한 범죄자들 중에서 어떤 이들은 피해자의 울부짖음이나 고통을 더욱 반기는 부류도 있는 듯했지만. 천산혁은 그런 류는 아니었다. 인도적인 이유에서는 물론 아니었다. '의미가 없다'라는 게 이유의 전부이다.

천산혁은 쓸데없이 비계를 먹는 타입이 아니었다. 맛있는 가장 좋은 부위, 희귀한 한 점을 먹는 걸 즐기는 부류였지. 그가 관심이 있는 순간과 행위는 누군가의 생명이 끊어지는 순간을 보고, 제 손으로 그리 만드는 때다.

자신이 어떻게 해도 절대로 알 수 없는 비밀. 생명의 비밀. 그것이 끊어지고, 부서지는 순간이 이루 말할 수 없는 즐거움을 그에게 주었다.

선천적으로, 또 후천적으로 괴물이기에. 아무것도 느끼지 못하기에. 반증적으로 중요한 무언가를 부수면서 '소중한 어떤 것'을 찾는 것일지 모른다.

가만히 있어서는, 스스로는 생명의 숭고함이나 기본적인 윤리관에 대해서 아무것도 느낄 수 없기에. 제 손으로 부수면서 그것이 '있다'고 실감하는 것이다.

피해자가 쓸데없이 반항을 하면서, 그의 그 중요한 순간을 망치는 건 참을 수 없는 짜증이 치미는 일이다.

천산혁은 오롯한 결정자이자 행위자가 되어야 했다. 그가 주관하는 검은 암실. 사방 몇 미터 정도 되는 공간 내에서는 그만이 주도적으로 움직여야 했다.

눈 아래의 소녀는 다행히, 곱게 누워 있었다.

몸께를 살핀다. 조금의 미동도 없는 듯하다. 불수의근의 작용 외에는 마치 죽은 듯하다. 얼굴께에도 아무런 움직임이 느껴지지 않는다.

바람도 불지 않는 고요한 공간. 이 속에서 그는 초능력에 가깝도록 미세한 감각을 느낀다. 아주 약간의 움직임이 근처의 공기 따위에 영향을 주고.

다 설명하기 어려운 그런 움직임이나 흐름은, 매질을 타고와 천산혁에게 닿는다. 조금의 근육반응도 없는 걸 보아하니, 아직 깨어나지 못했다고 여겼다.

천산혁은 가만히, 박시윤을 느꼈다.

언제 죽여야 할까.

머릿속으로 조금 더 가늠을 하다가, 천천히 걸음을 뒤로 했다.

저벅.

그대로 노출된 콘크리트 바닥을 밟는 발소리였다. 지하실로 들어올 때는 신발을 신는다. 지하실용으로만 두고 있는 신발이 따로 있었다. 아래로 통하는 문 앞에 두고 있다.

저벅, 달칵, 철컥.

느리게 인기척이 들렸다.

철제 문이 단단하게 설치되어 있었다. 제법 오래된 구조물이다. 정확한 건축년도는 천산혁도 잘 모른다. 노인에게 매물을 산 것에 불과하니까. 아마 이런 용도로 쓰기 위해서 애초에 지었으리라.

'노인'은 불법적인 일들에는 모두 손을 벌리고 있는 괴이한 상인이었고, 사람의 목숨도 조건에 맞다면 사고 팔았으니까. 한국에 그를 위한 시설을 지어두었다고 해도 이상할 건 없었다. 다만, 시설을 만들어두는 일과 그것을 적극적으로 사용하는 건 분명 다른 이야기였다.

아마 천산혁같은 괴물이 없었더라면 이 시설이 지금처럼 활발하게 쓰이지는 못했으리라. 끔찍한 일이었다. '활발하게' 쓰였다는 건.

박시윤은 한 발 느리게, 천산혁이 바깥으로 나가는 인기척을 들었다.

눈은 여전히 감고 있었다.

조금도 미동을 하지 않는다.

왜인지 모르지만, 박시윤은 바로 앞에까지 다가왔던 인기척의 주인을 괴물이라고 여기고 있었다. 단순히 지금 자신이 처한 상황 때문만은 아니었다. 살인마나 납치범인 것을 빼고 보더라도, 순수하게 괴물같은 작자였다.

조금이라도 움직였다간, 왜인지 그가 알아챌 것만 같았다. 눈꺼풀을 깜빡이는 것만으로도 말이다.

어질거리는 감각이 '그'가 도로 나갔음을 알려주었다.

미세한 빛이 들어왔다가 사라진다. 감은 눈꺼풀 너머로 그런 게 조금 느껴졌다. 들어올 때는 경황이 없어서 알아채지 못한 점이다.

자신이 느끼고 있는대로, 시각은 멀쩡했다. 눈을 뜨고 있었으나 단순히 어두웠을 뿐이다. 빛은 정상적으로 인지하고 있다. 그녀가 있는 곳은 어둠 속이었고, '바깥'이 있었다.

아마 지하실인 것 같았다. 박시윤은 잘 돌아가는 머리로 그렇게 파악했다.

배가 고픈가?

그녀는 스스로 자문했다. 놀랍도록 이성적인 추론들이었으나. 이미 한계를 넘어버린 상황이다. 박시윤이 견딜 수 있는 인내심의 한계를 말이다. 명료한 정신과는 다르게 어딘가 나사 하나가 빠져버린 듯했다.

꿈이 아니라는 건 확실하게 알았지만, 지나치게 일상에서 벗어난 상황이라 공포를 느끼는 기관이 맛이 가버리기라도 한듯했다.

어쨌든 스스로의 공복 상태를 체크해 본 결과는, '아니오'였다. 더 엄밀하게 말하자면 '모른다'였고.

아니, 애초에 복부 쪽에 아무런 느낌이 없었다. 명료한 정신과 시야가 아니었다면 죽었다고 생각을 했을 지도 모른다.

"……."

아주 조금, 입술이 움직였다. 박시윤은 어둠 속에서 입을 벌렸다. 미약하게 말이다. 공기가 스며들만큼. 물을 조심스레 흘려넣을 수 있을만큼.

그것으로 할 수 있는 건 아무것도 없었지만. 적어도 자신의 몸이 움직이지 못하는 '이유'가 점점 사라지고 있다고 할 수 있었다. 시간이 지나면 마비가 풀릴 것 같았다. 일단 사지가 멀쩡하다면, 할 수 있는 게 많아진다.

아니, 정말 무언가 할 수 있을까?

박시윤의 머리는 어둠으로 물들어갔다. 자신이 바라보고 있는 물리적인 어둠이 아니더라도. 절망같은 것으로 말이다.

알 수 없는 것 투성이다.
그럴 때일수록 정신을 바짝 차려야 한다고 배웠고, 알고 있지만.

이런 상황에서 어떻게 움직여야 하는 것인지에 대해서는, 어디에서도 구체적으로 알려주지 않았다. 박시윤은 자신이 짜낼 수 있는 모든 지혜를 짜내려고 했다.

답을 찾아야 했다, 답을.

어떻게 해야 하지?

공부를 할 때보다도 더 머리가 팽팽 돌기 시작했다.

고요하다. 미약하게 마비가 풀린 입술의 끝에 희미한 감각이 돌아왔다. 추운 것 같았다. 차가운 공기가 입에 닿아 느껴졌다.

희소식일 수도 있지만, 비보일 수도 있었다. 마비가 풀린다는 건.
아까는 그 이상한 괴인, 괴물 앞에서 꼼짝하지 않고 정신을 잃은 채 하는 게 가능했다. 눈만을 제외하면 움직이고 싶어도 움직일 수 없었으니까.
그러나 마비가 풀린 다음부터는 애를 써서 가만히 있어야 했다. 그런 미세한 근육 반응을 저 사람이 눈치채지 못하고 넘어갈까?

박시윤의 결론은 부정적인 것이었다.

소녀의 눈이 어둠 속에서, 불안으로 물들어갔다.

*

31. 화요일

*

얼마나 기다렸을까. 긴 기다림이다.

문이 열렸다.

철컥.

한,

낮이었다. 백주대낮의 태양이 언제나와 같이 땅을 비추고 있는. 약간 짙고 변색된 청록색의 대문 앞이다. 김민식이 서 있는 곳은 말이다.

이전에 들른 적이 있는 집이었다. 단독 주택이며, 근처 주민들과의 왕래가 많지 않은 주인이 사는 곳. '남성' '노인'이 살고 있고, 그 외 다른 거주자가 없는 집.
근래 이사를 왔다고 알려졌고, 오래 전부터 살던 사람은 아니다. 저택은 독립채였고, 출입자도 흔치 않다. 딸려 있는 주차장이 있어서, 주인장의 자가용만이 가끔 문을 열고 드나들 뿐이라고 한다.

'사건'으로 의심되는 실종 건들이 발생한 곳은 서울 남부 지역이었다. 관악, 동작, 구로구 등.
최근 한 건이 더 추가되었었다.

'박시윤'이라는 고등학교 여학생이 사라진 일이다. 김민식은 박주영과 윤계식과 함께 실종 신고자의 이야기를 들으러 가기도 했었고, 그로부터 얼마 지나지 않은 때였다.

아직도 아무런 단서를 찾지 못했고, 신고자를 다시 찾아가기가 어려운 상황이었다. 그래도 무언가 그럴싸한 진척이라도 있어야 얼굴을 좀 볼 수 있지 않겠는가.

빈 손으로 피폐한 심정의 사람을 만나러 가는 건. 여러가지 일을 겪어 철면피처럼 변해버린 그로서도 부담스러운 일이었다. 사건상의 이유로 꼭 만나야 한다면 이야기가 다르겠지만.

지금은 다른 일을 하러 움직이고 있는 중이었다. 같이 움직일 필요도 없었고, 각자 뿔뿔이 흩어져서 주택 조사를 하는 중이다.

해당 의심 지역 근처에 여러 가구들을 돌아보았다. 심민아가 주장하는 건 간단한 이야기였다. 서울 도심은 사방에 CCTV가 깔려 있고, 범죄자는 긴 도주로를 이용하기 부담스러워 할 테다. 서울 내에서 일을 저지른다고 하더라도, 아마 심리적으로 근처에 '사냥터'를 두고 본거지로 사냥감을 옮기지 않을까, 하는 추론이다.

동선이 길어질수록 숨겨야 하는 일이 많을 테니까. 물론 단순한 심증 따위였고, 근거는 딱히 없다. 그러나 윤계식도 그녀의 말에 동의하기는 했다.

그들은 모두 존재조차 드러나지 않는 살인범을 쫓고 있는 집단이었다. 수사본 내에서도 독자적으로 움직이고 있는 별개의 팀이었고, 간신히 중간 관리급의 허락을 받아서 단독 행동을 인정받고 있

400

었다. 조용수 과장을 필두로 한 이들이었다. '윤계식'의 이름은 그 럴 때 참으로 쓸만하다.

은퇴하기 전에는 제법 여기저기서 이름을 날렸던 양반인 모양이 다. 아무튼.

'존재조차 드러나지 않는 살인범과, 살인사건'.

그건 환상에 가까운 말이었다. 분명히 어딘가에는 흔적이 남을 수 밖에 없는 것이고, 마치 마술처럼 착시를 이용할 뿐이지 마법은 아니었다.

그런 면에서 '김연수'라는 가명을 가진 범인은 많은 노력을 기 울일 테였다. 한 가지 장소를 '포인트', 즉 사냥터로 가꾸기 위해 서 수많은 탐사가 필요하리라.

면밀하게 지형을 검토하고, 들어가는 길과 나가는 길을 파악하 고. CCTV의 시야각을 모조리 알고, 자신이 범행을 저지를 정확한 지점과 또 그 이후에 빠져나갈 길을 만들어야 하리라.

시간조차도 알아야 한다는 점에서 난이도가 극악하다. 이토록 사 람이 많은 대도시에는, 시간대에 따라서 인적이 있고 없고가 달라 지니까. 대부분의 시간에 목격자가 존재하는 장소나, 야심한 시 각 아주 일부에만 목격자가 없을 수도 있었다.

고려해야 할 일들이 아주 한가득이리라. 그런 것들을 개인인 살 인범이 모두 계산하고 움직인다는 것이 거진 판타지 소설과 같은 일이기는 했다. 그러나, 김민식은 늘 현실이 소설보다도 더 끔찍하 고 놀라울 때가 있다는 걸 늘 안다.

환상 소설은 현실을 꼬아서 만들어 낸 작가의 유머러스함이다.

그리고, 가끔 어떤 소설들은 현실이 더 지나치고 잔혹하기에 축소해서 묘사를 할 때가 있다. 원본이 되는 진실이, 대부분의 독자들에게 읽혀지기 어려울 정도의 내용을 담고 있기에 말이다.

그런 면에서 성공률 100%를 자랑하는 절대적인 카리스마의 살인범 따위가 존재할 지도 모른다. 이 현대 사회에. 그건 대도시의 그늘과 어둠에 살아가고 있는 괴물이었고, 존재해서는 안될 녀석이었다.

사람의 목숨을 사람이 끊을 수 없다는 논리에 의하면, 경찰 역시 놈을 함부로 사살할 수는 없지만. 적어도 그 놈의 죄악행은 끊어야만 했다. 더 이상 피해자가 나오지 않도록 말이다. 말을 듣지 않는다면, 대가리를 쳐서라도 방향을 돌려야만 하고. 그게 형사가 하는 일이다.

관악구 신전동.
이미 한 번은 얼굴을 본 적이 있는 노인을 보는 일일 뿐이었다.

의심가는 구역 내의 다른 주택들은 많이 돌아보았다. 그러고도 마땅한 진척이 없어서 유력한 조건을 가진 주택들을 다시 조사하는 중이었다.

심민아나 윤계식의 추론을 빌리자면. 김연수 역시 체력에 한계가 있고, 움직일 수 있는 시간도 당연히 제한적이리라.

동선을 최소화하고, 본거지 근처에 양질의 포인트를 형성한 뒤에 사냥을 하리라는 것이다. '포인트'를 완벽하게 가꾸기 위해서 지형 조사를 하는 동안에 그 '범인'은 사회에 노출될 테니까. 아무리 연기를 하고 변장을 하고, 제 모습을 없앤다고 하더라도 리스크는 사

402

라지지 않는다.

누군가의 기억에 많이 남으면 남을수록 살인자의 입장에서는 불안할 수 밖에 없다. 현장 검증을 하려는 수사관이, 목격자 조사를 할 때. '그 때 주변에 수상해 보이는 사람이 반복해서 보였다' 따위의 증언이 들린다면 그를 인지할 테니까.

살인마는 반복적으로 외부에 노출되는 걸 꺼릴 수 밖에 없고, 자신의 인상을 희미하게 만들기 위해서 반드시 텀Term을 두리라. 한 장소에 연속해서 가지 않는다거나, 같은 방식으로 접근하지 않는 것이다.
다양한 방식, 다양한 모습. 변장을 하며 여러 인격을 연기할 수도 있고. 한 지점에 가기 위해서 여러가지 길을 쓸 수도 있으리라.
그렇게 '포인트 조사'에 대한 부담이 늘어나면, 사냥터를 찾는 일 자체는 굉장히 무거운 일이 된다.

단기간에 쉽사리 해결할 수 없는. 체력과 시간을 많이 써야하는 말이다.

아마 한 포인트에 반복적으로 접근하지 않기 위해서, '사냥꾼', 즉 김연수는 여러 포인트를 동시에 관찰하고 있을 가능성이 높았다.
순전히 심민아의 추론이었다.

일 자체가 부담스러워지면 다른 방면에서 노동량을 줄일 방법을 찾게 되어 있었다. '김연수'는 탐욕스럽고, 가진 바 시간이 많지 않은 인물이었으니까 말이다. 윤계식의 이야기에 따르면.
심민아는 윤계식의 의견을 적극적으로 받아들였다. 실체도 없는 유령을 계속해서 쫓아온 고집스런 인간이다. '김연수'에 관한 것이라면 그가 전문가라고 할 수 있으리라.

'김연수'는 분명 나이를 먹고 있을 테였다. 오래 전부터 살인을 해댔으니까.

그리고 과시욕이 넘쳐나고, 자신만의 특별한 방법으로 점수를 내기를 원한다. 고도의 지능과 완벽주의, 강박증 따위를 가지고 있는 사이코패스라고 할 수 있다. 더 노화가 진행되기 전에 확실한 방점을 한국의 역사에 찍고 싶어하는 놈이었고, 그런 놈의 조바심은 멈추지 않는 '노동'으로 귀결된다.

살인만을 저지르는 살인귀에게 노동이란 결국 그를 위한 밑작업을 뜻했다.

탐욕스럽게, 더욱 많은 사람을 효율적으로 죽이기 위해 적당한 포인트를 찾고 있으리라. 잘 쉬지도 않고, 움직일 수 있는 가용 체력을 한계까지 써가면서 말이다.

그런 면에서 결국 '서울'이라는 과밀한 지역에서의 살인이, 범행 지점과 근거지 간의 거리가 짧아질 수 밖에 없으리라는 결론을 도출했다.

움직이는 것 자체가 살인귀에게는 부담스러운 일이라는 말이다.

단순히 살인을 위해서가 아니라, 평범하게 이동하는 것이라면 아무런 문제도 없겠지만. 김연수는 과도할 정도로 자신의 안위에 대한 집착이 강했고, 조금의 흔적도 남기지 않길 원했다. 김연수가 존재한다고 확신하고 수사본은 만들어졌고 수사를 진행하고 있으나.

그에 대해서 직접적인 증거를 얻은 자는 아무도 없었다. 심지어 지방에서, 시체를 현장에 남겨둔 살인 건들에 대해서도 말이다.

지문이나 혈흔, 체모도 조금도 없었다. 발자국은 어떻게 지운 것인지 흔적이 남지 않았고.

무언가 지나간 것 같은 동선은 보이지만 그마저도 완벽하지 않아서, 들어가는 길은 추정이 되는데 범행 현장에서 나가는 동선은 찾을 수가 없었다던가. 기이한 점 투성이인 김연수였다.

농담처럼 비유를 하자면 그만한 '은둔술隱遁術'을 쓰고 있는 놈이다. 정말로 자유자재로 움직이기는 어려운 면이 있으리라.

심민아는 그런 식으로 생각을 했고, 다시금 의심 지역 내의 주택 조사에 집중해보라고 행동조에게 이야기했다.

김민식이, 다시금 녹슨 대문 앞에 서 있는 이유였다.

"크흠."

김민식은 대문이 열리자, 목을 가다듬으며 밀고 들어갔다. 이전에 찾아왔을 때, 한 번은 노인이 집에 있었다. 그 다음에는 없었고. 없었던 시기는 김연수가 지방에서 범행을 저질렀으리라 생각되는 시기와 맞물린다.

민식은 저번에 본 적 있던 노인이 김연수라고 여기지는 않았다.

희박한 확률이었고, 심민아의 추정들은 근거가 있었으나 모두 심증이었으니까 말이다. 정말로 서울에서 김서방 찾기와 같은 일을 반복하고 있는데, 그런 와중에 실제 범인이 걸려들 가능성이 얼마나될까. 김민식은 부정적이었다.

그러나, 부정적으로 여기는 것과 행동하지 않는 건 다른 이야기였다. 희박한 확률이라고 하더라도 그가 할 수 있는 일을 반복하는게, 수색팀의 말단 형사로서 그가 할 수 있는 유일한 일이었다.

움직이는 것에 불만이나, 고까움도 없었고. 그는 자기의 일을 좋아하는 편이다.

6월이었다, 벌써.

아직은 봄 기운이 다 물러가지는 않았다. 한낮이었으나 기온이그리 높지도 않았고. 바람도 기분 좋은 정도로만 선선했다. 조금더 날이 흐르면 확 더워질 때가 있을텐데. 일기예보를 자주 챙겨듣고 기억하곤 한다. 김 경장은.

6월 11일, 화요일.

불의 날이었다. 더운 날. 한자의 의미를 그대로 해석하는 사람따위는 아무도 없지만. 아무튼.

암녹색의 문을 밀고 들어갔다.

그가 정원석을 밟으며 몇 걸음 더 들어갈 때 즈음에, 문이 조심스레 열리며 사내 하나가 모습을 보였다. 늙은 사내였다.

구부정한 자세, 힘이 없어 보이는 걸음걸이. 힘이 다 빠지고 온 화함만이 남은 표정의 남자.

그는 여름임에도 불구하고 조금 치렁하게 늘어지는 스웨터 류를 걸치고 있었다. 바지 역시 품이 넓은, 개량 한복인지 뭔지를.
아래는 검은 톤이었고 위로는 조금 따뜻한 톤의 옷이었다.

눈이 접히도록 웃고 있는 늙은이는 김 경장을 기억하고 있었는지 반겼다.

"아아, 형사 나리…."

또 웬일이신가, 가 빠져 있는 반김말이었다. 김민식은 웃음을 지으며 고개를 숙였다.

"오랜만입니다, 어르신. 기억하시네요."

김민식은 직업 상의 이유로 상대를 기억하는 것뿐이다. 거의 가망이 없는 주택 조사라고는 하지만, 그래도 형사인 이상 할 일은 해야지 않겠는가. 상대방의 인상착의와 특징점들은 머리에 넣어두려고 하고 있었다.

학창 시절부터 그리 머리가 좋은 편은 아니었는데. 현장에 나와서 기억력을 써야 할 때 그는 꽤 나쁜 편이 아니었다. 아무래도 흥미나 집중도의 문제이지 않을까 싶었다. 현장에서의 정보들은 직접 발로 뛰어 얻어낸 것들이고, 잘못 되었다간 큰 위험으로 돌아올 수도 있는 중요점들이었으니.

확실히 김민식은 데스크에 앉아서 사무만 보는 것보다는, 직접 범죄자를 추적하고 발로 뛰어 증거를 찾아내는 일이 적석에 맞았다.

그런 업무 중에 이렇듯, 평범한 노인과 대화를 하는 게 포함되기도 한다.

업무 중의 작은 여유라고 생각했다. 스스로는. 마을 주민들, 시민들과 평화롭게 대화를 하는 것이 사실 바라마지 않는 것 아니겠는가.

형사로서 궁극적인 목표는, 그가 일을 하고 있는 관할권 내에, 나아가 수도권 내에 강력 범죄가 모두 근절되는 것이다. 불가능에 가까운 목표이기는 했지만. 어쨌든 바라는 이상은 그러하다. 그리고 걱정 근심 없이, 한가롭게 주민들과 수다나 떨 수 있다면 얼마나 좋겠는가.

그렇게 되지 않는 게 현실이었으나.

"아, 혹시 오늘은 조금 들어가봐도 괜찮습니까?"

김민식은, 문득 물었다. 계단 위에 선 노인과 정답게 몇 마디를 나누고 난 뒤의 말이었다. 형사로서 꼭 해야 하는 일은 아니었다. 어차피 인근 주민들의 동향 조사와도 같은 업무이다. 반드시 집에 들어가야 하는 건 아니고, 주인이 거절한다면 그로서는 달리 방법이 없다.

노인은 희끗한 머리를 쓸어넘기며, 환히 웃으며 바로 답했다.

"물론일세. 내 차라도 한 잔 대접을 하지."

노인의 웃음에는 티가 없었다. 김민식은 환대에 깊이 감사하며 고개를 꾸벅 숙였다. 정보 조사의 일이었으나 편하게 하면 더 좋은 것 아니겠나. 그는 저벅이며 돌계단을 올랐다. 노인이 먼저 문을 열어두고, 안쪽으로 들어간다. 느릿한 움직임이었다. 기력이 조금 쇠한 것 같았다. 보기에는, 6-70대 정도로 보인다.

　그러나 관절부에 안 좋은 질병이라도 있는지 걸음이 느리다. 어정쩡하고. 안색에 비해서는 더 동작이 느리다고 할 수 있다.

　김민식이 따라 들어갔고, 현관 문을 직접 닫았다.

　찰칵.

*

"…괜찮아?"

그렇게 말을 듣는 건 송민지였다.

"……."

송민지는 대답을 하지 않았다.

 학교. 점심 시간이다. 아이들은 모두 밥을 먹으러 떠났다. 송민지는 덩그러니 혼자 남아 있었다. 몇 명인가 미적거리던 아이들이 있었으나, 송민지를 신경쓰지 않고 이내 곧 교실 밖으로 나섰다.

 여학생에게 말을 건 건, 점심 시간에 찾아온 옆 반의 다른 친구였다. 김선희, 라는 이름이었다. 머리가 치렁하게 길게 늘어져 있었고. 고운 흑발의, 생머리였다. 애초에 두발 규제가 있어서 생머리일 수 밖에 없었긴 하지만. 알이 조금 큰 안경을 쓰고서, 표정을 찡그리며 송민지의 얼굴을 살핀다. 송민지는 창가 자리에 앉아 있었고, 교실에서 운동장을 바라보고 있다.

 조금 공허하다. 말도 대꾸를 않고. 늘상 여유롭고, 잘 웃던 송민지의 모습을 기억하는 친구들이라면 그녀의 상태가 얼마나 피폐한지 알 수 있으리라.
 그녀만 그런 건 아니었다. 다른 친구들도 슬픔을 묻고서 하루를 보내기는 한다. 같은 반 친구의 불행을 좋아하는 녀석은 아무도 없었다. 선생님들조차 말이다.

한 명의 사라짐은 한 명의 것이 아니었다. 그 누군가가 사회에서 차지하고 있던 빈 자리를 모두가 느껴야만 했다. 불행하게도, 그 '누군가'가 교우 관계가 좋고, 주변 사람들을 잘 대해주던 좋은 사람일수록 더욱 크게 말이다.

송민지가 안색이 좋지 않은 건 그녀의 단짝 친구 때문이었다. 박시윤.

최근에는 이전보다 부쩍 연락을 자주하고 있었다. 그리고, 그러다가 어느 순간 뚝 끊겼다. 무슨 일이 있는지, 처음엔 대수롭지 않게 여겼지만. 그 다음 날 학교에서 곧바로 얼굴을 볼 수 없게 되었다.

반 아이들이 사건과 사실에 대해서 조금이나마 알게 된 건 하루가 더 지나서였다. 박시윤의 부모님은 학교에까지 찾아와서 선생님들을 만났고, 송민지는 그 부모님들의 뒷모습을 멀찍이서 봤다.

굽은 등, 흐느끼는 사람. 울음 소리. 교무실의 분위기는 힐끗 보았어도 대충의 사실을 짐작하기 충분한 장면이었다.

송민지는 박시윤이 실종되었다는 사실을 제대로 믿지 못했다. 말이 실종이지, 송민지는 박시윤에 대해서 대부분의 것들을 알고 있는 친구였다. 그녀는 시윤이 말도 없이 가출을 한다거나 하지 않으리라는 걸 확신한다.

그렇다면 제 발로가 아니라, 다른 누군가에 의해서 사라졌다는 뜻이다.

납치, 감금 따위.

서울 대도심 내에서, 평화롭게 살아가던 친구 중 한 명이 그런 일을 당했다는 걸 믿기가 몹시 힘들었다. 일주일 정도 전만 하더라도 모든 게 괜찮았다.

수능에 대한 스트레스는 인문계 고등학생이라면 모두가 느끼고 있는 것이었지만. 송민지는 그런 데 목을 매는 편은 아니었으니까. 나름대로 공부를 하던 가닥은 있었고, 지금 성적에서 떨어지지 않게만 하자, 가 모토였다.

공부를 하고 점점 더 범위가 넓어지면서 유지하는 것만 하더라도 상당한 공부량이 있어야 했지만. 송민지는 머리가 좋은 편이었다. 남들이 생각하는 것보다 더 말이다. 그리 많은 시간을 할애하지 않고도 어느 정도는 할 수 있었다.

그것이면 족했다. 더 바라지 않았고. 그저 느긋하게 일상을 보내고, 박시윤이랑 농담을 서로 나누고. 짓궂게 놀리기도 하고. 최근에 가깝게 지내게 된 백윤석이라는 친구가 있었는데… 그와의 교제도 썩 나쁘지만은 않았다. 심성이 괜찮은 애인 것처럼 보였으니까.

그다지 걱정이 없는 하루였다.

어느 날 친구가 사라진 것만 뺀다면.

"야아… 민지야…."

김선희가 걱정스러운 안색으로 그녀의 책상 곁을 서성거렸다. 송민지는 여전히, 한낮의 운동장을 바라볼 뿐이다. 누군가한테 대답할 여력은 없었다.

"밥은 잘 챙겨 먹어야지…."

김선희는 칭얼거리듯, 그 근처에서 송민지를 한참이나 달랬다.

*

"식사는 이미, 하신 걸까요?"

김민식이 그렇게 물었다. 김 경장은 이미 밥을 먹은 뒤였다. 전날 새벽까지 이곳이 아닌 다른 주택을 감시했고, 잠깐 눈을 붙인 뒤 늦은 아침 겸 이른 아침을 먹었다. 정오가 조금 지난 뒤에 들른 노인의 집이었다.

잠깐 이야기라도 나눌까 싶어서, 안쪽으로 들어왔으나 점심 무렵이었다. 노인의 끼니를 걱정하는 건 자연스러운 물음이었다.

"아아, 나야 했지…. 걱정 말게…. 형사님은 어째,"

노인, 자신의 이름을 박상혁이라고 밝힌 사내는 부엌 쪽으로 몸을 돌리면서 대답했다. 김민식은 거실에 있는 카펫 위, 테이블 앞에 양반 다리로 앉았다.

으레 할아버지 댁에 가면 있을 법한 집기들이 가내의 풍경을 채우고 있었다. 원목 계열의 색감을 가진 다양한 가구들이나 집기들이다. 벽에 붙어 있는 시계는 낡은 듯도 보였고, 정겹기도 하다.

413

그 테두리와 판이 원목으로 이루어져 있고 바늘이 직접 똑딱거리며 움직이는 종류다.

김민식은 TV를 등지고 앉은 참이었고, 테이블 너머 소파를 마주보고 있었다.

부엌에 들어가서 달그락 소리를 내던 노인이 얼마 지나지 않아 다시 거실로 나왔다. 손에는 다기들 따위가 있었다. 찻잔과 받침, 나무 젓가락이랑 찻잎이었다.

부엌에 들어갔을 때 불을 켜는 소리가 났다. 전자레인지 위에 주전자가 끓고 있었다. 김민식의 눈에는 보이지 않았지만. 아마 그러리라. 달그락 소리가 나는 것이나, 수도를 쓰는 걸 보고 짐작한다.

노인이 가져온 찻잎은 둥그런 통에 들어 있었다. 종이로 만들어진, 제법 고급스러워 보이는 포장이다. 늙은 손으로 돌려 여니 달각 하고 열린다. 내부에는 여러 종류의 찻잎들이 잘 정리되어 들어 있었다.

"원하시는 걸로 드시게."

노인은 찻잎을 테이블에 턱, 놔주고는 다시 부엌으로 향했다.

"아, 네 감사합니다…. …… 어르신 좀 도와 드릴까요?"
"아유, 됐-네…."

노인의 말은 느릿했다. 김민식은 그의 행동거지를 살피다가, 힘에 부친가 해서 물었지만 됐다는 말만 돌아온다. 노인은 확실히 천천히 움직였으나, 힘든 기색까지는 없어 보였다. 일정한 속도로 쉬지 않고, 지치지 않고 움직였으니까 말이다.

그냥 구조상 신체 어디에 문제가 있는 모양이었고, 체력 자체는 그리 떨어지지 않은 것 같았다. 그런 식으로 누군가를 보고 그 사람의 능력을 파악하는 건 직업병에 가까운 일이었다. 애쓰지 않아도 자연스럽게 이미 하고 있다.

형사로서의 감이라는 건 확실히 시간이 지나면 지날수록 점점 더 날카로워지는 건지 모르겠다. 형사 생활이 다년간 이어지면서 발달되는 느낌이 있었다. 처음 임관했을 때를 비교해 생각해보면 더 그렇다.

쿵.
김민식은 가만히 앉아서 코만 잠시 훌쩍였다. 새로운 곳에 가면 냄새를 맡아보는 건 그의 반사적인 습관이기도 했다. 어딘지 익숙한 향이 나기도 했다.
노인의 집이라 그런가. 어릴 적에 느꼈던 할아버지 댁, 할머니 댁에서의 기억이 연결되는 걸지도 몰랐다.

그의 시골집은 어촌 마을이었고, 부모님은 조금 더 도시 지방으로 나가서 활어횟집을 오랫동안 운영하셨었다. 어린 시절에는 지방에서 회를 마음껏 먹기도 했었는데. 아무튼 옛날 일이며, 옛날 추억이다.

김민식은 이래저래 상념들을 흘려보낸다. 반쯤 멍을 때리며 노인의 집 안을 둘러보았다.

그렇게 몇 분 정도 시간이 더 흐르고 나서야 노인은 돌아왔다. 쪼르르륵, 하고 물을 따르는 소리도 그 사이에 있었다.

주전자에 물을 끓이고. 그걸 다시 차 전용의 주전자에 부은 모양이었다. 제법 그럴싸한 형식이었다. 노인은 차를 좋아하는 것 같았다. 전용의 다기들을 여러 개 갖고 있는 걸 보면 말이다.

노인은 찻물이 든 도자기 주전자를 가져와 테이블에 놓았고. 자신은 소파에 익숙한 듯 앉았다. 김민식과는 정면으로 마주앉는 자세였다.

김민식은 웃으면서 물었다.

"차를 좋아하시나 보네요, 어르신."

노인은 허허, 숨을 내뱉더니 느리게 답한다.

"뭘, 그냥. 늙으니, 취미지."

그는 김민식이 미리 찻잎 주머니를 잔에 넣어둔 것을 슬쩍 끌어와, 도자기로 물을 부어주었다. 쪼르르륵. 얇은 물줄기가 포물선을 그린다. 노인은 능숙한 동작으로 위로 주전자를 들어올리며 물줄기를 끊었다.

전문적으로 이런 일을 하는 사람같은 모양새였다. 노인의 다양한 행동에는 그의 삶의 이력이 적혀 있다. 사람의 근육은 행동을 기억하니까 말이다. 연기도 마찬가지였다. 어느 정도 '진짜'처럼 보이기

416

위해서, 실제 그 동작을 반복할 필요가 있었다.

김민식은 그가 품위가 넘치는 양반이라고 생각했다. 옷차림이나, 수더분한 말투에서는 잘 느끼지 못하지만. 가만히 행동거지를 보노라면 말이다.

노인은 알고 있듯, 혼자 사는 모양이었다. 주변 주민들에게 물었을 때도 그런 대답을 들었었다.

"가족은 혹시……."

김민식이 후룹, 장미차를 마시곤 조심스레 물었다. 약간 씁쓰레하고, 풍미가 좋다. 기분이 누그러지는 맛이었다.
김민식은 길쭉한 체형이었고, 바닥에 앉아 있음에도 체구가 큼지막했다. 노인은 그를 바라보며 슬쩍 눈을 돌렸다. 거짓말을 하는 사람들이 저렇게 티를 내고는 한다. 혹은, 어떤 슬픔이 있기에 자신의 감정을 다 마주하지 못하는 사람들도 말이다. 어쨌거나 속내를 다 드러내고 싶지 않다는 표현이기는 했다.

"아…. 아들 딸이 하나씩…."
"그러시군요…."

저번에 지나가듯 들었던 이야기이기도 했다. 김민식의 뇌리에는 어렴풋이 남아 있다. 자식들을 해외로 보냈다고 했던 듯하다.

"아드님 성함이 어찌 되나요."

김민식은 툭툭, 물었다. 그리 공격적인 어투는 아니었다. 그러나 형사 생활로 더욱 굳어진 그의 성격 탓에 조금 딱딱한 면이 있었다. 노인은 그리 어렵잖게 받는다.

"박재영이라고…. 딸은 박민아라네…. 집사람도 떠나고… 이제 나한테 남은 보물들이지…. ……. 보고 싶을 때 보기가 힘들지만…."

서글픈 이야기였다. 노인, 홀로 남은 사내는 그런 어투로 이야기를 했다. 오래도록 세월을 견딘 남자는 슬픔 앞에서 덤덤한 체 하는 것만 익히게 된다. 아무렇지 않게 이야기를 하지만 슬쩍 고개를 돌린 그 모습에서 감정의 떨림이 느껴지는 것 같았다.
김민식은 그렇게 이해했다.

"아아…. 예…."
"하하, …. 딸아이는 아직 시집을 안갔다네. 30대 초반인데…. 공부를 좀 더 하고 싶다면서 제 오빠 집에 얹혀 살고 있어…. 제법 예쁜데, 사진 보여줄까?"
"아하하…."
"형사 양반이 마음에 들면 혹시 또 모르지. 한국으로 들어와 살지도."

그렇게 말하는 노인의 얼굴에 웃음기가 있었다. 농담에 가까운 말이기는 했지만. 상상만으로도 웃음기가 붙을만한 말인 모양이다. 노인은 조금 외로워보였다.

김민식이 딱히 거절하지 않자, 사내는 소파 근처에서 핸드폰을 찾았다. 팔걸이 근처의 틈에 스마트폰 하나가 끼어 있었다. 나온 지 시간이 좀 지난 모델이었다. 중저가형 정도의 기기였고. 노인은

418

약간 떨리는 손길로 조작해서 내부의 사진첩을 연다.

풍경 사진, 꽃 사진. 무언지 모를 문서 사진. 그런 것들이 지나고, 예쁜 아가씨의 사진이 하나 나왔다. 밝게 웃고 있고, 약간 어두운 톤의 피부를 가진 여성이었다. 아주 조금 태닝을 한 것도 같았다. 검은 머리에, 인상이 좋다. 정확히 말하면 미인이라고 할만하다.

예쁘지,

하고 노인이 물었고, 김민식은 멋쩍은 미소만 지으면서 대강 대답했다. 이러려고 들어온 건 아니었는데.

김민식은 노인의 채근에 몇 개의 사진을 더 넘기면서 보았다. 하나같이 얼굴이 잘 드러나는 사진들이었다. 분명히 미인이라고 할만하다. 유심히 보면, 박상혁과 어느 정도 닮은 면도 있는 듯했다. 딸은 아빠를 닮을 때가 많다던가. 그럴 지 몰랐다.

집 안에서 찍은 것인지, 목을 시원하게 드러내고 있는 사진들이었다. 머리는 조금 긴 편. 뒤로 늘어뜨려 어깨 아래에 닿을 정도였다.

김민식은 핸드폰의 그립감을 느끼면서 잠시 사진을 보다가 돌려주었다. 겉에 젤리 케이스가 씌워져 있었고, 흠집이 많았다. 노인은 딸이 사준 것이라며 그 짧은 새에 자랑을 얹는다.

이후로도 김민식은, 마주 앉아서 신변잡기에 관한 것들을 조금 더 이야기했다. 자신의 사정도 이야기하고 말이다. 대화가 일방적

일 수는 없지 않겠는가. 오며가며 주고받는 정보들이 있어야 정상적이리라.

차 하나를 두고 적잖은 말들을 나눴다. 차가 맛있어서, 한 번 더 우려내어 마셨다. 고급 제품인지 티백 하나에서 두 번을 우려내도 맛이 깊었다.

"……저 문은 뭡니까?"

김민식이 문득 거실에서 보이는 닫힌 문 하나를 보았다. 나무 문이었다 잘 쓰지 않는 것처럼, 근처에 짐이 쌓여져 있었다. 그가 앉은 테이블, 거실 자리에서 오른쪽으로 고개를 돌리면 있다. 단독주택의 내부는 깨나 넓었고, 거실에서 문득 보인 문까지의 거리도 제법 되었다.

"아, 창고 방이라네. 잘 쓰지 않는 곳이야…. 늙은이 혼자 사니 집이 넓어서 관리도 안되고 참…."
"아하…."

김민식은 자연스레 여기저기를 둘러보았다. 층고가 높은 집이었다. 옆으로 계단도 하나 있어 2층으로 올라갈 수 있었고. 1층의 거실 자체는, 2층의 지붕과 위쪽이 같은 층으로 되어 있었다. 테이블에 앉아 그대로 고개를 위로 들어올리면, 낡은 유리 조명이 위에 설치되어 있다.

잘 쓰지 않는 모양이었다. 오래도록 켜지 않았는지, 닦지 않았는지. 먼지가 묻어 있는 것도 같았고. 김민식은 눈썰미가 좋고 시력도 좋은 편이었다.

"어째…. 형사 나리가 늙은이 상대를 해주니 적적하지 않아서 좋기는 하구만…."

"하하하…."

김민식은 노인의 너스레에 대충 웃었다.

"최근에는 좀, 여행이라도 다녀오시고 하시진 않았습니까? 적적하시면 어디 다른 곳 구경이라도 하는 게 좋을 지 모를텐데…."

"이 사람아…. 내가 뭐 돈이 있나 기력이 있나…."

"아이고 어르신…."

그렇게 몇 십 분을 더 있다가, 김민식은 집을 나섰다. 노인과의 대화는 즐거운 편이었다. 말투가 느리기는 했으나. 농담을 곧잘 건네는 유쾌한 성격의 어르신이었다. 차 한 잔을 얻어마시고, 형사는 다음 주택의 실태 조사를 위해서 움직였다. 가야할 곳이 제법 많이 있었다.

그 중에 범인이 있을 지도 모르고, 없을 지도 모른다. 물증이 없기 때문에 아마 높은 확률로 없겠지만은. 심민아의 의지는 단호했고, 일단 형사들 역시 그에 따르기로 했으니 망설이지 않고 따르는 중이었다.   ***

*

"하악."

어둠 속에서 소리를 내는 이가 있었다.

그, 아니 그녀는 쇠약해질대로 약해져 있었다.

아직도 풀려날 방법을 찾지 못했다.

그나마 알아챈 건 생각보다 자신의 목숨이 길게 이어진다는 사실이었다.

박시윤은 절망하지 않았다. 절망하는 게 더욱 자연스러운 상황이었음에도 말이다.

'약물'의 효력은 거의 사라져갔다. 몸을 움직이는 게 가능할 것 같았다. 그러나 그녀가 할 수 있는 건 없다.

철제 침상이 묶여 있는 것 같았고, 벌써 며칠 째인지 모른다. 아무것도 먹지 못했다. 때로, 철문이 열리면서 정체를 알 수 없는 남자가 그녀의 입에 물 정도만을 흘려보냈다. 때로는 무언가 섞여 있는 물처럼도 느껴졌다.

언젠가부터 미각이 돌아와 있었으니까. 감각이 살아날수록 공포가 극대화될 수 있었지만, 애초에 어둠 속에서 박시윤의 정신은 반쯤은 미친 상태였다.

그녀에게 있어서는 긍정적인 방향으로의 미침이었다.

불필요한 감정은 크게 느끼지 않았다. 지금 혼란스러워해봤자 아무 도움도 되지 않으니까 말이다.

박시윤은 살아날 길만을 생각했다.

어둡고, 습기가 조금 있는 동굴과도 같은 곳. 자신은 묶여 있고, 꼼지락 거리며 아주 조금 몸을 뒤트는 것만이 가능하다.

아주 튼튼한 줄에 묶여 있는 것 같았다. 뭔지도 정확히 알 수 없었다. '줄'이라고 인식이 될 뿐이었다. 아무리 어둠에 눈이 적응해도 주변의 사물을 분간하기가 어려웠다. 철문이 닫힌 상태에서 내부는 그야말로 온전한 어둠이다.

오래도록 있다보면, 코로 내부 공기를 받아들이다 보면 가끔 오싹할 때가 있었다. 왜인지는 모르지만 비릿한 혈향이나 그 흔적이 조금 느껴져서일 것이었다. 박시윤으로서는 이유를 알 수 없었으나, 본능적인 섬칫함이었다.

'남자'가 방에 들어올 때는 그저 눈을 꾹 감고 정신을 잃은 척을 했다 '약물'이 점점 풀려가는 것을 속일 수는 없었다. 그저 깨어나지 않은 척만을 하고, 가만히 있었다. 남자 역시 기본적인 근육 반응들이 살아나는 걸 보면서 곤란해 하는 것 같았다.

박시윤은 입을 슬쩍 벌려서, 물 따위를 흘려보낼 때가 가장 고역이었다. 아주 조금씩 흘리는데, 누운 채로 자연스럽게 마셔야 했다. 꿈결에, 잠결에. 정신이 몽롱한 상태에서 그렇게 하는 것처럼 행세를 하면서.

이미 남자에게 전부 들켰는 지도 모른다. 그저 언제 죽일까, 재미삼아서 시간을 보내고 있는 것일지도 몰랐다.

남자가 박시윤의 얼굴께를 만지고 물을 흘려보내줄 때는, 특수한 장갑 따위를 끼고 있는 것 같았다. 맨 손의 느낌은 결코 아니었다.

조금도 싫은 티를 내지 않기 위해서 박시윤은 필생의 노력을 다해야 했다.
얼마간은 말이다.

남자가 주는 식용수는 아주 제한적이었다. 하루에 몇 모금 정도. 보통 사람이 땀을 흘리는 등으로, 아무것도 하지 않아도 증발하는 수분의 양이 상당했다. 잠만 자고 일어나도, 더운 곳에서 잔다면 한바탕 땀을 흘리리라.

남자는 정확한 용량을 알고 있는 것 같았다. 최소한의 식용수로 어느 정도 목숨을 부지할 수 있는지.

박시윤은 한 번도 소변을 보지 않았다. 초반에는 약물때문에 몸에 감각이 없었지만, 중반부터는 아예 힘이 없었다. 3일이 지난 시점에서 박시윤은 눈을 처음 떴다. 그녀는 그게 며칠이 지난 뒤인지 전혀 모르지만 말이다.

이후로는 어질거리는 감각 속에서 잠에 들었다가 깨었다가. 혹시나 남자가 다가오는 기척이 느껴지면 그대로 정신을 잃은 척을 하기도 하고. 혹은 잠에 든 순간에 다녀간 적도 있었다. 희미한 정신 속에서 주변에 무언가가 움직이는 걸 느꼈었다.

선잠을 자고 깨어나고를 반복했다.

정신을 차린 뒤 다시 며칠이 지나자 온 몸의 기력이 다 빠졌다. 건강한 십 대의 신체라고 하더라도 말이다. 숨을 토해낸 것 역시 간신히 하는 느낌이 있었다. 말 그대로 살아만 있었다. 죽지 않을 정도의 물.

그리고 계속 속박되어 있는 몸. 근육이 결리지 않으려 박시윤은 계속 몸을 뒤틀었다. 아무리 힘이 들어도, 조금씩은. 스트레칭을 하듯이 애를 썼고, 기회를 엿봤다. 기회 따위는 조금도 나지 않았지만 말이다.

그렇게 애를 쓰고 나면 기력이 떨어져서 일일이 무언가에 반응하기도 쉽지 않았다. 정신을 차린 초반에는 남자가 다가올 때 애써서 기절한 척을 했으나, 후반부에는 눈만을 감고 있어도 크게 의심스러워 보이지는 않았다.

며칠이 지났는지 알 수 없다. 박시윤은 정신적인 고통과 스트레스가 너무 강해서, 머리 한 켠으로 미뤄버렸다. 살아남아야 한다는 일념만으로 버티고 있었다. 어둠 속에서 뜬 눈은 아직 빛을 잃지는 않았다.

물리적으로는, 동공이 반사할만한 광량이 마땅찮아서 그저 어둠 속의 눈빛이기는 했지만. 그녀의 의지를 표현한다면 말이다.

남자가 들어와 그녀를 살피고, 다시 나가고 하는 데는 상당한 시간의 텀이 있었다. 대부분의 기간을 그녀는 어둠 속에 홀로 있다. 지금은 남자가 그녀의 입에 미량의 물을 흘려넣어 준 뒤 나가고 얼마 지나지 않은 때였다.

시간감은 이미 맛이 가버렸지만. 적어도 두어 시간 정도이리라. 아무리 길어도 말이다. 남자는 대략적인 가늠으로, 하루에 한 번 정 도 들르는 것 같았다.

이미 잡아둔 그녀에게 큰 관심까지는 없는 모양이었다.

*

"예, 경위님."
["별다른 진척 없습니까?"]
"별일이네요. 경위님이 직접 전화를 다 하시고."
["그냥, 궁금해서요. 현장 정보는 언제나 목마른 상황이니까."]
"……."

김민식이 노인의 집 밖으로 빠져나온 뒤였다. 그리고 몇 가지 사실들에 대해 고민을 하고 있었다. 말할까, 말까에 대해서.

일단은 머릿속에서 결론이 나야만 입 밖으로 꺼낼 수 있을 것 같았다. 정리되지 않은 사실을 두서없이 늘어놓는 건 그가 좋아하는 일이 아니었다.

윤 선배와도 상담을 좀 하고 싶기도 했다. 윤계식 말이다. 같이 보낸 세월이 어느덧 몇 개월을 넘어서 1년에 가까워지고 있었다.

지독하게 긴 날들이었다. 그 기간동안 잡히지 않은 '김연수'가

또한 몸서리 쳐질만치 섬뜩하기도 했고.

그런데 그 김연수를 자신이 본 것 같았다.

*

"편한 데에 앉으시게…."

라고 말을 하던 노인을 김민식은 떠올렸다. 얼마 지나지 않은 일이었다. 문득 든 위화감이 머릿속에서 정리가 되었고, 몇 가지 살벌한 가정을 떠올리게끔 했다.

친절하게 자신을 대해주었던 노인, 박상혁의 집에서 나와 다른 몇 개의 주택을 더 오고간 이후였다. 한 번 들기 시작한 생각은 꼬리에 꼬리를 물었고, 의외로 자신이 떠올린 말도 안되는 가설이 사실적이지 않은가, 하는 마음마저 조금 들었다.

노인.

박상혁이 보여 준 딸은 그의 친 딸이 아니었다. 두 사람은 다른 사람이었으니까 말이다.

김민식이 본 사진은 두 명이었다.

노인은 어떤 참한 아가씨의 사진을 꺼내어 김민식에게 들이밀었다. 그리고 핸드폰을 건네주기도 했다.

손때가 묻은 스마트폰이었다. 겉에 붙어 있는 케이스에도 잔금이 많이 가 있었고. 사용감이 있는 물건임을 바로 알았다. 핸드폰을 건네받아 그는 사진을 넘겨보았다. 그, 박상혁의 표정을 살피면서 말이다.

갤러리를 함부로 보는 건 상대가 의도하지 않은 일일수도 있으니. 보아도 괜찮겠냐는 뜻이 담긴 짧은 제스쳐였다.

노인, 박상혁은 '그러시게'라는 듯이 김민식을 보았다. 그는 어깨를 으쓱거리면서 핸드폰 사진을 넘겨보았다.

그리고 나열되어 있는 두 장의 여자의 사진을 보았다. 그는 사람을 구분하는 눈이 빠른 편이었다. 남들보다 훨씬, 말이다. 기본적으로 형사로서의 감이라고 할 수도 있었다. 사람을 구분 할 때 이목구비의 변하지 않는 위치라거나, 점이라거나. 골격이라거나. 그런 것들을 본다. 화장을 많이 하고 빛 보정을 넣은 사진으로 완벽하게 파악하는 건 좀 어려운 일이기는 하지만.

공교롭게도 그가 본 연속된 두 장의 사진은 알아보기 쉬운 편이었다. 크게 보정도 없었고. 보통이라면 같은 사람으로 알아챌 것이었다. 그런데, 점의 위치가 달랐다. 눈도 가만히 보면 짝눈이었고. 한 개의 사진은.

박상혁이 그에게 넘겨주었을 때 본 사진, 그걸 A사진이라고 할 때. 그 다음에 넘겨 보았던 B사진과는 다른 인물이었다.

둘 다 근접해서 찍은 셀카였다. 어떤 성적인 의미나 느낌은 전혀 없었고, 부모나 가족에게 보내주기 위해서 얼굴을 찍은 듯한 자연스러운 사진이다.

428

그만큼 가깝고 보정도 적었다.

A사진에서는 왼쪽 목덜미에 점이 있었다. B사진에서는, 그 점이
사라져 있었고, 오른쪽 목 부근에 점이 하나 생겨 있었다.
A사진의 인물은 완벽하게 똑같아 보이는 양 눈을 갖고 있었다.
B사진은 왼쪽 눈이 미세하게 쳐져 있었다.

미세한 차이다. 보통이라면 알지 못할 만큼. 넘겨 보면서 그런
차이를 알 수 있는 사람은 달리 없으리라.

그리고 김민식은 계속해서 사진을 넘겼었다. C사진, D사진. 그
이후로 보게 되는 사진들은 A사진과 동일 인물들로 보였다. 모두
얼굴 근처에서 찍은 사진들이었으니까.

그 정도로 닮은 이의 사진이라고 한다면, 잘못해서 사진이 섞였
을 수도 있다.

그런데 보통, 그 정도로 닮은 이의 사진이 섞일 수가 있을까.
사진 속의 인물이 자신의 친 딸이자 가족이라고 한다면 말이다.

친 딸과 똑같이 생긴 다른 여자에 대한 건, 분명히 화젯거리가
될만하다. 쌍둥이 딸이 있다거나. 혹은 딸아이가 다른 곳에서 만난
친구가 놀랍게도 자신과 똑닮은 외모를 가졌다고 한다거나. 흔치
않은 일이니만큼 친하지 않은 사람과도 나눌만한 이야깃거리가 되
리라.

그럴 때 장난으로, 딸이 친구의 사진을 이용해서 아버지를 헷갈
리게 했을 지도 모른다.

그런 게 아니라면 닮은 인간의 사진이 나란히 저장되어 있는 건 이상하다. 관계가 없는, 그 '외모'가 필요한 이가 여러 사진들을 함께 저장하다가 벌어진 실수가 아니라면.

노인과는 차를 마시면서 이런저런 대화를 했다.
어쨌든 노인은 지금 가족이 없이, 혼자 살고 있었다. '김연수'의 정체에 대해서 여러모로 프로파일링을 했던 바로는, 그가 가족이 없으리라는 결론이었다.
어떻게 가족이 있을 수 있겠는가. 그 정도로 확고한 살인 충동 을 겪는 살인귀가.

자신의 인생 전부를 범죄에 쏟아 바친 인간이다. 그렇지 않고서 는 불가능한 기록들을 남긴 작자였으니.
인생의 시간을 대부분 투자했으니 적당한 일감을 얻고, 인간관계 를 구축하는데 어려움이 많을 테였다. 살인에 대해서 완벽하게 멀 어진 뒤에 일반적인 관계성을 쌓아나가기만 한다면 일시적으로 가 족이 있을 수는 있겠지만.

결국 김연수의 본질은 완벽한 살인귀였다. 누구에게도 들키지 않 고 살인을 계획하고 실행하는 악마적인 수준의.
그만한 계획과 실행력을 가진 이의 범죄 행위에는, 다른 누구의 개입이 불필요하다. 아니, 있어서는 안된다. 몇 사람이 더 끼어드는 순간 계획이 어그러지게 되리라. 김연수의 살인행에는 보조를 맞출 수 있는 똑같은 살인귀만이 필요했다.

사이코패스들 중에서도 지독한 정도의 수치를 보이는 강도 높은 미치광이 말이다. 그게 지금 잡힌 상태의 '김재영'일 테였다.

다른 누군가와 관계를 가진다는 건, 김연수가 가진 비밀스러운 여러 정보들을 공유해야만 한다는 이야기와 같다. 타인은 속일 수 있어도, 자신의 생활 바운더리 내에 들어온 이들을 속이는 건 아주 어려우리라.

누가 보더라도 이상할 정도로 확실한 시간과 노력을 투자해서 살인을 저지르는 인간이었으니까.

정말 만에 하나 두, 세 명 분의 인격과 인생을 연기하면서 완벽하게 가정을 꾸리는 게 가능하다고 해도.
그럼에도 결국 심민아의 결론은 '가정이 없을 것'이었다.

말했듯 김연수의 목적은 더 많은, 효율적이며 위대한 살인이었으니까.
놈은 자신의 '스코어 쌓기'에 방해되는 것들을 인생에 두지 않을 놈이었다.

그게 살인마로서 자신의 정체를 가리는 최고의 가림막이라고 하더라도. 본질적으로 목표가 범죄를 저지르고, 누구보다도 악독한 기록을 남기는 데 있는 놈이었으니까. 본질이 흐트러진다면 방식적인 면은 얼마든지 수정을 할 놈이었다.

그만큼, 순수하게 악독한 놈이었다.
목적을 위해서 다른 것들을 조정하고, 몰입을 하는 어떤 미치광이 살인마.

'노인' 박상혁은 가족이 있었으니 제외되는 걸까.

김민식은 그 날 하루가 가기 전에 많은 의구심을 품었다.

가족이 있다고 말은 했으나, 실제로 보지는 못했다. 일단 그의 집 안에는 박상혁 뿐이었다.

외형적인 조건 자체는 심민아가 제시한 것과 모두 맞다. 그런 집을 찾으라고 했다, 정확히.

이웃과 떨어져 있으며, 누군가에게 들키지 않고 은밀하게 차량으로 드나들 수 있는 저택.

늙은 사내 혼자 살고 있는 곳.

박상혁의 체형은 조금 굽어 있었다. 운동과는 담을 쌓은 듯 보이는 노인의 모습이었다. 나름대로 정정한 면은 있었지만, 자세가 어정쩡하고 아주 느리게 움직였다. 심지어 말조차도.

그러나 그의 체격을 정확하게 직시한 적은 없다. 품이 큰 옷을 입고 있었고, 늘어지는 스웨터 안쪽에 어떤 체형을 갖고 있을런지는 모르는 일이다.
'김연수'는 어떤 운동 선수보다도 뛰어난 체형을 갖고 있다고 했었으니. 실제로 근육량 따위를 알아보면 적어도 알게 되겠지만.

그 점에 있어서는 '모른다' 정도가 맞으리라.

노인은 '박재영', 아들이 외국에 나가서 살고 있다고 이야기를 했다.

딸도 마찬가지인데, 아들이 결혼을 했고 딸은 그 아들 집에서 얹혀 살고 있다고.

한국계 미국인과 결혼을 해서 아예 그곳이 주거지가 되었고, 한국에는 아주 가끔 들어온다고 말이다.

'딸'은 늦게까지 공부를 하고, 또 하고 싶은 일을 위해서 애쓰고 있는 중이라고 했다. 경영 계열의 대학원이고, 한국에서 회계사 자격증을 땄으나 미국에서 일을 하고 싶어서 가 있는 상황이라고.

미국에서 사용 가능한 국제 회계사 자격증을 따기 위해서 준비 중이라고 말을 했다.

대강의 사연들에 특별히 의심가는 점은 없었다. 당장은.

김민식은 그렇게 이야기를 두런두런 나누면서, 자신에게 차를 따라주던 손길을 기억한다. 노인의 손놀림은 아주 익숙해보였다. 오래도록 차를 마셔본 듯 말이다. 그 손짓이 굉장히 '날카롭다'라고 느꼈었다.

그건 어느 정도 근육과 운동성에 관련한 것이기도 했다. 다른 부분들은 몸이 좋지 않아 보였지만, 완력 정도는 살아있는 모양이었다. 흔들림 없이 뜨거운 물이 든 찻주전자를 들고, 정확한 각도와 위치를 유지하면서 물을 따라주었으니까.

같은 동작을 하고, 무언가를 들더라도 얼마나 흔들림이 없느냐, 로 상대의 근육량을 알 수 있는 법이었다. 노인이 힘이 약한 편은 아니리라.

노인이 쓰고 있는 핸드폰은, 또한, 자신의 것이 아니었다.

자세는 구부정하지만 완력이 살아있는 노인의 것이라고 하기엔 지나치게 잔 홈이 많았다. 기스가 났다, 고 하는 실금들은 액정의 커버 테이프 위로도 잔뜩이었고, 투명한 젤리 케이스 안쪽으로도 많았다. 케이스 자체에도 떨어뜨린 흔적들이 아주 많았고 말이다.

뭐 물론 차를 따르던 노인의 모습에서 그것을 추론하는 건 많은 비약을 거친 일이기는 하다. 찻물을 우려내는 일 외에 다른 부분에서는 얼마든지 엉성할 수 있으니까. 젊은이들조차 집중력이 없는 이들은 핸드폰을 툭 하면 떨어뜨리는데. 노인이라고 한다면야.

거기에 핸드폰의 뒤쪽에는 일련번호가 지워져 있었다. 일부러 지운 것처럼 말이다.

노인이 쓰고 있는 기종은 나온 지 시간이 좀 지난 것이었고, 국내 대기업의 모델이었다. 그 뒤에는 기종명이 늘 영어와 숫자로 적혀 있었는데, 근 몇 년간 그 '국내 대기업'은 젊은이들의 유행 때문에 작게 홍역을 앓았다.

대기업이 대치하고 있는 외국계 스마트폰 제조사에 비해서 촌스럽다, 는 반응이 나오던 것이다. 국내 제품을 쓰는 이들은 모두 유행에 동떨어지고 아무런 미적 감각이 없는 인간이라는 양 호들갑을 떠는 작자들이 많았고, 그 덕분에 젊은 아이들 중에서는 뒤쪽의 일련번호나 로고를 지우려는 짧은 유행이 일었었다.

김민식 역시 들어본 적이 있었다. 자신의 조카가 당장 그러고 있었으니까. 기기 후면판에 적혀진 일련 번호는 쉽게 구할 수 있는 화학 용액 따위를 이용해서 지울 수 있다고 한다. 후면만 따로 분리를 해낸 다음에, 용액에 담가놓고 시간이 지난 뒤에, 긁어낼만한 칼 따위로 살살 긁으면 코팅된 도료를 깔끔하게 없앨 수 있다고.

제법 복잡한 방식이었고, 더 나아가는 놈들은 일련번호만이 아니라 국내 대기업의 로고까지도 지웠다.

박상혁이 그에게 주었던 핸드폰은 일련 번호가 깔끔하게 지워져 있었다. 국내 핸드폰 제조사의 영어 이름이 박힌 로고는, 지우다가 포기한 듯 반쯤만이 사라져 있었고. 세월에 의해서 사라질만한 건 아니었다. 그 정도로 깔끔하게 지워지지도 않았고, 오랜 시간이 지난다고.

박상혁이 했던 여러 말 중에는 핸드폰에 대한 것도 있었다. 딸아이가 미국으로 떠나기 전에 직접 선물을 해준 것이라고. 그래서 소중히 잘 쓰고 있다며 말이다. 손을 떨어대며 핸드폰을 쥐고 있는 노인의 손을 보면, 별다른 생각이 나지 않는 게 정상이기는 하겠다만.

한참 시간이 지난 이후 김민식의 머릿속에서는 그런 식으로 거짓말의 흔적들이 미심쩍게 떠올랐다.

박상혁은 웃는 게 참 잘 어울리는, 푸근한 노인이었다. 자신의 나이를 60대 중반이라고 말하기도 했고. 기력이 떨어지고, 세월의 풍파에 독기는 사라지고 인자함들이 바깥으로 나와도 이상하지 않은 나이이기는 했다.

그런 점에서 박상혁의 집은 지나치게 깔끔했고, 각이 맞추어져 있었다. 시간을 들여 고강도의 청소를 주기적으로 하는 것처럼 말이다.

어느 정도 생활감이 있기는 했으나, 사용하지 않는 공간들은 대개 그러했다. 일견 보기에는 알아채기 어려운 점이기도 하다.

흔히 본가댁에 가면 볼 수 있는, 불그스름한 원목 테이블이니 장이니 하는 가구들이 여기저기에 있었고, 낮임에도 조금 어둑하게 커텐을 쳐둔 실내였으니까.

또 세월을 지내며 모아온 여러가지 잡동사니들이 인테리어 소품으로 많이 있었으니까. 제각기 다른 모양을 하고 있는 소도구들이었고, 그것들의 다양성을 보다보면 알아차리기 어렵기는 하지만.

결국 중요한 물건들의 위치는 모두 선이 맞고, 각을 맞춘 상태라는 걸 알았다. 그가 앉아 있던 카펫과 테이블만 해도 그렇다. 카펫은 정확하게 박상혁의 발 아래에서 시작했다. 소파의 끝과 카펫의 끝이 맞았고.

함께 차를 마셨던 테이블은 정확하게 그 사각형의 중심부에 위치했으니까.

청소가 잘 되어 있는 건, 가끔 고용인을 써서 했겠구나, 할 수 있는 이야기였다. 그러나 박상혁은 실제 자신이 움직이는 것과는 달리, 집 안 구석구석에 정교한 규칙성을 두는 남자였다.

움직일 힘도 잘 없어서 느릿하게 걷는 모습과는 딴 판으로 보인다. 그건 편집증적인 성향을 가진 누군가가 일일이 감독하며 맞추지 않는 이상 어려운 물체의 나열이었다.

그리고 결정적으로.

그가 본 '창고 문'은 원래 주택의 도면에는 없는 것이었다.

그들이 조사하고 있는 주택의 건축 계획서나 도면 따위를, 관공서 직원들의 도움에 의해서 받아볼 수 있었다. 개인이 살고 있는 건물에 대한 정보이기는 했으나. 애초에 건물을 지어 올릴 때 공개적으로 게시하는 물건이라 조회하는 게 어렵지는 않았다.

김민식은 건물의 외관을 보면서 도면을 떠올렸고, 다시 내부 구조를 보면서 설계도와 간단하게 대조를 해보았다.

'창고 문'을 물어본 것도 그런 이유였다. 그 쪽으로는 방이 있을 만한 공간이 없었다. 건물의 지지를 위해서 만들어 둔 두터운 콘크리트 벽이 통째로 기둥 역할을 하고 있는 곳이었고, 그 전부를 덜어낸다고 하더라도 방이 될만한 크기도 아니었다.

그러나 방문은 멀쩡하게 건물 안쪽에 있었다. 그것도 아주 오래전에 달린 것처럼, 집 안 내의 다른 집기처럼 낡은 모습으로 말이다.

박상혁은 혼자 살고 있기에 사용하지 않는 방이라고만 했다. 실제로 그 근처에 쓰지 않는 듯한 다른 짐들이 놓여 통행을 방해하고 있기도 했고. 누가 들어도 그렇게 여기리라.
그런데 그쪽 문을 열고 그대로 직진하면, 그냥 주차장과 주택 사이에 있는 빈 공간이 나와야 했다. 주차장과 연결되어 있는 건 다른 쪽이었다. 2층으로 올라가서 통로를 지나 주차장 건물 쪽으로 가게 되어 있었다.

건물의 외부에서 지켜 보았을 때도, 도면과 다른 증축 시설은 딱히 보이지 않았다. '문'은 거기에 있을 이유가 없는 문짝이다.

노인은 최근 여행을 다녀온 적은 없다고 했다. 주변 이웃들에게 물어본 바로는, 분명 근 몇 개월 정도를 보지 못했다고 했는데. 밤에도 불이 켜져있던 적이 없었고. 직접 목격하거나 물어본 바가 아니기에 정확한 증거는 아니지만, 정황상의 증거 정도는 된다.

박상혁은 몇 개의 거짓말들을 하고 있었다.

김민식은 그리고, 중요한 사실 한 가지를 알아챘다.

*

"뭔가를 찾은 것 같다고."

심민아 경위는 갑작스럽게 뚱딴지같은 말을 하며 방문한 김민식을 처다보았다.

김민식의 요청으로 일단 윤계식 역시 와있는 상황이었다. 박주영이나 김현식 역시도.

"어, 예……."

김민식은 자신이 떠올린 사실들에 대해 하나씩 풀어놓기 시작했다.

＊

　김민식의 고향은 항구 도시였다. 부모님은 그 근방에서 횟집을 하고 있었고, 민식은 어린 시절부터 그런 일상에 자연스럽게 적응했다. 여러 경험과 기억들이 어린 시절 그의 추억을 채우고 있었다.

　개중에는 횟감을 치고 물고기의 피를 빼는 일을 하는 주방에서의 시간도 있다. 그가 요리와 관련해 부엌 일을 도운 건 아니었지만. 아버지가 가끔 대청소를 할 때 옆에서 거들기는 했었다.

　생선을 비롯해 핏물이나 그 찌꺼기 따위가 여기저기에 튀기도 하고, 오래 시간이 지나면 악취가 되기에 특수한 용액을 사용해서 깨끗하게 청소를 하곤 했다.
　아무리 잘 닦아도 끝까지 남아 있는 비릿한 혈향을 없애기 위해서 쓰는 화학약품이었고, 그만큼 그에게는 익숙하다.
　일반적인 사람은 잘 느끼지 못하겠지만. 그의 코는 기억하고 있었다.

　김민식은 박상혁의 집에서, 아주 익숙한 화학약품의 냄새를 느꼈다.

　희미한 것이었으나 잘못 느꼈다고는 생각되지 않았다. 그리고 그건, 따라가다보면 그가 의문을 가졌던 창고 쪽으로 향하는 냄새였다.

　'무취'로 만들어준다고 선전을 하고 있는 화학약품이었으나, 사실상 그 약품 자체에도 특유의 향이 있었다. 코가 민감한 사람이 아니고서는 잘 느끼지 못하기는 한다.

일반적인 기준에서는 혈향을 완전히 없애버리고 무취로 만든다고 해도 과장 광고는 아니기도 하고.

김민식은 어린 시절 민감했던 후각으로 약품의 냄새를 맡았던 기억이 있기에, 평범한 경우를 벗어나서 약품의 향취를 느낄 수 있었다.

조금이라도 센 향이 그 위에 있다면 보통은 더더욱 느끼지 못할 테지만.

김민식은 코가 좋은 편이었다.

장미차의 향기가 냄새를 덮었는데, 거기에 섞여 있는 희미한 향기의 층을 구분해내었으니까.

그의 추억과 기억들은 늘 후각과 연관이 되어 있을 때가 많다.

"……가정집 안에서 혈향을 지울 때 쓰는 화학약품을 쓸 이유가 뭐가 있을까요."

"……."

계식은, 김민식의 말을 듣고는 섬칫한 상상이 떠오르는 듯한 표정을 지었다.

심민아의 집무실. 그녀가 생각을 정리한다는 명목으로 잔뜩 어질러둔 곳의 바닥을 급하게 치우고, 앉을 자리를 마련해서 둘러 앉은 모양이었다.

김민식은 의자에 앉았고, 윤계식과 김현식은 소파에 앉았다. 심민아는 선 채로 팔짱을 꼈고, 박주영은 김민식의 왼쪽편에 마찬가지로 서 있었다.

집무실의 본 의자나 스툴이 몇 개 더 있었지만 굳이 가져오지는 않았다. 대강 치워놓은 바닥의 집기들, 서류들 따위를 건드리기가 싫어서였다. 다른 이들 역시 심민아의 성격을 알기에 굳이 더 요구하지 않았고.

김민식은 조금 싸늘한 표정이 되어 입을 열었다. 그 자신의 무정함 때문에 나타나는 표정은 아니었다. 그런 얼굴이 될 수 밖에 없는, 무언가를 목격하거나 생각할 때의 표정이다. 인간의 깊은 어둠이나 잔인한 민낯을 바라봤을 때 나오는 표정이라고 하면 정확하리라.

모든 것은 심증에 불과하다. 그러나 절묘하게 맞아떨어지는 일련의 사실들은 기이한 모양으로 연결되어, 진실을 향해 그들을 인도한다.

우연에 우연을 더한 것이라고 보아도 좋았다. 그런 결론은.
심민아는 김민식이 말하는 바가 사실일까, 싶어서 고민하는 중이었고.

김민식은 자신이 반나절 정도 동안 깨닫고 고민한 부분들을 모조리 토해냈다. 그가 느낀 것, 생각한 것, 깨달은 바가 모두 사실이라면 가능성은 있는 추론이다.

다만 가능성이 '없지 않을' 뿐이지 한없이 바보같은 추리에 가까웠다.

　오로지 심증만으로 김연수를 쫓고 있었다.

　운좋게,

　그 모든 조건 설정에 들어맞는 주택을 발견했다.

　어이가 없게도,

　거짓말을 하고 있는 인간을 발견했다. 그는 사내, 노인이며 또 수상한 자이다.

　김민식이 오래도록 가지고 왔던 어떤 추억의 감각은 그 집의 위화감을 일깨워주었다. 그냥 김민식의 코가 맛이 간 걸 수도 있었다. 그가 느낀 게 사실이 아닐 수도 있었고.

　진실이라는 건 찾기 어려운 법이었다. 수사관들이 아무리 뛰어나며 대단한 능력을 발휘한다고 하더라도 헛다리를 짚는 일이 훨씬 많을 것이다.
　이것 역시 그렇게 보는 게 옳을 정도로, 절묘했다.

　현실에 있어서 그토록 절묘한 추리의 완성이 얼마나 되겠는가.

　추리 소설도 아니고 말이다.
　아니, 추리 소설이라고 할 지라도 낙제에 가까운 이야기였다.

　눈에 보이지 않는 어떤 퍼즐을 더듬어 끼워 맞추다가, 난데없이 완성을 해버렸다는 말만큼이나 어이가 없는 것이었다. 심지어 퍼즐의 완성된 모습조차 모르는 상태에서 손을 움직였음에도.

심민아는 그래서 여러가지 경우의 수들을 생각했고,

결론을 내렸다.

김민식이 실수를 했고, 저게 어이없는 추론의 결과이며 단순한 오해라고 해도 좋았다.

별 상관은 없지 않은가.

그들은 살인마를 쫓고 있었다.

형사였고, 당당한 동기를 지니고 있다.

상대에게 그들의 동기가 들킨다고 하더라도 리스크는 전혀 없다.

의심이 간다면, 그리고 그 집에 들어가 확인할 수 있는 정당한 방법이 있다고 한다면.

가서 확인을 조금 해보면 될 뿐이다. 아무런 문제도 없다.

단순한 해프닝이라면,

'아, 미안합니다.'

라는 말을 하고 끝내면 되리라.

심민아는 일단 김민식의 심각한 표정을 보았다.

속으로는 헛웃음이 나왔다.

저 이야기가 진짜일 리가 있을까.

고공에서 떨어뜨린 바늘을, 그저 땅바닥만 보고 찾아 헤매다가 발견하는 꼴이나 다름 없으리라.

그러나 미약한 가능성이라도, 체크해보지 않을 이유도 없다.

심민아는 결론적으로 고갤 끄덕거린다.

"일단 다른 분들은 계속 주택 조사를 계속해주시고….."

그녀의 눈이 김현식에게 향했다.

"박 경사님, 김 경장님. 그리고… 윤 선배님께서 수고를 해주시면 되지 않을까 하는데…. 미심쩍은 부분이 있다면 들춰보면 될 일이죠. 큰 실례가 아니라고 한다면요.
해당 주택에 가서 주인 분을 만나보고, 창고 정리를 한 번 도와드린다고 하면 되지 않을까요?"

수색 7팀을 다루는 건 김현식 경위였으니까 그녀의 눈이 향한 참이다. 김 경위는 고갤 끄덕거렸다.

"문제 없지요. 소란만 일으키지 않는다면. 수색이라는 명목만 아니라면 뭐, 아무 문제 없을 겁니다."

윤계식도 쾌히 동의했다.

"선물이라도 사들고 가면 좋겠군."
"아, 그럴까요."

답도 없고, 실마리도 없는 수색과 수사의 연속이었다. 어느덧 6월이었고. 여름이 본격적으로 활개치려고 하기 전의 어느 날이다.

잠깐의 휴식이라고 생각하고, 노인의 말동무가 되어주기 위해 간다면 나쁠 것 없는 일정이었다.

김민식은 홀로 골똘히 생각을 하며, 알겠노라고 답을 했다.

자신의 코가 얼마나 정확한 지에 대해서는, 다른 사람들은 알수 없는 부분이었으니 말이다.

그는 심각한 투의 표정을 영, 풀 수가 없었다. 농담을 할만한 기분이 아니라는 게 그의 마음을 표현하기에 가까운 말이리라.

*

32. 있지도 않은

*

수요일.

농담을 할 기분이 아니다.

그게 천산혁이 느끼고 있는 감정이었다.

띵-동.

귀따가운 벨 소리와 함께 등장한 건 사내들이었다.

천산혁은 표정이 구겨졌다. 그리고, 곧바로 돌아왔다. 사람을 맞이해야 한다면 함부로 표정을 구길 수 없는 게 사실이었다. 감정과 표현의 잔여물이라는 건 여운이 남아서, 곧바로 그 반대급부의 표정을 짓기가 어려워지니까. 연기의 기본이라고 할 수 있었다.

모든 건 관성이 있는 법이다. 감정도, 표현법도.

사이코패스인 천산혁은 딱히 감정이랄 게 없는 인간이기는 했지만. 물리적인 감정이 있었다. 행동으로부터 파생되는 감정, 에 대해서는 연기론의 대가인 누군가가 설명했지 않은가.
천산혁은 관심도 없는 것이었으나. 경험적으로 알고 있었다.

외부 활동을 하러 집 밖에 나설 때는 사람이 있든 없든 계속 웃는 톤의 얼굴을 유지하고 있는다던가, 하는 것도 그런 이유에서였다.

아예 아무도 만날 예정이 없다면 조금 무감하고 편안한 자세를 취하고야 있지만은.

지금 그는, 슬슬 다시 움직이려고 하던 찰나였다.

집 안에 놔두고 있는 사냥감도 10일이 가까워지면 슬슬 위험한 순간이었다. 골방, 습기 찬 지하실에서 묶어둔 상태로 연명만 시켜두고 있었다. 쓸데없이 오물 처리를 하고 싶지도 않기에 정말로 생명을 유지할 수 있는 수준의 물만을 흘려보내는 중이었다.

물에 이런저런 영양분을 타서, 조금이나마 오래 살 수 있게끔 하고는 있었지만. 그렇다 해도 일단 신경성 약물에 당하고 저 어둔 골방에 갇히게 된 이상 건강 상태가 썩 좋지는 않으리라. 그가 '사냥'을 위해 쓰는 약물은 상대방의 후유증을 썩 고려하는 물건이 아니었으니까.

죽으면, 뒤처리를 해야 한다. 썩기 전에. 부패하기 전에 일을 마무리하는 게 가장 깔끔한 방법이었다.
뒤처리를 하는 데는 1명 분을 하던, 2명 분을 하던 아주 큰 차이는 없었으므로. 가급적이면 이미 잡은 사냥감이 목숨을 잃기 전에, 부패하기 전에 일을 더 치를 셈이었다.

보다 더 활발하게 움직일 셈이기는 했지만 원래는. 나이가 점점 들어가는 게 계속 느껴지기도 하고. 완벽한 컨디션을 만든 뒤 실행에 임하려고 조금 굼뜨게 쿨다운 타임을 갖고 있던 참이었다.

슬슬 미리 알아봐 둔 포인트를 중심으로 사냥감을 물색하려던 중이었는데⋯⋯.

그러던 어느 날 세 명의 사내가 찾아왔다.

한 명은 익히 아는 얼굴이었다. 벌써 두 번이나 보지 않았는가.

단순한 민간 시찰, 서울시의 다양한 강력 범죄에 대해서 주민들이 어떻게 여기고 있는가 동향 파악을 위해서 온다고 하던 사내였다.

별다른 얘기를 하지도 않았고. 아예 모르는 체를 하는 것보다야, 차라리 그럴싸한 인상을 심어주는 것이 확실한 경우이리라 여겼다.

그래서 두 번째는 직접 문을 열었고, 현관까지 열어 안으로 들였다.

그게 고작 하루 전의 일이다.

웃는 얼굴로 돌아간 형사가 제 친구 둘을 더 끌고 들어올 지는, 조금도 생각하지를 못했다.

천산혁은 원래 감정이 없었으므로, 감정을 죽일 필요는 없었다.

이미 죽은 마음 위에 가식의 거죽을 덮어 끌어올리면 될 일이다.

그는 웃는 낯으로, 인터폰의 '문 열림' 버튼을 눌렀다.

삐이이-.

요란한 소리가 나면서, 암록색의 대문이 열리는 게 들린다.

그는 구부정한 걸음걸이와 자세를 유지하며 현관으로 나갔다.

*

"아, 그러니까……."
"윤 계 식이라고 합니다, 어르신."

윤계식도 누군가에게 어르신이라고 할만한 처지는 아니었다. 50대 중반이었으니까. 그러나 눈 앞에 보이는 박상혁이라는 사내는, 확연하게 그보다 나이가 많아 보인다. 주름살이나 희끗한 머리. 움직일 때 느릿한 모습. 여러가지 면에서 말이다.

말투나 행동거지도 연식이 되어 보이는 데 영향을 끼치기는 한다. 연기자들이 노인 연기를 할 때 가장 간단하게 큰 변화를 줄 수 있는 부분은, 노인의 행동을 그대로 따라하는 것이다.

사소한 습관이나 동작. 노인의 체력과 근력에서 나올 수 밖에 없는 동작들을 미세하게.

박상혁, 혹은 천산혁.

남자는 윤계식을 집으로 들였다.

비단 그뿐만이 아니었다. 박주영과 김민식도 마찬가지였다.

고즈넉한 느낌이 드는 실내였다.

노인 혼자 산다고 했는데, 그런 분위기의 집이다. TV도 꺼져 있었고. 가전 제품들 따위가 내는 미세한 소리를 제외하면 소리가 나는 게 없었다.

박주영과 김민식은, 테이블 근처에 앉았다. 카펫 자리라서, 바닥에 앉는 것이 크게 불편하지도 않다, 애초에.

윤계식은 다소 불편하지만 그 옆으로 가서 똑같이 양반 다리를 하고 앉는다. 힐끗, 하고 옆을 쳐다보았다. 오른쪽으로 고개를 돌리면, 김민식이 말했던 문이 있었다. 여전히 오래된 책이니, 쓰지 않는 집기를 모아둔 상자니. 하는 것들이 그 문 앞을 가로막고 있었다. 발치를 불편하게 하는 정도였고, 사내 한 둘이 애를 쓰면 1, 2분만에 치울 수 있는 양이기는 했다.

정리를 하지 않고 밀어버린다면 단숨에도 없앨 수 있을 테였고.

그런 듯한 흔적은 조금도 보이지 않는 집이기는 했다. 집 안은 잘 정돈되어 있었다. 김민식은 '박상혁'이라는 노인의 집에서 자신이 느낀 위화감들을 모조리 설명해주었다. 자신의 생각이나 추론이 조금이라도 틀릴 수도 있었으니까.
김민식의 말대로, 언뜻 두서없이 늘어진 것같은 물건들은 일정한 선에 맞추어 있었다. 앉으면서 본 테이블과 카펫도 그렇고. 여기저 기를 둘러보면 보이는 집안의 가구들도. 카펫의 가로선은, 가로로 이어지는 바닥의 판자선과 딱 맞았다. 1층에서 보이는 이곳저곳의 커텐들도. 쳐져 있는 창문이 있고, 걷어진 창문이 있었으나.

걷어져 있는 창문들의 경우엔 그 정도가 일정해 보인다. 자로 재보지 않아서 모르지만. 김민식이 말했던 바에 입각해서 보다보니 그래 보인다.

노인은 소파에 앉아 있었다. 자세가 조금 구부정한 노인이었다. 젊은 시절을 생각해보면, 제법 호남형으로 인기가 많았을 듯한 모 습이었다. 지금은 주름이 좀 많다. 사내의 손은 아주 미세하게 떨 리고 있었다. 박상혁의 손 말이다. 수전증이라도 있는 걸지도. 노인 에게는 흔한 증상이었다.

"그래, 어쩐 일로…."
"아, 다름 아닙니다. 그냥 인근 주민 분들을 좀 살피고, 어려운 점은 없으신지 찾고 있는 중이었는데…. 적적하신 어르신한테 차 대접을 받았다고 해서요.
후배가 신세를 져서 얼굴이나 뵐까 하고 찾아뵈려고 했습니다."

윤계식은 그리 말하면서 들고 온 종이 봉투를 테이블 위에 올려 두었다. 백화점에 들러서 산 물건이다. 나름대로 값이 나가는 찻잎 이랑, 건강 보조제 따위 조금이었다. 10만 원을 넘지는 않는다. 일 면식도 없는 노인에게 선물하기에는 다소 비싼 금액일 지는 모르 겠지만. 그보다 더 저렴해도 애써 선물이라며 가져오는 의미가 퇴 색되리라.

어린 아이나, 젊은이에게 주는 선물이 아니라 나름대로 부유하고 집도 있는 노인에게 주는 선물이라면 말이다.

"아이… 뭐 이런걸 다…. 그냥 적적한데 놀러와 주는 것만으로도 고맙지…."

천산혁, 지금은 박상혁이란 이름을 쓰고 있는 노인이 말했다.

손사레를 치며 느릿하게 선물을 물리치는 행색이 참으로 정겹다. 그렇게 보인다.

윤계식은 웃으면서 호의를 전했고, '별 것 아닙니다'라며 내용물을 꺼내 보여주기까지 했다. 윤계식도 제법 나이가 있는 편이었다. 그러나 그는 나이에 비해서는, 약간 동안이라고 할 수 있으리라. 50대 중반의 나이이지만 5, 6살은 어려 보였으니까. 큰 의미 있는 동안인 지는 모르겠으나.

신체적인 나이, 정력과 체력을 따지자면 조금 더 젊은 편이었다. 어쨌거나 긴 형사 생활 중에 운동을 꾸준하게 해왔다. 일단 현장 수사관이라는 건 몸이 따라주지 않으면 못하는 일이었다. 범죄자들과 조우하게 될 지도 몰랐고.

뒷일을 생각하지 않고 달려드는 무뢰배들에게서, 적어도 자기 방어 정도는 할 수 있어야지 않겠는가.

그에게 있어 운동은 긴 습관이었다. 정력적으로 달려왔고. 덕분인지는 몰라도, 그는 행동이 빠르고 아직도 둔한 편은 아니다. 나이에 따라 젊은이들보다는 어쩔 수 없이 느릿하지만. 김연수를 잡겠다며 지금까지 설치고 있는 것 역시 같은 이유였다. 놈을 앞에 두더라도 어느 정도 대응할 수 있으리라고 여기니까.

만일 가스총 따위의 제압 무기가 있음에도 놈에게 대응하지 못하리라고 여겨진다면, 아마 수사를 그만두어야 할 지도 모른다. 전면부에 나서는 식으로는 말이다. 뒤에서 정보를 모으고 놈의 행적을 추적하는 방식은 언제까지고 가능하겠지만.

김연수는 신체적인 능력에 있어서는 압도적으로 자신보다 뛰어나다. 윤계식은 그런 대상을 잡기 위해 부단히 애를 써왔고.
덕분에 얻은 몸놀림은 그를 나이보다 어리게 만들고,

박상혁은 반대로 나이보다 늙은 체를 아주 잘 했다.

실제로는 엇비슷한 나이였으나, 그런 이유만으로도 두 사람의 나이차가 깨나 나 보인다.

세 형사, 남자는 쪼르르 앉아 있다.

박상혁의 시점에서 보면 가장 왼쪽에 윤계식, 그 옆으로 박주영, 김민식의 순이다. 계식의 관점에서는 자신이 가장 오른쪽에 앉은 상태일 테였고.

네 남자는 대치한다.

박상혁은 집에 손님들을 부른 참이었으므로, 먼저 말을 더 꺼냈다.

"어째… 차라도 마시겠는가? 손님들이 왔으니 마실 걸 내야지…."

그는 그렇게 물으며 손님들의 의중을 살폈다.

모두 동의하는 듯한 얼굴이었다. 집 주인인 노인은 느릿하게 소파에서 일어섰다. 무릎을 짚으며 애써 일어서는 것이, 관절부가 좋지 않은 모양이었다.

천천히 소파에서 일어서 옆으로 걸어갔다. 카펫 끝, 부엌 옆에는 슬리퍼가 있었다. 낡은 종류였다. 노인은 발이 시린지 맨 발에 슬리퍼를 신으며 부엌으로 이동했다. 자리에 앉은 세 남자는 제각기 양말을 신은 채였고.

조금 어둑한 실내였다. 오래된 집이라는 느낌이 물씬 풍겼고. 대부분의 인상과 질감은 '목재'라는 것이다. 약간 불그스름한 빛마저 도는 오래된 가구들이 있었다. 바닥도 나뭇결이었고. 위층으로 올라가는 계단처럼 보이는 게 양 옆에 있었다. 주택의 크기는 제법 넓었다.

노인 혼자 사용하기엔 필시 많은 공간이리라. 그들이 앉아 있는 거실 공간의 양 옆으로 계단이 있고, 그 아래와 옆에 방문들 따위가 보였다. 화장실이나, 쓰지 않는 방 등.

쿵.

김민식은 코를 훌쩍거리듯 먹었다. 새로운 공간에 오면 후각에 집중하게 된다. 후각만이 아니라 모든 감각에 말이다. 남들보다 코가 좋아서 오래 기억에 남기는 한다.

여전한, 희미한 잔향이 김 경장의 코에 걸렸다.

오랜 기억 속에 있던 잔향이었다. 보통은 체취나, 집 안 자체의 냄새에 섞여 맡지 못하리라. 그러나 김민식은 다른 것들 사이에 약품의 냄새가 있더라도 캐치할 수 있었다. 그만큼 특징적인 냄새였다.

박상혁은 부엌으로 사라졌다. 거실에 앉은 자리에서는 잘 보이지 않았다. 커튼처럼, 천으로 이루어진 발이 내려와 있었다. 대충 옆으로 걷어놓았기에 부엌이 조금은 보인다. 노인이 움직이는 것은 보이지 않았고.

부엌 쪽에는 식탁과, 싱크대 등이 있어 보인다. 노인이 가 있는 가스 레인지 자리는, 김민식의 시야에서 왼쪽으로 깊이 들어간 자리라 사각死角이었다. 달각거리는 소리나, 가스 레인지를 켜는 소리만이 들린다.

노인은 다시금 주전자에 물을 받고, 끓이고 있었다. 찬장에 올려두는 모양인 찻잎들을 꺼내고.

모습은 없으나 소리는 들렸다. 김민식은 아무렇지 않은 양 굴었다. 다른 두 사람도 마찬가지이다. 어떤 확증이 있어서 온 것은 아니었다. 다만 주택 조사를 하고 있는 와중에, 마음에 걸리는 점이 있어서 와본 것일 뿐이다.

영장을 발부받아 올 일도 아니었고. 상대방에게 적대적인 논조로 이야기를 할 일도 아니다. 길을 걷다가, 이상하게 얼룩진 자국이 눈에 밟혀 다시 돌아왔다. 그 모양을 자세히 한 번 관찰해보려 한다, 그 정도의 일일 뿐이다.

수사관이라는 건 그런 특이함에도 눈길을 주어야 하는 법이었다.

고요한 집 안이었다.

노인이 움직이는 소리 외에는 달리 빈 공간을 채우는 것이 없었다. 청각적으로는.

창문들은 대개 닫혀 있었다. 공기가 탁하고, 텁텁하지는 않았다. 환기 자체는 자주 시키는 모양이었다. 나무로 만들어진 가구나, 집 자체에서 나는 향기일지 냄새일지 모르는 게 조금 배어나오기는 했다.

윤계식은 자연스레 여기저기를 살핀다. 결국 마지막에 눈이 가는 곳은, 오른켠에 있는 창고 문이었다.

관악구 신전동 557-13.

이곳에 있는 저택의 구조도는 이미 본 바가 있었다. 원래 주택 조사를 할 때 살펴보기는 한다만. 다시 방문을 해야 할 것 같다는 이야에 한 번 더 찾아보았다.

확실히, 오른쪽의 창고문은 이상하다. 저기는 그냥 빈 공간이었으니까. 한 걸음 반 정도는 두터운 벽이 저택의 기둥 역할을 하고 있었고, 그 너머는 바깥이었다.

주차장과 저택을 잇는 자리였고, 튼튼하게 세워진 벽이 양 건물을 잇는 중심이었다.

만일 두터운 벽의 일부를 파내어 개조를 했다고 하더라도, 가용 공간은 별로 없다. 한 두 걸음 정도의 야외 공간과, 그 너머에는 다시 주차장 벽이 나올 테니까. 저 문은 그러면 주차장으로 이어진 것일까.

보통 남의 집에 들어와서 이렇게까지 자세하게 생각을 하는 인간은 없을 테였다. 더군다나, 저 문은 지어진 지 아주 오래 되어 보이니까 말이다. 저택의 연식과도 닮아 있어 자연스러웠다. 그 안에 살고 있는 노인, 남성. 그 노인의 늙음까지도 한 데로 엮여 자연스럽다.

의심스러운 부분이 많지는 않은 곳이다. 언뜻 보기에는.

삐이이,

하는 소리가 들렸다. 주전자에서 물이 끓는 모양이다. 닫아둔 작은 증기 구멍에서 연기가 빠져나오며 소리를 낸다.

불을 끄는 소리, 노인이 물을 옮겨 따르는 소리.

보이지는 않으나 천천히, 또 일정한 속도로 움직이는 노인의 모습이 상상된다.

얼마 지나지 않아 노인이 이미 젖혀진 부엌의 발을 마저 밀며 나왔다.

노인의 손에는 다기들이 들려 있었다. 한 번에 다 가져오기는 힘든 모양이었다.

가운데에 앉아 있던 박주영이 조금 들썩이며 반쯤 일어섰다.

"아, 어르신. 조금 도와드릴까요."
"고맙네."

박상혁은 인자한 노인이었다. 말투나 행동거지 모두에서 그런 면이 엿보인다. 다른 사람을 배려하는 게 기본적으로 깔려 있는 언행이다. 도움을 받을만한 상황임에도 민망한 듯, 감사를 표하며 웃는 것이 그러하다.

박주영이 일어나 부엌으로 향했다. 한 명만 더 가면 될 것 같았다. 다기들은 그리 무거운 건 아니었다.

박주영은 부엌 발을 더 밀치며 안으로 들어갔다.

부엌 쪽은 조금 더 빛이 잘 들어오고 있었다. 딱히 커텐이 없으니까. 바깥의 빛이 잘 새어들어와서 그렇다. 불을 켜두지는 않았다. 다른 곳과 마찬가지로. 노인은 어둑한 정도의 밝기를 좋아하는 모양이었다. 홀로 고요하게 생각에 잠겨 있고 싶을 때는, 그런 어둑한 분위기 역시 나쁘지 않다.

사람은 빛이 많은 곳에서 활동적이 되는 면이 있다. 태어나기를 그렇게 태어났으리라. 광량이 적고 어두운 곳에서는, 밤이라고 인식을 하는 것인지 몸이 릴렉스 되는 효과가 조금 있을 테였고.

생각이 많다는 건 그만큼 긴장도가 높다는 뜻도 된다. 깊이, 복잡한 생각을 해야 할 때. 혹은 불안감 따위가 있을 때 그러리라. 누구라도 그럴 만하다. 한국 사회에서 살아간다는 게 쉬운 일은 아니니까.

당장 분단선 위로도, 미사일 따위를 거론하면서 늘 위협을 하는 적성 집단이 있지 않은가. 북한은 이 나라의 오래된 문제였다. 다들 태어날 때부터 있어왔던 문제였기에 만성적이 되어서 잘 체감하지 못할 뿐이지.

그 외에도, 극동아시아에 존재하며 여러 나라들의 이해 관계가 충돌하는 곳이 이곳이다. 분쟁 지역.
요즘 시대에 전쟁이라는 게, 멀리 떨어진 어느 나라의 이야기로만 들리기는 하지만. 사실 휴전 중인 이 나라도 조용한 것은 아니었다. 실상을 까뒤집어 보면, 시끌시끌한 소문과 소식들이 언제나 흐르고 있다.

그런 소문들 중, 어두운 것으로 하나 굵직한 물건을 얹은 게 바로 김연수였고 말이다. 그럼에도 불구하고 이 나라는 살기 좋은 나라였다. 치안이 확실하고, 선진국의 반열에 들어 있으니까. 그에 걸맞은 위세를 드러낼만한 국제적 상황은 전혀 아니었지만, 늘.

범죄에 관한 리스크를 낮춰주는 건 잘 훈련된, 또 많은 수의 치안 인력들이 있어서이리라. 윤계식을 비롯해 세 명도 그런 일을 하고 있다. 지금은 단지 본 적 없는 노인의 집에 와서 차를 얻어마시고 있을 뿐이었지만 말이다.

박주영은 싱크대 근처에 노인이 미리 정리를 해 둔 다기들을 옮겼다. 달그락 거리는 소리가 나름대로 기분좋게 들렸다. 제법 품질이 좋은 물건들인 모양이었다. 값이 나가는.

　어느 정도 재산을 축적해두고 살아가는 노인의 경우라면, 취미용의 물건에 그만큼 돈을 쓰는 것 역시 자연스러울 테다.

　몇 번 왔다갔다 하면서 거실의 테이블을 꾸몄다. 가지런하게 놓인 찻잔과 받침, 스푼같은 다구茶具들은 눈요기용의 소품으로도 쓸만해 보인다.

　고맙네,

　라고 노인 박상혁은 천천히 말했다.

　얼마 걸리지 않아 준비를 모두 하고 다시금 자리에 앉는다.

　박상혁은 박주영이 도와준 덕에, 금세 찻물을 따를 수 있었다.

　윤계식이나 민식은 놓인 찻잔에 기호에 맞는 찻잎을 넣어두었다. 티백이다. 간편하게 마실 수 있는. 제대로 하자면 찻잎을 따로 빼서 가루로 만들고, 전용 주전자에 넣어 우려낸 뒤 가라앉으면 위에 뜬 물만 마신다던가 하겠지만.

　지금 마시는 건 약식이었다. 티백으로 나오는 차들도 제법 향과 맛이 일품이었다. 요즈음은 공산품들도 평균적으로 질이 괜찮은 편이다. 박상혁은 그렇게 여겼다.

　제각기 마음에 맞는 차를 탔고, 색깔이 다 조금씩은 달랐다.

　박상혁은 찻물이 든 도자기 주전자를 능숙하게 들어 한 사람씩

물을 따라주었다. 쪼르륵, 하고 나오는 물줄기는 호선을 그리며 떨어진다. 그것이 천천히 얇아지게끔, 위로 끌어올리며 정확하게 끊는다.

나름의 기술이었고, 일품이다.

노인은 그 동작만큼은 많이 반복을 해본듯 하다. 수전증도 찻물을 따를 때는 심하지 않았다. 아니, 순간적으로는 사라지는 것 같았다.

나이가 먹고 체력이 떨어지고. 쌓은 기량이 사라져도 한 순간의 행위 정도는 얼마든지 할 수 있었다. 노래도 마찬가지였다. 젊은 때만큼은 안될 지 몰라도. 한 순간 정도라면야.

그런 점에서 본다면 박상혁은 취미를 꽤 깊이 가진 듯 싶었다. 다도茶道라는.

후룹.

윤계식은 오랜만에 여유로운 티 타임을 가졌다. 동양식 도자기 다구로 마시는 것이었지만. 내용물은 서양의 허브 차다. 차에 대해서 특별히 조예가 깊다거나 하는 편은 아니었다. 향도 맛도 썩 나쁘지 않았다. 애초에 입맛이 까다롭지도 않았고.

네 명의 사내는 별다른 말도 없이 거실에 앉아서 찻물만 들이켰다. 어색할 때 즈음 말을 건 건 김민식이었다. 그가 유일하게 박상혁과 구면이었으니까 말이다.

"선생님, 최근에 적적하시다고 하셨었지요."
"아…… 그렇지. 노인네 혼자 사는데…. 별다른 즐길 거리라도 있겠나."

"동료들을 이렇게 끌고 와서 실례가 아닌지 모르겠습니다. 혼자 쉬실 수도 있을텐데."

"아이 뭘…. 적적한 생활이네. 선물도 가져와주고 말야."

박주영이 친절한 듯한 미소를 지어 보이며 노인을 바라보았다. 사내는 원래 다정한 편인 인물이었다. 박주영 말이다. 노약자를 비롯해 시민들에게는 더욱 친절하게 굴 수도 있었고.

범죄와 관련이 되어 있는 용의자라고 한다면 그런 친절함을 내비치기 어렵겠지만.

"뭐… 밥들은 자셨는가들?"

노인의 물음에 계식이 고개를 저었다.

"아뇨, 아직입니다. 노인장께서는 식사는 하셨는지…."
"아, 나도 아직이라네."

박상혁은 싱긋 웃는 듯했다. 살풍경한 방이었다. 노인 홀로 있다고 상상을 해보면, 정말로 적막하고. 적적할듯 싶었다.

"식사는 어떻게 하십니까? 보통. 직접 해서 드시는지…."
"나야 뭐…. 여편네 먼저 떠나고 늘 그렇지…. 그런데 요새는 또 나오는 제품들이 잘 나온다고…."

박상혁의 말은 느릿하다. 대답을 듣는데, 일반적인 영상도 빠른 속도로 보는 젊은이들이라면 답답함을 느낄만치 텀이 늘 필요하다.

윤계식은 딱히 그렇게 느껴지지는 않았다. 일반적인 노인의 말투이
다.

"그러십니까…. 사서 드시는 거에요?"
"그렇지… 다 하기는 힘들어…. 사서도 먹고… 시켜도 먹고….
가끔은 해먹는데 뭐…. 노친네가 재주가 있나…. 그냥 살라고 먹는
거지…."

박주영이 고개를 끄덕거렸다.

"괜찮으시면 식사라도 같이 하시겠습니까? 저희가 사겠습니다.
불쑥 찾아온 것도 죄송한데…. 배달 음식같은 건 좀 괜찮으실
지…."
"아이… 배달? 그렇지 뭐…. 안 괜찮을 게 뭐가 있나…. 그런데
내가…,"

박상혁은 웃는 낯이다. 곱게 접힌 눈을 슬쩍 뜨며 말한다.

"다망하신 우리… 형사님들 일 막는 건지 모르겠구먼…. 다들
안 바쁘신가?"
"저희야 뭐… 늘 바쁘죠. 그런데 오늘은 쉬는 날이라 괜찮습니
다. 반차 쓴 거라서. 저희도 쉬는 날 정도는 가끔 있어야지 않겠습
니까."

상혁과 계속해서 말을 주고 받는 건 주로 윤계식이었다. 그는
노인과 말을 하는 데 별로 어려움이 없었다. 아니, 도리어 편하다
고 해야 할까. 사실 젊은이들을 상대하는 것보다 훨씬 편한 일이기
도 했다.

살고 있는 시간대가 다르다. 윤계식은 최근의 어린 아이들을 보면 그런 느낌을 받는다. 그의 시대는 예전에 머물러 있었다. 그리고 그 시간은 돌아오지 않는다.

그가 살던 시대는 조금 더 분명한 느낌이었다. 모든 것이. 그가 잡아야 할 대상이 분명했고, 무엇을 해야 하는지가 분명했다. 누구를 적으로 여기고, 누구를 아군으로 삼아야 하는지도. 사회의 분위기 역시 그러했다. 전쟁의 상흔은 수십 여 년 전에 생겼고, 지금은 그 시절을 기억하는 이가 별로 없다.

피로 지키거나, 혹은 써내려간 역사를 기억하는 세대가 점점 줄어들고 있었다. 과거를 잊은 세대는 결국 과거의 과오를 반복할 지 모른다. 그만큼 힘든 시대였고, 살기 사실은 어려운 삶이었다.
피아를 구분하기 어려울 정도로 고도화되고, 복잡한 삶. 대도시는 발전하고 사람들이 바글거리지만. 사실 한 치 앞을 가늠할 수 없는 삶.

젊은이들은 무엇에 열정을 바쳐야 할 지를 모르고, 제 목숨을 다해서 순수하게 몰두하는 일이 많이 줄어들었다. 어딘가에는 분명 그런 이들이 많을 지 모른다. 그냥 매스 미디어가 다변화되고 썩어가는 걸 지도.

어쨌든 윤계식이 느끼는 사회의 분위기는 그러했다. 옳은 것이 무엇인가, 틀린 것이 무엇인가. 하면 안되는 일과 되는 일의 기준은 무언가.
그런 분명한 것들이 흐려져가고, 삶의 목적이나 의지마저 흐릿해져가는 시대.
어린 아이들의 삶이라고 분명 가볍지는 않을텐데. 그것을 대하는 아이들의 태도는 한없이 가볍다. 가벼운 게 딱히 나쁜 것은 아니겠으나.

인생에 있어서 한 번도 진지해본 적이 없다고 한다면 문제가 되리라. 그냥 살기가 좋아져서, 사기꾼들이 너무 많이 늘어난 것일 뿐일지도 모른다. 제대로 된 소통이나 관계성, 교감이 사라지고. 돈만 바라는 가짜들이 사회의 암처럼 많이 퍼진 것일지도.

아무튼 젊은이들, 어린이들 중에는 눈빛이 흐리멍텅한 자들이 많았다. 윤계식이 그런 자들만 만난 것일지도 모르고.

그러나 제대로 된 역사를 기억하고 있는 이들과는 늘 말이 통한다. 노인들 중에서 아직 열정의 불이 사그라들지 않은 사람들과는 항상 오래 대화를 나누어도 지루하지가 않았다.

과거를 추억하며 살아가는 존재라고 누군가는 욕해도 사실 할 말이 없기는 했다. 그러나 윤계식은, 나이가 중요한 게 아니라. 그냥 누가 더 열정을 갖고 있느냐, 를 따질 뿐이었다. 진정한 열정. 나이와는 관계가 없는 열정 말이다.
아이러니하게도 그가 만난 젊은이들에게서 더욱 찾기가 힘들었다. 살 날이 적은 이들에게서 더욱 많이 보여왔고.

산전수전을 넘은 이들이 갖는 연륜일지도 모른다. 그런 남아 있는 열정의 흔적들은.

"좋아하시는 거라도 좀 있으십니까, 음식 가리시는 게 있는지⋯."
"아이, 나야 뭐 있나⋯. 아무거나 좋네 아무거나⋯. 너무 기름진

건 좀 먹기가 힘들긴 한데…. 한식류나 밥이나 국물이 있다면 다
좋네….”

“밥, 국물이요. 한 번 찾아보겠습니다.”

윤계식이 그리 말하며 박주영을 툭, 쳤다. 주영은 그렇게 말하기
전에 핸드폰을 뒤적거리고 있었다. 윤계식의 제스쳐에 배달을 위한
어플리케이션을 이미 켰었고. 박주영이 노인에게 물었다.

“어르신 여기 주소가 혹시 어떻게 되는지….”
“아, 여기… 가만 보자….”
“아, 여기 지도가 뜹니다. 이게 맞는 지만 좀 봐주십시오….”

박주영이 엉거주춤 몸을 기울이며 핸드폰을 들이밀었다. 노인이
고개를 끄덕거렸다. ‘맞네’라고 중얼거리자 박주영이 메뉴를 고른
다.

“육개장이나, 닭볶음탕같은 건 좀 좋아하십니까? 아니면 갈비
탕….”
“한식이면 모두 좋네.”

후릅.

노인, 박상혁은 그리 대답을 하고는 자신 앞에 놓인 찻잔을 들
어 한 모금 마셨다. 여전히 인자하게 웃는 투였다. 허허, 김민식이
넉살 좋은 얼굴로 그에게 다른 화제를 꺼냈다.

“아드님은 그러면 지금 미국 어디에 계시는….”
“재영이…. 뉴욕에 있지, 재영이가. 원래 경영을 전공했는데 걔

가….”

자식 자랑은 노인에게 있어서 빼놓을 수 없는 주제이기도 했다.

김민식의 물음에, 박상혁은 아들에 대해서 주절거리며 하나하나
풀어놓기 시작했다.
있지도 않은 아들에 대해서 말이다.

＊

덜그럭.

아주 조금 나사인지 버클인지 모를 게 헐거워진 모양이었다.

“…….”

그러나 그것을 헐겁게 만든 인물은 더 이상 할 힘이 없었다. 시
간은 빌어먹게도 많았고, 아주 흘러 넘쳤지만. 그녀의 기력은 무한
하지 않았으니까.

“…….”

시윤은 죽어가고 있었다. 확실하게.

물을 죽지 않을 만큼만 섭취하고 있다고는 하지만….

어둠 속에서 소녀의 정신이 버티는 것도 힘겨운 일이었다. 여러 가지 악재는 늘 겹쳐서 작용하게 마련이다. 소녀는 어둠 속에 있었고, 그녀를 도와줄 누구의 구원도 바랄 수 없는 상황이었다.

이따금씩 문을 열고 들어오는 누군가는 한 번도 얼굴을 본 적이 없는 어떤 사내 뿐이었다. '사내'는 소녀에게 손을 조금도 대지는 않았다. 아니, 유리관 따위를 통해서 물을 흘려넣어 줄 때는 건드리기는 한다만. 그 외에는 일부러 거리를 두려는 것처럼 닿지 않았다.

시윤에게 투여되었던 약물은 효력을 대개 잃었다.
물론 아직도 몸은 정상이 아니었다. 평상시에 느끼던 완벽한 감각과는 아주 거리가 먼 것이 현재 그녀의 상황이었다.

한 번도 빛을 보지 못한 채, 좁은 침대 위에 묶여서 움직이지 못한다면. 어지간히 단련된 정신을 가지고 있어도 미치기 딱 좋은 상황이었다.
그러나 시윤의 머릿속은 정돈된 상태였다. 지나치게 큰 공포나 혼란이 가시지 않았기에. 그 외의 것들에 일일이 쇼크를 먹지는 않았다.

학원에 갔다가, 집에 돌아오던 길이었다. 어둠 속에서 시윤은 끝없이 그 장면을 반복해서 떠올리고 기억했다. 무언가 자신이 잘못한 게 있는가?
아무리 기억을 복기하고, 또 복기해도 떠오르는 게 없었다. 그냥 일상 속에서 시윤은 이런 봉변을 당했다. 그녀가 할 수 있는 것도 달리 없었다. 골목길을 지나지 않았다면 조금 더 괜찮았을까?

많은 상념이 지난 긴 시간 속에서 펼쳐졌다가 사라졌다. 시윤의 머릿속에서 말이다. 왜인지 그러지 않을 것 같았다. 골목길을 지나간 그 순간만이 잘못이라고 하기 어려웠다. 평범하게 다른 길을 선택해서 일부러 길게 돌아, 귀가를 했다고 하더라도.

어쩐지 자신은 지금 이런 상황이 되었을 것 같았다. 그 정도로 불합리하고, 이상하고, 비논리적인 상태였다. 시윤이 느끼고 있는 지금은.

배가 고프다, 라는 감각이나 감정은 이미 사라졌다. 마취약이 풀리고, 감각이 돌아오기 시작하고. 며칠 정도가 지났는지 몰랐을 때는 공복감이 극심했다. 괴로울 정도였으나, 한계가 지난 듯하다 도리어 잠잠해졌다.

극도로 긴장감이 오르고 스트레스를 받는 상황인 건지, 다양한 고통을 견디기가 차라리 편했다.

솔직하게 말하자면, 차라리 죽고 싶을 정도였다.

누구와도 소통할 수 없고, 목소리를 낼 수도 없고.

전조도 없이 찾아오는 남자의 앞에서 기절을 한 척을 계속하고.

언제 끝날 지도 모르는 어둠 속의 기다림은 서서히 소녀의 마음을 좀먹었다.

아예 정신을 놓고 돌아버리지도 못했고, 천천히 자신을 잠식하는 불안감을 떨쳐내려 애를 써야만 했다. 차라리 단숨에 모든 게 끝나 버렸으면 좋겠다고 무수하게 많이 되뇌였다.

그럼에도 상황은 조금도 변하지 않았다. 어째서일까.

자신이 무언가 잘못한 게 있을까?

그 다음으로 생각하기 시작한, '잘못'은 행동에서의 잘못이 아니었다. 자신이 납치되는 걸 피할 수 있었던 어떤 행동과 선택이 있었을까를 고민하는 게 아니라. 근본적으로 자신이 저지른 어떤 죄가 있어서 이런 꼴이 된 건지 생각하는 것이었다.

부모님에게 잘 하고 있다고 생각했다.

나름대로, 힘든 일도 있었지만 별로 티를 내지 않았다고 여겼고. 친구던 가족이던. 인간관계는 언제나 어려운 것이었다. 모두가 다 처음이니까. 처음 살아가는 인생에, 선생님이 없다면 실수를 하는 게 당연했다.

이 고도화된 사회는, 사실은 불완전한 인간들이 만들어 둔 모래 위의 성과도 같은 것이었고. 서로가 서로를 다치게 하고. 실수가 쌓여서 칼부림마저 일어난다. 시윤은 어리지만 그런 갈등들을 아주 잘 알았다.

그녀의 부모님 또한, 마냥 웃기만 하는 분들은 아니었으니까. 또 인생의 질고라는 걸 누구보다 깊이 느끼고 이해하는 분들이었으니까.

부모의 앞에서 어린 아이가 할 수 있는 최선은 최대한 철없는 웃음을 지어보이는 것이다. 그게 사실은, 누군가를 사랑할 때 해줄 수 있는 가장 큰 일일지도 모른다. 웃어 보이는 것.

그렇게 해서, 그 웃음이 전염되기를 바라는 것.

박시윤은 군이 따지자면 좀 무뚝뚝한 편인 인간이었고, 표현을 잘 하는 성격은 아니었다. 그녀 나름대로 긍정적으로 사고하고, 즐겁게 지내는 것 자체가 모두 나름의 표현이기도 했다. 특별하게 살갑게 굴지는 못하더라도. 별 일 아니지, 라고 여기면서 언제나와 다름없이 가족들을 대하고, 친구들을 대하는 게.

그런데, 자신이 외면했던 사람들이 인생에서 좀 많았을까. 하지 말아야 하는 일들을 한 적이 많기라도 했던 걸까.
자신의 처지와 죄에 대해서 생각하던 소녀는 끝내 답을 찾지는 못했다.

감각은 여전히 둔하다. 계속해서 철제 선반 따위에 묶여 있는 채로, 꿈틀거리면서 움직이기는 했다. 근육이나 관절이 굳지 않도록 최소한의 스트레칭을 하려고는 했으나. 꼼지락거리는 게 한계였다. 묶여있는 상태로는.

남자, 신원을 알 수 없는 사내는 하루에 한 두 번 정도 들르는 것이 전부였다. 물론 시윤의 입장에서는 그게 하루인지, 얼마만인지는 알 수 없었지만. 상당히 긴 시간이라는 것 정도는 알 수 있었다. 손가락으로 톡, 톡 거리면서 초 단위를 세어 시간감을 찾고는 있었지만 정확하게는 물론 세지 못했다.

어마어마하게 많은 시간을 홀로 어둠 속에 있었다. 몸이 아프다, 불편하다, 배가 고프다 목이 마르다. 이런 단순한 불만사항들은 이미 어지간한 한계를 넘었다. 더 이상 혼잣말이나 속으로 투덜거릴 정도가 아니었다.
고통이나 불편함이 크게 한 바퀴 돌아서, 무언가 잘 느껴지지 않는 지경에 이르렀다.

기력이 없는 와중에도 힘을 짜내서, 몸을 뒤튼 건 아주 많이 시도한 일이었다. 그 덕분에 단단하게 묶여 있던 고정구가 조금 헐거워졌는지도 모른다. 지하실로 보이는 내부는 정말로 아무런 소리도, 빛도 없었다.

끊임없이 머릿속으로 생각을 하지 않았으면 미쳐버렸을 지 모르겠다. 무언가에 집중을 하고 골몰하니 시간이 빠르게 흐른 것 같기도 했고.

고정구가 느슨해지고, 움직일 수 있는 가능성이 생긴다고 해도 그녀가 할 수 있는 건 달리 없었다. 그녀는 묶여 있었고, 이곳은 알 수 없는 장소이다. '사내'가 장악하고 있는 장소였다. 조금이라도 잘못 인기척을 낸다면, 사내가 아무렇지 않게 자신의 목숨을 앗아갈 지도 몰랐다.

홀로 긴 시간 어둠 속에서 버틸 때는, 차라리 죽었으면, 하는 생각이 들기도 했지만.
그건 결국 지나가는 생각이었고, 정말로 죽음을 바라지는 않았다. 그녀는 살기 위해서 최선을 다하고 있는 중이다.

죽음은 간단한 것이었다. 지금 당장 난리를 치고, 바깥에 있을 지 모르는 사내를 불러오면 되는 것이니까.
삶은 돌아가지 않는 머리로 아무리 굴려봐도 잘 나오지 않는 해답이었다.

몇 번 더 꿈틀거리며, 시윤은 구속구의 헐거움을 확인했다. 더 이상 풀어질 것 같지는 않았다. 손목 하나를 간신히 빼낼 수 있을 만큼이 된 다음에, 그녀는 잠시 쉼을 가졌다.

언젠가부터는 기절을 하듯이 순식간에 잠에 들었다가, 다시 일어나곤 했다.

*

"…배달입니다-!"

바깥에서 부르는 소리가 들렸다. 인터폰에 늦게 반응을 해서 그런 듯했다. 노인, 박상혁이 천천히 움직이려 했다. 집주인이 직접 다가가 열어 주려면 한 세월일 듯해서, 옆에 있던 김민식이 대신 일어나 문을 열었다.

닭볶음탕이랑, 갈비탕을 같이 시켰다. 네 명이 먹을 것이기는 하지만. 2-3인 분으로 두 개를 시켰다. 좀 남아도 다음에 드시라고 하면 되리라. 간단한 조리 정도는 하시는 모양이고. 전자레인지나 가스불, 냄비도 멀쩡하게 있는 집 안이었으니까.

식사는 딱히 가리지 않는 모양이었다. 박상혁은 말이다. 그는 다 구들을 대강 부엌으로 치웠고, 박주영이 설거지를 도왔다. 부엌에 식탁이 따로 있었지만, 그냥 앉은 자리에서 편히 먹자고 이야기를 했다, 박상혁이.

언뜻 보면 그냥 소탈하게 사는 것 같았지만, 자세히 들여다보면 칼같이 각을 맞춰 물건을 나열해 둔 집이었다. 배색 자체가 조금 우두운 톤이고, 불빛이 별로 없어서 알 수 없었지만. 바닥 따위를 손가락으로 만져보면 약간의 먼지도 묻어나오지 않는 곳이었고.

주인의 성격을 알기 쉬운, 지나치게 깔끔한 집이었다. 카펫 역시 깔끔했고. 거실에서 음식을 먹다가 카펫의 털이 상하기라도 하면 골치가 아플텐데. 박상혁은 크게 개의치 않는 모양이었다. 윤계식은 특이한 노인이라고 생각하면서, 앉은 자리에서 배달 음식들을 차린다.

박상혁이 앞접시니, 수저니 하는 것들을 좀 가져와서 갖다 두었고. 마시라며 물병 한 두 개를 갖다 놓기도 했다.

사내들이 분주하게 움직이면서 준비가 끝났다. 박상혁은 소파에서 내려와서, 손님들을 마주보며 자신 역시 카펫에 앉았다. 굳이 식탁을 뒤로 밀지 않아도 공간은 충분했다. 카펫은 깨나, 제법 크기가 큰 종류였다.

조금 올이 굵은 털로 이루어져 있었고, 푹신한 감이 있다. 전체 모양이 뭔지는 알기 어려웠다. 그냥 기하학적인 여러 도형들이 어지러져 있는 모습이다. 새겨진 문양들은 말이다.

"집에 불러서, 얻어 먹기나 하니 미안하구먼."

박상혁이 말했다. 느릿한 그의 말투는 듣다 보면 또 적응이 되는 종류다. 갈비탕이니 볶음탕이니. 조금 큰 플라스틱 용기에 두 통으로 담아져 왔다. 앞접시에 국자 따위를 이용해서 각자 먹을만큼 덜어 먹는다.

풍족한 식사였다. 밥도 인분에 맞춰서 시켰고. 아니, 두어 개 정도를 혹시 모자를까봐 더 시켰다. 형사들은 어쨌든 계속해서 밥을 나돌아다니는 이들이었고, 먹을 수 있을 때 든든하게 먹어두는 게 좋다.

"아닙니다. 먼저 뜨시죠."

주로 윤계식이 박상혁의 말들에 대답했다. 주거니 받거니, 변변 찮은 신변잡기에 대해서 이야기를 하면서 식사를 한다.

김민식은 밥을 먹으면서 창고 쪽을 힐끔 보았다. 그가 두런두런 이야기를 하다가 화제를 돌린다.

"혼자 사시니 치울 것도 다 못 치우고 계시고, 그러시겠습니다."
"아이, 이를 말인가… 요새 허리가 영 아파서 말야…. 집 안에서 는 별로 움직이지도 않는다네."
"저희가 와서 이렇게 시끄럽게 하는 것도 죄송한데, 힘 쓸 거라 도 있으면 도와드리고 가겠습니다."
"아아, 알겠네…. 일단 먹고 얘기하지."

후릅.

사내들은 많은 말을 하지 않고 각자 밥을 떠먹었다. 플라스틱 수저가 함께 왔지만 박상혁이 내어 준 것으로 사용하고 있었다. 밥 을 먹을 때는 제대로 된 식기를 쓰는 게 확실히 편하기는 하다.
적적했는지, 박상혁이 리모컨을 찾았다. 군말 없이 밥만 먹고 있 으니 지나치게 고요하다고 느꼈는 지도 모른다.

원래 노인이 혼자 집에 있을 때는 별다른 소리가 필요 없다고 했던 것 같은데. 사람들이 와 있으니 또 다른 걸지도.

소파의 구석에 또 리모컨이 있었다. 핸드폰을 찾던 것처럼 그가 손을 더듬거리며 집어들고는 TV를 켠다. 소파에서 멀리 떨어진 정면에 있었다. 삑, 하는 소리와 함께 TV가 켜진다.

[…TN 뉴스입니다. 이전 구미에서 벌어진 살인 사건의 용의자를 경찰은 계속 수색하고 있습니다. 지방 경찰청과의 협조를 통해서, 강도 높은 수색 수사를 전국적으로 진행할 예정이며… 고의적으로 사람을 살해한 용의자에 대해서 결코 용서할 수 없다는 입장을 관계자가 대변했습니다. 경찰은 살인 사건의 행태를 보고 계획적인 연쇄살인의 가능성을 고려하고 있으며, 어느 때보다도 시민들의 적극적인 협조를 구하고 있습니다.

경찰 내부에서 만들어둔 용의자의 정보와 몽타주를 토대로 비슷한 인물이 주변에 있을 때, 관할 경찰서에 제보를 바란다며 관계자는…]

박상혁은 TV를 보다가 이내 관심이 없다는 듯 갈비탕 국물에 집중했다. 후릅.

뒤에서 들려오는 소리에 형사들도 이내 고개를 돌리곤 내용을 지켜보기는 했다.

이전에 벌어졌던 사건과 경찰 내의 의견이 이제서야 미디어를 통해서 전해지고 있었다. 한참이나 늦은 것이었고, 아마 더 늦어졌을 지도 모른다. 당국의 결정이 아니었다면 말이다.

결국 중요한 건 살인범을 잡는 것이었다. 미디어를 통한 선전이 살인마를 압박하고, 놈을 잡는데 공헌할 수 있다면 얼마든지 방송을 해야겠지만.

476

괜히 시민들의 불안감만 조성하고 도움이 되지 않는다면, 대대적인 선전을 할 필요는 없었다. 그러나 경찰 당국도, 별다른 진척이 없으니 이런저런 수를 던져보는 것이리라.

몽타주나, 정보에 대한 것도 사실 대단한 게 없었다. 지금 말하고 있는 뉴스는 '김연수'에 대한 것이었고. 김연수는 자신의 정보나 인상착의를 어딘가에 흘린 적이 없는 완벽한 범죄자였으니까.

그럼에도 저렇게 말을 하는 것만으로도, 누군가한테는 압박이 될지도 모른다. 완벽한 놈일수록 그럴 것이다. 자신이 어디에서 실수를 하지 않았는가, 심도 깊게 고민하며 자문할 테였다.

그것만으로도 놈의 행동을 조금 억누를 수 있다면 족하다. 당국은 아마 그런 생각일 테였다. 적극적인 제보를 바란다는 것도, 반쯤은 형식적인 얘기일 테였다.

제보를 바랄만큼 확실한 정보가 있었다면 아마 경찰 조직이 전국을 이잡듯 뒤져서라도 잡았을 테였다. 지금 김연수가 잡히지 않는 건 그에 대한 정확한 정보가 없기 때문이었으니까.

경찰은 어쨌든, 사건의 전체 모습은 아니더라도 어느 정도 공론화를 시켰다. 괜한 불안감을 조성하느냐, 하는 문제보다. 시민들에게 경계 의식을 심어주고 살인마의 행동을 억제하는 효과가 더 크리라고 결정을 내린 모양이다. 실효성의 문제는 어차피 알 수 없는 부분이었다. 거시적인 일이었으니까.

수많은 사람들의 집단적 선택과 의식의 흐름을 어떻게 가늠하겠는가. 어쨌든 윤계식은 그런 결정에 대해서는 지지를 했다. 뭐라도 해봐야지 않겠는가. 어떤 식으로든. 방식의 차이가 있을 뿐. 경찰 조직 전체적인 방향성과, 자신이 두 발로 뛰는 건 큰 차이가 없는 일이었다.

김연수는 기필코 잡아 쳐넣어야 하리라.

"…연쇄 살인범이라니, 참…."

윤계식은 이상하다는 듯 이야기를 했다. 확실히, 형사들이 셋이나 모여서 밥을 먹고 있는데. 직접 몸담고 있는 조직의 소식을 들었을 때 거론하지 않는 게 더 이상하리라는 생각에서였다.

박상혁도 한 두 마디를 거들었다.

"그러게 말이우…. 어째… 아시는 이야기오?"

박상혁은 형사들 중에서 가장 나이가 많고, 연차가 오래되어 보이는 윤계식에게는 조금 편한 말투를 사용했다.

"아뇨 뭐…. 아는 이야기까진 아닙니다만…. 저희도 모든 형사들이 정보를 공유하는 건 아니니까요…. 일선에서 뛰어다니는 형사들이 고생이겠다, 싶은 거죠….
그나저나… 이 대한민국 땅에서 아직도 연쇄살인마라니. 시대가 어느 시대인데…."

윤계식은 고개를 절레절레 저었다. 확실히 김연수같은 특이 케이스가 아니라면, 연쇄살인을 하기도 힘든 시대이며 사회이다. 어떤 전자 감시 기기가 없는, 아주 오지만 돌아다니면서 살인을 저지른다면 혹시 모르겠는데.

대도시나, 일반적인 도시를 가리지 않고 마음대로 사람의 목숨을 취하는 놈이 아직까지 잡히지 않고 있다니. 오랜 미스테리이며, 덕분에 그의 인생 경로가 많이 바뀌기도 한 일이었다.

　김민식이 묻는다.

　"자제분들 사시는 곳은 치안이 좀 괜찮습니까? 별다른 사건은….."
　"아, 뉴욕이니까…. 거기는 그래도 좀 괜찮긴 하지…. 특별히 위험한 데는 안 가고… 밝은 데, 번화가 중심으로만 다닌다고 하니까…. 사실 한국이 제일 나은데… 뭐 어쩌겠나…."
　"많이 보고 싶으시겠습니다."

　박주영이 말을 얹었다.

　박상혁은 고갤 끄덕거린다.

　"뭐… 그렇지…. 그런데 각자 삶이 있는데 뭘…. 나야 여기서 천천히 마무리를 하면 되지 않겠어…."

　마무리라는 말이 참 슬프다. 김민식은 고개를 주억거렸다.

　"저도 부모님 댁에 좀 자주 연락을 드리고, 찾아뵙고 해야겠습니다."
　"그러시게. 효도가 별 건가…. 자주 얼굴 보여주고 하면 그게 효도지…."

　이야기는 이리저리로 튀었다. 대화 주제가 말이다. 한 번 틀어진

TV는 그 이후로도 다양한 뉴스를 읊었다. 사회, 문화, 경제. 주변 가족들에 대한 이야기까지. 네 사내는 한동안 여러 이야기들을 했다.

한참의 식사 시간이 끝나고, 뒷정리를 좀 하고.

박상혁이 기어코 다시 차라도 한 잔 들겠나, 권유할 때 즈음에 김민식이 물었다.

"어디, 창고 방같은 데 짐이 쓸데없이 쌓여 있다거나… 좀 정리를 해야 한다거나 하시는 건 없습니까.
기껏 젊은이들이 왔는데 어르신 좀 도와드리고 가는 게 옳지 않을까…."
"아… 나야 괜찮은데…."

박상혁은 에둘러 거절을 하려고 했다만.

"부담스러워 하실 필요 없습니다. 어차피 쉬는 날이기도 하고. 불쑥 찾아온 것도 죄송한 걸요. 아무리 사소한 거라도 좋습니다. 저 문 앞에 짐들은 아예 창고로 집어 넣는 게 좋지 않겠습니까?"

김민식은, 오른쪽 한 켠에 있는 방문 앞의 짐들을 가리켰다. 거실이 깨나 넓기에 별로 지나다니는 데는 문제가 없었지만. 잡동사니들이 한 자리에 쌓여 있어 보기에는 썩 좋지 않았다. 사실은 강박증이라도 있는 사람이 정리한 듯 선이 잘 맞는 내부 인테리어에서, 어질러진 듯한 인상을 심어주는 데 큰 역할을 하기도 한다.

저 잡동사니들만 없어도 이 집은 훨씬 깔끔해 보이리라. 실제도 깔끔은 했지만. 한 눈에 언뜻 보기에도 말이다.

"아아 저거…."

박상혁은 조금 고민하는 듯 싶더니 고개를 천천히 끄덕거렸다.

"그럼세, 그럼."

노인은 소파에서 천천히 일어났다. 물건들을 이 참에 다 집어넣어 두는 것도 뭐, 나쁘지는 않으리라.

*

33. 재미있는 이야기

*

"물건이 많네요."

김민식의 말이었다.

콜록.

먼지가 좀 쌓여있던 내부였다. 이쪽은 청소를 별로 하지 않는 걸까.

'창고문'이라고 거실에서 보였던 공간은, 아주 비좁았다. 사람이 한 두 명 정도 들어가서 서면 딱 들어찰 정도. 안쪽에 물건을 쌓아두고, 빼내고 하는 일 자체도 아주 번거로워 보인다. 확실히 노인이 내부를 정리하기에는 벅찰 것 같았다.

허리에 문제가 있다면 더욱 그러리라. 높이 자체는 꽤나 높았다. 김민식이 키가 좀 큰 편이었음에도 머리 위로 공간이 남았으니까. 팔벌려 뛰기를 제대로 하지 못할 정도의 공간. 짐을 다 뺀다고 하더라도.

그 정도의 좁은 장소 안에 이런저런 잡다한 것들이 들어 있었다. 콘크리트가 그대로 노출되어 있는 구조였다. 실내는 목재풍으로 인테리어가 되어 있지만, 골조 자체는 콘크리트와 철근이었다. 안쪽의 내장재만을, 디자인을 위해 그렇게 꾸며놓은 것이었고.

창고방은 이곳이 오래된 집이라는 느낌이 다분히 드는 공간이었다. 수십 년은 족히 되어 보이는 책이라거나, 꾸러미라거나. 오래된 상자 따위는 줄에 묶여 있었는데, 무엇이 들었는지 일일이 다 확인하기도 어려웠다. 무게들이 제법 나갔다.

김민식은 솔선수범해서 안에 들어갔다.

쿵.

냄새는 여전하다. 이건 희미하지만, 아주 짙다. 어려운 말이지만. 그 특유의 향이 너무 독특하기에 다른 것들이 그 위로 덮혀도 분명하게 느낄 수 있었다.

김민식은 이 집에 들어온 이래로 어쩐지 무거운 기분을 갖고 있었다. 자신의 기억과 감각이 정확하리라고 여기고 있었으니까.

좁은 창고 방 안에는 이렇다할 전등도 없었다. 가뜩이나 박상혁의 집은 실내등을 잘 켜놓고 있지 않아서. 안쪽을 살피는 게 어려웠다. 자신의 스마트폰으로 플래시를 켜서 내부를 확인하고, 하나하나 짐을 쌓을 수밖에.

바닥과 벽면은 콘크리트 그대로였다. 생각보다 '방'이라고 할만큼의 공간은 아니었고. 정말로 창고로만 쓸 수 있는 작은 틈이다. 건물의 구조도 상 두터운 외벽이자 기둥이 있을 장소였는데. 한쪽만 이렇게 파내서 적재용의 창고로 쓰고 있다면, 영 말이 안 되는 것도 아니기는 했다.

구조상의 미스테리는 일단 풀렸다. 그런데, 김민식의 코끝에 감도는 약품의 향은 영 사라지질 않는다.
그는 잘 알고 있다. 약품을 오래, 한 곳에 많이 사용할수록 그게 뚜렷이 남는다는 걸. 아마 그 외에 다른 사람들은 잘 느끼지 못할 테였다. 기본적으론 무취에 가까운 희미한 향이었다.

김민식은 불을 켜고 사방을 돌아본다. 좁은 공간. 바깥에 쌓여 있던 잡동사니들을, 부지런히 옮겼다. 하나하나 빈 틈에 넣어서 차곡차곡 쌓아 올린다. 바깥에 있던 물건들은 먼지가 없었지만, 내부에 들어있던 종류에는 먼지가 좀 묻어 있었다.

집주인은 아주 깔끔한 성격이라서, 실내에 먼지 묻은 곳이 하나도 없었지만. 창고까지 청소를 할 정도는 아니었던 모양이다. 확실히, 여기까지 청소가 되어 있다면 그게 더 이상한 일이기는 하리라.

허리도 아픈 노인이 집 안 구석구석 모두를 닦고 있다면. 가끔 청소 용역 따위를 부른다고는 하는데. 실내의 모습을 자세히 살펴보면, '가끔' 누구를 불러서 하는 정도의 청결 상태는 아니었다. 김민식은 노인이 결벽증에 가까운 성격이리라고 확신하고 있었다. 티비가 올라가 있는 서랍장 위에는 다양한 소품들이 있다.

도자기 인형이니 뭐니 하는, 인테리어 용의 잡동사니들이다. 그것들에도 먼지가 하나도 없었다. 조금 오래 놔둔다면 금방 묻어나 올텐데.

거실 자리에서 확인할 수 있는 모든 틈은 더러운 것이 묻어나오지 않고 깔끔하기만 했다.

드러나지 않는 부분들은 더럽다.

"쿨럭."

김민식은 먼지 때문에 기침을 하면서, 바깥에 쌓여있는 책 꾸러미 따위를 안에 들여다 놓았다.

기이한 감각이나 기분. 알 수 없는 묘한 긴장감은 계속해서 그의 몸을 경직시키기는 했다. 약품 냄새 때문이다. 먼지 속에서도 분명 드러나니까.

이 창고 문에서 보다 선명하게 나고 있었다. 그는 물건 따위들을 들여다 놓으면서, 그 벽 틈새를 조금 더듬어 보았다. 바닥이나 벽은 콘크리트가 그대로 드러나 있다.

'냄새'는 그 틈에서 가장 많이 나는 것 같았다.

잡동사니가 막고 있었지만 그 틈새로.

김민식은 창고 내부에서 짐을 정리하면서 한참을 머무른다.

*

박상혁은 그 뒤에서 김민식이 일하는 것을 지켜보고 있었다. 집 주인으로서, 물건을 함부로 어지럽히지 않는가 살펴보는 건 당연한 일이리라.

어쨌든 외부인이었으니까.

조심스럽게 다루어야 할 물건을 잘 모를테니, 함부로 다룰 염려도 있었고 말이다. 노인의 물건들이란 자고로, 일반적인 눈으로 가치를 구분하기 어려운 법이었다. 먼지 더미에 들어가 있는 별 것 아니어 보이는 잡동사니가 오래된 진품 골동품일 수도 있으니까.

박상혁은 소파에 앉아서, TV를 틀고 느긋하게 김민식을 보고서. 입을 다문 채다. 무어라 이래라저래라 말을 얹지는 않았다. 뭐라도 잘못을 한다면 이야기를 하겠지만. 일단은 느긋한 편인 영감이다. 애초에 기력도 많지 않은 것 같았고.

박주영은 부엌 쪽에 들어가서, 음식들을 조금 정리하고 있었다. 일회용기나 혹은 다회용기 따위가 있는지 찾아보고, 남은 갈비탕이랑 닭볶음탕, 반찬 따위들을 냉장고에 집어 넣는다.

냉장고에 오래된 것들이 있다면 좀 버리고 처리를 할까 싶어서 살펴보기도 했다. 손이 닿는 곳은 모두 잘 정리가 되어 있었다. 특별히 할만한 게 많지도 않았다. 음식물 쓰레기도 별로 없었고.

박상혁은 아주 깔끔한 편인 성격인 모양이다. 부엌 정리에 조금 힘을 쓰면서 박주영은 그리 생각했다. 윤계식은 계단 근처에서 집의 모양을 살피고 있었다. 실내 인테리어를 전체적으로 말이다. 딱히 하는 일은 없다.

창고 쪽 외에도 손을 댈만한 곳이 있다면 나서겠지만. 박상혁이 그 쪽만 하라며 한사코 말을 했기에 더 손을 얹지는 않는다. 노인의 입장에서는 젊은 형사들이 이렇게 집에 찾아와 일을 해주는 것이 부담스러울만도 하다. 노인은 삶의 연륜과 지혜가 있는 자였다. 호의라는 걸 그저 무한정 받아들이기만 해서는 안된다고도 알고 있는 셈이었다.

베푸는 걸 받기만 하는 것보단, 자신이 베풀어야 인간관계에 탈이 없다. 관계성같은 말을 따지지 않고서도, 삶에 있어서도 마찬가지였고. 노인은 수고하는 형사들에게 미안한 마음을 갖는 듯 보인다.

"이 집은 예전부터 갖고 계셨던 겁니까?"

윤계식이 에둘러 물었다. 1층에서 구석 쪽에 있는 계단을 둘러보고 내려오며 말한다. 박상혁의 기준에서는 오른쪽 구석에서 걸어오는 모습이다. 왼쪽 벽면에 창고를 열고, 김민식이 일을 하고 있었고. 중앙에는 TV가 있다. 뉴스만을 방영하는 채널이었고, 시종일

486

관 다양한 토픽으로 사회 전반의 소식들을 전달해주고 있었다.

계식의 물음에 박상혁은 고개를 저었다.

"아니, 아니라네……. 내 건 아니었고…. 그냥 좋은 집이 있는가 해서 알아보던 차에 잘 아는 부동산 중개업자가… 소개 시켜줘서… 산 거지. 나야 이 집에 대해서 아는 건 별로 없다네."
"그러시군요."

윤계식은 웃는 낯으로 대답을 듣고는 마저 둘러보았다. 오래된 집이었다. 제법 넓었고, 좋은 집이다. 자신도 이런 집에 살면 딱 좋겠다고 생각이 들 정도로. 말년을 보내기에 괜찮았다. 다른 사람의 집을 보고 탐심을 이글거리는 건 아니었으나.

집 주변의 동네도 조용한 편이었다. 쓸데없는 소란은 별로 없었고. 시내와도 거리가 많이 떨어져 있다. 단독 주택이었고, 주택과 주택 사이의 거리도 조금 있다. 담을 넘어서까지 옆 집의 소란이 들려올 염려도 없었다. 애초에 주택을 마주보고 섰을 때, 왼쪽 담벼락 끝은 길과 붙어 있었다.

그대로 올라가는 경사였고, 조금 더 가서 이곳저곳으로 갈라지는 골목길이었다. 실질적으로 거주하는 주택의 오른쪽은 차고 건물이고, 다시 오른쪽으로 가서 담벼락을 넘으면 빈 공간을 살짝 둔 뒤 옆 집이었다.

이웃 간의 교류가 아예 없는 건 아니었으나. 딱히 의무적인 반상회 따위가 있지도 않은 듯했고. 평안한 생활일 것 같았다. 미리 저축해 둔 노후 자금 따위만 충분하다면 말이다. 윤계식은 집 안을 둘러보면서 여러 생각을 했다.

"이곳에 사신 지는 오래 되셨나요?"
"꼭, 호구조사 하는 것 같구먼."

[지난 해 말부터 시작되었던 정부의 예산 삭감으로 인해 지방 지자체들은 예산 부족으로 골머리를 앓고 있습니다. 특히 관광, 문화 부문에 들어갈만한 여유 자금이 없다는 점이 만성적인 인구 부족을 토로하는 지방들에게 큰 어려움이…]

뉴스에서는 젊은 여자 앵커가 이야기를 하고 있었다. 내용은 그다지 관심이 있는 종류가 아니었다. 이 집 안에 있는 사람 모두가 그럴 것이리라. 박상혁의 말에 윤계식은 그저 웃었다.

"아하하…. 아닙니다. 죄송하네요. 이게 형사 생활을 오래하다보니 습관이 되어먹어서…. 죄송합니다, 어르신."
"아닐세, 그… 형사님은 혹시 이 늙은이가 들으면 흥미로울만한 뭐, 재미있는 이야기라도… 없는가?"
"재미있는 이야기요,"

윤계식이 거실과 계단 즈음을 대충 돌아다니며 대답했다. 조금은 뜬 톤으로 말을 뱉었다. 호흡이 가쁘다는 의미이다. 체력이 부족하거나, 혹은 감정이 요동치거나. 큰 변화는 아니었지만 박상혁은 그렇게 여겼다.

"그냥 뭐, 적적한 김에 아무거나…. 보아하니 형사님들 중에서 가장 연차가 오래되신 듯한데…. 오늘이 쉬는 날이고 놀러온 거라면… 그런 얘기 하나 둘 정도는… 풀어줄 수 있지 않나."

노인은 조금 특이한 성격인 것 같았다. 윤계식은 그렇게 느꼈다. 김민식에게 들은 바로도 그러하기는 했는데.

말재간이 있고 재미있는 노인이라고, 말이다. 윤계식은 박상혁을 바라보며 싱긋 웃었다. 언제나 입고 다니는 것과 비슷한 차림이었다. 겉에는 바람막이라고 할만한 재킷이 있었는데, 지금은 곱게 접어서 카펫 위에 둔 채였다. 반팔 와이셔츠에, 여름용 면바지를 입은 차림이다. 손목에는 조금 두터운 야전용 전자 시계가 있었다. 밀리터리 용품을 좋아하는 건 아니었는데. 아무것도 없는 것보다는, 위기의 순간에 뭐라도 있는 편이 좋으니까.

형사들은 개개인이 모두 다르지만 제각기 호신용품들을 챙기곤 한다. 칼날을 막을 수 있는 두터운 시계 종류도 쓸만한 호신용품이다.

박주영과 김민식은, 핸드폰의 케이스를 특수한 것으로 바꿔서 달아둔 상태였다. 기본적으로 제공되는 케이스를 아예 메탈 소재로 바꾼 뒤에, 겉에 끼우는 외장 케이스 역시 비슷한 것으로 한 겹 덧대었다.

농담이 아니라, 작은 구경의 권총탄 정도는 막아낼 법하다. 칼날이라면 더욱 용이하게 막을 것이었고. 급하다면, 당장 거수자를 제압하는 둔기 정도로 쓸 수도 있었다.

윤계식은 자신도 모르게 슬쩍, 시계를 바라보았다. 집 안에는 여기저기 시계가 달려 있었다. 주인장, 박상혁이 시간을 중요하게 생각하는 인간인 모양이었다.

보통 한 장소나 방에 한 개 정도 있음직한데도. 눈에 닿는 곳, 벽면 따위에 여러 개가 붙어 있었다. 따로 탁상용 시계를 두기도 했고. 윤계식의 눈에 뜨인 특이한 점은 그런 정도다.

"…재미있는 이야기, 이야기라…."

윤계식은 제 팔목을 쓰다듬으며 박상혁의 앞에 가 앉았다. 털썩, 하고 카펫 앞에 다시금 양반 다리를 하고 앉는다. 윤계식은 박상혁을 조금 올려다봤다. 노인. 늙은이. 윤계식도 어디를 가면 늙다리라고 취급을 받을만한 인간이었다. 가끔 흰머리가 심하다 싶을 때 염색을 하기도 하고. 또래에 비해서 주름이 많은 편은 아니기에 늘 그런 건 아니지만.

계속 형사를 하고 있었다면 확실히, 현장에서 뛸만한 나이는 아니었다. 사무와 총괄, 관리직으로 전환하거나 혹은 은퇴를 하거나. 두 가지 기로에서 윤계식은 은퇴를 선택했다. 그가 남았다고 해서 꼭 대단한 자리에까지 올라갈 수 있었던 것도 아니고. 그냥 몇 년 더, 일선에서 물러나 형사직을 할 지 아니면 당장 그만둘 지를 선택한 것 뿐이다.

별로 의미가 없다고 생각했다. 당시의 윤계식은. 그의 형사 생활은 확고한 목표를 갖고 있었다. '김연수金演水'를 잡는 것, 말이다. 역사상 최악의 살인귀. 아니, 그 정도는 아닐까. 적어도 근 수십여 년간 대한민국에서 있었던 살인범들 중에서는 최악의 물건이리라.

그는 최악을 자신이 잡기 원했다. 아무도 쫓지 않는 놈이었으니까. 적어도 한 인간만은, 집요할 정도로 놈을 쫓아야 한다고 생각했었다, 늘.

그러다보니 그의 형사 생활은 조금 일률적으로 이어졌다. 김연수의 뒤를 쫓으면서 얻게 된 건 살인마들을 잡기 위한 노하우가 되었다. 김연수 이후에도 연쇄 살인마들은 여럿이 있었다. 정확히 말을 하자면, 연쇄 살인마가 될뻔한 미수범들이 많이 있었다.

수사 도구와 기법이 발전하면서, 이전처럼 연쇄 살인이라는 건 쉬운 일이 아니게 되었다. 치밀한 계획 살인을 기획한다고 하더라도 어딘가에는 틈이 나고, 흔적을 흘리게 되어 있다. 과학 수사 앞에서 사람의 치밀함은 그리 대단찮은 게 못된다.

경찰은 일단 거대한 조직이었고, 그 안에서 움직이고 있는 인력들 역시 전문적인 교육을 받은 엘리트들이다. 범죄가 일어나는 것 자체를 막기란 어려우나, 흔적이 생긴다면 이후 추가적인 범행을 막기 위해 언제나 달려간다.

윤계식은 가장 흉악한 범죄자들의 뒤를, 가장 먼저 쫓는 인간이었다, 늘.

그가 뭐, 영웅인 것은 아니었다. 영화에 등장하는 대단한 초인들도 아니었고. 평범한 의지를 지닌, 범상한 형사일 뿐이었다. 대한민국에는 그를 제외하고도 의지를 불태우며 사건을 수사하는 경찰들이 아주 많다.

그는 개중에 한 명일 뿐이다.

그러나 그 '한 명'으로서의 역할을 누군가에게 넘길 생각은 결코 없었다. 그건 은퇴를 하더라도 변하지 않는다.

박상혁의 표정을 본다. 그는 빙그레 웃고 있다. 윤계식도 마찬가지였고. 금방 밥을 먹어 배가 부르다. 배가 부르고 등이 따뜻하면, 인간은 대부분의 문제를 잊을 수 있게 된다. 적어도 잠시 동안은 말이다.

박상혁이 한 번 더 차를 내어줄까, 하는 걸 막은 참이었다. 속은 가득찼고 날씨가 무덥지 않은 어느 초여름이다. 저택 안은 단열이 잘 되는지 바람이 많이 불지 않아도 덥지도 않았다. 그늘이 많고 불을 꺼둔 것이 조금 영향이 있을 지도 모른다.

옆에서는 김민식이 뒤적거리면서 제 일을 하고 있었고, 박주영은 또 부엌을 비롯해서 1층의 여러 곳들을 오가면서 자신이 좀 정리할 게 없나, 계속 찾아보고 있었다. 뉴스의 앵커는 관심도 없는 기사들을 열심히 읊고 있고.

윤계식은 여러 가지 사연과 그것을 표현할 단어 중에서 하나를 골라 먼저 뱉었다.

"김연수."

윤계식이 말을 뱉었고, 김민식은 어둡고 비좁은 창고 속에서 장신을 구겨가며 일을 하다가, 소리를 듣고 저도 모르게 뒤를 돌아보았다.

여기서 들을 줄은 몰랐던 단어를 들었기에 반사적인 행동이었다.

*

492

*

"김연수?"

김연수는,

아니 박상혁은 생뚱맞은 단어를 들었다는 듯이 반응을 했다.

노인은 표정을 조금 구겼다. 이마에 있던 주름살이 약간 깊어진다. 그늘이 생기는 것도 같다. 윤계식은 여전히 아래에 있고, 노인은 조금 높이 소파에 편히 앉아있다.

그의 시선은 윤계식을 바라보고 있지만, 가끔 김민식 쪽을 흘겨보기도 한다. 그가 일을 잘 하고 있는가, 지켜보는 꼴이다. 윤계식은 전혀 상관하지 않고 이야기를 이어나갔다. 재미있는 이야기다. 그의 인생에서 가장 긴 이야기였으니까.

아니, 사실대로 말을 하자면. 54세, 올해로 55세가 되어버린 그의 인생에서. 가장 긴 이야기까지는 아니다. 형사 생활조차 그의 삶의 일부이니까. 그 형사 생활에서 다시 일부인 김연수는 그의 인생 전체를 대변할만한 이야기는 아니다.

윤계식은 김연수가 아니어도 여러가지 사연들이 많다. 아직까지 가끔 연락을 드려야 하는 시골의 어머니와 아버지가 있다. 그의 형은 지방에서 나름대로 성공한 치과의사로, 벌써 할아버지가 되었다면서 손주를 자랑했었고.

와이프와는, 이미 이혼을 했고 영 좋지 않은 결말이 나버렸지만. 그녀와의 추억 역시 그의 인생의 한 부분을 멋들어지게 장식한다.

그러나, 가장이 아니라고 하더라도 깨나, 많은 부분을 차지하며 중요한 스토리인 것은 분명하다. 김연수라는 이름이 윤계식에게 주는 의미는 그러하다.

그래서, 노인이 '재미있는 이야기'가 무엇이냐, 하고 물었을 때 내뱉지 않을 수가 없었다. 이건 소회에 대한 풀이이기도 했다. 누가 알겠는가. 자신이 홀로 그 살인범을 쫓았을 때의 기억과 감정들을.
문득 자신의 감정을 건드린 노인의 말이었다. 윤계식은 누구를 위해서가 아니라, 자신을 위해서도 그 이야기를 풀고자 한다.

"김연수라는 건, 사람의 이름입니다. 아니… 정확히 말을 하자면 이름은 아니겠군요. 누군가의 본명이 아니라… 별명이니까요, 별명."
"별명이라…."

확실히 사람 이름 같기는 했다. 박상혁은 그렇게 여기면서 고개를 주억거린다. 노인은 능청스럽다. 무슨 이야기를 시작하는 건지, 전혀 모르겠다는 표정이다. 짐작이 영 가지 않는 얼굴을 하는 건, 청자로서는 좋은 재주이다. 화자가 말할 맛을 살려주는 제스처이기도 하다.

윤계식은 단지 그래서만은 아니었고. 제 스스로도 화자가 되어서 이야기를 이미 듣고 있었다. 누구에게 입 밖으로 꺼내본 적은 없는 말들이었다. 누구에게 털어놓겠는가. 그는 김연수를 쫓다가, 와이프와 이혼까지 한 사내였는데.

그토록 고독하고, 지독하게 산 홀애비 근처에 마음을 나눌만한 이가 별로 없었다. 그가 썩 무정한 편은 아니었음에도 인상이 더러 워진 건 그런 이유에서일 지 모른다. 박주영과 김민식도 처음에는 그를 아주 어려워했다.

고독감은 사람을 괴물로 만든다. 아니, 괴물로 보이게끔 할지 모른다. 유명한 유물론자, 비관주의적인 철학의 대가가 한 말이 인터 넷 따위에서 떠돌기도 한다. 괴물을 상대하는 자는 스스로도 괴물 이 되지 않게 조심하라던가.

윤계식은 물론 그런 말을 신경쓰지는 않는다. 그가 신경써야 할 건. 김연수를 반드시 잡아야겠다는 확고한 의지를 무너뜨리지 않는 거다. 살인범을 평생 상대하며 쫓는 건 아주 피로하며 고된 일이 다. 때로는 스트레스 때문에 정신이 무너질 것 같은 때도 종종 있 다.

그럴 땐 니체인지 뭔체인지 하는 양반의 말이 매혹적으로 들리 기도 한다. 그럴싸해 보이는 것이다. 그러나, 고작 괴물을 상대한다 고 사람이 괴물이 되지는 않는다. 생각을 삐끗했다고, 세상이 바뀌 지는 않는다.

세상이라는 건 자신의 생각으로 인해 '고정된' 세계가 아니며, 신에 의해서 고정된 세계이기 때문에. 윤계식은 세상의 창조와 유 지에 대해서 간섭한 바가 없었다. 그가 정신을 잃고 공황장애를 앓 는다고, 갑자기 세상이 무너지지도 않는다.

윤계식의 정신 세계 정도는 무너지겠지만. 세상은 거뜬하다.

세상은 그리 쉽게 변하지 않는다. 좋은 의미로도, 나쁜 의미로도.

실제적인 대가를 지불해야만 간신히 조금 움직이고야 마는, 아주 녹슬고 거대한 철 수레바퀴 따위이다. 사회, 세상이라는 건.

괴물의 상대를 하는 자는, 자신의 마음을 잘 가다듬어야 할 테였다. 목적을 분명하게 한다면 삐끗하진 않을 테다. 극단적으로 말을 하자면, 괴물이 되어버린 놈은 원래 괴물이 될 놈이었던 걸지도 모르고.

살인마를 잡아 족치기 위해서 뛰고 있는 형사들이 살인마가 되지는 않는다. 아무리 업무가 고되어도. 고된 강도의 일을 계속하면 할수록, 더욱 그들의 행태에 치를 떨게 되겠지.

니체는 늘 기준을 무너뜨리는 류의 인간이다. 상식적으로 다가가 체험하면, 이미 알 수 있는 삶의 선線을 말이다.

"연수동 아시죠, 강남에."
"아…. 알기는 하지."

김연수는 고개를 끄덕거렸다. 아니, 박상혁은. 둘 모두 본명은 아니지만. 노인은.

"…"

윤계식은 말을 하려다가 머뭇거리곤 씨익 웃었다. 이 말을 해도 될는지, 마지막으로 한 번 생각을 해본 탓이다. 외부인에게 지나치게 이야기를 해서 좋을 게 없기는 한데.
'김연수'라는 이름 자체는 이미 알려졌던 것이니까. 지금에 와서야 너무 옛날 이야기라서 아는 사람만 아는 게 되어버렸다고 하지만.

"강남 연수동에서 살인을 벌였던 살인마의 이름입니다. 김 씨 성을 가진 피해자들을, 셋이나 연달아서 죽였죠. 아마… 형사 조직 내에서 가장 골머리를 썩게 했던 살인범을 대라면 이 사람의 이름이 나올 텝니다."
"허허… 그렇게 말하니… 언뜻 들어본 것도 같구먼…."

박상혁은 느리게 대꾸했다. 기억을 더듬는 것 같은 표정이었다. 윤계식은 옛날 이야길 이어가기로 했다.

탁.

쿨럭.

좁고 작은 창고 방. 방이라고 하기에도 뭐한 작은 공간에서 여전히, 꾸러미들을 정리하고 있는 김민식이었다. 그의 기침 소리가 작게 들렸다. TV소리는 어느새 줄어들었다. 박상혁이 윤계식과 대화를 하면서, 흥미가 생겼는지 볼륨을 아주 작게 낮추어 놓았다.

희미하게 떠드는 앵커의 말소리가 BGM처럼 깔린다.

여름. 낮.
그늘진 저택의 실내, 거실.

두 사내는 카펫과 테이블을 마주보고 대화를 한다.

"희대의, 악인이라고 할 수 있습니다. 김연수는. …. 경찰 내부적인 안건이라 말씀은 못 드립니다만⋯. 최근에도 문제가 되고 있고요."

계식은 박상혁의 표정을 살핀다. 노인이 관심이 있어 할만한 주제인가 아닌가를 알기 위해.

"예전의 이야기를 좀 해볼까요."
"⋯좋네."
"김연수라는 이름이 붙기 전. 저는 현장에 갔었습니다. 참혹한 꼴이었죠. 선생님께서도⋯ 혹시 군에 복무하신 적이 있으십니까?"

박상혁은 싱긋 웃으면서 고개를 끄덕거렸다.

"아니. 나 때는 지금처럼 규제가 복잡하지 않았다네. ⋯당시에 결핵이랑 전염성 있는 간염 따위를 좀 앓아서⋯. 부적격자로 떨어졌지. 그 뒤로도 교통사고를 당했던 것이 문제가 되어서⋯."

노인, 박상혁은 그리 말하며 자신의 무릎 께를 쓰다듬었다. 무릎이나 허리는 그가 움직일 때마다 둔한 모습을 보여주는 관절부다. 심히 좋지 않은 듯. 그는 천천히 서고 앉고 걷는다. 단순히 노환으로 인한 이런저런 병력이 있는가 했는데, 젊은 시절에 외상을 입었었던 모양이다.

"그러시군요. 아무튼⋯.
눈 뜨고 보기 어려운 현장이었습니다. ⋯⋯. 형사 생활, 특히 강력반 형사를 하다보면 이런저런 꼴들을 많이 보게는 됩니다만⋯."

계식은 단어를 조심히 골랐다. 상관이 없는 노인에게 '재미' 삼아서 이야기를 들려주는 것이었으니. 지나치게 자극적인 말을 하는 건 좋지 않으리라. 어느 정도 심신미약자를 상대하는 듯한 태도로 말을 잇는다.

"괴물이라는 생각이 많이 들었습니다."
"괴물? 누가?"

김연수가 물었다.

"김연수, 말입니다."

윤계식의 눈은 아주 멀리를 내다보는 듯 가라앉았다. 거리적인 '멂'이 아니라 과거를 회상하는 눈빛이었다. 오래된 과거와 기억. 자신의 마음속에 묻어두었던 장면들. 같은 시간이 지난 일이라도, 특히나 예전의 기억처럼 느껴지는 장면들이 저마다 있다.

그건, 보통 고통스럽고 힘든 기억일 경우가 많다. 아예 깊은 곳에 묻어버리고 한 번도 꺼내질 않았기 때문에. 더욱 흐릿하고, 오랜 시간이 지난 것처럼 보이게 된다.

"사이코패스… 들이 저질러놓은 범죄 현장을 보는 게 처음은 아니었습니다만. 아, 물론 김연수가 처음 일을 저질렀을 때 한국엔 사이코패스라는 단어가 잘 퍼져 있지도 않았습니다만.

……아무튼 미치광이 살인마들 중에서도 조금 다르다고 생각을 했죠."

윤계식은 침을 삼킨다.

"평범한 가정집이었는데. 난장판이 되어 있었고요. 섬칫한 것은 어떤 흔적도 남지 않았다는 겁니다. 범행의 흔적들은 있는데, 범인의 흔적은 조금도 없었지요.

지금와서 생각해보면 더욱 그렇습니다. 이십 여 년 전에. 완벽범죄를 위해서 얼마나 놈이 궁리를 했을지 잘 짐작이 안 갑니다.

연수동에 거주하고 있는 부자…들을 대상으로 놈은 범행을 저질렀고요. 혼자 살고 있다는 점에서, 어르신과 조건은 조금 닮긴 했군요."

하하…. 윤계식은 웃기지도 않은 농담이라는 듯 이야기를 한다.

박상혁도 그에 맞추어 웃는 척을 조금 해주었다. 적당한 호응은 언제나 이야기꾼을 신나게 하게 마련이다. 더 빨리, 많은 핵심을 듣고 싶으면 언제나 반응이 중요하다.

"목격자도 없고, 범행의 단서가 될만한 다른 점도 없었습니다. 증인으로 나설만한 이가 전혀 없었지요. 그게 참…. 말이나 됩니까.

대체 어느 인간이 자신이 움직이면서 누군가의 눈에 비칠 것을 생각해서… 완벽한 사각으로 범죄 현장에 기어들어가 일을 저지르고, 똑같이 나온다는 말입니까.

영화입니까, 그게?

김연수는 확실한 미치광이였고… 자기 스스로의 컨셉concept에 지독하게 몰입을 한 인간이었죠. 잔인성을 굳이 따지지 않더라도 어떤 종류의 미친 인간은 분명합니다. 누구도 그에게 그런 삶을 강요하지 않았는데.

그런 기이한 일을….

그 방법이나 행위가 살인이었다는 것만 제외하고 보자면…

글쎄요, 김연수는 스타가 되고 싶었던 걸지도 모르겠습니다."

"호."

박상혁은 흥미롭다는 듯 이야기를 듣는다. 감탄사와 같은 소리를 터뜨리기도 했다. 윤계식은 긴 말을 토해낸다. 오래도록 품었던 생각들이기도 하다.

"누군가한테 자신의 삶이나 행위의 과정이 보여질 거라고 생각을 하고…. 하나라도 허투루 하는 일이 없이 제대로 꾸며서 했습니다.

자신의 흔적을 완벽하게 감췄다지만….

글쎄….

제 눈에는 도리어 그게, 과시를 하려는 것처럼 보이더군요.

왜냐하면… 그런 인간은 없으니까 말입니다. 어디 국정원에서 일을 하는 요원들도 아니고…. 영화나 대중 매체에서 뭘 보고 받아들인 건지는 모르겠지만….

겉으로 드러나는 '김연수의 특이점'을 곰곰이 생각하다보면 그의 이상성을 많이 발견할 수 있었습니다.

'나는 누구도 하지 못한 방식으로, 남다른 범행을 저지른다' '너희 모두는 나를 보고 치켜세우고, 떠들어라. 박수를 쳐라'

마치 이런 말처럼 들리더군요. 실제로 놈의 범행은 철저하면서, 동시에 대담합니다. 얼마만큼 준비를 하고, 대단한 기량을 갖고 있는 건지 쫓는 인간으로서 짐작이 잘 가지 않을 정도입니다.

조그마한 단서나 흔적도 남기지 않은 살인범은 그렇게… 연쇄 살인을 자행했습니다. 단기간 내에, 여럿이나.

초기에 벌였던 연속 살인 외에도 한동안 김연수의 범행은 계속되었죠.

감식반이나 현장 검증을 하는 여러 수사관들이 볼 때, 어떤 정확한 단서가 나오지는 않았지만. 과학적 도구로 수사할만한 제대로 된 증거가 나오지 않았다는 게 무엇보다도 김연수가 저질렀다는 확실한 증거가 되어주었습니다.

단언컨대… 대한민국에 유일한 살인범이라고 할 수 있겠습니다. 놈은.

미치광이들 중에서도… 단연 가장 미친 인간이겠지요."

윤계식의 말을 들으며 박상혁은 묘한 표정을 지었다. 이야기에 빠져들 듯, 그의 눈 역시 먼 곳을 처다보는 낌새가 되었다. 흥미진진한 스토리를 들으면서, 자신의 머릿속으로 동시에 상상을 하는 모양이었다.

재미의 문제는 결코 아니겠으나. 그와 같은 강력반 형사들의 삶은, 가장 다이나믹한 종류임은 분명할 테였다. 인생의 밑바닥보다도 더 바닥을 기는 범죄자들의 뒤를 쫓아야 했으니까. 인간의 저열한 인성, 그 밑바닥이 어디까지 존재하는지 천천히 알아가는 과정이라고 해도 좋았다.

형사로서의 직업 생활은.

"그런 놈이 있었구만… 이 나라에…."

달칵,

하는 소리가 옆에서 났다. 윤계식과 박상혁 모두 고개를 돌려 처다보지는 않았다. 부지런히 일을 하던 김민식이 대강 물건들을 안쪽에 다 넣어두고, 잠깐 창고 문을 닫은 참이었다. 바깥에는 여전히 잡동사니들이 조금 있었다.

무작정 안에 넣는다고 다 들어가는 건 아니었기에. 효율을 위해서 고민을 하다가 잠깐 빼둔 것들이다. 김민식은 일단의 창고 정리는 다 했다고 여겼다.

박주영은 여기저기, 1층 곳곳을 돌아다니며 자신이 거들만한 일이 있는가 보고 잡다한 가사일을 했다.

김민식은 창고에서 나왔고, 안쪽에 있던 먼지들이 바깥에 떨어진 것이 많았다. 김민식은 바닥을 닦을만한 걸레가 어디에 있는가, 찾기 위해서 거실을 성큼성큼 지나갔다.

젊은이들이 움직이고 있었고, 두 낡은이들은 대담을 이어나간다.

대담한 대담이었다. 누구의 입장에서 보자면 말이다. 사이코패스라는 건 어떻게 보면 마음이 강한 놈들일 지도 모른다. 정확히 말하자면, 이미 감정적으로 죽어버렸기에. 반응이 없는 것에 불과하지만. 그것을 강함이라고 표현한다면 그럴 수 있으리라.

박상혁의 표정에는 한 치의 흔들림도 찾아볼 수가 없다.

"예, ⋯. 24년 전에 연수동에서 일을 치르고⋯. 23년 전, 22년 전⋯. 놈은 쉬지 않고 일을 했습니다. 미치도록 잡고 싶었고, 놈을 위해서 인생을 바쳤다고 해도 과언이 아닙니다.

물론 뒤를 쫓아가는 입장이라⋯.

제가 본 건 늘 싸늘한 주검들 뿐이었습니다만.

거기에서 다시 놈의 뒤를 쫓을만한 흔적이 나오리라 늘 믿었었고, 집착을 했지요.

일단…. 확실한 건 놈이 남자라는 겁니다. 어떤 운동 선수가 오더라도 불가능해 보이는 수준의 일들이 놈의 범행 과정일 테니까요.

피해자들의 신원은 다양했고… 늘 그 모두를 한 치의 오차도, 망설임도 없이 끝냈습니다. 평범하게 걸어서는 불가능한 동선으로 움직여왔다고 짐작이 되고….
시신을 마음대로 유기하거나, 옮긴 방식에서도 놈의 강력함이 드러나지요.

경찰 조직 내에서의 골칫덩이 그 자체이고….
그만한 능력이 있다면 차라리 스포츠에 투신을 했다면 좋았을 것을 말입니다.”

윤계식은 여러 말들을 하고 싶었다. 그러나 결국 할 수 있는 건, 정확한 당시의 상황 정보들을 다소 뺀 말들이다.
조직 외부의 인원에게 사건 정보를 함부로 전달할 수는 없으니 말이다. 그건 윤계식의 습관같은 것이라, 옛날 이야기를 하면서도 여전히 지키게 되는 원칙이었다.

피해자의 정확한 신원, 살해 방식, 범행 현장에서 추론할 수 있는 정확한 범행의 과정 따위들.
그것들은 살인마를 잡기 위한 근거가 된다, 결국.

“그런 놈이 이 대한민국 땅에서 태어났다는 게 잘 믿기지 않을 정도이지요. 같은 땅에서 살아간다는 게 참, 지독한 운명이라고 여기고요."

"허허…. 윤 형사님이 고생이 많으셨나봅니다…."

계식은 고개를 끄덕거렸다.

"다른 경찰 조직 내의 인원들에게는 희미할지 모르지만. 저에게는 아직도 최악의 사건을 일으킨 범인이며, 최악의 범죄자로 인식되고 있습니다.
저는 놈을 아주 오래도록 쫓았고…. 누구보다도 놈의 뒤를 가까이 바짝, 따랐다고 확신할 수 있겠지요…."

계식의 눈이 조금 이글거렸다. 박상혁을 노려보는 건 아니었으나. 말을 하면서 눈빛이 이미 그렇게 되었다. 박상혁은 움찔하거나, 그의 표정을 보면서 조금 물러서지는 않았다.

"재미있는 이야기를 말씀하셨는데. 결국 할 수 있는 이야기가 이런 거에, 그리 많지도 않군요. ……."

윤계식은 거실에 앉아 다시금 시야를 다른 곳으로 돌렸다. 그는 눈이 좋은 편이었다. 나이를 깨나 먹었음에도 말이다.

김민식이 자리가 없어 적당히 치워둔 잡동사니 중에는 책꾸러미도 있었다. 오래된 책들처럼 보였다. 다양한 물건들이다. 개중에는 책의 비중이 꽤 높았고. 주인장, 박상혁은 책을 좋아하는 모양이었다.
다양한 책을 읽은 사람과는 대화를 나누는 게 재미가 있는 편이다. 여러 가지 어휘를 구사하고, 소화할 수 있는 주제나 소재도 깊지는 않아도 많거나 하니까.

개중에는 추리 소설이나, 서스펜스, 스릴러 소설 따위의 제목들이 조금 보였다. '코난도일'이라는 이름이나, 그의 대표적인 저서의 제목은 거리가 멀어도 눈에 들어왔다. 윤계식은 문득 물었다.

"추리… 소설을 좋아하시나 봅니다?"
"뭐, 싫어하지는 않지."
"그래서 여쭤보셨군요, 형사 생활 중 재미있는 일이 없었는지?"
"소소한 취미라네."

윤계식은 다시금 기억을 더듬어보았다.

"그러면 뭐… 저도 읽었던 소설 이야기 하나를 해드리죠."
"아, 자네도 좋아하나?"

끙차.

박주영이 집 안 정리나, 둘러보기를 대강 끝내고 자리에 와 앉았다. 윤계식의 옆자리였다. 사실 손을 댈만한 게 그리 많지 않았음에도 불구하고. 불쑥 집에 찾아왔으니 뭐라도 좀 해드려야지… 하는 마음에 어설프게나마 돌아다닌 것이었다. 일단 움직였으니 민망해서 말이다.

김민식도 창고방을 정리하느라 생겨난 먼지를 대강 닦아내고. 윤계식이 다시 이야기를 시작할 즈음에는 옆에 와서 앉는다.

"어느 가정집에서의 일입니다. 중산층 정도의 가정으로… 대도시의 중심부에 위치한 빌라였죠."
"호오."

박상혁은 흥미가 참 간다는 얼굴을 했다. 같은 소재라도, 이런 식으로 말해주는 것을 더 좋아하는 모양이다. 추리 소설을 좋아한다는 말은 정말인 듯했다.

"대단히 큰 집은 아니었습니다. 약 20여 평 정도. 4인 가족이 살기에 적당한 크기였죠."

박상혁은 눈을 빛낸다.

TV는 어느새 그가 리모컨을 움직여서 꺼둔 뒤였다.

"어느 날이었습니다. 가족들은 모두 외출을 한 상황이었고. 휴일이라 쉬고 있는 남편만이 남아 있었죠. 평범한 가정이었는데⋯ 아내와 두 아이는 따로 놀러 간 상황이었고. 직장에서 고된 업무를 마치고 간신히 쉬고 있는 남편만이 남았습니다."
"그렇구먼."
"예. 낮 시간. 문은 당연히 잠겨 있었고. 계절은⋯ 여름이 되기 전이었습니다. 늦봄 정도. 5월이라고 하죠.
빌라의 5층에 위치한 가정 집이었고, 남편은 거실 소파에 앉아 TV를 시청하고 있었습니다."
"일단 TV가 보편적으로 있는 나라의 이야기겠구만."

윤계식은 말 없이 미소 지으며 고개를 끄덕거렸다. 확실히 어느 나라라고 말 한 적은 없었다.

"바람이 조금 불어오도록 거실에서 보이는 통창은 조금 열어두었던 상황이고요. 빌라는… 근처에 주택가가 있었고, 낮이었기에 또 아주 외진 곳은 아니었습니다. 커텐을 반쯤 쳐두었었고….

다만 이제… 근처 다른 건물들에 비해 빌라가 조금 높았던 터라. 당시에 5층 가정집 내부의 모습이 보일만한 곳은 달리 없었습니다."

"아하."

"예. 그리고, ……. 갑작스럽게 문이 열렸습니다."

"음?"

박상혁은 의문을 표했다. 문이 열렸다라. 평범한 이유로 열렸다고 한다면 굳이 설명하지 않았으리라.

"문이?"

"예. 열쇠로 여닫는 방식이었는데, 당시 해당하는 빌라 문은.

…어차피 열쇠를 갖고 있는 건 그들 가족뿐이었으니까. 남편은 TV를 보던 자세에서 시선을 떼지 않았습니다. 아이 엄마와 애들이 나간 뒤 아주 긴 시간이 지난 때가 아니었습니다.

…당시 그들이 향했던 곳은 도심 지역에서 다소 벗어난 근교의 유원지였고, 멀리까지 가다가 중요한 걸 두고가기라도 해서 돌아왔는지. 그렇다면 왜 전화를 하지 않았던 건지. 남편은 의아했지만 크게 이상하다고 여기지는 않았습니다.

'여보, 뭐 두고 갔어?'

라고 말을 하고…"

"크흠."

박주영이 작게 헛기침을 했다. 이야기에 몰입하며 듣고 있었는데. 갑자기 목이 멘 모양이다. 그는 조심스럽게 일어나 다시 부엌으로 향했다. 물을 찾으러 간 듯하다.

윤계식은 크게 상관하지 않고, 흥미진진한 소설을 풀어내는 이야기꾼처럼 상황을 전달했다. 단순한 서사가 아니라 이야기책을 읽어주는 것과 같은 느낌이었다. 인물의 대사까지 읊고 있었으니.

"소파에서 일어나, 왼쪽으로 향해 현관이 있는 길목으로 들어갔습니다. 찰칵, 하고 문을 닫는 소리가 났고.

남편은 크게 놀랐습니다."
"놀랐다고."

박상혁은 말을 듣는 게 참 마음에 드는지 추임새마저 적절하게 넣었다.

"낯선 남자의 모습을 보았을 테니까요. 복면 따위로 얼굴을 전부 가리고 있는 남자였고….
현관에서 거실이 나오는 위치까지는 2, 3m 정도 거리가 있었을 겁니다. 몇 걸음을 걸어야 하지요.
하지만 건장하고, 신체에 이상이 없는 남편은 달리 저항을 하지 못했습니다."

휙.

윤계식은 손목을 굽혀, 무언가를 던지는 듯한 동작을 허공에서 취했다.

509

"문을 열고 들어온 남자는 남편을 보자마자, 무언갈 던졌죠. 날카로운 암기였고, 평범한 부엌칼이기도 했습니다."

"허."

"과도하게 잘 갈린 부엌칼은 그대로 날아가서, 남편의 급소에 꽂혔죠. 큰 혈관이 베어버린, 그리고 성대 쪽을 동시에 다친 남성은 더 이상 말을 하지 못했습니다."

윤계식은 박상혁의 눈을 보았다. 완벽하게 몰입을 하는 듯한 표정이었다. 노인은 이런 이야기가 좋나 보다.

"남편은 그 자리에서, 거실 옆, 현관쪽 통로의 입구에서 뒤로 쓰러졌습니다. 쿵. 하고 머리를 박았고, 그대로 정신을 잃었습니다. 누군가에게 도움을 요청할 생각조차 하지 못한 채로.

…….

얼굴이 보이지 않는 사내는 그대로 남편이 죽은 것을 확인하고, 뒤로 돌아가 나섰습니다."

"……."

"'얼굴이 보이지 않는 사내'라고 한 건 실로, 맞는 말입니다. 놈은 모습이 없는 인간이었으니까요.

…….

살인마일 뿐, 거창한 이는 아닙니다만. 빌라 내부에도 cctv가 있었지만, 놈은 정상적인 출입구로는 들어오지 않은 듯했습니다. 빌라의 구조는 한 층에 2개의 집이 있는 식이었는데… 옆 집도 아무런 소리를 듣지 못했다고 하더군요. 휴일 낮이라, 당시에 이웃집은 비어 있는 걸로 추후 확인이 되었고….

빌라의 cctv는 출입구와 빌라에 속한 주차장 입구를 가리키는 두 종류였는데."

계식은 드물게 어깨를 으쓱거린다. 윤계식이 그런 식으로 구는 건 처음 보는 일이다. 김민식도. 그러나 이제와 생각을 해보면, 첫 만남부터 윤계식은 '척'을 잘하는 인간이었던 것도 같다.

그들이 조금 친한 사이가 되고, 함께 수사를 해보면서 겪은 윤 경감은 첫만남 때의 성격과는 다른 부류의 인간이었다.

아마 정체도 모를 인간들이 형사랍시고 자신한테 다가와 윽박을 질렀었으니, 짜증이 나서 그렇게 굴지 않았을까 싶다.

대단한 동작을 하는 건 아니지만 김민식은 윤계식이 마치 연기를 하고 있다고도 느껴졌다. 세월의 연륜, 뭐 그런 것일까. 나이를 먹다보면 이런저런 일을 하게 되고, 자연스럽게 연기 따위에도 능력이 생기거나 하는 걸까.

그럴 지도 모른다.

"어느 쪽에도 이상한 거수자의 흔적은 잡히지 않았습니다. 사건이 벌어진 날을 기점으로 전후 며칠 분량의 카메라 데이터를 봤는데도요.

빌라의 복도쪽 창문은 열려 있는 경우가 많이 있었고….

사각형의 평범한 빌딩 형태를 하고 있는 건물의 외부 창문 중, 두 곳은 인적이 드문 쪽으로 창문이 나 있습니다.

범인은 주택가의 골목 쪽, 사람이 다니는 길이 아니라 좁은 틈새를 지나서, 빌딩의 외벽 한쪽에 다다랐고. 거기에서 창문을 통해 드나들지 않았을까 추측되고 있습니다."

"흐으음…. 그렇게…"

박상혁이 이야기를 곰곰이 듣다가 입을 열었다.

"그렇게 생각하는 이유가 있나? 더? 단지 CCTV에 잡히지 않았다는 것만으로?"

윤계식이 고갤 끄덕거렸다.

"그렇습니다. 어르신. 그 외에는 물리적으로 빌라에 들어갈만한 곳이 없었습니다. 근처에 다른 건물들이 있다고는 하지만 높이 차이가 깨나 있었고…. 빌라의 옥상으로 출입을 한다는 것도 어려운 일이니까요.
물리적으로 불가능하지는 않겠습니다만….
어쨌든 타인의 눈이 가려진 사각으로, 외벽 쪽 창문을 통해 드나든 건 사실 같습니다."
"열쇠는, 어떻게 얻게 된 건가?"
"……도심 지역에서 벗어나 외곽지로 놀러 간 일가족. 아니, 모친과 두 아이가 살해된 채 발견이 되었습니다. 유원지 근처의 펜션이 있고… 산림 지대를 개발해서 만든 숙박소였는데….
숙박소 근처의 숲 속에서 시신이 발견되었습니다.
……. 살해의 동기는 정확히 밝혀지지 않았습니다만. 세 피해자의 주머니가 뒤져진 흔적이 남아 있고, 지갑 따위가 모조리 사라지기는 했습니다."
"……."
"사라진 소지품들 중에는 가정집의 열쇠도 있었습니다. 평소 피해자, 두 자녀는 지갑에 집 주소 따위가 적힌 카드를 넣어두고 다녔다고 하더군요."

"흐음···."
"우연이라고 보기는 힘든 일입니다."

박상혁은 눈살을 찌푸렸다.

"범인이 일부러 일가족을 노렸다는 말이로군. 집의 위치도 알고 있었고. 다만, 갑작스레 남편만 놔둔 채 여행을 떠난 게 의외였다는 이야기일까."

노인이 천천히, 자신의 생각을 말했다.

"일부러 말입니까?"
"그렇지 않나···. '아무에게도 보이지 않았다'···라고 자네가 말했지···. 그렇게 움직이기 위해서는 반드시 조사의 시간이 필요할 텐데···. 사전 준비말야··· 아무나 그럴 수도 없을 테고···. 천운이 따라서 우연히, 쾌락살인마가··· 그리 움직이다가 그렇게 탁월하게 일을 벌였다고··· 보나?
미리 빌라를 조사하고, 일가족이 있던 것도 알고 있고··· 범행을 저지르려고 하다··· 가족이 떨어지게 되어 그런 식으로 일을 저지른 게 아닌가··· 싶네만."

윤계식이 고갤 끄덕거린다.

"선생님의 생각은 그렇군요."
"그렇지···. 아마 범인은 면식범일 수도 있지 않겠나···. 그렇게까지 집 안의 사정을 잘 알고 있던 것이라면···."
"흐음."

계식은 고개를 절레, 저었다.

"아뇨, 아마 면식범은 아닐 겁니다."
"그래?"
"예. 소설에서의 '알 수 없는 범인'…은. 절대로 안면이 있는 사람에게 범행을 저지르지 않거든요. 철저한 쾌락살인마입니다. 아무런 연고도 없이 사고를 치는.
……．
선생님의 추측에서 맞은 게 하나는 있습니다만." "뭔가."
"완벽하게 준비를 하고 움직이는 유형의 인간이라는 점입니다. 작가가 추리 소설의 범인에게 어떤 설정을 덧씌우고 싶었던 건지는 모르겠지만….
아무튼 준비되지 않으면 움직이지 않는 인간이지요.
그러나 '판단이 빠르다'라고 봅니다, 저는."
"판단이?"
"예. 아마 그냥… 단순히 우연으로 타겟을 정해서, 일을 저질렀을 겁니다.
아내와 아이들이 먼저 죽은 것으로 감식반의 부검 결과에 의해서 나왔습니다.
집의 위치와, 열쇠를 얻고 나니 남아 있는 가족에게까지 생각이 미쳤겠지요. 그 미친 인간은."

윤계식은 웃기다는 듯, 농담이라는 듯 큭큭댔다.
김민식은 영 웃음이 나지 않는 이야기였지만.

"한 번 더 범행을 저지르기 위해서 서울로 진입을 했고. 집 근처에 다다른 범인이 있었을 겁니다. 달리 cctv 따위에 이상한 행색의 인간이 잡히지는 않았으므로. 평범한 차림으로, 거리를 깨나 벌리고 범행지를 관찰했을 겁니다.

……그래, 망원경 따위라도 있는 지도 모르겠습니다. 놈이."

"호오."

"철저히 준비된 도구가 없다면 불가능할 정도로 신묘한 놈이지요. 아무튼….

빌라를 여기저기서 관찰하다가 자신이 들어갈만한 틈을 보았겠지요. '빌라'의 당장 근처에는 그럴만한 관찰지가 별로 없습니다만.

한 두 골목 정도 떨어진 자리에서는 충분히 살필 수 있을만한 포인트가 많이 있었습니다.

….

몇 시간 정도.

부지런히 움직여서, 빌라의 외부를 관찰한 범인은, 자신이 일을 저지를 수 있으리라고 여겼겠지요. 아마 거기서 조금이라도 예상치 못한 변수의 낌새가 보였다면. 놈은 범행을 포기했을 겁니다."

"흐음."

박상혁은 과연 그럴까, 하면서 윤계식이 말하는 추리 소설 속 인물에 깊이 몰입하며 상상을 한다.

"좋은 눈과 감을 가진 놈이지요. 대담하기도 하고. 짧은 시간 내에 지형 정찰을 마치고, 범행에 돌입했을 겁니다.

뭐, 남다른 노하우가 있었을 지도 모릅니다. cctv가 있을만한 장소를 순식간에 파악한다던가.

혹은 저렇게 생긴 빌라의 내부에는 보통 감시 카메라가 없다는 걸 경험적으로 알고 있다던가."

박상혁은 자못 심각한 표정으로 고갤 끄덕거린다. 상상력이 깊어진다.

"건물 내부에 진입을 한 이후에도, 범행은 언제든지 무를 수 있었겠지요. 하지만 놈은 그럴만한 이유를 찾지 못했고, 가정집에 들어가 일을 저지르고.
혼적을 남기지 않고 사라졌습니다, 들어왔을 때처럼."
"흐음…."

박상혁이 물었다.

"지나친… 비약이 아닌가? ……놈이 철저하다며…. 자신의 혼적을… 마치 없는 것처럼 지우는 놈이라면…. 긴 시간 조사한 지역이 아니고서는… 아예 진입을 하지 않을 것 같은데…."

윤계식이 으쓱거렸다.

"글쎄요. 뭐, 면식범이 아니라는 것만은 명확합니다만.
어르신 말씀대로 오랜 기간 일가족을 지켜보다가, 그렇게 따로 처리를 한 것일 수도 있겠지요. 완벽하게 지형 정찰을 거치고 말입니다.
뭐 어느 쪽이든….
저는 놈이 '달아올라서' 그런 일을 저질렀을 수도 있다고 봅니다.
소설 속의 놈은… '스코어'를 중시하는 놈이거든요."
"스코어라고."
"예, 어르신. 그러니까… 경기에서 점수를 내는 것 말입니다.
…놈은 이런저런 자기 기준 따지기를 좋아하고…. 이 이야기 속 사건에서 보자면…. 일가족을 하나도 남기지 않고 제 손으로 처리

하는 게 되겠지요.

그런 식으로 기준과 점수를 정해서 목표치를 달성한다… 그런 것에 혈안이 되어 있는 놈입니다.

뭐… 흔치 않은 기회라고 생각해서 달려들었을 가능성도 없잖습니다."

"하하…."

노인이 웃는다.

우스운 얘기라는 듯이.

"소설의 결말은 어떻게 되나?"

박상혁이 물었다. 윤계식은 눈웃음을 지으며 말한다. 그는 웃는 표정을 잘 짓곤 한다. 형사로서 살아가며 인상이 굳어가는 게 늘 힘든 일이다. 피해자, 신고자, 관련한 여러 사람들을 만날 때는, 일부러 웃어야 할 때도 있었다. 그냥 기술적인 웃음이다.

별로 웃긴 소재는 아니었다. 윤계식에게 있어, 지금 하는 이야기가.

"아직 끝나지 않았습니다. 미완결된 소설이라….

작가가 결말을 오래 고민하는 모양입니다. 이십여 년 전에 상권이 나왔고, 완결부인 하권이 나오질 않네요."

허허…. 윤계식은 메마른 웃음을 토했다. 박상혁은 아주 재미있다는 얼굴이었다.

박주영은 잠시 기침이 나와 물을 삼키고 어느새 다시, 옆에 와 앉아 있었다.

"아주 오랫동안 팬이었던 소설입니다. 결말이 빨리 나오기를 고대하고 있는데…. 작가가 슬럼프에라도 빠진 모양입니다."
"허허,"

박상혁은 조금 굳은 얼굴로 소리를 냈다.
별로 재미없는 말이라는 듯.

늦게 자리에 와 앉아 이야기를 흘려들은 박주영은 머릿속으로 잠깐, 그런 소설이 있었나, 하고 생각을 했고.

"마지막에는 뭐…. 잡히지 않겠습니까, 범인이?"

윤계식이 넌지시 묻는다. 박상혁은 단서를 달며 동의했다.

"그런가? 그렇겠군. 나는 뭐 어떤 소설인 지는 모르지만…. 작가가 메이저한 방식의 결론을 좋아한다면야."
"좋아할 겁니다. 작가의 성격은 제가 잘 알거든요."
"호오."

김민식은 옆에서 이야기를 들으면서, 조금 불안한 표정이었다. 아주 미세한 낌새였지만. 윤계식은 왠지 느낄 수 있었다. 한 자리 건너서 앉은 박주영도 그러했고. 박상혁의 경우에는 모르겠다. 김민식을 오래 보고 지낸 이들만 느끼는 정도의 작은 표정 변화였다.
김민식은 어딘가 불편해 보였다. 뭐라도 할 말이 있는 것인지.
윤계식은 노인과의 대화에 일단 집중한다.

"선생님은 뭐, 재미있는 이야기 없으십니까? 읽으신 책 이야기라도 좋습니다."

계식은 웃으며 물었다.

삐리리리리리.

그 때, 핸드폰이 울었다.

*

34. 수요일

*

삐리리리리리.

핸드폰이 울었다.

윤계식의 것이었다.

계식은 낡은 핸드폰을 쓰다듬어 전화를 받았다.

액정에 뜬 발신자는 심민아 경위였다.

"…잠시 실례 좀,"

계식이 짧게 말했고, 박상혁은 고개를 끄덕인다.

핸드폰 너머에서 맑은, 여성의 목소리가 들렸다. 심민아는 목소리는 좋은 편이었다. 외모가 부족하냐고 묻는다면 그것도 아니었지만. 흠을 굳이 잡자면 성격이 아주 특이한 편이었다. 어지간한 남성과 연애는 상상하기 어려울 정도로.

["경감님. 업무 중이십니까?"]

계식은 고개를 조금 돌렸다. 아니 몸의 자세를 조금 바깥쪽으로 돌린다. 김민식과 박주영이 두런두런, 노인과 이야기를 나누었다. 대단찮은 내용들이다. 소박한 잡담.

"…일단 그건 내 직급이 아니고. …예, 뭐 애매하지만. 다른 둘과 나와있습니다. 박 경사랑 김 경장."
["아. 예… 아무튼. 별다른 문제 없습니까? 현장에.]
"…별 일이십니다 그려?"

윤계식은 대단한 용건도 없이 전화를 건 김 경위가 새삼스럽다는 듯 물었다. 정말 새삼스러운 일이었다. 심민아는 시덥잖은 곳에 시간이나 힘을 쓰는 양반이 아니었으니.
아마 혼자서 골몰히 생각을 하다가, 무언가 떠올랐던 모양이다. 그래서 이어지는 궁금증이 생기고, 답을 찾기 위해 전화를 했겠지.
심민아가 핸드폰 너머에서 답을 한다.

["별 일은요. 어… 아, 그리고… 지방에서 수색, 수사하던 팀에서 정보가 하나 들어왔습니다."]

"무슨?"

윤계식은 스마트폰의 볼륨을 줄였다. 박상혁은 다른 형사들과 대화를 하고 있었다. 지금 그가 스피커폰으로 이야기를 하고 있는 것도 아니었고. 그러나 혹시 모른다, 란 생각에 자연스럽게 한 행동이다.

핸드폰을 쥐고 있는 그의 검지가 움직여 측면에 위치한 볼륨 버튼을 꾹 누른다.

그는 심민아의 이야기를 들으면서, 구체적인 명사에 대해서는 제 입으로 말하지 않고, 이야기만 듣고자 했다. 일단은 외부인이 있는 상황이었다. 조직의 내밀한 정보를 일반인이 있는 상황에서 떠들고 다니는 건 형사 실격이다.

애초에, 이미 실격 당한 은퇴자의 몸이기는 했으나. 윤계식은 은퇴를 했어도 마음가짐만은 여전했다.

["어… 대단한 이야기는 아닙니다. 그냥 순서에 관한."]
"순서?"
["예. 김연수는 피해자를 살해할 때 늘 약물을 투여합니다."]
"그거야 뭐… 이미 알고 있던 것 아닌가."

윤계식은 다소 김이 샜다. 정확한 범행의 과정을 다 파악하고 있는 건 아니었지만. 어느 정도는 근사값에 가까운 과정을 경찰 역시 추론하고 있었다. 개중에 빠지지 않고 들어가는 도구는 '약물'에 관한 것이었다.

김연수는 철저한 사냥꾼이다.

치밀하고 계획적인. 여러가지 도구를 사용하고 있으리라고 경찰은 짐작한다. 아무리 재주가 좋더라도 맨 몸으로 모든 일을 할 수는 없을 테니까. 또 시신에 남는 날카로운 자상刺傷이라거나, 혈흔이 주변에 튀지 않게끔 시체를 방수포 따위로 꽁꽁 싸매는 것은 그가 남긴 현장에서 자주 볼 수 있는 모습이었다.

시체에 남은 흔적만 보더라도, 그가 준비성이 좋은 계획 범죄자라는 걸 알 수 있다.

피해자들에게 하나같이, 반항의 흔적이 없다는 점 또한 약물의 존재를 시사한다. 검시관들에 의해 다양한 정보가 도출되지만. 화학적으로 약물의 성분이 검출된 적은 없었다. 그러나 사후에 흔적이 잘 남지 않는, 신형의 독극물을 사용하고 있다고 추정이 된다. 혹은, 죽음에 이르게 하는 독이 아니더라도 강력한 마비, 기절 효과가 있는 약물을 쓴다거나 말이다.

그렇지 않다면 피해자를 마치, 거미가 고치에 싸서 잡아먹듯 완벽하게 포박하는 일이 쉬울 리가 없었다. 아무리 건장하고 대단한 물리적 힘을 과시한다고 하더라도 말이다. 피해자가 반항을 하다가 억눌린 듯한 현장의 단서가 조금도 없다. 사람 대 사람이라고 한다면, 말이 되지 않는 일이었으니. 다른 무언가의 힘을 빌렸다는 게 지배적인 수사관들의 의견이었다.

["예. 주변의 인적 드문 빈 곳에서 피해자를 포박하고, 당시에 약물을 사용하는 듯 합니다. 그리고 차량 따위로 옮겨간 뒤, 아예 외진 곳에서 범행을 저지르지요."]

"……."

윤계식은 뻔한 말을 하는 심 경위의 이야기를 가만히 듣고 있었다.

["선배님도 아마 사건 자료를 다 보셨겠지만…. 그 다음에 방수포로 피해자의 전신을 감싸고, 요령 좋게 작은 틈을 만들어두는 것 같습니다.

그리고 그 틈바구니에, 예리한 흉기 따위를 집어 넣어 단숨에 대동맥을 끊었고요, 늘."]
"……."

윤계식 역시 보아서 알고 있던, 가상의 장면들이다. 주어진 정보로 그 정도의 추론을 하지 못한다면 수사관의 열의가 부족하진 않은지 살펴봐야 하리라.

["현장에 물티슈 따위가 남아 있었습니다. 김연수는 대담하게도, 자신의 직접적인 DNA가 묻은 무언가를 제외하고는 버려두고 가지요. 감식반에서 이르기를 사용한 도구는 폭 3.6cm, 추정 길이 17~20cm정도의 나이프라고 합니다."]
"놈이 쓰던 게?"

윤계식 역시 다양한 증거들을 볼 수 있었지만, 모든 자료를 직접 볼 수 있던 건 아니었다. 어떤 부류는 과학 수사반에 이미 넘어가서 조사 대상이 되어 있었다. 사진으로 찍은 기록 따위만을 열람해서 보거나, 혹은 그마저 놓친 게 있을 지도 모른다.
서울에서의 일이 있었기에 최대한 급하게 지방 현장들을 돌아보고 왔다. 빠듯하게 움직였으니 자신이 놓친 정보가 개중 있을 지도 모른다.
결과가 늦게 나오는 종류의 현장 정보라면 더더욱 모를 수 있었고.

[“예. 이번에는 발견된 5건의 시신들 전부가 똑같은 방식으로 죽었지 않습니까….

약물로 인한 기절, 외딴 곳으로 옮겨져서 방수포에 쌓이고, 그 다음에 목덜미의 자상으로 잃란 실혈사….”]

“…그랬지.”

그런 식의 대강의 이야기라면 물론 모두 파악하고 있다.

[“전부 같은 칼을 사용했다고 합니다. 현장에 남아 있던 물티슈들에는 대놓고 칼의 모양이 묻어나고…. 피해자들이 베인 깊이나 길이 또한 일정한 수준이었으니까요.

감식반들은 의심의 여지 없이 같은 도구를 사용했다고 하더군요.”]

“흐음.”

그다지 놀라운 사실은 아니다. 이제와서, 범행 흉기의 모양에 대해서라니. 놈은 철저하다. 칼 따위는 이미 버렸을 지도 모른다. 흉기에 대한 단서를 현장에 남겨둘 정도라고 한다면. 그것과 연결고리를 만들지 않기 위해서 이미 수를 썼으리라. 그가 아는 김연수는 그런 새끼였다.

[“…이번에는 다소 급했던 것 같습니다.”]

“급해?”

심민아가 부연 설명을 조금 더 곁들인다.

[“예…. 현장 감식반이 추후 발견한 바로는, 아주 미세한 파편이 있다고 하더군요. 주사기 바늘의 일부가 부서져 떨어진 게 아닌가

하고 있습니다. 특수한 화학 약물도 묻어 있었고… 지금 과학반이 분석 중입니다."]

"흐음."

윤계식은 군소리를 냈다. 확실히 이전까지와 다른 소식이었다. 김연수 사건의 가장 큰 특징은 '어떠한 흔적도 없는' 이다. 주사기 바늘의 아주 작은 일부. 그따위 것도 조금도 말이다. 티끌만한 무엇이었지만 김연수를 오래도록 조사한 자라면 거대한 변화라는 데 공감할 테였다.

["발견된 다섯 건 중에서 가장 마지막은 경북 영덕입니다. 그곳에서 주사기 바늘의 파편이 있었고… 그 때까지 칼의 흔적이 있었습니다."]

"그렇구먼."

["짧은 시간 내에 전국 이곳저곳을 돌아다니며 일을 저질렀고…. 한 달 조금 넘는 시간동안 다섯 건을 해치웠습니다. 아무리 김연수라고 해도 선배님 말씀처럼 체력과 나이의 문제가 있다면 어려운 일이었겠죠.

공교롭게도 시신의 상태 상 마지막으로 보이는 영덕 쪽의 현장에서 파편이 나왔고….")

"그렇지."

["김연수의 집중력이 점점, 떨어져가고 있는 모습이 아닐까 싶습니다. 여태까지와 다른 모습이니까요.

…이렇게까지 막다른 곳에 몰려야 할 이유가 무엇일까요.

….

…저는 우리가 하고 있던 서울에서의 뜬구름 잡는 듯한 수사들이 의미가 있다고 봅니다. 뭐, 그게 아니라면 살인범의 개인적 사정이라거나… 이해할 수 없는 이유가 따로 있다거나.

혹은 다른 경찰 조직 일원이 그 '김연수'의 근처에 닿았을 수도 있겠지요.

그러나 수사본이나 여타 경찰 인원들은 언제나와 같은 행동 방식을 취하고 있었고⋯. 이 단기간 특이하게 움직인 건 저희 밖에 없습니다."]

"⋯⋯."

윤계식은 잠자코 듣고 있었다.

박상혁의 집이었지만, 다른 소음은 잠시 들리지 않았다. 젊은 형사의 결론에 집중하고 있었다.

["글쎄요⋯. 희망적으로 관측했을 때. 그 '특이한' 행동 어딘가에 김연수가 걸렸다고 봅니다. 겉으로는 똑같아 보이지만, 미세한 실수를 할만큼.

철저한 살인마가 나이 탓도 있겠지만, 집중력을 잃고 실수를 할 만큼이요.

애초에 서울권에서 김연수를 찾겠다고 하던 그 시도 자체가 맞는 방향성 같습니다.

지금⋯ 하고 계신 일까지도요.

⋯⋯.

의외로, 김연수는 가까이에 있을지도 모릅니다. 우리 곁에. 신께서 도우셨는지, 어떤 지는 모르겠습니다만⋯. 정말 의외로⋯."]

"⋯⋯큼."

심민아의 말에 윤계식은 작게 헛기침을 했다.

여러 생각들이 들었다가, 사라졌다.

혹시나, 하는 생각에 조금 더 무게감을 실어주는 발언이기는 하다.

윤계식은 제 거친 피부, 볼을 검지 끝으로 긁적거렸다.

별 것 아닌 말이라고 할 수도 있다. 현장에서 나온 아주 미약한 단서를 토대로 또다시 가설을 진행한 것에 불과하니까. 그러나 심민아 경위는 나름대로 확신을 갖고 있었고. 그걸 꼭 전달해야겠다고 여긴 모양이다. 그런 사람이니까.

누구보다도 근거에 의존해서 논리를 전개해야 하는 입장에 있는 인물이었지만. 다양한 정보를 취합하다보면 그게 꼭, 보여지는 논리로만 설명되지는 않는 법이었다. 윤계식도 공감하는 바다. 다른 이에게 설명하기 어려운 직감이라는 것도 형사 생활을 하다보면 늘 필요한 일이었으니까.

젊은 여성이 그런 걸 갖고 있다고 해도, 뭐 이상하지는 않을 테다. 어느 분야든 천재라는 건 있는 법이니.

"…알겠네. 새겨 듣지. 조금 더 힘내서 고생하라는 말로 알겠네."
["…예. 감사합니다. 같이 있는 다른 두 분께도 고생하신다고 좀 전해주세요."]
"그래, 알겠네."

윤계식은 짧다면 짧고, 길다고도 할 수 있는 전화를 끊었다.

박상혁은 그 사이에 다른 두 형사와 두런두런 이야기를 나누고 있었다. 말재간이 좋은 노인이었다. 이야기를 하는 속도는 느리고 답답한 편이었지만. 이야깃거리 자체는 잘 떨어지지 않는 모양이다.

사람을 좋아하는가, 싶기도 했고.

정확한 속내야 알 수 없었지만 말이다. 오늘 처음 본 인간이다. 나이를 많이 먹었다는 건, 다양한 경험을 했다는 말이고. 그만큼 여러가지 능력을 가져도 이상하지 않다는 뜻이다. 겉으로 드러나는 모습이야 얼마든지 꾸밀 수 있는 것이다. 잠깐의 만남 동안의 모습이라고 한다면 더욱.

계식은 박상혁에게 하던 이야기를 계속 하자며 말을 건넨다.

"……그래서, 아들 녀석이 잘 있다고 믿고는 있지만 솔직한 맘이야… 좀 보고 싶지…."

"그러실 것 같습니다, 참."

"어르신, 잠깐 실례했습니다."

"아, 그래. 끝났구먼."

"예. 그리고… 아까 여쭤 본 게 혹시… 있으실까요. 들려주실만한 재미있는, 추리소설 이야기라던가."

"아, 재미있는 이야기. 그렇잖아도 마침 하나 있기는 했지….

박주영과 아들에 대한 이야기를 하던 노인이 다시 원점의 화제로 돌아간다.

"…글쎄, 옛날에 전해들은 이야기라네. 지어낸 건지, 아닌 지는 아무도 모르지."

"호오."

"내가 젊은 시절 즈음. 이 나라가 지금처럼 잘 살고 있지 않을 때, 그럴 때의 이야기야."

"……."

윤계식은 말도 않고 집중해보았다.

"당시에는 지금처럼 인터넷이니, 전화니 하는 것들이 잘 없을 때지. 시골 마을이기도 했고. 지금 이야기의 주인공은 어느 '남자'라네. 시골 지방에서 평범하게 나무꾼으로 일을 하던.
숲에서 전문적으로 벌목을 하고, 그걸 또 가공해서 도시의 목수들이나 건축소에 팔아 넘기던 작자였지. 뭐… 중요한 건 아니네만."

다른 두 형사도 어느새 입을 다물었다.

"여느 때처럼 숲에 들어가 나무를 꺾고, 장비를 이용해 바깥으로 옮기고 하다가. 남자는 희미한 소리를 들었지."
"소리, 말입니까."
"그렇지, 소리. 누군가가 울고 있었어."
"……."

윤계식은 곰곰이 듣는다.

"해가 좀 저물어가고 있었고, 나무꾼이 일을 하고 있던 숲 속 근처는 일반적으로 다른 사람들이 오지 않는 장소였지.
마을에서는 깨나 멀리 떨어진 곳이었고. ……어둑한 숲 속이네. 길을 잃기도 쉬웠지. 나무꾼이야 벌목을 하면서 길을 내고 있으니까… 길을 잃을 염려가 없다고 하더라도."

노인은 긴 말을 토해냈다.

더듬대면서 말이다.

같은 길이의 문장이라고 하더라도 계식이나, 다른 두 형사가 말하는 것보다 훨씬 많은 시간이 걸렸다. 이야기를 듣는 건 인내심이 필요한 일이었지만, 형사들은 기다렸다. 점심 무렵에 찾아와, 함께 밥을 먹고.

이런 저런 이야기들을 나누고. 차를 마시기도 하고. 아직도 시간은 꽤나 많이 남았다. 밤이 되기까지 말이다. 여름에는 해가 늦게 진다. 주택 내부는 나름대로 선선한 기온을 유지하고 있었다. 골조는 모르겠다만 내장재는 전부 목재로 이루어져 있었다. 소재가 주는 시원함이 있을 지도 모른다.

바깥의 햇볕이 잘 들지 않게끔 어둡하게 실내를 유지하는 것 역시 도움이 될 지도 몰랐고.

"인기척이 들리지 않던 장소에서, 사람의 울음 소리가 들렸네. 여자의 것이었지……."

"마치 소설처럼, 흥미진진한데요."

윤계식이 말을 얹었다. 노인은 그저 소리없이 씨익, 웃어보이며 말한다.

"흐느끼는 희미한 소리.

멀게 들렸고 나무들을 지나서 들리는 거였지. 나무꾼은 이상한 기분이 들어서 멀리까지 갔네. 하던 일을 제쳐두고 말이야.

처음에는 잘못 들었는가 했지만… 그 청년은 근처에서 오래도록, 혼자 작업을 했거든. 늘상 들리던 것과는 조금 다른 느낌이었다고 하네."

"그 청년은, 모르시는 분인가요?"

"그렇지. 뭐, 지어낸 것일지. 어디에서 본 이야기를 하는 것일지. 본인일지. 나도 전해들은 이야기일 뿐이야."

"흐음."

박상혁은 눈을 아래로 내리깔며 이야기를 했다. 깊이 생각하며 옛 기억을 더듬는 표정이었다.

"어두운 숲 속에 장비들을 자리에 두고, 홀로 움직였다네. 손에는 벌목을 할 때 나무를 다듬기 위해 쓰는 도끼 정도만을 들고."

"장비라고 한다면…."

"글쎄 뭐, 지게차 같은 것 아니겠나. 벌목한 나무들을 끌어서 움직일 수 있음직한. 당시에 일을 어떻게 했을런지 정확하게는 모르겠군. 내가 해 본 일이 아니라."

"그렇군요."

계식이 고개를 주억거린다.

"사람들이 잘 들어오지 않는 곳이라고 하더라도. 가끔은 또 모르니. 청년은 조심스레 움직였지. 외진 곳에는 으레, 수상쩍은 목적을 지닌 인간들이 드나들지 않겠는가."

"그렇지요."

윤계식은 형사로서의 경험들을 떠올리면서 동의했다. 맞는 말이다. 죄를 짓는 인간들은 늘 어둠과 그늘을 사랑하는 법이다. 밝은 곳으로, 스스로 나오는 이들은 별로 없었다.

"소리가 들리는 곳을 따라서 청년은 천천히 갔네. 자신의 인기척을 들키지 않으려고, 갖은 애를 쓰면서.

그렇게 수십 미터, 백 미터는 넘었다고 하던 것 같군. 깨나 먼 거리를 갔을 때.

누군가 죽고 있는 모습을 보았다더군."

"죽고 있는이요?"

박상혁은 크게 놀라하지 않으면서 고개를 끄덕거렸다. 그게 무슨 대단찮은 말이냐는 듯. 아주 오래전에 들은, 진짜일지도 모를 이야기라면 그럴 수 있는 반응이기는 하다.

"살인범과 피해자가 동시에 있었네. 숨죽이고 걸어간 나무꾼은 멀찍이 떨어져서, 나무들의 틈새로 그 모습을 보았지. 자신의 몸은 수풀들 사이에 조심스레 숨기고 말야."

"……."

듣고 있는 세 남자는 조용히 듣고 있었다.

"나무꾼과 비슷한 나이대의 청년, 남성이었네. 20대 정도 되었을까.

나무꾼은 멀리서 남자 하나가, 누군가를 죽이기 직전의 모습을 보았지."

"……."

윤계식의 표정은 조금 뒤틀렸다. 다른 두 형사의 표정 역시도 마찬가지였다. 형사라는 직업병 때문이다. 단순히 이야기에 불과하더라도, 어딘지 심사가 꼬이는 게 어쩔 수 없었다. 살인범에 대한 과민반응. 범인은 하루속히 잡아서 처넣어야 한다는 생각이 들었다.

박상혁은 이야기에 심취했는지 말의 속도가 조금 빨라지기까지
했다.

느릿하던 그의 말투에 열이 올랐다. 웜업이 된 모터처럼.

"여성이었네. 청년, 나무꾼이 짐작한 것처럼 말야. 여성 하나가
바닥에 엎드려 있었고, 기고 있었지. 절묘하게 틈새가 맞아 떨어져
서 먼 거리의 일을 생생하게 볼 수 있었네….

…….

여성 역시 그리 나이가 많지 않았어. 정확하게 더 짐작할 수 없
었던 건, 피투성이였던 꼴 때문이겠지.

….

여성 하나는 숲 속에서, 무참하게 살해당했네. 피해자였고, 살인
범은 명백했지.

휙, 그리고 끝이었네.

…….

남자, 살인범은 팔을 휘둘렀어. 놈이 가지고 있던 칼이 던져졌고,
남자는 발을 움직이지 않고도 땅을 기던 여성의 목숨을 끊어놓았
지.

….

숲이라는 특성 때문에, 그럴 수 있었겠지.

나무꾼은 제 장비를 가지고 작은 규모로 일을 하던 작자였지만
깨나 깊은 숲 속에까지 들어와서 일을 하던 사내였고.

주변에 다른 사람은 없었네. 여성은 신음을 흘리다가, 나무꾼 하

나를 불러왔고. 그리고 죽었네.

　남자는, 그대로 나무로 가려져 어두워지는 숲 속에서 땅을 파기 시작했고….

　나무꾼은 집으로 돌아가야 한다는 사실마저도 망각한 채.
　그 자리에서 오래도록 앉아 있었지. 소리를 내면 살인범이 자신을 알아차리지 않을까 하는 두려움 때문이었을 것이네.
　…. 칼을 멀찍이서 휙 던져 사람 하나를 죽여 놓는 기술자였으니까. 같은 남자라고 하더라도 극히 위험해 보였지.

　작은 소리나 인기척마저 죽인 채. 나무꾼은 살인범이 무얼 하는가 끝까지 지켜보았지.

　….

　땅을 파고, 파고, 깊이. ……. 여자의 시신이 들어갈만한 자리보다 훨씬 더 깊이.

　살인범의 몸놀림은 무척이나 빨랐다네. 평범한 사람의 그것이라고 생각하기 어려울 정도였지. 기계적으로 움직이면서, 남자는 순식간에 큰 구덩이를 팠어.
　그… 살인범 말이네.

　살인범의 몸이 점점 지면 아래로 사라지는 걸 보면서 깊이나 크기를 짐작할 수 있었지. 멀리서도.

　그리 오랜 시간이 지나지 않았고… 저녁이 완전히 깊어지기 전에, 남자는 구덩이를 다 팠네.

짐승들이 쉽게 파내기도 어려울 정도로 말야.

부스럭거리면서 사내가 나왔고, 땅에 떨어진 낙엽이나 나뭇가지. 뭐 그런 것들과 함께 남자는 시신을 집어넣었네.

쿵, 하고 무언가 굴러 떨어지는 소리가 났지.

'참혹한' 소리였으나 나무꾼은 눈을 제대로 감지도 못했네. 이미 수풀에 숨은 자신의 몸이, 어두워진 주변 때문에 잘 보이지 않을 정도가 되었네만.

살인범의 행동에만 주목하면서 움직일 생각을 못했지.

살인범, 청년은 그대로 피가 묻은 흙이나, 나뭇잎 더미. 범행에 사용한 칼까지를 모두 묻어버렸네.
시체를 묻는 와중에, 무언가 뿌리는 듯도 했지. 자루에 담아둔 가루같은 거였는데…. 글쎄 뭐…. 고춧가루 따위일 수도 있겠네. 이야기를 듣고, 내가 생각해본 바로는.
짐승들이 함부로 파헤치지 못하도록 말이야.

…자루에 담긴 가루를 묻고, 흙을 덮고. 그걸 몇 번 반복하고. 다시 마지막에 뿌리고.

사내가 벌인 일의 흔적은 모두 사라졌네.

여자가 흘린 신음 소리도 완전히 멎은 지 오래였지.

나무꾼의 귓전에서는 계속 맴돌았지만."

"……."

윤계식은 마땅한 대꾸가 떠오르지 않았다. 조금 생각하다가 그가
입을 열,

"그,"
"그,"
려고 했지만.

박주영이 옆에서 무언가 말을 하려다가 서로 부딪혔다. 소리가.

계식이 어깨를 으쓱거렸다. 박주영이 먼저 말을 한다.

"흥미로운 얘기입니다만…. 실화이거나, 그럴 가능성이 있으신
이야기입니까? 어디서 들은 이야기인지…."

박주영은 어딘지 좀 고지식한 면이 있는 사내였다. 그래서 윤계
식은 더 좋아하는 편이었지만. 가끔은 대책없이 올바른 방향대로
나아가는 인간들이 필요할 때도 있었다. 젊은이에게는 그런 패기가
좀 있어야지 않는가.
그저 담소 자리에서 나온 이야기임에도 박주영의 눈빛은 사뭇
진지하다.

박상혁은 느릿하게 손만 휘저었다.

"나야 잘 모르지…. 나도 건너 들은 이야기일 뿐이라네. 우리나라에서 일어난 일인지도 잘 모르겠고…. 추리소설 따위를 좋아하다 보니…. 관심이 가거든….

이런저런 사람들과 스쳐 지나가면서 만났고….

예에전에…. 미국 즈음에서 여행을 하다가 만난 어느… 한국인한테 들었던 옛날 이야기같네. 본인의 표정이 진지하고… 진짜를 얘기하는 것 같기는 했었지만…. 진짜일 지는 알 수 없지."

'묘사가 워낙 상세하고 정보가 많아서, 기억에 남았었다네.'

박상혁이 그리 말하며 고개를 혼자 주억거렸다. 박주영은 입을 다물었고. 딱히 뭐라고 할 수 없는 답변이기는 했다. 누군가가 지어낸, 그저 소설에 불과할 뿐인 말이라면 별 문제는 없으리라.

묘하게 현실감이 넘치는 이야기라는 점이 찝찝하기는 하지만.

살인에 대한 공소시효가 작금에 와서 사라졌다곤 하지만. 눈 앞의 노인에게 '젊은 시절'이라고 불릴만한 예전이라면 까마득한 시대이기도 하고. 이제와서 그 범인을 잡는다거나, 추적하는 건 가망성이 없는 일일 것이다.

윤계식이 이야기했다.

"노인장께서는 그 얘기가 퍽 흥미로우셨던 모양이군요."

계식의 말에 박상혁이 동의한다.

"그렇소. 뭐…. 애초에 그런 류의 소설들을 좋아하는 인간이라 만났던 인연이고… 시작된 이야기니까…"

박상혁은 이야기를 하다가 문득 풋, 하고 웃었다.

"지금하고 비슷하지 않소…. 추리소설 얘기라…. 생각난 김에 우연하게 한 번 꺼내봤소."

계식도 허허, 그저 웃었다.

*

핸드폰은 이미 박살을 낸 뒤였다.

전자기기 류의 물건들은, 엄밀한 검문이 필요한 법이었다.

'누구'의 핸드폰이냐, 는 건 부순 이를 생각하면 간단한 물음이다.

박시윤의 스마트폰은 산산조각이 나서, 따로 박스에 들어 있었다.

박상혁, 천산혁, 김연수.

뭐,

여러가지 이름을 사용하는 괴인은 박시윤을 성공적으로 납치했다. 순식간에 약물을 투여했고, 목덜미 근처의 주사 바늘구멍이 남았었다.

그리 크지도 않은 구멍이다.

자세하게 조사하지 않으면 넘어갈 수도 있었고, 설령 조사를 한다고 해도 지나칠 가능성이 있을 정도로.

특수한 소재로 만들어진 주사바늘이기도 했다. 내구성이 깨나 강하고, 쉽게 부러지진 않는다. 일반적인 주사 바늘에 비해서는 말이다.
물론 천산혁이 빠르게 움직이면서 어딘가에 친다면, 부서질 정도이긴 하다. 어디까지나 평범한 주사바늘에 비해서였다.

그가 사용하는 주사기는 거진 무기에 가까운 놈이기는 했다. 실린더 자체도 금속으로 이루어져 있었고. 몸체의 다양한 기구들 역시 그러하다.

'노인'에게서는 정말 각종의 물건들을 살 수 있었으니. 천산혁으로서는 다행스러운 일이다.
그가 없었더라면, 지금의 상황보다 훨씬 귀찮을 뻔했다.

천산혁은 순식간에 사냥감의 사각으로 뛰어 들어가, 입을 가리고 목덜미에 주사 바늘을 꽂아 넣는다. 빠르고 신속한 동작이고, 무기로 공격하는 수준의 날렵함이며 강력한 행동이었다.

전신의 근육에 마비를 일으키고, 정신을 잃게 만드는 약물이다.

그는 몇 초 안에, 정해진 동선대로 움직여 기절한 사람의 몸뚱이를 들쳐 업고 담을 넘는다. 마치 산악 구조대가 사람을 싣고 움직이는 특수한 로프나 버클같은 기구들이 여럿 있었고, 한 순간에 적절하게 결합해서 피해자를 자신의 등에 붙여 업는다. 줄과 버클 따위를 사용한 것이라 양 손은 자유롭다.

그는 미리 적절한 지지대 따위를 구해서, 높은 위치에 로프를 걸어둔다.

'사냥'을 벌이는 날에는 이미 '포인트'로 삼아둔 지형에 다양한 작업을 해두는 것이다.

사람들의 이목이 잘 쏠리지 않는 곳을 중점적으로 파악해 도주로로 삼는다.

피해자가 안경을 끼고 있다거나, 혹은 주머니에 흘리기 쉬운 물건들 따위가 있다면 그것들도 간단하게 파악해서 미리 자신의 보조 가방에 챙긴다. 담을 넘어 피해자의 사각에서 기절을 시키고.
다양한 기구들을 결합해 피해자를 운반하기 위한 준비를 마치고.

미리 걸어둔 로프 자리를 찾아서, 어둠 속에서 도주로를 확인해 등반을 하듯 담벽을 넘고.

보통 사람은 지나다닐 엄두조차 내지 못하는 좁은 골목 위, 지붕들 따위를 넘나들고.

지나가면서 미리 걸어두었던 로프의 매듭 자리를 찾아, 풀어 회수하고.

그대로 무거운 등짐을 맨 채 달린다.

폭이 2, 30여 cm도 제대로 되지 않은 담벼락 위에서, 다시 건물의 위로. 건물의 지붕에서, 다시 담벼락과 인적이 없는 골목으로.

밤거리를 뛰어 '하수도'를 찾아서, 개폐용의 도구를 사용해 본인의 근력으로 열고.

어둔 지하도로로 들어가, 뚜껑을 닫고.

그대로 사라진다.

고단한 일이었고, 그 자체로 괴물같은 힘과 체력이 필요한 작업이다. 평범한 사람이라면 엄두조차 낼 수 없으리라. 특수하게 훈련을 받은 군인, 체력과 근력이 어마어마한 인간이나 시도를 해볼 수 있을까.

천산혁은 나이를 먹어 많이 쇠약해졌지만, 아직까지도 비상식적인 힘을 보유하고 있었다. 예전처럼 장기간에 걸쳐서 활발하게 움직일 수 없을 뿐. 순간적인 반응성이 조금 떨어지고, 근력의 최고점에서 버틸 수 있는 시간이 떨어졌긴 하지만.

지하도로를 이용해 다시금 CCTV나, 인적이 없는 어둔 골목 속에서 튀어나오고. 선팅이 된 승합차를 사용해 기절을 한 피해자를 옮긴다. 피해자를 옮길 때 역시 불투명한 비닐 자루 따위를 사용하고. 피해자의 체모나 여타 소지품 따위가 이동 중에 흘려지지 않도록 애를 쓴다.

승합차에 타고서는, 쓰고 있던 복면이나 모자 따위를 모두 벗고. 평범한 차림새로 위장을 한 뒤 유유히 귀가를 한다.

그게 지난 주, 즈음 있었던 일이다.

승합차를 타고서 집 안의 차고까지 옮겨진 시윤은, 그대로 정신을 잃은 채 저택의 지하실로 옮겨졌다.

저택의 지하실로 들어가는 문은 두 곳이 있었다. 나올 수 있는 곳도 두 곳이다.

하나는 저택의 거주 공간. 거실 오른쪽 자리에 있는 창고의 바닥에, 미세한 실금을 따라 더듬다 보면 개폐용의 버튼을 찾을 수 있었다. 어둑하고, 일부러 등을 설치하지 않은 방이었다. 먼지도 많았고, 골동품 따위를 쌓아두어서 그런 문을 발견하기는 어려울 테였다.

한 개는 차고 쪽의 바닥에 설치되어 있었다. 김연수는, 피해자들을 처리하고 옮기기 위해서 보통 차고에 있는 문을 사용한다. 거실 쪽에 있는 문도 종종 사용하기는 한다만. 피해자를 당장 잡아왔을 때는 차고를 통해서 곧바로 옮기는 편이었다.

가장 최근에 잡아왔고, 아직까지 살아있는 박시윤의 경우에는. 죽이지 않기 위해서 주기적으로 둘러볼 필요가 있기 때문에 자주 지하실을 방문한 편이었다. 하루에 한 두 번 정도 말이다.

시간을 정해둔 건 아니었으나. 적어도 지나치게 긴 시간 방치하면, 약물의 효과도 있고. 가만히 놔두기만 해도 죽을 수도 있었다.

542

가장 베스트인 것은, 천산혁의 계산 하에 희미한 목숨을 유지시키다가. 다음 사냥감을 찾으러 갈 때 즈음, 텀을 한 번 재보고 없애는 것이다.

목숨이 끊어지는 순간부터 부패의 문제를 걱정해야 하니까.

시신을 완벽하게 처리해서 없애는 것만도 상당한 수고와 노력을 들이고 있는 실정이었다. 자연 상태의 시신을 처리하는 것만도 말이다. 부패한 시신이 되어버린다면 지금보다 훨씬 골치가 아파진다.

덕분에 자주 문을 여닫았었고, 거실 쪽에 있는 문도 최근에는 사용하게 되었다.

이미 '지하실'에서 몇 번의 작업들을 거쳤다.

희미한 혈흔이나 혈향, 조금의 흔적들도 남겨두지 않기 위해서 청소용의 여러 화학제품들을 처바르듯이 과다하게 사용하기도 했다.

제품들의 사용 목적은 기본적으로 '향'을 지우는 것이기 때문에. 그로 인해 어떤 단서가 나오리라고는, 천산혁도 물론 계산하지 못한 지점이었다.

김민식이라는 형사의 경우가 아니었다면 별달리 문제가 되지 않았으리라.

그는 대부분의 작업을 어두운 곳에서, 희미한 조명만을 두고 한다. 완벽하게 청소를 해야 할 때는 조금 더 광량이 많은 랜턴을 사용하긴 하지만.

　박시윤을 지하실에 데려다놓고, 천산혁은 예전에 그녀가 지니고 있던 다양한 소지품들을 모두 부쉈다.

　특히 핸드폰 따위는 GPS기능이 있을 수도 있어 틈이 나면 가장 먼저 전원을 끄고, 부수곤 한다. 가죽 백 안에 넣어서 밀봉을 하고, 둔기 따위로 찍어버리면 간편하다. 요즈음 나오는 스마트폰들이 강하다고는 하지만. 쇠붙이의 충격을 이겨내기는 쉽지 않았다.

　지하실에 와서는 사소한 것까지 모두 부수는 편이었고, 무기물로 이루어진 잡동사니들은 따로 박스에 넣어서 보관을 한다. 시신을 처리하고, 폐기할 때 조금도 남기지 않고 한 번에 버리기 위해서 말이다.

　"……."

　박시윤은 희미한 정신이었다.

　배가 고프다,

　라는 느낌은 예전에 사라졌다.

　아주 가끔 머금은 물만이 그녀에게 포만감을 주었다. 그것으로 충분하지는 않았지만. 어쨌든 목숨은 부지했다.

　덜그럭.

움직이니, 무언가 끈으로 묶여있고, 버클로 고정이 되어 있다는 것이 더욱 확실해진다. 이전에 비해서 확실히 헐거워진 고정이었다. '남자'는 그런 고정구에는 크게 신경을 쓰지 않는 듯. 박시윤이 무언가 정신을 차리고 도주를 시도하리라는 생각 자체를 못한 것처럼 굴었다. 확실히 박시윤은 힘이 없었기도 하고, 남자에게서 살아남기 위해 계속해서 정신을 잃어버린 척을 하고 있었다.

남자가 없을 때 움직였던 결과물이 덜그럭거리는 구속구의 소음이다. 작은 힘이라도 계속해서 가하면 소용이 있는 모양이었다. 그녀는 손목 부근에 틈이 생겨서, 손을 빼낼 수 있음을 인지했다.

공복감 때문에 괴로운 기간은 지나가버렸다.
그러나 힘이 없었다.
제대로 먹은 게 없다.
이미 가지고 있던 열량을 불태워서 살아남는다고 하지만. 애초에 아주 살이 찐 체형도 아니었다. 최근에는 공부를 한다고 책상 앞에 앉아만 있었고. 이것저서 주워먹은 게 많아서 평소보다는 조금 지방이 있었을 지 모른다.

가물가물하다, 눈도.
어차피 어둠 밖에 없는 지하실 내부였지만. 애초에 눈이 흐릿한 것 정도는 느껴졌다.

감각들은 대개 돌아왔다.

감각이 돌아오면서 무서웠던 것 중 하나는, 정체불명의 '남자'가 자신에게 고문을 가하면 어쩌지, 하는 생각이었다.

감각과 함께 현실감이 점점 무겁게 다가올수록 공포가 머릿속을 집어 삼켰다.

떨림 끝에서, 어둠 속에서 시윤은 일어나지 않은 일에 대해 미리 두려워하지 않기로 했다. 몇 시간 뒤에 죽을 지도, 다음 순간에 목숨이 끊어질 지도 모르지만 아직은 일어나지 않은 일이었다.

덜그럭.

힘없는 와중에, 손목으로 계속해서 구속구를 벗어버리려 애를 썼다.

눈에 빤히 보이는 흔적이 보이면, 남자가 어떻게 할 지도 모른다.

이전에 남자가 지하실을 방문했을 때로부터 시간이 그리 길게 흐르진 않았다. 잘은 모르지만, 여태까지와 같다면. 시간은 꽤나 많이 남아있으리라. 적어도 몇 시간 정도는.

시윤은 컴컴한 지하실에서, 살아남기 위해서 혼자 발버둥을 쳤다.

손목이 단단하게 고정되어 있던 끈 사이에서 빠졌다. '벨트'처럼 느껴지기도 했다. 두터운 가죽 끈.

손목이 빠지니, 그 다음은 조금 더 쉬웠다. 몸을 이리저리 뒤틀었다, 여태까지 며칠동안. 같은 자세로 며칠 단위 움직이지 않고 누워있다보면, 종기가 생길 지도 모를 일이었다. 병자들의 몸도 가끔 만져주고 뒤집어줘야 하지 않는가.

시윤은 숨소리도 크게 내기 어려울 정도로 기력이 없는 상태에서, 몸을 움직여댔다.

틈이 더 났다. 왼쪽 손목에서, 하박까지가 빠져서 자유를 얻었다. 더듬대면서, 자신이 누워있는 기구를 만졌다.

철제 침대, 커다란 판이었다. '버클'이 덜그럭거리는 소리가 난 것은 아래 쪽이었다. 시윤은 그 소리를 따라 손을 움직인다.

가죽끈처럼 느껴지는 질감의 벨트 한 켠에, 철제 버클처럼 연결구가 느껴진다. 손가락으로 그 모양을 짐작하며 매만졌다. 어떻게 푸는 걸까.

철컥.

시윤은 생각보다 간단하게, 하나를 풀어낼 수 있었다.

툭,

하고 그녀의 몸을 묶고 있던 많은 끈들 중 하나가 바닥에 떨어졌다. 정확히는 그 한쪽이 풀려서, 대가리가 바닥에 닿은 것이다. 그것만으로도 고무적인 일이었다. 시윤은 살아남으려 비척거린다.

"ㅇㅇㅇㅇ…."

신음이 조금 흘러나왔다. 움직이자 몸이 아픈 것 같다. 벌써 며칠 째 누워있다. 제대로 등도 한 번에 뗀 적이 없었다. 공복감도 심하고. 약물의 후유증인지 뭔지, 머리가 아플 때도 있었다.

날씨는 여름이었다. 다행히 내부가 춥지는 않았다. 한기가 스며

들었다면, 시윤은 더 빨리 기력을 잃고 죽었을 지도 모른다.

물을 주었다고는 하지만 극소량이었고, 애초에 갑자기 기절해서 정체불명의 약물을 맞은 것까지. 정상이라고는 할 수 없는 환경이었다.

철컥.

시윤의 왼쪽 팔이 조금 더 자유를 얻었다. 버클 하나를 더 풀어내는 데 성공한다.

이렇게 움직이고 있는 와중에 남자가 들어온다면 끝이다.
그리고 아마, 한 번 움직인 이상 제자리를 찾는 것도 어려울 테였다. 시윤은 다시금 누워서 처음 묶여 있던 상태를 재현할 자신이 없었다. '남자'는 아주 민감하고 예리한 인간이었다. 직접 얼굴을 본 적도 없지만, 그런 성격임이 느껴졌다.

천천히, 일관된 속도로 늘 움직이고, 자신의 입술 사이에 주둥이가 긴 관 따위로 식수를 흘려넣어 줄 때의 느낌이 그러했다. 소름 끼치는 손길이었지만. 어쨌든 상대를 파악하기 위해 머리를 굴려야만 했었다.

어둠 속에서 시윤은 볼 수 있는 것이 달리 없었지만. 남자는 내부의 구조를 전부 다 알고 있는 듯했다. 늘 불 하나 켜지 않고 왔다갔다, 무리없이 움직였으니까.

시윤을 묶은 방식이 어떠한 지도 잘 기억하고 있을 게 분명했다.

"으극…."

시윤은 기합을 토해내고 싶었지만, 소리는 나지 않는다. 두터운 지하문은 철로 만들어져 있었다. 이 정도의 작은 신음이나 소음이 멀리까지 흘러나가지는 않으리라.

시윤은 과감하게, 자신을 묶고 있던 끈들을 하나둘씩 풀어내기 시작했다.

스스로 어느 정도, 마지막이라고 여겼기에 하는 행동이었다.

어차피 이대로 묶여 있어봤자, 시간이 지나면 죽는다.

기력이 다해서 죽던 혹은 남자가 손을 쓰던.

자신의 기력이 조금이라도 남아있을 때 무언가 행동을 해봐야만 했다. 다행히 조금씩 힘을 주었던 구속구가 헐거워졌고.

남자의 방심한 틈을 노려서, 쇳덩이라도 집어 던지거나 하면 일말의 틈이 생길지도 모른다. 그대로 나가서, 지하실의 문을 잠그고. 바깥으로 탈출하는 것이다.

여기가 어딘지는 전혀 알 수도 없었지만.
문 밖으로 나갔는데, 두 발로 도망갈 수 없는 지역일 경우에는 무엇보다 심한 절망감이 찾아올 테였다. 목숨을 걸고 모험을 감행했지만 결국 아무것도 할 수 있는 게 없었다는 결말이라면.

시윤은 뒷일을 미리 생각하지 않기로 했다.

어차피 최악의 끝.

극악의 극을 달리고 있는 중이었다. 미리 절망감을 빌려와서 고뇌해봤자, 죽어야겠다는 결론 밖에 나오질 않는다.

그럴 바에야, 뭐라도 시도하면서. 앞을 향해서 기어가다가 쓰러져 죽으리라.

어린 여자 고등학생은 그렇게 여겼다.

삶에 대한 의지의 강렬함이나, 크기는 나이나 성별에 따라 정해지는 게 아니었다. 정신력은 늘 실체가 있고, 크기도 있다. 기준을 두고 잴 수 있을 정도로. 그러나 몸에 국한되는 것이 아니었기에.

어린 여성이라고 할 지라도 어느 나라의 대장부보다 위대한 결의나 의지를 품을 수도 있었다. 박시윤이 잔다르크는 아니었지만.

적어도 절망 속에서 앞을 향해서 꿈틀거릴 의지 정도는 있었다.

죽음이 두려운 건 모두가 마찬가지이겠지만.

어차피 죽은 목숨, 이라고 생각하면 그리 망설일 것도 없었다.

자신이 대체 왜 여기에 이렇게 묶여 있는 것인지 생각하다보면 끝도 없고. 일단 헤쳐나가야지 않겠는가.

덜컥.

하고 버클 하나가 더 풀렸다.

"흐으으…."

박시윤은 철제 침대 위에서, 제 몸을 굴려가며 애를 쓴다.

*

쿵.

"……"

무언가 떨어지는 소리가 났다.

그건 이 집안에서 날 일이 없는 소리였다.

기이한 일이기도 했다.

소리가 났는데, 분명 멀리서 들린 것 같았으니까.

차고 쪽인가?

분명히, 바깥 어딘가에서 들리는 '멀리'는 아니었다. 윤계식은 감각에 있어서 정확한 편이다. 시각으로 재는 거리감도 그렇고, 청각으로 재는 것도 말이다.

박주영도 김민식도 직업 상 그런 것인지. 예리한 면들이 있었고.

난데없이 집 안에 있는데 들린 기이한 소리는 사내들의 정신을 다른 곳으로 옮기기 충분했다.

윤계식은 소리에 집중하며 인상을 찡그리다가, 박상혁의 표정을 보았다. 노인의 눈 역시 윤계식처럼 찡그린 채였다. 계식은 기이한 소리의 근원지가 무얼까 고민하다가 나온 표정이었다. 노인의 눈빛에 담긴 건 계식처럼 의문스러움이라거나, 그런 게 아니었다.

짜증섞인 표정이다. 일순 그의 눈빛이 아주 시리고 차가운 것처럼 보이기도 했고. 윤계식은 이유를 알 수 없으니 그저 마음에만 담아두었다.

쿵, 하는 소리는 한 번으로 끝났다.

"……."

김민식이 노인의 시선에서 보자면 가장 오른쪽에 앉아 있었다. 사내들은 각기 소리가 어디에서 났는가 알기 위해 반사적으로 두리번거렸고, 결국 진원지를 찾지 못했다. 김민식이 입을 열었다.

"…뭡니까, 갑자기?"
"…나도 잘 모르겠네."

박상혁은 가라앉은 목소리로 이야기를 했다. 집 안 창고나, 정리하지 않은 무슨 물건이 떨어진 것 같기도 하다. "옷차."

김민식은 자연스럽게 자리에서 일어났다. '어딜 가나'하고 박상혁이 느지막히 물었다. 김민식은 뭐라도 떨어진 것 같아서 좀 보겠습니다, 라고 답한다.

김민식이 아까 스스로 정리하던 창고방 쪽으로 향했다.

"흐음."

청년은 자신의 솜씨를 믿고 있었다. 김민식 말이다. 물건을 정리하는 건 그가 자신있어 하는 부분이기도 했다. 올려놓은 물건들 중에서 무게중심이 맞지 않던 게 있었던가. 애초에 위험스러워 보이는 탑이 생기면 더 이상 쌓지 않았고, 거기서 물건을 빼다가 바깥에 두기도 했는데.

박상혁은 김민식이 하는 양을 지켜보았다. 윤계식은 박상혁을 보았고.

박주영이 이야기를 꺼냈다.

"…차가 참 맛있었는데. 혹시 한 잔 더 마실 수 있겠습니까?"

박주영은 눈치가 없는 편이기는 했다. 박상혁은 그를 빤히 바라보다가, 고개를 끄덕거렸다. 조금 고민하는 듯했지만 대답은 흔쾌히 뱉는다.

"얼마든지."

노인이 제 무릎에 손을 얹으면서, 다시금 일어섰다.

*

"으으으으으…."

지루한 고통이다.

아니, 고통 앞에 지루한이라는 단어가 붙는 게 맞는가.

참신한 고통이었다.

박시윤은 몸에 아무런 힘이 없었다.

조금도 멈추지 않고, 계속해서 버클을 풀어냈다. 한 팔이 완벽하게 자유를 얻은 이후부터는 일이 더 쉬웠다.
줄이 풀릴수록 몸을 꼼지락거릴 수 있는 범위가 늘어갔다.

침대 위에서 위치를 옮겨가면서, 철제 기구의 아랫면을 열심히 더듬거렸다. 눈으로 볼 수 있는 건 아무것도 없었다. 손의 감각에 의지해서 하나하나, 잠긴 기구들을 풀어냈다.

툭, 툭.

벨트의 한쪽 끝이 바닥으로 떨어졌다. 점점 헐거워졌고, 한 시간여 정도 걸린 작업의 마지막은 금방 끝났다.

생각보다 조금 더 간단했다. 움직일 수 있고, 의지가 있다면 금방 할 수 있는 일이었다. 결국 시윤에게 문제가 되는 것은, 자신을 묶고 있던 구속구보다도. 바깥에서 언제 들어올 지 모르는 남자의 존재이다.

시윤은, 모든 구속구를 풀어헤친 뒤에, 몸을 제대로 가누지 못해 그대로 바닥에 떨어졌었다.

쿵, 하고 말이다.

지하실에 울릴 정도의 소리가 났다.

고통이 찌르르, 관절과 뼈마디에 울렸다. 상처가 난 것도 같았다. 후드를 입고 있었다. 여름이라고는 하지만 가끔 밤거리를 지날 때는 바람이 추울 때가 있었다. 마지막으로 그녀가 납치당한 날도 그런 날이었고. 지금의 옷차림은 정확히 그때와 같다.

철제 침대의 높이는 제법 높았다. 콘크리트 바닥에 그대로 떨어진 시윤은 한동안, 몇 분 정도는 가만히 있어야 했다.

이 소리가 분명히 바깥에 들릴 정도이고. 혹시 남자가 들었다면 곧바로 그녀의 목숨이 위험한 상황인데도 말이다. 도저히 움직일만한 기력이 나지 않았고. 시큰한 고통은 오래 갔다.

지루한 고통, 이라고 표현을 한 것은 정신적인 부분이었다.

그녀는 이 방 안에 영문도 모르게 갇힌 뒤에, 계속해서 어둠 속에 있다. 스트레스를 물리적으로 가시화할 수 있다면, 분명 이 방의 크기보다는 크다. 그건 시윤의 목숨을 몇 번이나 앗아갔어도 이상하지 않은 수준의 고통이었다.

육체적인 고통은 참신한 것이었지만. 절망감은 친숙했다. 그건 너무도 커서, 그냥 없는 셈 치자고 아까 결론을 내렸던 것이었다.

순전히 물리적인 이유만으로, 시윤이 한동안 바닥에서 일어나지 못했다. 몸을 추슬러 간신히 일으킨 건 수 분 뒤다.

"흑."

시윤은 저도 모르게 울음같은 소리를 뱉었다. 울려고 하는 건 아니었고. 눈물도 나지도 않았다. 눈물이 날 정도로 기력이 많지도 않았다. 몸에 수분이 부족했다. 간신히 죽지 않을 정도로만 있는 느낌이다.

비틀거리면서, 일어섰다.

치마는 제법 길다. 무릎을 감쌌으니까. 덕분에 맨 무릎이 콘크리트에 쓸리지는 않았다. 그렇다고 상처가 아예 나지 않을 수는 없었지만.

다행히 앞 쪽으로 떨어졌다. '다행'인 이유는, 엎드린 자세로 떨어지며 팔을 앞으로 세워 상체를 보호했기 때문이다. 팔 다리가 까지고 아프고, 골이 찌르르 울려댔지만 얼굴은 멀쩡하다.

시윤은 숨을 삼키면서 천천히 일어나, 방에서 움직였다. 비척거리는 걸음이었다.

며칠동안 정신이 들 때는, 여유가 있을 때는 계속해서 몸을 움직여댔다고는 하지만. 근육이 이상한 느낌이었다. 마치 오래 병실에 누워 있다가 걷기 시작한 환자처럼 절었다. 천천히 발을 끌면서 움직였고, 시윤은 가장 먼저 검은 방 내부의 구조를 파악하기 위해 애를 썼다.

스윽, 스윽.

그녀의 발은 맨발이었다. '남자'가 자신을 납치할 때, 빼놓은 모양이었다. 무언가 부스러기가 떨어질 수 있는 소지품 류는 아무것도 없다. 시윤은 정신이 들고, 감각이 돌아오고. 자신의 몸 상태를 확인할 수 있게 된 이후에 무엇을 입고 있나, 무엇을 가지고 있나 계속해서 확인했었다.

신발도, 양말도 없다. 입고 있던 외투나 교복은 그대로다. 핸드폰, 지갑, 열쇠, 그런 것들은 아무것도 없었다. 주머니는 텅텅 비어 있다. 원래는 가방을 매고 있었는데 어디갔는지 알 수 없다.
지금, 찾으려고 하는 중이었다.

'남자'가 소리가 들릴만한 곳에 있었다면 이걸로 바로 게임 오버일 테였다. 그녀, 박시윤은 게임을 좋아하는 편은 아니었다. 특히나 긴장감이 드는 종류라면 모두 질색이다. FPS게임 같은 걸 몇 번 해본 적은 있긴 한데.

'공포'같은 게 조금이라도 섞인다면 학을 떼고 멀리했다. 영화나 드라마도 마찬가지이다. 이런 식의 긴장감은 시윤이 가장 싫어하는 거다.
그 어둔 골목길, 가로등이 없을 때도 그랬다. 송민지에게 전화했던 이유도 무서워서이다.

그러나 싫은 것과는 별개로, 현실이라면 견뎌내야 했다. 뚫고 나가야지 않겠는가. 지나친 공포감은, 역치閾值를 훨씬 넘어서 이미 마비되었다.

몸은 덜그덕거리고, 잘 움직이지 않았지만. 천천히 발을 끌며 움직인다. 스윽, 스윽.

콘크리트의 감촉은 거칠었다. 감각이 둔해지지는 않았다. 공복과 머리가 어질거리는 것만 빼면. 감각 자체는 살아 있었다.
최초에 정신을 차렸을 때는, 시각을 제외하고는 달리 느낄 수 있는 것이 없었다. 내용물은 알 수 없지만 어지간히 강력한 약물임이 틀림 없다. 자신은 어떤 종류의 약물에 당한 게 분명하다.

그것만으로도, 이미 치명적인 피해를 입었을 지 모른다. 얼마 지나지 않아 죽게 될 운명일 지도. 그러나 기술했듯 박시윤은 미리 걱정을 하지 않기로 했다. 어차피 목숨 걸고 가는 것 아니겠는가.
여자 아이였지만, 나름대로 터프한 부분들이 있었다.

방의 끝에 다다랐다. "후."

아주 작게, 조금 숨을 내쉰다. 힘들다. 하지만 멈출 수는 없다.

바깥에서 무언가 소리를 들었을까?

듣지 못했다면 참 좋겠는데.

박시윤은 손으로, 벽면을 만져보았다. 벽에 등을 딱 붙이고 기댄다. 바르다. 정사각형 느낌이다. 이상한 동굴같은 곳은 아니었다.

바닥이나, 자신이 누워 있던 기구에서 이미 짐작은 했지만.

　방의 넓이는 어떨까. 시윤은 그대로 벽면을 따라 걸었다. 스윽, 스윽.

　쿵.

　하고,

　그녀가 떨어졌을 때보다는 훨씬 작은 소리가 들렸다. 이 정도의 소음이라면 아마 철제 문을 뚫고 나가지는 않을 테였다.

　발치에 무언가가 걸린 탓이었다. 시윤은 발가락을 매만졌다. 인상을 찡그리고 몇 초 정도, 가만히 앉아 있었다. 비명을 지르고 싶었다. 하지만 기력도 없고, 질러서도 안된다는 걸 알았다. 비명을 지르면 확실하게 게임 끝이다.

　'남자'가 근처에 있다면 확실히 그녀를 죽이러 올 테다.

　시윤은 제한된 시간 내에, 방의 구조와 무엇이 있는가를 파악해야 했다. 그리고, 어떤 상대인 지는 모르겠지만. 남자가 방 안에 들어왔을 때를 노려야 했다. 기회는 한 번 뿐이었고, 사각을 이용한 기습이 전략의 전부였다.

　철제 침대에 누워 있는 것은 멍청한 일이라고, 시윤은 직감적으로 느꼈다. 남자는 감각이 아주 예민한 사람이었다. 가까이 다가오면, 무언가 이상하다는 걸 바로 알아챌 지 모른다. 시윤이 그동안 기절한 척을 하면서, 조금이라도 실수를 할 뻔했을 때는 남자가 모두 반응을 했으니까.

이전에 있었던 자세 그대로 누워 있다면 남자는 아무런 기색도 없이, 식수만 입에 넣어 먹이고는 떠났지만. 자세가 조금 흐트러져 있다던가. 움직인 낌새가 보이면 조금 의아해했다. 정신을 차렸는가, 아닌가 고민을 하는 듯도 보였고.

이 어둠 속에서 불도 켜지 않고 아주 미세한 움직임과 변화를 눈치채는 인간이었다. 가까이 다가오면 끝이다, 이미. 다가오기 전에, 먼저 뒤를 노려야만 했다. 방의 넓이, 구조. 무기로 쓸만한 물건을 찾고.

문이 열렸을 때, 남자의 사각에 있다가 뒤통수를 때려야만 했다.

그것만 하더라도 아주 어려운 일이다. 가능성이 적을 수도 있었다. 그러나 해야만 한다면, 시윤은 망설이지 않는다. 그건 타고난 성격의 문제이기도 했다. 시윤은 나름대로 당찬 면이 있었다.

쿵, 하고 그녀의 발가락이 찧인 곳은 목제 상자같은 물건이었다. 제법 묵직해서, 별로 밀려나지도 않고 시윤의 발에 고통만을 주었다. 시윤은 고통을 참고, 물건을 더듬어 보았다.

잘 닫혀있는 상자다. 안에는 무엇이 들었을까. 열 수 있을까? 나무 상자의 위에 무언가 더 올려져 있었다.
봉투 같았다. 봉투 안에 자그마한 박스가 들어 있었다. 시윤은 조심스레 그것을 꺼내어, 흔들어본다. 한 손으로 들고 흔들 수 있을만한 크기와 무게감이었다. 시윤의 손이 바들바들 떨린다.

근력의 부재였다. 원래는 있었으나, 십 일 정도 갇힌 뒤에 굶기만 하면 이렇게 된다. 정말로, 조금만 더 혹독한 환경이었으면 기절하거나 죽었을 지도 모른다.

덜걱, 하고 안에서 무언가 소리가 났다. 작은 부품들, 파편들처럼 느껴졌다. 시윤은 플라스틱 박스를 흔들어보다가, 흔하게 열 수 있을만한 간단한 구조인 걸 알고 열었다. 바스락거리는 느낌의 무언가가 있었다.

신원을 알 수 없는 남자에게 붙들려서, 이렇게 있다. 상자 속의 내용물이 상상하기도 어려울 정도로 끔찍한 게 있을 수도 있었지만. 시윤은 거침이 없었다. 이미 자신이 처한 상황이 제일 끔찍했으니까.
그리고 다행히, 이상한 물건은 아니었다.

플라스틱, 혹은 금속의 파편들.

시윤은 조금 그것들을 살피다가, 이내 전자기기의 잔해라는 걸 알아챘다. 그리고 직감적으로, 자신의 핸드폰이구나, 하는 것도 깨달았다. 달리 이 곳에 있을만한 물건이 있겠는가. 시윤과 관계된 물건들이 있을 확률이 높았다.
신발이나 양말, 뭐 그런 것도 어딘가에 있을지 모른다. 시윤은 방의 구석구석에 놓인 상자나 봉투 따위들을 더듬어 물건들을 구분해냈다.

*

"…흠."

김민식은 본인의 스마트폰으로 랜턴을 켰다. 불빛이 밝았다. 뿌
연 먼지가 다시금 일어났다. 정리를 한다고 하고, 먼지를 한 번 닦
는다고 닦았는데도 여전히 많다.

짧은 시간 안에 모조리 처리하기는 조금 힘든 공간이었다.

다른 장소는 모두, 주인이 결벽증이라도 있는 것처럼 깔끔했지
만. 이 창고 속만은 달랐다. 뭐, 노인 혼자 살면서 집 안의 모든
부분을 정말 깨끗하게 하는 것이 이상한 일이었다.

그러나 김민식은 창고 안을 살피면서, 스스로 생각하기를.

이 창고가 더러운 이유에 대해서 더 생각해보았다.

정말로 박상혁, 혼자 살고 있는 저 노인이 기력이 없어서 여기
를 더럽게 놔두었을까?

고용인을 부려서 집 안을 다 청소한다면, 그리고 굳이 자신이
사용하지 않는 부분을 청소하게 하지 않았다고 한다면 말은 된다
만.

사람을 부려 청소를 할 때 굳이 이 장소만 건드리지 않을 이유
가 있는가. 어차피 청소하는 데 돈이 든다면.

그게 아니라, 노인이 고용인을 쓰지 않고 직접 청소를 하는 거
라면. 거실의 모든 부분은 서랍장의 밑단이나, 잘 보이지 않는 구
석까지 조금의 먼지가 없게끔 정리를 하는 정도의 인간이.

기력이 없어서 여기만 청소하지 않는 게 말이 될까.

김민식은 조금 이상하다고 생각했다. 자신이 무언가 잘못 둔 게

있는가, 랜턴을 켜고 그런 생각을 하며 샅샅이 뒤졌다. 쿵.

"……."

그리고, 바깥에 있는 사람에게는 들리지 않을 정도로 희미한 소리가 내부에서 들리는 것 같았다.

바깥이라는 건, 창고의 밖이다. 자신이 지금 창고 안에 문을 열고 들어와서, 발을 딛고 있으니까 간신히 들릴 정도의 희미함이다.

김민식은 고개를 갸웃거렸다. 소리가 어디에서 나는가.
진원지가 이 곳인가?

바깥에 있는 사람들의 기색을 흘긋 살펴본다. 고개를 돌려서. 두런두런, 다시 어느새 이야기꽃을 피우고 있었다. 무슨 소리를 들은 듯한 느낌은 아니었다. 창고 안에서 난 소리가 맞았다.

창고의 어디가 소리의 근원지인가.

김민식은 작은 책 꾸러미들을 틈도 없이 쌓아둔, 창고의 바닥을 살폈다. 무언가 물건이 무너진 흔적은 조금도 없다. 자신은 정리를 잘 해두었다. 그러나 소리는 계속해서 난다.

바깥도 아니고, 창고 안에서.

이 창고는, 분명히 건물의 구조도로 봤을 때 있을 리가 없는 공간이었다.

간신히 들어와 서 있을 정도의 공간이라는 걸 생각하면, 불가능한 수준은 아니었지만.

건물의 기둥 역할을 하는 두터운 외벽을 깎아서 굳이 왜, 이런 공간을 만들었을까. 이유가 없다면 불합리, 비효율의 극치이다. 건물의 안정성을 포기하고, 사람 한 둘이 간신히 서 있을만한 수납 공간을 확보한다?

그렇게 바보같이 리모델링을 하는 인간은 없다. 기왕 공사를 하고, 품을 들인다면 더 많은 것을 얻기 위해 할 테다.

이 집은 기이하다. 주인도 이상하고. 특히나, 먼지 구덩이 속에서 여전하게 나는 희미한 약품의 냄새. 추억 속에 인이 박혀 새겨진 그 약품의 미향微香은 착각할래야 할 수가 없는 종류다.

김민식은 다시 한 번 슬쩍, 고개를 돌렸다.

그리고 박상혁과 눈이 마주쳤다.

"……."

언뜻 인자하던 노인의 얼굴이 굳어진 것도 같았다. 왜인지는 모른다. 그저 기분 탓일 확률이 높았고. 누구나 시종일관 웃고 있지는 않는다. 사람의 근육은 그렇게 되어 있지 않으니까. 웃는 얼굴로 박제를 해버린 것이 아니라고 한다면. 결국 근육은 풀어지고 평범한 무표정일 때가 훨씬 많으리라.

그러나 노인의 눈빛이 조금 싸늘한 것 같다고, 김민식은 문득 생각을 했다.

김민식은 고개를 갸웃거린다.

그는 랜턴을 켜고 이런저런 곳을 살펴보았고, 결국 물건을 다시 꺼내기로 했다.

자신이 차곡차곡 쌓아두어서 발 디딜 곳도 없게 만들었던 잡동사니 꾸러미들을, 다시금 천천히 바깥으로 꺼냈다.

"뭐가 좀-."

바깥, 거실에서 노인이 말했다.

김민식이 대답한다. 허리를 굽히고 물건을 나르면서 말이다.

"예?" 뒤도 돌아보지 않고 물었고. 박상혁은 자리에서 슬쩍 일어선다.

*

"왜 그러십니까,"

윤계식이 물었고, 박상혁은 군이 대답하지 않았다.

두런두런, 이야기를 나누던 차에 김민식이 한참이나 창고에서 나오지 않자, 그를 바라보고 있었다. 그러다가, 자리에서 일어서는 것이다. 뭐가 잘못되기라도 했는지. 노인의 얼굴 표정은, 인자하던 상에서 일순 굳어진 모습을 잠깐 보였다.

아주 찰나의 표정이었지만 윤계식은 보았다.

뭐, 세월이 지나가며 인생은 여러가지 일들을 인간에게 보여준다. 한 가지 감정만 있는 사람이 있다면, 그게 도리어 미친 사람일 테였고.

실실 웃기를 잘 하는 사람이라고 해도, 무표정일 때는 있는 법이다.

그러나 노인의 분위기가 순간 바뀌었다고 윤계식은 생각했다. 그건 오랜 시간 사람을 마주하고 관찰하던 그의 직감으로 인해 깨닫는 것들이었다.

박상혁은 찰나의 변화 끝에 다시금, 인자하게 웃는 따스한 분위기의 노인이 되었다. 박주영이 보았는 지는 알 수 없다. 윤계식은 노인의 걸음에, 자신도 천천히 일어나 그를 따라간다.

그냥 그래야 할 것 같아서 말이다.

쿨럭.

박주영은 감기라도 걸렸는지, 난데없이 기침을 했다. 혹은 먼지 알레르기라도 있던가. 자기도 모르는 알레르기가 발견되거나, 생기는 건 의외로 있을 수 있는 일이다.

김민식은 부지런히 물건들을 바깥으로 뺐다.

박상혁은, 느릿하지만, 천천히, 조금도 멈추지 않고, 굳건히, 나아가서 김민식의 바로 뒤에 섰다.

턱.

허리를 굽힌 채, 고개를 숙인 채.
자기가 넣었던 짐들을 도로 빼는 김민식의 어깨에 손을 얹었다.
두툼한 손이다.

김민식은 그렇게 느꼈다. 살결이라는 게 있다. 그리고, 손만 맞잡
아도 상대가 어떤 삶을 살아왔는지 알게 될 때도 있었고 말이다.
사람이 행해온 모든 것들은 흔적이 남게 마련이다.

그 왜,

질량 불변의 법칙이라는 게 있지 않은가.

물질 세계에서 자신이 행했던 것들은 모조리 기록이 되어 현재,
현실, 실재에 남는다.

등재登載라고 해도 좋다.

어느 사이비, 혹은 전설, 혹은 잡설이나 삼류 종교에서 등장할
법한 '아카식 레코드'라는 걸 말하지 않아도 말이다.

사람이 노력했던 건 손에 흔적으로 남는다. 펜을 쥐었던 작가는
펜의 모양대로 굳은 살이 생기게 마련이고.
주먹을 쥐고 무언가를 때렸던 싸움꾼, 혹은 무도가의 너클 파트
에는 굳은 살이 배기기 마련이다.

많이 맞았던 인간은 피부가 질겨지고, 살아남는다면 신체의 탄성과 강성이 조금 오를 지도 모른다. 무한하게 인체가 바뀔 수는 없겠지만. 어느 정도까지는 단련이 되리라.

그런 것들은 모조리 흔적으로 남는다. 사람의 기억 역시 마찬가지이고. 몸 역시 마찬가지이다. 한 번 잃어버렸던 순결을 다시 되찾을 수 없는 것과 같다. 남자던, 여자던 말이다.

신체적인 이야기가 아니라, 다른 비유적인 이야기를 하더라도 그렇다. 첫 입맞춤. 혹은, 처음으로 가슴 설레는 어떤 작품을 읽거나, 본 일. 처음 기타를 잡고, 음악을 제대로 연주해본 일.

그런 것들은 이미 돌이킬 수 없다.

기억을 완벽하게 잃어버린다면, 정신적으로는 깔끔하게 지울 수 있으리라. 육체적으로는 흔적이 또 남겠지만.

한 번 깨진 도자기는, 완벽하게 녹여서 재활용해 새로 만들지 않는 이상에야 붙을 수 없다. 신기술이 계속해서 발전하고 있는 요즈음의 과학 기술을 본다면 또 혹시 모르지만. 요지는, 일단 변화한 것은 세계에 영향을 미치고, 그건 다시 그 옆에 있는 물질에 영향을 미치고.

이미 발생한 일이란 건 엄정한 기록이라, 현실에 흔적을 남기고 원래대로 돌아갈 수 없다는 것이다.

'시간'을 묘사하는 많은 철학자던 과학자던, 있지만.

그들의 복잡한 사색과 사변을 차치하고서.

시간은 그저 앞으로만 흘러가지 않겠는가. 만물은 마지막을 향해 달려가고. 어제는 돌아오지 않고. 사람은 뱉은 말을 주워담을 수 없다.

그런 의미에서,

박상혁의 손은 김민식의 어깨에 닿았고, 김민식은 분명하게 인지했다.

아주 두터운 손이었다. 얇은 셔츠 너머로 조금 힘을 주는데, 그 악력이나 근육이 느껴지는 듯했다. 피부가 질기고. 단단한 손이다. 단련되어 있다고도 느껴진다.

착각일까, 순간 생각했지만 선명하게 와닿는 질감을 잘못 알기도 어렵다.

내가 이 노인과 손을 맞잡은 적이 있던가?

김민식은 잠깐 생각했다. 잘 기억이 나지 않는다.

어쨌든 지금은 노인의 신체와, 힘을 느꼈다. 김민식은 굽은 등을 하고 아래를 보던 자세에서, 말없이 고개를 돌렸다. 자신의 어깨에 손을 얹은 자, 는 박상혁이다. 인기척을 느끼고 짐작했던 듯이.

윤계식의 손이라고 하면 차라리 자연스러울텐데.

힘없는 노인이 비식, 웃으면서 물었다.

"그만 치우게."
"예?"

김민식은 멍청하게 되물었다.

박상혁은 웃는 낯을 지우지 않는다.

툭, 툭.

가볍게 손 끝이, 피부만 살짝 닿아서 그의 어깨를 격려하듯 두 드렸다. 아까의 질감은 착각이었나, 싶을 정도로 가벼운 터치였다.

"고생이 많… 구먼. 김 형사…. 늙은이 집의 청소는… 내가 늙 었어도… 알아서 할 테니께…."

노인은 천천히 말을 뱉는다. 약간 사투리조도 들어가 있는 듯하 다. 말재간이 좋은 노인이었다. 농담을 위해서 사투리를 섞곤 하는 것 같았다.
그러고자 한다면 완벽하게 표준어를 구사하는 노인이었다. 김민 식은 그 너스레에 웃음이 났다.

"하하…. 아…. 아뇨 뭐 좀…. 창고 정리를 제가 좀 잘 못한 거 같아서…."

김민식이 민망하다는 듯이 말했다. 그가 슬쩍, 자리에서 일어섰 다. 그의 키가 훨씬 크다. 천산혁보다, 아니, 박상혁보다 말이다.

박상혁은 구부정한 자세였다. 허리나 무릎, 여기저기 관절이 좋

570

지 않은 듯한 꼴이다. 등이 굽은 듯도 했고. 원래의 키보다 훨씬 낮아진 것도 같았다. 문득 김민식은 그가, 온전한 자세로 바로 선다면 얼마만한 덩치가 될까, 생각해 보았다.

별로 작은 키는 아닌 것 같았다. 그리 작은 체구가 아니다. 박상혁은. 도리어 노인이라고 하기엔 탄탄한 체격이다. 젊은 시절에는 힘을 깨나 썼을 법한 모양새. 그의 연식을 생각한다면 참으로 그렇다.

김민식이 내려다봤다. 근처에는 윤계식이 멀뚱히, 뭘 하나 서서 보고 있다. 박상혁은 됐다는 듯, 천천히 손사래를 쳤다.

구부정한 노인이, 지팡이를 짚고 다니지는 않는다. 자존심 때문에 그런 것인지, 단순히 관절이 좋지 않아도 체력은 아직 정정한 것인지는 잘 모른다.
박상혁은 엉거주춤한 자세로 서서 허허, 웃기만 한다. 윤계식이 뒤에서 말한다.

"왜 그래, 창고 물건에 뭐 문제가 있나?"

그의 말에 김민식이 답한다.

"어… 예. 잘 모르겠습니다. 정리를 분명 한 거 같은데. …….
갑자기 불쑥 놀러와서 죄송한 마당에 이거 하나라도 좀 제대로 해둘까 해서…."

김민식은 횡설수설하듯, 적당히 에둘러 말했다. 윤계식은 무슨 말인가, 하는 표정이었다. 박상혁은 툭툭, 거리면서 김민식의 등께를 쳐댔고.

"됐네, 이 사람아. 충분해. 형사 나으리들 모셔다가… 이렇게 시키는 게 내가 무슨… 천벌을 받으려고….."
"아이고, 아닙니다 어르신…. 민중의 지팡이 아닙니까…."

윤계식이 뒤에서 그의 말에 너스레를 떨며 웃어보였다.

박주영은 여전히 자리에 앉은 채였다. 슬쩍, 리모컨을 가져와 TV를 켜고 있었다. 별달리 의미가 있는 행동은 아니었다. 소리를 죽인 채 켠다. 삑, 하는 아주 작은 소리와 함께 TV 화면이 켜진다. 마지막에 보고 있던 뉴스 채널에서, 새로운 앵커가 말을 하고 있었다.

속보인 모양이었다. 남자 앵커가 굉장히 다급한 모습으로 이야기를 한다.

"아, 속보입니다. 경찰 당국에서 이전 지방에서 일어났던 살인 사건에 대한 범인을 검거했다고 밝혔습니다. 최근 지방 시민들의 밤잠을 설치게 했던 흉악범은 마지막 범행지로 보였던 경북 영덕군 근처의 산림에 숨어있다가 시민들의 제보로 인해 잡힌 것으로 보입니다.
경찰 당국은 신속히 용의자의 신병을 확보하여 지난 모든 범행에 대한 자백을 받겠다고 했습니다. 최근 동대문구 지방에서 일어났던 실종 사건이 납치 살해 범행으로 밝혀진 뒤, 그 범인을 잡았던 것에 이어서… 경찰 인력들은 밤낮을 가리지 않는 특수 근무를 해가며 올해 두 번째 흉악범을 검거하는 데 성공했습니다.
이에 윤XX 대통령 역시 치하하는 말을 비서실을 통해 전달한 것으로…"

"……."

남자들은 말이 없었다.

왜인지는 모르겠지만, 갑작스레 쥐죽은 듯 고요함이 노인의 집에
찾아왔다.

그게 무슨 의미인지 가장 정확하게 알고 있는 건 아마 세 명일
테였다. 그 사건을 팔로우하며 현장까지 살폈던 이가 이 중에 윤계
식이었고. 나머지 둘 역시 관련 범죄로 수사본에 차출되어 밤낮없
이 구르고 있던 차였으니까.
노인은 그들의 기색에 합류를 한 것인지, TV쪽을 보며 일순 말
없이 가만히 있었다.

삐릭,

하고.

윤계식은 자신의 주머니에서 작은 소음과 함께 진동이 울리는
것을 느꼈다. 박주영도 핸드폰을 보고 있었고.

메신저로 텍스트 메일이 와 있었다.
몇 줄의 이야기였다. 심 경위로부터 온. 박주영은 심 경위와 김
경위의 연락이 동시에 온 것을 보고 있었고.

[-지방에서 엉뚱한 용의자 하나 잡혔다. 수사본 중진들, 경찰 조

직 수뇌들 회의 끝에, 일단 범인의 행태를 보자는 의미로 검거했다는 사실을 알리기로 했다. 뉴스 보고 무슨 일인가 할까 해서 연락한다.]

　김 경위의 연락이었다. 박주영이 본 문자였다. 윤계식의 메신저에는 심 경위의 문장이 그에 추가적인 정보를 알리고 있었고.
　오늘 셋은 일단은 휴가를 내고 외부에 있는 상황이었으니, 갑작스러운 상황이나 일들에 무지할 수 있으니 팀의 의리상 바로 알려주는 것이었다.

　TV의 몇몇 방송국에서 속보가 나오고, 그리 긴 시간이 지나지 않은 때였다.

　[-선배님. 김연수가 아직 잡히지 않았지만. 놈의 반응을 보기 위해서 일단 미디어를 이용하기로 했습니다.
　선배님이 생각하시기엔 어떤가요.
　아마, 김연수는 경찰의 무능함을 비웃으면서,
　더욱 날뛸 것 같은데요.
　확실하게 김연수가 있다는 걸 검증하기 위해서 도박수를 던졌습니다. 과장님 급 이상 인사들이 모인 회의 자리에서 결정난 거고, 곧바로 시행되었습니다. 놀라지 마시고요.
　김연수가 어떻게 움직일까요? 이런 상황에서도 침착할까요?]

　윤계식은 심민아의 정중한 물음에 잠깐 생각을 해본다. 진지하게. 머리를 굴려서.
　자신이 김연수라면 어떻게 움직일까.
　뉴스를 보고 어떤 반응을 보일까.

"허허."

박상혁이 헛웃음처럼 소리를 냈다.

그가 숨을 삼키곤, 말을 뱉는다.

"크흠. 거 못된 놈이… 붙잡혔구먼."

노인은 잘 되었다는 듯이 굴었다. 윤계식은 그 말을 하는 박상혁의 얼굴을 빤히 보다가, 텍스트 메세지를 기입했다.

[-글쎄.
유명세 따위에
환장을 한 놈이니까.
더욱 날뛸 거라고 봅니다.
…그래도 용의주도한 새끼라서.
당장 움직이지는 않겠지요. 적당히 간을 보다가, 근시일 내에 다시 일을 저지를 것 같기는 합니다. …이미 움직이고 있을 수도 있고.]

심민아의 생각에서 크게 벗어나지는 않는, 대단한 도움이 되지는 않는 말들이었다. 어쨌든 그는 자신의 견해를 밝혔다.

김연수가 어떻게 나올까.
놈은 비뚤어진 사이코패스이고, 스타가 되고 싶어하는 놈이다. 자신의 정체를 절대로 밝히지 않으려 하지만, 동시에 유명해지고 싶어한다. 아무도 자신의 정체는 모르면서, 가짜로 만들어둔 '김연수'라는 사이코패스 살인마의 유명세는 커지기를 원한다.

그게 놈의 즐거움 중 하나일 테다. 그렇게 늘 움직이고 있었다. 어쩌면, 그저 여흥거리에 불과한 것일지도 모르지만.

달리 생각하면, 그 지독한 사이코패스는 어떤 것에도 즐거움을 느낄 수가 없어서. 아주 작은 여흥거리에 그만큼 집착을 하는 걸지도 모른다.

윤계식은 텍스트 메세지를 보내고, 앵커가 무슨 말을 더 하는가 일단 집중을 했다. 별다른 얘기는 아니었다. 경찰 당국도, 사실 가짜 용의자를 잡은 것에 불과하니까. 당장 낼 수 있는 뉴스 정보에도 한계가 있으리라.

정부 고위층과도 입이 맞춰진 것처럼, 행정부쪽에서 치하의 뜻을 담은 여러가지 메세지가 오갔다고도 한다. 참, 대단한 일이다.

김연수.

쓰레기같은 살인마 하나 때문에 대한민국이 확실하게 공조하여 움직이고 있었다. 괴물같은 놈. 윤계식은 그리 생각했다.

*

어둠 속.

빛 하나 들지 않는 암실, 지하실.

돌아다니다 보면, 이곳이 조금 습기찬 곳이라는 건 알 수 있었

576

다.

시윤은 많은 걸 발견했다. 지하실 속에서, 짧은 시간 동안 말이
다.

이 방은 제법 넓었다. 아주 크지는 않았지만.

적어도 자신의 집에 있는 방은 서너 개 정도 들어가지 않을까.

구석에는 수도가 있었다. 꼭지를 돌리면, 물이 나왔다. 평범하게.
시윤은 물을 틀어서, 허겁지겁 마셨다. 허겁지겁, 정말로.

손에 와닿는 물길이 일단은 깨끗한 것으로 느껴졌다.

경황이 없이 일단 입에 집어넣고 봤지만, 별다른 이질감이 없었
다. 평범한 수돗물인 것 같았다. 서울의 상수도는 평범하게 마셔도
아무런 문제가 없다.
시윤은 그간의 갈증과 배고픔을 이겨내려는 듯, 미친듯이 마셨
다. 그러다가, 몇 번 콜록대기도 했고. 과하게 섭취를 해서 토를 하
지 않을까, 문제가 있지 않을까, 하는 생각이 들 때 즈음 멈췄다.

목이 마른 것에 비해서는 그리 긴 시간 마실 수 없었다. 사람의
배는 한계가 있으니까.

그리고, 찝찝한 몸을 닦기도 했다. 그래봐야 당장 할 수 있는 건
얼굴을 닦는 것 정도 뿐이었지만.

시윤은 절대적으로 약자였고, 불리한 입장이었다.

자신과 '남자'를 비교한다면 말이다.

그녀는 평범하게 골목길을 걷다가, 누군가 자신을 덮친다는 걸 인식하기도 전에 기억을 잃어버렸다.

그녀가 갖고 있는 마지막 기억을 끊임없이 떠올리고, 머릿속에서 짜맞추어 현실을 그나마 인지했을 뿐이다. 아, 내가 며칠 전 귀갓길에서, 밤에 납치를 당한 거구나.

그 다음에 바로 여기에 끌려온 거구나, 하는 식으로.

최악의 경우, 한국이 아닐 수도 있었다. 어느 밀매업자에게 팔려서, 여기저기 분해가 되기 직전인 걸 수도 있었다. 시윤은 공포스러운 작품들을 좋아하지는 않았지만. 건너 듣는 이야기들은 있었다. 그리고 현실은 늘 공포 영화보다 더 심한 구석이 있었고.

시윤은 이런저런 상상의 나래를 펼쳤다. 최악의 수를 가늠해보는 건 분명 필요한 일이었다.

꿀꺽거리면서 목을 축이고, 아주 물을 콸콸 틀어서 온 몸을 씻지 못한 건 그런 이유에서였다.

자신은 완벽하게 납치를 당했고, 반항조차 제대로 하지 못했다. 아마 남자는 아주 힘이 세고, 빠르고, 감이 좋은 인간일 확률이 높았다.

사람 하나를 순식간에 납치할 정도이니까. 어떤 종류의 달인일지도 모른다. 기척을 철저하게 감추고, 사각에서 그를 습격해야 하는데. 물을 지나치게 써서 물기가 뚝뚝 떨어지고, 찰박거리는 소음이 들린다면 시작하기도 전에 실패를 맡아둔 것이나 다름이 없다.

시윤은 간신히 얼굴만을 닦고, 발만을 닦았다. 손을 씻고. 외투를 벗고 팔목까지를 씻었다. 그 다음에 물기를 다 털어냈고, 옷에 묻은 것들도 탈탈 털었다.

오래도록 입고 있었던 후드에서는 냄새가 좀 많이 났다. 그래도 거리낌없이 일단 얼굴과 손 발을 닦았다. 그 다음에 다시 입었다. 뭐라도 걸칠 건 많은 편이 좋다.

헐벗은 상태보다는, 걸친 상태가 조금이라도 안전하겠지.

다음에 시윤은 손에 잘 맞는 렌치 하나를 찾았다. 간단한 공구 정도는 그녀도 알고 있었다. 집 안에서 혼자 있었으니까. 아버지가 가구나 집 안의 기재를 수리할 때 공구함을 사용하고는 했었고.

그녀가 혼자 있거나, 어머니랑만 있을 때는 직접 아버지가 하던 걸 따라해보기도 했었다. 잘 될 때도 있고 안될 때도 있었지만.

어쨌든 중요한 건, 손에 착 감기는 렌치를 얻었다는 거다.

정확하게 빈틈만 노릴 수 있다면, 누군가를 죽일 수 있을 정도의 무기였다. 철제 렌치는.

적당한 묵직함이었다. 물을 마신 뒤라서 그런지, 어쩐지 힘이 나는 것도 같았다. 일시적인 착각일 확률이 높았지만.

아주 오랜만에 물을 잔뜩 들이켰더니, 소변이 마렵기도 했다. 시윤은 수도 아래에 있는 배수구 근처에서, 물을 틀어놓고 일을 보았다. 큰 일이 마렵지 않은 게 그나마 다행이었다. 며칠이 지났는지 모를 시간동안 먹은 게 하나도 없기는 했지만. 그 이전에 먹은 것들을 쏟아내고 싶었을 수도 있다. 운이 나빴다면.

그렇게 되면, 정말로 실패이리라. 아무리 둔한 작자라도 이상함을 알아챌 정도의 변화가 지하실에 생겼다면. 남자의 틈을 노려 기습을 한다는 건 도저히 불가능한 일이다.

한 치 앞이 잘 보이지 않는 어둠이었으나, 시윤은 어떻게든 깔끔하게 볼 일을 처리했다. 수도가 있었으니 나름대로 청결을 유지할 수 있었다.

물을 트는 소리는 그리 크지 않았다. 그녀가 이 곳에서 낸 소리 중에서 가장 큰 건, 처음에 철제 침대에서 떨어졌을 때 난 소리이리라.

적당한 물줄기를 유지하면서 최대한, 소음이 나지 않게끔 굴었다. 볼 일을 마친 뒤에는 다시금 방 안을 더 샅샅이 뒤졌었고.

그래서 결과적으로,

그녀는 방 안에 있는 대부분의 기구들을 다 한 번씩은 건드려보았다.

그녀의 몸보다도 거대한 철제, 항아리인지 뭔지 모를 기구도 구석에 있었다. 그리고 정체를 알게 되자 섬칫한 물건들도 있었다. 칼이나 톱, 뭐 그런 것들이었다. 렌치보다도 훨씬 살상에 도움이 되는 물건들이었는데. 하나같이 와이어에 묶여 있었다.

방 한 켠의 구석에 철제 선반이 있고, 거기에 전부 뭉뚱그려져 놓여 있는 꼴이다. 쇠사슬과 소재를 정확히 알 수 없는 와이어 따위로 묶여서 벽에 고정이 되어 있었다. 아마 사용을 할 때 풀어서 쓰는 것 같았는데, 시윤은 한참이나 그것들의 연결구를 확인하고 풀어보려 했지만 결국은 실패했다.

복잡한 형태였다. 쇠뭉치같은 게 손에 걸리기도 했는데, 자물쇠 따위를 걸어둔 것 같기도 하다. 이런 일을 상정한 건 아니었을텐데. 그러니까, 시윤처럼 이 방에 들어온 사람이 무기를 탈취해서 자신을 찌를까봐 이렇게 둔 건 아니었을텐데.

이유는 알 수 없지만 그녀가 찾은 최적의 무기는, 결국 렌치였다.

아쉽지만 만족해야 했다.

후두부를 정확하게 타격할 수만 있다면, 모자람 없는 공격용 도구였다.

빛이 있다면 더 좋을 지 모른다.

방의 구조를 더듬어 아는 건 그래도 한계가 좀 있었으니까. 확실하게 어디가 어떻게 생겼는지 안다면. 자신이 숨을 곳을 찾고, 정확하게 움직일 동선을 짤 수 있지 않을까.

빛을 찾아 헤맸으나 시윤은 결국 확인하지 못했다. 한 쪽에 두꺼비집 같은 통이 있는 것도 같았는데. 결국 함부로 건드릴 수는 없었다. 어느 버튼을 잘못 건드렸다가, 바깥쪽까지 일이 날 수도 있었으니까.

결국, 시윤은 다시금 한 바퀴를 돌아서.

렌치를 손에 꼭 쥔 채.

자신이 누워 있던 철제 침대를 기준으로 오른쪽 구석에 있는 철문 근처에 숨죽인 채 서 있었다.

철문은 손잡이의 위치로 열리는 방향을 가늠했다. 문은 안쪽으로 열린다. 늘 사내가 들어올 때 듣던 소리를 토대로 파악을 했다. 사내는 철문을 쾅, 소리가 나도록 열어 벽에 부딪히게끔 하지 않았다. 한 번도 말이다. 끼이익, 하는 소리가 안쪽으로 점점 커지더니 어느 순간 멈추고, 다시 닫히고.

사내는 조용하게 움직이고, 침착하게 굴었다. 그게 시윤에게 있어서는 복이라고 할 수도 있었다.

그렇게 문을 조심스레 여는 인간이라고 한다면. 사각이 생긴다. 그녀가 문이 열리면서 생기는 벽과의 작은 공간에 숨을 수 있을 것 같았다. 문을 더듬어서 크기와 길이 따위, 가동 범위 같은 걸 생각했다. 문은 꼭 모서리에 붙어 있지는 않았다. 조금 떨어진 폭이 있었고, 벽에 딱 붙어서, 숨죽인 채 있다면 사내의 뒤를 볼 수 있을 듯했다.

어둠 속에서 그간 단련된 시윤의 감각은 날카롭고, 예민했다.

사내가 방 안에 들어올 때는 온 신경이 곤두서 있었다. 그걸 결코 티 낼 수는 없었지만 말이다. 저벅거리는 사내의 아주 희미한 윤곽선과 소리, 기척 따위를 보고 후두부를 후려치는 것 정도는, 가능할 것 같았다.

가능하지 않더라도 해야만 한다.

시윤은 정확한 위치를 가늠해서, 머릿속으로 수십 번, 수백 번씩 시뮬레이션을 해보기 시작한다.

소녀는 살기 위해서 렌치를 들었고, 납치 살인 미수범의 후두부를 간절하게 노리고 있다.

＊

"……."

김민식은 핸드폰을 보지도 않았다. 그러나 박주영을 보았다. 찰나의 순간이었는데, 박주영은 김민식과 눈이 마주치자 슬쩍 고개를 흔들고 표정을 지었다. 그것으로 끝이었다. 김민식은 박주영의 말을 알아들었다.

자세하게, 무슨 일인지는 몰라도. 저 기사에 대해서 박주영은 크게 반응하지 않고 있었다.

그리고, 김연수가 저렇게 쉽게 잡힐 리가 없다는 건 김민식 역시 통감하고 있는 바였다. 여태까지 종적조차 남기지 않던 인간이 저렇게 멍청한 마지막을 맞이할 리가 없지 않은가. 적어도 서사가 있어야지 않겠는가. 그럴싸한 개연성이라던가.

박주영과 윤계식의 반응이 모두 김민식에게 메세지가 되었다. 크게 놀라는 기색이 없다. 곧, 자신이 아직 듣지 못했지만 조직에서의 언질이 있었던 듯도 싶다. 그제서야 핸드폰이 생각이 났다. 진동이 왔었는데, 순간 무시했나 싶었다. 팀장인 김현식 경위로부터 메세지가 와 있었다.

핸드폰의 잠금을 열지 않아서 문장의 일부만이 살짝 보였다. 무언가를 설명하는 투였고, 김연수에 관한 것인 듯했다. 김민식은 상황을 이해했다.

어쨌든 하고 있는 일은 계속해서 하는 게 맞으리라. 그는 창고를 조금 더 살피고 싶었다. 박상혁이 방해하지만 않는다면 말이다. 그러나 집주인의 허락 없이 멋대로 물건을 뒤지고, 내부 구조를 살피는 일은 골치가 아프다. 수색 영장이라도 없으면 불가능한 일이다.

애초에 자신의 넘겨 짚은 추리 때문에 일어난 일이다. 확실한 물증도, 근거도 없다. 그러나 그 스스로로서는, 어느 정도 행동을 할만한 당위성이 충분했다. 자신한테 느껴지는 데. 달리 거짓말을 할 수도 없지 않은가.

명확한 기억과 감각. 그리고 형사로서의 신념이 존재했다. 두 가지가 만나면 결국 한 가지 행동으로 귀결된다. 행동하지 않는다면, 둘 중 하나가 잘못되었음을 인정하는 바나 다름이 없었다.

김민식은 어제 이 노인의 집에서 나온 뒤에, 여러번 생각을 다시하며 무엇이 잘못되었는가 고민을 했지만, 둘 모두 멀쩡하게 기능을 한다고 결론을 내렸다. 그게 지금 그가, 이 집에 와서 창고를 뒤지고 있는 이유였다.

얼척없는 일이라는 건 그 자신도 알고 있었다. 서울에서 김서방 찾기 식으로 주택 조사를 하고, 수사를 하다가. 갑자기 개중 한 집에 꽂혀서 이게 뭘 하는 짓이란 말인가.

김연수 건에 완전히 미쳐버려서, 과로로 이상한 망상증에나 걸렸다고 하는 게 차라리 그럴싸한 말일 수 있었다.

그러나 아무런 문제가 없다면. 결국 자신이 망상증이었다면. 그걸로 끝난다면 아무런 문제가 없는 일이었다. 업무 스트레스로 인해서 정신적으로 결함이 있는 형사가 되는 것이.

의심스러운 부분이 있음에도 살펴보지 않는 형사가 되는 것보다는 나은 일이었다. 김민식은 그렇게 생각했다. 징계를 받아도 좋다. 아니… 사실 결심으로서의 의미나 각오가 아니더라도. 징계를 받으면 깨나 좋지 않을까. 잠깐이라도 업무 현장에서 멀어지면 좋겠는데.

물론 이전까지와 똑같이 일하거나, 진급만 늦춰지고, 봉급만 삭감되고 하는 경우라면 좋을 것도 없겠다만.

김민식은 헛소리같은 걸 생각하고, 자신의 행동 방향을 정했다.

"이 참에 청소라도 깔끔하게 해드리겠습니다, 어르신.
평소에 청소 용역 불러서 청소하시는 거 보니까…. 먼지 한 톨 없던데요.
어르신 성격에 이런 게 있는 게 더 참으시기 어려울 것 같습니다.
…그냥 아들이다, 생각하시고 편하게 맡겨주십시오. 먼지 하나

없이 해드리고 가겠습니다. 어려워 마시구요."

확실하게 부담스러운 헛소리였다. 그러나 박상혁의 입장에서는, 그저 거절하기도 애매한 말이기는 하다. 자신이 청소를 해야만 하는 여러가지 근거를 들고 있었으니까 말이다. 과하게 거절을 하면 도리어 노인이 유난스러워 보이지 않는가. 저렇게까지 강하게 제안을 하는데.

"…부담스럽네."

박상혁은 그렇게 말했다. 조금 단호해보이고, 여태까지 보여주던 모습과는 달라 보이더라도. 결국 여기는 자신의 집이었다.

싫다고 하면 그만이 아니겠는가. 손을 쓸 틈도 없이 일을 벌이려고 한다면, 박상혁 역시 최악의 수를 선택해야겠지만 말이다.
그도 그러고 싶지는 않았다.
윤리관에 의해서가 아니라. 효율에 관한 문제로 인해.

말도 안되는 일이었다. 박상혁의 입장에서는. 그런 최악의 수를 선택하는 건. 제 자신의 의지로는 결코 고르지 않을 길이다. 잘 쌓아왔던 삶이 한 번에 박살나는 일이었고.
더 이상 여기에서 살아간다는 미래는 완벽하게 사라진다.

예전처럼, 아예 자취를 감추고 수십 여 년이 지나서 돌아오는 것도 뭐 가능은 하겠다만. 자신은 이미 나이가 깨나 있었다.

수십 여 년이 지난 뒤를 보고 무언가를 할 수는 없다. 그냥 그게 마지막이 되리라.

한국 땅에서 그는 평화롭게 살고 싶었다.

박상혁의 평화가 다른 누군가의 평화가 될 지는 전혀 모르겠지만. 제 자신의 평화를 위해서 박상혁은 그리 말한다. 부드러운 말투였지만, 확고한 의지가 담겨져 있었다.

"······. 부담스럽네, 형사 양반."

김민식은 그리 말하는 박상혁의 표정을 빤히, 처다봤다.

＊

"···차를 한 잔, 마셔도 되겠습니까?"

잠깐의 텀이 있었다.

사내들의 대화가 끊긴 공백이었다. 그 사이를 비집고 박주영이 선 채로 말했다. TV의 소리는 다시 낮추었다. 박상혁은, 뒤에서 들린 말에 고개를 돌렸다.

박주영을 바라볼 때 그는 다시 웃는 낯이었다.

"······물론이네."
"···직접 탈까요?"
"···."

박주영이 물었고, 박상혁은 약간의 뜸을 들이고, 고개를 가로저었다.

노인이 다시 느릿하게 걸음을 옮긴다.

그 움직임에는 묘하게 위압감이 있어서, 다른 형사들은 섣불리 움직이지 못했다. 그리 긴 거리가 아니었음에도 박상혁은 오래 걷는다. 천천히, 스윽, 스윽.

노인이 움직이는 모습을 찍은 뒤, 배속을 빠르게 해보면 일정한 리듬감이 있을 것 같았다. 아주 천천히라 그냥은 알아보기 힘들었지만 말이다.

노인은 약간 구부정한 자세로, 부엌으로 향한다. 박주영은 노인을 뒤따랐다.

"뭘 좀… 마시겠나?"
"아까 마신 거면 충분합니다. 그… 허브 티였는데…, 붉은 색의."
"아아…. 장미차인가…."

덜그럭거리는 소리가 다시금 부엌에서 났다.

TV는 낮은 음량으로 계속해서 주절거린다.

김민식은 슬쩍, 거실에서 윤계식을 보았다. 윤계식은 눈을 크게 떴다. 표정으로 말을 하는 듯하다. '뭐, 있나?' 라는 뜻이다.
김민식은 고개를 끄덕거렸다. '아무래도 이상하다'라는 제스쳐였다.

평범한 가정집이다. 노인이 조금 사연이 있어 보이고, 묘한 구석들이 있기는 하지만.

그리 남다르지 않은, 어디에나 있을 법한.

재력이 있고, 또 자식들을 모두 출가시킨 노인이라면 이렇게 살 법하다. 더군다나 부인과도 사별을 했다면.

그러나 형사의 감이라는 건 분명히 존재를 했고, 김민식은 확인을 제대로 하고 싶었다. 계속해서 그의 감각이 자극받고 있었으니까. 후각이나, 청각이.

지금도 희미한 약품의 냄새는 여전하다. 이토록 분명한 걸 보면, 아주 들이붓는 수준으로 써먹은 게 틀림 없다.

특히 혈액 류를 지울 때 많이 쓰는 화학제품이었다. 김민식은 아주 익숙하고. 도축을 한다거나, 생물을 취급해서 요리를 하는 곳에서 쓰기 좋은 물건이었다. 혈흔과 혈향, 모두 깔끔하게 지운다. 냄새 역시 반대급부로 강하거나 하지 않고, 거의 무취이기에 시중에서 불티난듯 팔렸던 제품이기도 하고.

더군다나 '소리'가 들렸다. 두 번이나.

창고 문은 여전히 미스테리한 구조물이었고. 창고 속의 공간 역시 마찬가지이다. 수납용의 공간이라고 하기에는 지나치게 작았다. 효용성도 별로 없었고. 그곳만 굳이 청소를 하지 않는 이유조차 궁금하다.

이토록 결벽증을 가지고 있는 노인이 말이다. 안에 있는 물건들을 가지고 들락날락 하는 동안 주변에 먼지가 내려앉았는데.

문 하나 열면 이렇게 더럽다. 노인이 이런 수고로움을 견딜 이유가 없어 보였다. 차라리 드물게라도, 창고 내부를 깔끔하게 청소를 해서 문을 열 때마다 먼지가 날리는 걸 없이 하는 게 낫지.

노인의 태도 역시 기묘한 구석이 있다. 무얼 숨기는 지는 모른다. 숨기고 있는 걸지도 모르고.

그러나 분명한 건, 그들은 '김연수'를 쫓고 있는 자들이라는 점이다.

그건 실존한다.

유령과도 같은 별명이었고, 실체를 본 사람은 아무도 없지만, 안타깝게도 실재한다.

대한민국 사회를 좀먹는 병균들은 여러 종류들이 있다. 보통 사람의 죄악과 관련된 것들일 테다. 자신만을 바라는 이기심, 이기주의. 욕망에 눈이 멀어서 이런저런 범죄를 저지르는 사람들. 개중에서도 '김연수'는 아주 특별한 놈이었다.

잡고자 했으나 잡지 못하는 게, 참 말이 안되기도 하고 말이다. 대한민국 땅이 그렇게 넓지 않다. 더군다나 사람이 살만한 곳은 더욱 좁았고.

결국 치안 인력들이 이잡듯 뒤지고, 온갖 전산망이나 폐쇄회로 카메라 따위를 살핀다면 어디에서건 흔적이 잡힐 수 밖에 없는데. 마치 연쇄살인을 위해서 태어난 인간처럼. 그것만을 위해서 평생을 바치고 준비한 인물처럼 잡히지 않고 있었다.

경찰의 입장에서는, 반드시 잡아 넣어야 할 존재이다. 이 사회의 양지에서 시급하게 없애버려야 하는 존재였고.

통제할 수 없는, 괴물이다. 살인마. 육체적인 기량이 탁월하고, 살인에 대한 욕구가 들끓고 있는. 주변에 있는 사람을 언제 덮칠지 모르는. 그건 맹수라고 봐도 좋았다. 사회에, 아무런 안전장치 없이 사자 한 마리가 풀어져 있는 것이나 다름이 없었다. 음지에서 지금도 살아가는 여러 범죄자들조차, 최소한의 룰Rule은 지킨다.

그것들이 양지로 드러나서는, 살아갈 수가 없기에. 나름대로 최소한의 법칙 따위를 만들어두고 그들의 세계를 제한하는 것이다.

그러나 이 사이코패스는 그런 범죄자 무리와도 궤가 달랐다. 사람의 목숨을 쓰레기보다도 더 낮게 보고 있었다. 김연수는 이미 어떤 의미에서는, 테러를 일삼는 이나 다름이 없었다. 막을 방도가 없이 계속해서 연쇄 살인을 벌이고 있었고, 그의 손에 죽은 이들의 수만 열이 넘는다. 당장 확실하게 확인된 것만 센다고 해도.

김연수가 처음 모습을 드러냈을 때 죽였던 이들을 더한다면 수십이 된다.

참사라고 할 수 있었다. 사람의 목숨은 그렇게 쉽게 끊어지기 위해서 세상에 나오는 게 아니었다.

파도 한 번 치면,

건물이건 무엇이건 쓸려나가 버리는 게 인생의 덧없음이기도 하지만. 적어도 인간의 악의에 의해서 그렇게 스러져서는 안된다. 그건 분명 구조적으로 잘못된 사회이다.

세상에는 전쟁을 벌이는 나라들도 있었고, 이 땅에서도 길지 않은 과거에 전쟁이 벌어졌다. 현재에도 법과 도덕에 보호를 받지 못하는 어느 변방의 생명들은 죽고, 팔려나가기도 한다. 조직적으로.
　그러나 적어도, 다른 사람의 눈 앞에서 그래서는 안된다. 백주대
낮, 감시자가 두 눈을 시퍼렇게 뜨고 있는 땅에서는 말이다.

　김연수는 룰을 어긴 놈이다. 존재 자체가.

　형사들은 괴물을 잡기 위해 달려나가고 있는 이들이었다. 풍차를
괴물로 착각한 돈키호테같은 인물도, 어느 소설 속에는 있었지만.
　적어도 이 소설 속의 인물들은 그런 작자들은 아니었다.

　보이지 않으나 분명하게 존재하는 괴물의 뒤를 쫓아 왔다.

　'말이 안된다'고 이성적 판단이 외치더라도.
　김민식은 일단 궁금한 걸 파내긴 해야 했다.

　소리를 내지는 못했고, 윤계식은 부엌 쪽을 바라보았다. TV 리
모컨을 건드려서, 볼륨을 높이지도 못했다. '노인'은 아주 민감한
것 같았으니까 말이다. 같이 있으면서 얻은 실제적인 정보였다.

　그는 어눌하게 말을 하고, 굼뜨게 움직였지만. 감각만큼은 아주
예리한 것 같았다. 말재간도 좋았고. 길게 이야기를 하는 동안 윤
계식이 말을 했던 사소한 단어들 하나하나를 듣고 제대로 대답을
했다. 어떤 소리가 날 때마다, 젊은 형사들과 같이 듣고 있었고.

　눈빛 역시, 아주 미세한 찰나였지만 날카로운 때가 있었다.

　윤계식은 조심스러운 편인 사람이다. 혹여나 하는 가능성이 있다
면 '그럴 지도 모른다'라고 생각하는 편이고.

TV의 볼륨이 올라가는 것만으로도, 거실에서 무언가 꿍꿍이를 숨기고 움직이고 있구나, 하는 암시를 줄 수도 있다. 박상혁에게 말이다.

계식은 대신 거실 가운데 쪽으로 슬쩍, 소리 없이 카펫을 밟아 움직였다. 부엌 쪽을 바라보며 대강 망을 보는 것이다. 별 일은 아니다. 별 일처럼 해서도 안되고. 그저 슬쩍 한 걸음 옮겨 시야를 넓게 쓰는 것이다.

김민식은 그가 움직이는 걸 보고, 조용히 허리를 굽혔다. 꺼두었던 휴대폰의 플래시를 터뜨렸다. 물건들을 옮기지는 못했다. 창고 내부를 마저 정리하지도 못했고. 대신 이미 꺼내둔 물건들이 꽤 있었고, 그 비워진 자리의 틈새로 창고의 벽면이나 바닥이 보였다.

민식은 어둔 창고의 바닥을 더듬었다. 조용히. 소리를 내지 않고, 빛을 쏘면서 다양한 각도로 말이다. 냄새는 확연하게 나고 있었다. 확실하다. 서 있을 때보다 앉아 있을 때가 분명했다.

김민식은 후각을 잘 쓰는 편이었다. 개코까지는 아니었지만, 음식을 먹을 때나 새로운 장소를 갈 때나. 흔하게 사용을 한다. 그리고 기억에 남아 있는 특정한 향 따위는, 비교적 정확하게 분간하기도 했고. '기억'과 후각이라는 감각이 연결되어 있기에 말이다.

어떤 비슷한 장면을 보고 옛 기억을 파노라마처럼 떠올리는 사람과 크게 다르지 않을 테였다.

어두운 창고. 바닥. 책꾸러미나, 잡동사니가 들어 있는 오래된 박스들. 종이로 된 상자도 있고, 나무나 철제도 있다. 이렇게 잡다한 골동품들을 용케도 모았다고 생각이 들었다. 물론 노인의 지난 삶에 대해서 다 알 수는 없으니. 온갖 것들을 집 안에 모아둔다고 해도 크게 놀랄 일만은 아니다. 그럴 수 있었다.

김민식은 바닥을 주로 더듬었다. 아예 쭈그리고 앉아서, 고개를 처박고. 물건들의 틈새. 콘크리트 바닥의 거친 표면에, 작은 '실금'이 보였다.

"……."

김민식은 그게 단서라고 생각했다. 뭔지는 몰라도 말이다. 그곳으로부터 냄새가 나는 것도 같았으니까.

캉.

하고, 아주 미약한 소리가 다시 들렸다. 그가 쭈그려 앉고 귀를 가까이 대지 않았다면 듣기 어려울 정도의 소음이었다. 조금만 떨어져도 알아채기 어려우리라. 잘못 들었다고 생각할 수도 있었고, 보통은 그렇게 여기는 게 정상일 테다. 그러나 김민식은 지금 곧바로 들은 자신의 귀를 의심하지는 않았다.

어느 때보다도 명징하고, 날이 선 감각과 의식으로 집중하고 있었다. 그는 지금. 잘못 들을래야 들을 수가 없다.

김민식은 슬쩍 손을 가져다 댔다.

책 꾸러미들 틈에, 손 하나 집어 넣을 정도의 자리가 있다. 손가락으로 콘크리트 바닥의 균열을 쓸어보았다. 투둘한 감각 사이에, 보이는 균열이 실제의 균열임을 알게끔 손가락 끝에 닿는다. 선이 그려진 게 아니라. 돌이 분리되는 지점이었다.

원래는 다양한 잡동사니같은 게 쌓여 있었고, 지금은 도로 정리를 좀 더 하고 안을 살펴본다며 물건을 처음보다 더 뺀 구석이 있어서 잘 보인다.

먼지는 여전히 바깥으로 새어나오고.

달그락,

하고 부엌에서 다기를 꺼내고 물을 끓이고. 박주영과 박상혁이 움직이는 소리가 들렸다.

김민식은 균열을 계속해서 만져보았다. 플래시 라이트로 그 양 끝단을 확인하려 했다. 오른쪽, 그리고 왼쪽으로도 이어진다. 직사각형의 그림처럼도 보인다. 사이사이에 짐들이 있어서 정확하게 볼 수는 없었지만. 보이지 않는 구간도 직선으로 이어진다면 말이다.

사람 하나가 딱 서 있을 만한 넓이의 사각형이었다. 아마도. "……." 캉, 하고 다시금 작은 소리가 들렸다.

아주 먼. …….

그리고 김민식은 불현듯 잠시 상상을 해보았다.

바닥에서 무언가 소리가 들리는 것을 가지고 말이다.

바닥에 귀를 가까이 댔는데, '멀리서' 나는 소리가 들린다면. 바닥을 뚫고 그 아래에 멀리 공간이 있다는 의미 밖에는 되지 않는다. 지하실을 뜻한다.

김민식의 표정이, 조금 더 굳어졌다.

윤계식이 김민식을 돌아보았다. 마침, 그 역시 굳은 표정으로 자리에서 일어났다. 먼지가 묻은 손은 대강 털어내면서, 바지춤에 닦아버렸다. 애초에 청소를 하느라 바지가 더럽혀진 점도 있었다.

플래시 라이트를 껐다. 김민식도 윤계식을 보았다. 윤계식이 표정으로 '그만 해,' 라고 말을 했고. 김민식은 알았다며 제스쳐를 취했다. 눈을 깜빡이는 것으로.

그는 아까와 다름 없는 자세로 섰고, 부엌에서 두 사람이 찻잔이니 하는 것들을 들고 다시 거실로 나왔다.

*

캉,

하고 시윤은 렌치를 휘두르며 연습을 하다가, 벽면에 잘못해서 슬쩍 부딪혀버렸다.

그리 큰 소리는 아니었다. 정확하게 거리를 재고 이리저리 휘두르던 것이었는데, 어둡고 또 기력이 쇠한 상태여서 몸을 제대로 가눌 수가 없었다.

이런!

하고 처음에는 경악을 금치 못했지만, 다시 어질거리는 머리를 붙잡고 스윙을 연습했다. 머릿속으로 사내 하나가 서 있는 것을 생각하고. 자신의 머리보다 조금 더 위에 있는 부분을 향해서 휙.

그렇게 반복을 하다가, 다시 한 번 캉, 하고 벽면 어디에 부딪혔다. "……"

시윤은 더 이상 일일이 놀라거나, 반응을 할만한 기력이 없었다.

소녀는, 이내 벽면에 등을 기대고, 풀썩 주저앉았다.

어차피 '남자'가 이쪽으로 들어올 때는 소리가 난다. 계단을 걸어 내려오는 소리 말이다. 침대에 묶여 누워 있을 때도 났던 소리인데. 지금은 문 근처에 있으니까 더욱 확실하게 나리라. 꼬르륵, 하고 배가 고파왔다.

아직도 이런 소리가 나다니. 시윤은 어이가 없다는 표정을, 어둠 속에서 지어보였다. 그녀는 삭막하고, 지독한 표정을 한다. 그리고 렌치를 들지 않은 손으로 얼굴을 감쌌다. 피곤했고, 졸렸다. 빨리 모든 게 끝났으면 했다. 반드시 살아남아야 하지만. 지나치게 긴 시간이었다.
지속적인 스트레스는 기력을 계속해서 갉아먹었다. 그녀 역시 한계가 있었다. 시윤은 그대로, 아주 옅은 잠을 자듯.
말 없이 앉아서 쉬었다.

선 잠이었다. 조금의 인기척이라도 들리면 곧바로 일어날 수 있을만한.   ***

*

이렇다 할만한 수가 없는 게 사실이었다.

네 남자는 앉아서, 차를 마시고 있었다.

그저 그 뿐이다.

후룹.

한 명이 먼저 차를 마시자, 다른 사람들도 마신다.

박상혁은 어딘지 멀리를 쳐다보고 있었다.

윤계식은 그런 그의 표정을 살피고.

집 안은 다시 고요를 되찾았다.

아무런 문제가 없다, 아무런.

아, 물론 김민식의 표정은 처음에 비해서 더 굳어지기는 했다. 남들이 보아도 알 수 있을 정도로 말이다. 그건 윤계식이나 박주영도 느끼고 있었다.

박상혁이 신경을 쓰는 지는 알 수 없었다. 그는 어딘가 붕 뜬 듯한 분위기와 기색으로, 창가 즈음을 바라볼 뿐이다. 어차피 잘 보이지도 않는다. 대부분은 커텐을 야무지게 쳐놨고, 혹은 계단 위쪽이라거나, 멀리 있었으니까.

시간은 4:30 즈음이다. 시계가 돌아가고 있었다.

한낮, 에서 저녁을 향해 시분초침이 달려간다.

박상혁이 찻잔을 기울이다가 말을 한다.

"…형사님들은… 쫓고 있는 사람이 있나?"

윤계식은 말을 받는다.

"있지요."
"아, 그러시군. 혹 여쭤봐도 되는지?"
"하하… 수사 중인 사항이라 말씀드릴 수는 없지만…. 최근에 아주 흉악범이 있어서 골머리를 앓고 있습니다."
"허허… 그거 참."

박상혁은 안타깝다는 듯이 얘기를 했다. 안타까운 게 사실이기는 했다. 조금 더 고생을 하고, 고통스러웠으면 좋겠었으니까. 그렇게 이야기를 하는 윤계식의 기색에는 일말의 평안함이 보였고, 박상혁은 그게 마음에 들지 않는다.
정반대의 의미이지만 중의적인 말로, 그럴싸하게 들린다. 박상혁이 쯔쯧 혀를 찼다.

후릅.

네 사람은 별 것 없이 차를 마신다. 불안감을 표현하고 있는 건 김민식 뿐이었다. 다른 두 사람은, 김민식 만큼이나 이상한 점을 이 집에서 느끼지 못하고 있었다.

박상혁은 어떨 지 모르겠지만.

가장 애매한 점은, 결국 나란히 앉아 있는 형사들은 부외자라는 것이다. 손님이며, 이곳은 박상혁의 사유지이다.

'확신'이 있다면 또 다른 문제이다.

만일 정말로,

김민식이 순간적으로 추론한대로 이 사유지 내에 지하 공간이 있고, 거기에서 무언가 수상쩍은 일이 벌어지고 있다면. 그런 확신 이 든다면 한 번 확인을 해보겠으나.

정확한 당위성을 찾지 못하면 결국 형사들은 섣불리 움직이지 못한다. 주인인 '박상혁'이 나가라고 이야기만 하면, 법적으로 그들 은 나가는 게 옳으니까.

세상사가 법리法理에 따라서만 돌아가는 건 아니었지만. 문제를 더욱 크게 키울 생각이 아니라면 주인의 말에 따르는 것이 맞았다. 징계나 법적 처분까지도 각오를 하고 무단으로 행동을 감행한다면 더 나아갈 수는 있겠다.

이미 집 안에 들어와 있고, 수상쩍은 것을 확인해볼 수는 있으 리라.

그러나 그 과정에서, 집 주인이 불쾌감을 느끼고 형사들을 고소, 고발할 수도 있으리라. 만일 아무런 문제가 없다고 밝혀진다면. 고 소나 고발이 두려운 건 아니었다. 김민식도 그렇고, 다른 두 형사도 그러하다.

그러나 지금 그들은 살인마의 뒤를 쫓고 있는 중이었다. 김연수를 잡기 전까지 섣불리 멈춰설 수는 없었다. 방해를 받을 수도 없었고.

결국 확실하지 않으면 움직일 수 없다는 사정이, 지금의 기묘한 침착함을 만들어낸다. 후릅.

김민식은 마음에도 없는 차를 들이켰다. 무슨 맛인지, 향인지도 제대로 느껴지지 않는다. 콧속에 들어오지만 그다지 민감하지 않다. 그의 머릿속을 꽉 채운 건 암실, 창고에서 느껴졌던 명확한 화학약품의 냄새이다. 그리고 내부, 아래, 멀리서 들려왔던 희미한 소리들.

그게 의미하는 게 무엇인가. 저 아래에 지하실이 있고, 거기에 기계류라도 있어서 작동하고 있는가. 특별히 이상한 취미가 있어서 집을 그렇게 개조하기라도 했을까. 이 집을 지은 건축자나, 혹은 나중에 들어온 거주자가 말이다.

어쨌거나 공시된 주택의 내부 자료와는 확연히 다른 구조를 갖고 있는 게 맞았다. 원래 저 위치에는 창고 따위 없었으니까 말이다.

김민식은 고민에 고민을 거듭해간다. 어떻게 해야 할까.

"그럼,"

박상혁이 다시금 말문을 열었다.

"어떻게, …."

떠듬거리며 말을 한다. 시간이 많이 지났는데, 어떻게 하겠느냐
는 말로 들린다. 저녁이라도 같이 먹을 건지. 갈 건지. 박주영이 그
와중에 문득 물었다.

"어르신."
"음?"
"어르신 핸드폰은 자녀분께서 사주신 거지요?"
"아, 그렇지…."

노인이 고개를 끄덕거렸다.

"혹시 구경을 좀 더 해봐도 되겠습니까? 제 아는 사람도 이 기
종이었던 거 같은데…."
"아 뭐… 그러시게."

박상혁은 크게 가리는 건 없었다.

그가 핸드폰을 건네주었다.

"아까 자제분들 사진을 보여주셨었지요."
"그랬지."
"미국에 계신다고요."
"한 번 더 볼 수 있습니까? 따님 분은…."
"아직 결혼을 안했다네."

박상혁이 짓궂게 웃었다. 박주영은 멋쩍은 듯 허허, 웃음으로 무마하면서 뒷 말을 더 하지는 않았다. 그가 대강 손짓으로 가리켰다. 박주영은 그의 허락에 갤러리를 들어가서, 사진들을 보았다.

여러 사진들이 있었다. 바닷가에서 찍은 사진들.

자녀들로 보이는 사진도 몇 개가 있었다. 훤칠한 키의 남성. 그리고 김민식이 말한 딸, 이라던 아가씨. 사진들을 몇 개 넘긴다. 김민식이 이야기한 사진이 정확히 무엇인 지 찾기 위해서 박주영은 집중했다.

박상혁의 눈에는 그가 여자를 밝히는 것으로마저 보일 테였다. 박상혁으로서는 크게 관심이 없는 점이었으나.

어쨌든 박주영은 면밀하게 사진을 보았다.

핸드폰의 후면을 잡고 있는 손가락이 케이스를 더듬거렸다. 문득 그 뒤쪽을 돌려보았다. 김민식이 말한대로, 집에 들어와 여러 담소를 나누는 중에 확인한대로. 확실히 국내 기업의 문양이 반쯤, 깔끔하게 지워져 있었다.
세월에 의해 사라지는 정도의 문양은 아니었다. 약품을 써서 일부러 지워낸 듯한 모양새다.

다시 돌려 사진첩을 훑는다. 여성의 사진이 몇 개인가 나왔다. 김민식이 말한 사진을 찾기 위해 열심이었다.

확실히,

아주 집중해서 보면 얼굴이 좀 달라 보이는 것들이 몇 개인가 있었다. 비슷한 밝기와 근접 거리에서 찍혔음에도. 의식해서 그 부분만을 보는 게 아니라면 알기 어려운 점이었다.

점의 위치 역시 그러했고.

….

박주영은 궁금한 걸 물어보았다.

"어르신."
"음?"
"자녀분은 둘이신 거죠?"
"…그렇지."
"…혹시 따님의 친구분들 중에, 아주 닮은꼴인 친구가 있다거나, 그런 이야기가 있나요?"
"……없지."

박상혁은 눈매를 좁게 찡그렸다. 무슨 말인가, 하는 뜻이다. 박주영은 고개를 끄덕거렸다. 그는 단도직입적으로 묻는다.

"…여기 이 사진. 두 명이 다른 사람인 것 같은데요."

그가 노인에게 도로, 핸드폰을 돌려 액정을 보여주며 이야기했다. 스윽, 스윽. 앞 뒤로 다른 사진 두 개를 번갈아 보여준다. 두 개 모두 여인의 사진이었다. 약간 까무잡잡한. 단발 정도 느낌의, 미인의 얼굴.

한쪽 눈이 조금 처진 사진이 있었고, 멀쩡한 사진이 있었다. 미세한 차이이다. 그리고 점도.

"……."

박상혁은 가만히 그것을 보았다. 노인은 눈이 침침하다는 듯한 표정을 지었다. 그리고 이내, 박주영의 손짓에 따라 자신의 핸드폰을 받아보았다.
주름진 손길이 사진 두 장을 번갈아 넘긴다. 흠.

박상혁은 핸드폰을 주시하며, 박주영이 말한 바를 찾는 듯 오래 관찰했다. 그는 달리 말이 없다. 조금의 침묵 뒤에 입을 연다.

"…그런가? 딸 아이 사진으로 보이는데."
"민아 씨 사진이요. 두 장 다 민아 씨가 보내주신 건가요?"
"…그렇지. 미국에 있을 때 보내준 사진이네."
"따님이 장난기가 좀 있으신 편인가요?"
"…약간? 그럴 지도 모르네."
"그러면 뭐… 따님이 장난을 치신 걸 수도 있겠네요."

하하하.
박주영은 티없이 웃었다. 박상혁은 어이가 없다는 듯한 표정으로 피식거렸고.

"세상에, 이렇게 닮은 사람이 있다는 말인가."
"그러게요. 자기랑 비슷한 사람 사진을 보고, 아버지를 놀래켜주고 싶으셨나 봅니다."

내 참.

박상혁은 고개를 절레절레 저었다. 윤계식은 그런 노인을 잘 살펴보고 있었다.

"핸드폰은 직접 따님이 사다가 가져다주신 건가요?"

박주영의 물음에, 박상혁은 청년을 슬쩍 처다보더니 답했다.

"그렇네." 그가 고개를 끄덕인다. 박주영도 마주 끄덕거렸고.

"아, 한국에 있을 때요."
"…그렇지."
"어르신 드리는 선물이니까, 새 걸로 사다 드렸겠군요."
"…그렇네."
"따님이, 유행에 민감하신 편인가요?"
"……."

박상혁은 대답이 조금 늦어졌다. '유행'에 대해서 잘 모르는 노인이라면 그럴 법하다. 딸에게 관심이 많아도, 자신이 모르는 걸 대답할 수는 없지 않겠는가. 박상혁은 고민하는 투로 말한다.

"그렇네."
"흐음."

박주영은 웃으면서 대화를 마쳤다. 허허.

"박 형사님은 결혼은 아직이신가."
"그렇습니다. 여자친구도 없는 데요, 뭘."

"거 참."
"안타깝지요?"

차를 들이켰다. 술처럼 쓰다. 김민식의 입맛이었다. 박주영과 노인이 대화하고 있는 것을 귀로만 듣고 있다. 그는 다른 생각이 잘 들지 않는다. 집 안 구석구석을 다시금 살펴보았다. 앉은 자리에서 훑는다.

"혹시, 근처에서 이상한 놈을 보신 적은 없으십니까?"

김민식이 뻔한 질문을 했다.

"이상한 놈이라면…."
"거수자 말입니다. 동네에 혹시 이상한 사내가 왔다갔다 한다던가… 하는 모습을 보신 적은 근처에서…."
"내 기억에는 딱히 없네. 집에만 있었기도 하지만서도."
"저녁은, 나가서 드시는 게 어떻습니까."

가운데 있던 윤계식이 말했다. 박상혁이 눈을 조금 크게 떴다.

"아, 저녁까지."
"예, 오늘 저희는 쉬는 날이라. 이런 때가 아니면 달리 즐길만한 시간이 없군요. 괜찮으시면 어르신도 좀 대접을 하고 싶은데… 괜찮습니까?"
"…."

박상혁은 느리게 고갤 끄덕거렸다.

"나야 좋네."

"좋습니다. 혹시 드시고 싶으신 게 있으십니까? 아시는 맛집이라던가…. 없으시면 제가 안내하겠습니다."

"거… 형사 나으리들 추천을 한 번 믿어보지."

"하하…."

윤계식이 밝게 웃었다. 그가 말한다.

"조금 있다가 일어나면 될 것 같습니다. 날이 춥진 않으니… 가볍게 입으시면 될 것 같고요."

"내가 알아서 입음세, 이 사람아."

"그러십시오, 어르신."

김민식은 대강 분위기를 맞추어 웃었다. 웃음이 날만한 기분은 아니었지만.

대신, 핸드폰을 아래로 늘어뜨리고 있었다.

윤계식이 대강 무슨 말을 하는 지 알겠는 탓이었다. 그는 행동이 빨랐다.

음성녹음을 켜서 나가서 밥을 먹자는 둥, 하는 대화를 짧게 녹음했다.

아래를 제대로 쳐다보지도 않고, 능숙하게 핸드폰 액정을 눌렀다. 심 경위와 김 경위에게 녹음 파일을 보냈다.

"혹시, 화장실이 있습니까?"

김민식의 물음에 박상혁이 고갯짓을 한다.

"옆으로 돌아 들어가면 바로 나오네."
"좀 써도⋯." "그러시게."

김민식이 자리서 일어난다.

저벅거리며 마룻바닥을 밟았다. 코너를 돌아 사라지자, 그는 핸드폰으로 제대로 타이핑을 치며 문자를 보낸다.

[관악구 신전동, 단독주택. 말했던 창고 문 속 바닥 조사 필요. 집주인과 곧 바깥으로 저녁 식사 자리를 가질듯.]

일단은 대개의 내용을 전달했다.

심민아나 김현식 경위 입장에서는, '그래서 뭐 어쩌라고'라고 반문을 해도 이상하지 않은 내용이기는 했다.
그러나, 할 수 있는 건 최대한 해야 한다. 김민식은 그 정도의 확신은 있었다. 들키지 않으면 되는 것 아니겠는가.

김민식은 주머니를 뒤져서 껌을 찾았다. 간혹 졸음이 밀려올 때 씹곤 하던 것이었다, 밤샘 근무를 하면서 말이다. 몇 개를 꺼내어 입 안에 털어넣고 씹었다. 화장실에 들어가서는, 물을 틀어놓고 대강 얼굴만 닦고. 거울을 바라보며 기분을 가라앉히고는 나왔다.

씹어 허물어진 껌은 입 안 한 구석에 조용히 붙여놓은 상태였다.

김민식이 나오고, 한참 더 대화를 하던 사내들이 일어섰다. 윤계식이 말했다.

"가실까요, 모시겠습니다."
"잠시만, 기다리게. 옷만 좀 갈아입고…."
"그러시지요."
"차를… 어떻게 하나. 가져왔는감?"
"예, 괜찮으시면 저희 차로 모시겠습니다."
"…알겠네."

박상혁은 조용히 거실에서, 자주 사용하는 듯한 안방 쪽으로 사라졌다. 집 안에 들어오면 직사각형의 길다란 거실 공간이 있었고, 왼쪽과 오른쪽에 위로 올라가는 계단이 있었다. 계단은 벽면을 타고 이어져서, 그 아래의 벽이 공간으로 그대로 살아 있다.

오른쪽 계단 근처의 벽에, 어둑한 창고 방이 하나 있었고.
창고 방의 문을 지나 한 번 코너를 돌면, 사용하는 방의 문이 하나 나온다.

그 방의 문을 지나 조금 더 왼쪽으로 걸음을 옮기면, 김민식이 다녀온 화장실로의 통로가 있고. 통로에서 한 걸음 지나면 소파가 나오고, 그들이 담소를 나누는 거실의 가운데이다.

소파를 지나 왼쪽으로 더 가면, 부엌으로 향하는 열린 통로가 있고. 열린 통로를 지나 조금 더 왼쪽으로 가면, 지금 박상혁이 들어간 안방으로의 문이 있다. 안방 문을 지나 왼쪽 끝에 다시, 2층으로 올라가는 계단이 있었다.

계단에서 내려오는 자리에서 몇 걸음 지나면, 이 집의 현관이 있었고.

그늘이 많은 집안이었다. 커텐을 꼼꼼하게 쳐놨으니까. 박상혁은 느릿하게 움직여 안방으로 사라졌고.
남은 세 남자는 소리없이 대화하기 시작했다.

윤- '어쩔까.'
김- '저는 조사가 필요하다고 봅니다.'
윤- '내가 잘 아는 갈비집으로 일단 가지.'
박- '빈 집일 때, 조사해보는 겁니까?'
김- '저는 그래야 한다고 생각합니다.'
박- '정말로?'
김- '정말로. 의심쩍은 걸 그냥 넘어갈 수가….'
윤- '그래야 한다면… 나야 동의를 하네만. 결국 은퇴자보다는 현직자들인 당신들이…'
박- '아이고.'
김- '일단 심, 김 경위님께 상황 설명은 대강 보내놨습니다.'
윤- '뭐라고 하던가?'
김- '잠시…. 그래서 어쩌라고, 라고 왔네요. 팀장님은. 심 경위님은… 조사 필요하다면… 몰래 들어가서 조사하라는 건가요? 지금 사람 보내달라고? 그 정도에요? 거기가 연쇄살인범 김연수의 집이라고 확신합니까? 그게 아니라도 적어도 범죄와 연관되어 있는 장소라고? 평범한 주택 아니었습니까?… 길게 왔네요.'
윤- '……. 자네들에게 맡기겠네.'
김- '저는 무조건 봐야 한다고 봅니다. 저 창고 방, 이상합니다. 이 집 주인 아저씨도 기색이 이상하고.'

박- '한 순간의 오판 때문에 다 그르칠 수도 있는데.'
김- '언제부터 그렇게 따지고 살았다고, 박주영 김민식이.'
박- '…….'

툭, 하고 윤계식이 젊은 두 형사의 어깨를 쳤다.

세 사람은 제스쳐나 입모양으로 말을 하기도 했고, 핸드폰으로 서로 문자를 쳐서 대화하기도 했다.

윤계식은 고개를 홀로 끄덕거렸다.

'수사본 근처에 쓸만한 외부자가 달리 없나? 현직자 말고. 부탁을 좀 드리면 되지.'

김민식은 표정을 일그러뜨렸다.
깊이 고민을 하는 얼굴이었다.

*

35. 김 경위

*

저벅.

하는 소리가 들린다.

소녀는 흠칫 놀라면서 잠에서 깼다.

돌 계단을 내려오는 소리였다. '남자'는 늘 신발을 신고 움직였다. 그의 발소리는 인기척이 뚜렷하다.

지독하게 피곤하고 힘이 없었다. 선잠에 들어 쉬고 있었는데, 순식간에 졸음이 달아났다.

계단의 길이는 제법 길다. 그 동안 여러 번 남자가 내려오고 올라오는 소리를 들었으니까 안다.

그녀는 놀란 것에 비해서는 느리게 움직였다. 팔다리에 근력이 별로 없는 느낌이다.
아무것도 먹지 못했으니까. 달리 어쩔 수 없다. 그 동안 먹은 것은 물뿐이다. '남자'는 가급적이면 오래 살려두려고 물에 영양소를 공급할만한 가루를 타서 먹이기는 했지만.

그 외에 금방은 수돗물을 벌컥거리며 마시기도 했지만. 팔다리가 조금 후들거렸다. 후, 하고 소녀는 조용히 숨을 뱉으며 자리에서 일어섰다.

자신이 앉아 있던 곳은 정확히 사각이다. 걸치고 있던 후드 짚업은 지퍼를 끝까지 올렸다. 숨을 죽인다.

손에는 철제 렌치가 들려있다. 묵직한 무게감. 만족스럽기도 하고, 적당히 무겁다. 팔을 들어올리고, 휘두르는 게 어지간히 힘들기는 하지만. 무기는 무거울수록 믿음직스럽다. 다루기 힘든만큼 상대에게 확실한 데미지를 줄 수 있을 게 아닌가.

소녀는 침을 삼켰다. 철제 문이 어느 정도의 방음 효과를 가지고 있는지는, 대강 감이 잡힌다. 그녀는 조용했다. 조용히, 자신의 기척을 없애나갔다. 그건 잘 하는 일이었다. 학교에서도. 눈에 띄지 않고 조용히 묻어 생활하는 거. 자신의 특기이지 않은가.

시윤은 꾀죄죄한 얼굴이었다. 어두운 지하실에서는 잘 드러나는 게 아니었지만. 엉망이 된 꼴이었으나, 눈만큼은 아직도 의지를 잃지 않았다.

저벅, 저벅.

다가오던 발소리가 문 바로 앞에서 섰다.

철제 문 앞.

철컥.

남자는, 문을 쉽게 열었다.

시윤은 렌치를 쥐고 있는 손에 힘을 꽉 주었다.

*

"시발 새끼들."

김현식 경위는 입이 걸었다.

슬슬 해가 저물어가고 있는 저녁 무렵.

그는, 담장을 넘었다.

주변에서 누가 그를 쳐다보고 있지는 않을까, 조금 고심을 해야 했는데. 다행히 주택가에는 별로 사람이 없었다. 인기척도 없었고. 이 시간 즈음이면 으레, 집으로 귀가를 하는 이들이 있을 법도 한데.

아주 한적했다. 주택가의 내부에는 불빛이 보였지만 말이다. 제법 담장이 높았다. 그래서 그는, 나이에 맞지 않게 고생을 좀 해야했다. 형사로서 살다 보면 온갖 일들을 다 겪게 된다. 더군다나 그는 강력계다.

현장에서 범죄자들과 드잡이질을 하게 될 수도 있는 직종이었다. 언제든지 뛰고, 구르고, 바닥을 쳐야만 하는 인간이다. 인생의 저 밑바닥을 기어다니는 놈들을 상대해야 했으니까.

그리고, 간만에 생각이 좀 나기도 했다. 덩달아 말이다. 예전, 학교를 다닐 때 담장을 넘어서 자율학습을 째던 경험이나. 혹은 등교 시간에 늦어서, 정문이 아닌 다른 곳으로 학교를 들어가려고 애를 쓰던 날의 기억.

어린 날의 추억이 생각날 정도였다. 그 정도로 강렬하고 고생스러웠다.

주택가.

서울시 관악구 신전동 어느 모처에 있는 주택이었다.

단독주택이었고, 멋들어지게 지어진 건물은 다른 집들과 조금 거리가 있었다. 근처에 있는 건물들 모두 그러했다. 각자의 삶을 존중해주는 느낌도 든다. 그냥 건축 계획을 잘못 세웠던 것도 같고.

아무튼 조용하고 고즈넉한 주택가에서, 슬슬 눈치를 보던 김 경위는 담을 넘어 들어갔다.

이게 뭐하는 짓일까, 라고 수십 번 정도 생각을 했고, 몇 번은 입으로 뱉었다.

그러나 일단 자기 휘하에 있는 놈들이었다. 김민식과 박주영. 자신이 데리고 있는 놈들이었고, 세상은 알 수 없지만 경찰 조직 자체는 비상에 걸려 있는 상황이었다. 치안과 관련이 있는 계통의 부서들은 모두 비슷했다. 정부 고위자들도 그러했고.

김연수라니. 예전에 TV에서나 봤던 이름이었다. 그 놈이 실존한다는 것도 놀랍고, 아직도 활동한다는 게 더 농담같은 말이었다.

617

그러나 놈의 활약상은 상상 이상이었다. 멀쩡히 경찰들이 눈뜨고 있는 사회에서, 장난을 치듯 사람을 죽여 없애댔으니까. 한 두 명의 이야기가 아니고, 십 수 명 정도를.

확실하게 골치가 아픈 존재였다. 그래서 혈안이 되어 있었고. 심민아 경위라는 괴짜의 진두지휘 아래, 심증에 심증을 더한 추론을 이어나가던 중이었다.
그러다가,

어째서 이렇게 됐을까.

김현식은 달각, 하고 문을 열어 집 안에 들어갔다.

대문을 넘는 건, 몸을 써서 해냈다. 근처에 CCTV가 있을 지도 모르겠는데. 만일 문제가 되고 누군가한테 들킨다면, 경찰 옷을 벗어야 할 지도 모른다. 나름대로 얼굴이 잘 들키지 않게끔 깃을 세우고, 마스크를 쓰고는 있었지만.

당장 몇 시간 내에 정해진 주소로 와서 이런 일을 해야 한다. 다른 누구를 섭외할 시간도 없었다. 심민아와 김현식은 '수상쩍은 집'으로 잠깐 조사차 떠났던 현장팀의 연락을 듣고 심히 고민했다.
이들이 과대 망상이나, 잘못된 판단에 사로잡힌 건 아닐지. 혹은 정말로 올바른 판단을 하고 있는 것일지. 알 수 없었다.
어쨌든 연락이 왔으니 답은 해주어야 했고, No던 Yes던 호응은 해야 한다.

심민아는 고개를 갸웃거렸고, 김현식은 끄덕거렸다.

어쩌겠는가.

부하들이 사고를 치겠다는데. 팀장으로서 그도 어울려주기도 했다.

지난 일 년 가까이 그를 지겹게 했던 김연수 새끼를 잡을 수 있다면.
물론 이런 짓을 한다고 잡을 수 있을 지 알 수 없지만. 미친 척을 하고 뭐라도 해봐야지 않겠는가. 그만큼 간절하기는 했다. 병신 같은 짓거리에 몸을 던질 정도로는 말이다.

달각, 하고 현관문은 자연스럽게 열렸다. 열쇠로 여는 옛날 방식의 문이었다. 다행스러운 점이었다. 그들로서는.

김민식은 '문은 그냥 열릴겁니다'라고 했다.

김현식은 그 말대로 손잡이를 잡고 돌려보았는데, 정말로 열렸다. 잠금장치의 틈 사이를, 핸드폰 불빛으로 비춰보니 씹던 껌이 들어가 있었다. 요철이 튀어나와서 잠기는 부분에 말이다. 김현식은 김민식이 씹었을 것으로 추정되는 껌을 회수했다. 더럽지만. 대충 주머니에 있는 휴지 쪼가리에 잘 싸서 뭉쳐, 챙긴다. 흔적을 남겨서는 안된다.

경찰로서 이러고 있는 건 아니었다.
경찰이기에 하고 있는 짓거리였지만.

그들은 신념으로 인해 일을 했고, 누구도 알아주지 않을 신념이었다.

수사본의 다른 팀장 급들에게 이 사안에 대해서 이야기를 하면 무슨 반응을 보일까. 머리에 총 맞았냐, 라는 표정을 하리라.

물증도 하나 없이, 수색 영장도 없이 버젓이 사람 사는 사유지에 들어간다?

어마어마한 돈이 걸려 있는 문제고, 기업의 비밀을 파헤치려는 산업 스파이 따위라면 차라리 그럴싸한 얘기였다. 그에게는 딱히 돈이 없었다. 이런 일을 벌인다고 누가 알아주는 것도 아니었고.

동기는 오로지, '혹시나' 하는 마음 뿐이었다.
혹시나.

그것만으로 이 지랄 중인 것이다.

검은색의 오래된 현관은 자연스럽게 열렸고, 껌은 회수했고. 그는 달칵, 하고 문을 잠그며 그 안으로 들어갔다.
사람의 눈은 그를 향하고 있지 않았다. 어느 차량의 블랙박스나 CCTV 따위에는 찍혔을 지도 모르고, 아닐 지도 모르지만. 이왕 하는 일. 거침은 없어야지 않겠는가.

잠금 장치에 씹던 껌을, 김민식은 나가면서 몰래 넣어두었다. 맨 마지막으로 박상혁이 나오며 문을 잠갔지만, 내부에 물건이 이미 들어가 있어, 채 다 눌리지 못하고 문은 여전히 열려 있었다. 꼼수 만큼은 대단한 놈이었다, 김민식은. 김현식은 덕분에 편히 잠입을 했으나 그리 생각했다.

그의 두 팀원을 씹어대며 욕을 한 것은, 집 안에 들어와 창고 문을 연 다음이었다.

어둑한 실내. 사람의 인기척은 없다. 그 외에는 말이다. 그는 조용히 신발을 벗었다. 이 짓거리를 하기 전에 신발 밑창을 깨끗이 닦은 것이 참 웃기는 일이었다. 형사로서 온갖 현장을 다 전전하고, 다양한 경우들을 관찰하다보니. 그 반대의 일을 하는 데도 노하우가 생겼다는 게 말이다.

그는 신발을 벗어, 거꾸로 들고, 천천히 창고 쪽으로 향했다.

김민식이 말한 대로였다. 들어서서 오른쪽 벽면. 깨나 깊이 걸어가서 문을 연다. 오래된 나무 문이었다. 찰칵, 하고 연다. 끼이이. 경첩이 소리를 냈다. 신발을 가지고 들어온 건 별다른 이유는 아니었다. 혹여나 일이 잘못 되었을 때. 동선이 꼬일까봐. 신발을 내버려두고 움직인다면 현관을 반드시 짚어야지 않겠는가. 다행히 집이 넓으니까,

혹 갑자기 사람이 들어온다고 해도 몰래 숨어있다가 나갈만한 틈은 있으리라 김현식은 거기까지 생각하고 움직였다.

창고 문 안 쪽은 아주 어두웠다. 플래시 라이트를 밝힌다.

김민식이 정리를 하다가, 도로 물건들을 뺐다. 결국 창고 내부의 상태는 처음과 그리 달라지지 않았다.

창고의 바닥을 주시하라고 했다. 김민식은.

삐릭.

하고 작은 소음과 진동이 들렸다.

핸드폰을 보니 메세지가 와 있다. 김민식이었다. 현식은 메세지를 읽었다.

[들어가셨습니까. 이상한 것 발견하셨습니까. 문은 제대로 열렸지요? 창고쪽 바닥에 작은 실선이 있고. 거기서 몇 차례 계속 지하에서 소리가 났습니다.]

옘병.

김현식은 대강 읽고, 창고 바닥에 집중했다. 잘 보이지 않는다. 그냥 물건들을 치우기로 했다. 결국 현장만 들키지 않으면 된다. 물건들을 일일이 다 확인하고 기록해두는 것도 아닐테고. 적당히 한 쪽에 몰아두기로 했다.

저녁 무렵, 어둔 집 안에서 김현식은 비지땀을 흘려가며 움직인다.

금세 안쪽 벽면에 높이 탑처럼 세웠다. 여러가지 꾸러미들이나 잡동사니 물건들을 말이다. 나름대로 잘 치웠다. 위태롭지 않고 흔들거리지 않는다. 공간이 조금 부족한 것 같을 때는, 적당히 창고 밖, 옆에 있는 짐들 사이에 놓기도 했다.

사소한 변화로는 심증을 가질 수 있어도, 확실하게 누군가 침입했다는 증거로 삼을 수는 없으리라. 지금 형사들도 마찬가지가 아닌가.
사소한 심증가지고 영장을 발부할 수도 없고, 깊이 수사해 볼 수도 없으니 이러고 있는 것이었다.

김현식은 자신이 스스로 미친 짓거리를 하고 있다고 여겼다. 그래, 자기도 어쩌면 미쳤는지 모른다. 너무 오랜 시간 김연수의 뒤를 쫓다 보니까, 드디어 돌아버린 거다. 그 스트레스로 인해서.

그러다보니 부하의 헛소리에도 귀를 기울이게 되고… 멀쩡한 가정집에 침투를 해서… 옷 벗을만한 짓거리를 하고 있는 거고….

헐벗듯 온전하게 드러난 콘크리트 바닥을 쓰다듬고 살피면서 김현식은 속으로 중얼거린다.

확실히, 균열처럼 보이는 실선이 있기는 했다. 오른쪽, 왼쪽 끝까지 이어진다. 한 걸음 정도 폭이다. 사람 하나가 서 있을만한 자리였다. 직사각형…일까. 양쪽 끝에도 잡동사니들이 서 있었다.

직사각형의 양 끝 단이 조금 가려져 있다.

"후."

김현식은 홀로 한숨을 쉬었다.

일단은 창고 바닥의 사각형 자리를 온전히 다 살피기 위해서, 왼쪽과 오른쪽 벽면을 따라 쌓인 물건들을 다른 쪽으로 치우기 시작했다.

*

"갈비는, 오랜만이구먼."

박상혁이 이야기를 했다.

그는 웃는 상이었다. 처음 만났을 때부터 지금까지 계속 말이다. 간간이 날카로운 눈빛들을 조금 보이기는 했지만. 지금은 적어도 아니었다.

평범한 음식점이었다.

한 구석에, 칸막이가 쳐져 있는 곳이라서 조금 아늑한 느낌도 들었고. 네 사내는 자리를 옮겨서 담소를 계속한다. 차에서, 갈비로 메뉴가 바뀌기는 했지만.

서울 관악구에 위치한, 그리 멀지 않은 곳의 가게였다. 윤계식이 몇 번 들른 적이 있어서 기억하고 있던 집이다. 맛도 괜찮았고. 가격도 그닥 폭리를 취하지는 않았다. 사람들과 대화를 하며 회식을 하기에도 썩 나쁘지 않다.

다른 두 형사의 입맛에는 잘 맞는 모양이다. 어느새 4인분을 뚝딱 해치웠고, 더 시켜서 굽고 있는 중이었다.

박상혁은 눈을 접어 휘게 만들면서 이야기했다.

"얻어 먹기만 하니 미안하구먼."

윤계식에게 하는 말이었다. 회식은 그가 쏘기로 했다. 그동안 고생했던 다른 두 젊은 형사들을 위한 것이기도 하다. 은퇴를 하고 퇴직 급여를 연금조로 다달이 받고 있는 게 당장의 수입의 전부였다.

애초에 일을 하던 중에는 가정도 없었고, 돈을 많이 쓰지도 않았기에 저금이 깨나 많이 모여 있기도 했었으나.

어쨌든 후배들을 위해서 밥 몇 끼 정도 사는 건 어려운 게 아니었다. 지금은 조금 특수한 상황이었지만 말이다. 후배들 중에 미심쩍은 노인 하나가 끼어 있는.

노인, 박상혁은 부지런하게 손을 움직이며 밥을 먹었다. 느릿하지만 천천히라도 계속해서 움직이며 식사를 한다. 저작 운동도 힘겨워보이는 구석이 있는 영감이었는데. 고기는 좋아하는 듯했다.

윤계식은 웃으면서 고갤 끄덕거렸다.

"하하… 별 것 아닌데요 뭘. 쉬는 날 불쑥 찾아왔는데 차도 내어주시고…. 감사해서 그렇습니다….

어르신들께 잘 대접을 해야 또 나라가 제대로 돌아가는 것 아니겠습니까."

윤계식은 반쯤은 마음에 없는 소리를 했다.

맞는 말이기는 하다만. 눈 앞의 노인에 대해서는 여러가지 의문점들이 남아 있는 상황이었으니 말이다.

박상혁은 슬쩍 고개를 숙여 고맙다고만 하고서, 밥을 먹는다.

다른 두 형사들은 술을 별로 즐기지 않는 모양이었다. 윤계식도 마찬가지다. 일이 끝나고, 가정도 없고. 적적한 마음에 알코올의 힘을 빌려보려 했던 적이 있지만 그것도 옛날 일이 되었다.

술은 입에 맞지도 않는다. 이들을 처음 만났을 때는, 괜히 심통을 부렸으므로 술 심부름까지 시키긴 했지만.

원래 그는 그렇게 스트레스를 푸는 성격이 아니었다. 술을 마셔보고 안 건, 역시 자신한테는 잘 맞지 않는다는 걸 다시금 깨달은 것 뿐이다.

고기만을 거듭 추가해서 계속해서 구웠다. 노인은 먹성이 영 나쁘지는 않았다. 천천히 잡수시는데, 별로 끊김도 없었고, 아까 점심을 같이 먹으면서도 느꼈던 바지만. 양이 그리 적지는 않은 것 같았다.

천천히 움직이지만 나름대로 운동은 하고, 또 소화를 다 잘 시키시는 모양이었다. 관절부가 여기저기 안 좋은 것만 빼면 건강도 괜찮으신 것 같았고.

윤계식은 시간을 슬쩍 보았다. 7시 50분.

저녁이다. 어느새 어둑해진 바깥이다. 가게의 내부는 조명으로 환했지만. 약간은 주광색이 섞여 있는, 빛깔이었다. 조금 아늑한 느낌을 추가하기 위해서 그런 모양이었다. 음식들이 먹음직스러워 보이는 효과가 있을 지도 몰랐고. 붉은 기가 감돌면 말이다.

"자네들은… 요즘 뭐, 힘든 것 없나?"

윤계식이 넌지시 물었다. 김민식은 노인, 박상혁의 옆자리에서 얌전히 밥을 먹다가 눈을 동그랗게 뜨고 그를 보았다. 갑자기 뭔 소리냐는 듯한 얼굴이었으나, 일단 대답은 했다.

"크흠…. 글쎄요. 선배님과 같은 이유지 않겠습니까. 잡히지 않는 놈 때문에 답도 끝도 없는 뺑뺑이를 계속 돌아야 한다는 게…."

그는 콜라를 들이켰다. 대답을 하면서. 목이 좀 막히는 모양이었다. 박주영도 이내 말을 얹는다.

"답이 나와있지 않다는 게 제일 힘든 것 같습니다, 이 일을 하면서요."

윤계식은 갈비를 집어 삼켰다.

"…. 음. 뭐. 그렇긴 하지…."

눈을 조금 좁혀 뜨며 낮은 톤의 목소리로 말을 한다.

"그래도, 희미해 보이는 안개 속에서도 답이 있기는 하지 않겠는가."
"예?"

박주영이 되묻는다.

윤계식은 질겅이는 지방질을 씹으며 말을 뱉었다.

"범, 인은 존재하고. 그 자들이 만든 현장의 핏자국도 실제라네.

627

…. 피해자들의 고통도 실제이고. 아무리 잘 감춰놨다고 해도, 사실을 없는 것으로 만들 수는 없지.

아주 잘 덮어놨다고 해도 말이야. 알지 않나. 추리의 기본."

"추리의 기본이요."

"호, 기본이 뭔가."

박상혁이 느리게 말을 얹었다. 윤계식은 씨익 웃었다.

"수사의 기본이기도 하지 않나.

사실을 잊지 않는 것.

진리를 잊지 않는 것, 이라고 해도 좋겠군."

"진리요."

그런 게 있기는 합니까? 라는 듯이 김민식이 표정으로 물었다. 박주영 역시 크게 다르지는 않아 보였다.

윤계식은 고개를 조그맣게 끄덕거린다.

"그래. 진리.

피해자의 고통과, 피가 진리라네.

그 위에 아무리 좋은 허울을 뒤집어 씌운다고 해도.

그게 지워지지가 않아.

물리적으로 혈흔을 지운다고 해도, 지워지질 않지.

그건 비통함이 돼서, 사람들의 가슴 속에 남거든. 아마 그 사실을 기억하는 모든 사람이 죽는다고 해도 마찬가지일 거네.

누가 죽었다는 건, 누가 태어났다는 것만큼이나 중요한 일이지."

하하하, 윤계식은 재미없는 농담을 한 뒤, 멋쩍어서 웃는 사람처럼 마른 웃음을 곁들이며 길게 이야기했다.

"눈에 보이지 않는 그 피가 길을 만드네."
"길이요?"

박주영이 물었다.
윤계식은 긍정한다.

"그래, 길. 지울래야 지울 수 없는 그건, 어둔 골목 속에서 길을
비추는 이정표가 되지."
"……."

박상혁은 고기 맛이 조금 떨어진 표정을 짓고 있었다. 아니, 원
래 표정이 없던 사람이었던가. 잘 알 수 없었다. 그의 얼굴 표정을
이루고 있던 근육들이 풀어지며 시큰둥한, 혹은 무감정한, 혹은 싸
늘한 얼굴이 되어갔다.

"하하하….
범인들이나… 사건을 감추고 싶어하는 작자들이 아무리 애를 써
도.
그건 잊혀질 수가 없네.
재미없는 농담을 듣는 거나 마찬가지야. 사건을 은폐하려는 사람
들의 애를 쓰는 모습을 보는 건 늘."
"……."

박주영은 묘한 표정이 되었다. 여러 상념을 떠올리는 듯하다. 오
래 산, 아니…. 이미 은퇴를 해버린 옛 형사의 이야기가 그에게 어
떤 깨달음이 되는 것도 같았다.

사내는 누구보다도 앞에서 수사를 하던 인물이었다. 홀로 앞서 가는 인간은 가끔, 뒤에서 수군거리는 소리를 듣게도 된다. 미친 양반이라거나, 헛소리만 하는 인간이라거나.

그러나 진리, 진실 같은 건 엄정하다. 멍청한 사람들의 말들이 다 지워질만큼. 이해관계와 사기를 처먹고자 하는 잇속으로 내뱉는 여러 헛소리들을 다 끊어내면.

사실은 참으로 명징하게 빛난다.

기분에 따라 바뀌는 것도 아니고.

하루 아침에, 자고 일어났더니 기준이 달라지지도 않는다.

인간은 '종속'되어 살아가게 되어 있다. 기댈 곳이 필요하다는 의미였고, 그건 진리로써였다. 딛을 땅이 없다면 사람은 추락하고 말리라.

거짓을 말하지 않고, 진리를 좇는 솔직한 인간은 남들보다 굳건한 토대 위에 설 수 있으리라. 사람은 자신을 속여서는 안된다. 남을 속이는 것도 볼썽 사나운 일이었고.

"없던 일로는… 도저히 할 수 없는 일들이네.

죽임 당한 이가 존재한다면, 죽인 자가 있는 법이지.

착각이었네, 라고 할만한 일은 도저히 될 수 없고.

'아무데도 범인이 없었습니다'라는 말로 쉽게 이야기를 끝내버리려는 작자들이 가끔 있네만…. 나는 그럴수록 더 확신을 하게 되네.

아, 범인이 확실히 있구나. 나는 그 놈을 잡아야만 하는구나."

윤계식은 노망이라도 든 것처럼. 하나만을 바라보고 달려 온 인간이었다. 미쳤다고 해도 좋다. 그러나 가장 아이러니하게도, 가장 똑바른 정신으로 살아 온 인간이라고 할 수도 있었다. 다른 사람들이 잊어버리기 쉬웠던 진실을 향해서 곧이 달려 온 인간이었으니까.

미친 놈이었을 지,
누구보다 똑바로 달려간 선각자였을 지.
마지막이 되기에는 알기 어렵다. 박주영이나 김민식의 경우에는, 윤계식이 노망 난 머저리라고 여기지 않았으니까 함께하고 있었고. 또, 그들 역시 남들한테 그렇게 불릴만한 놈들이었기에 함께하고 있는 것이기도 했다. 정확히 말하면 그렇게 불려도 상관없는 인간들이었기에.

가게 안은 조금 시끌거렸다.
흔한 갈빗집 내부의 분위기였다. 약간 한옥같은 느낌으로 인테리어를 해두기는 했지만. 그리고 목재와 한지를 이용해서 만든 칸막이로 방을 나누고는 있었지만. 특유의 소란스러움은 어쩔 수 없었다.

그러나 윤계식의 이야기는 하나도 사라지는 것 없이, 세 사내에게 잘 들렸다. 박상혁도 고개를 끄덕거렸다. 굳어져 있던 그의 표정이 웃음으로 물들었다.

"그렇구먼. 좋은 신념이네."
"감사합니다."

박상혁은 술을 하지 않았다. 음료수를 담은 잔을 앞으로 내밀었고, 계식 역시 사이다 잔을 내밀어 부딪혔다. 딱, 하고 스테인리스

631

컵의 밑둥이 부딪힌다.

　*

철컥.

하고 닫혀 있던 쇠문이 오랜만에 소리를 냈다.

끼이, 하는 소리와 함께 안쪽으로 열린다.

검은 방.

빛이 없는 복도를 지나 온 남자는 경악으로 가득 차 있었다. 그의 표정에서도 드러난다. 그는, 이미 어이가 없는 심정으로 한 걸음 한 걸음 내딛는 중이었다.

콘크리트 바닥의 직사각형, 그 내부면과 근처를 더듬다가 버튼처럼 들어가는 구간을 발견했다. 원래 물건에 의해서 막혀 있던, 왼쪽 벽면 모서리 즈음이었다.

칼로 자른 듯 깔끔하게 떨어지는 네모난 버튼이 있었고, 그걸 힘을 주어 밀자 홈이 더 커졌다. 달칵, 하는 소리가 났던 것도 같고.

손을 넣어 돌을 들어 올릴 수 있을 것 같은 모양새이기에, 그렇게 했다. 그리고 그렇게 했더니, 창고 내부의 지면이 들어올려졌다.

콘크리트로 이루어진 지하로의 문이었다.

그리 두텁지도 않았다. 힘을 주어 금방 들 수 있는 정도였고.

사람이 편히 열고 닫을 수 있도록 설계가 된 듯, 한 손으로 열어 그는 내부를 보았다.

안쪽으로 이어지는, 계단이 있었다.

김현식은 어이가 없는 기분으로, 일단은 창고 문을 닫고, 지하로의 계단을 향해서 내려갔다.

저벅, 저벅.

돌 계단을 조심스레 밟아 내려가는 그의 인기척이 내부에 울렸다. 플래시 라이트를 여전히 들고.

십 수개, 혹은 이십 여 개 정도를 내려간 뒤에, 그는 문 앞에 설 수 있었다.
흉악하게 생긴 철문이었다. 오래되고, 투박한 모양이었다. 무엇이 나올 지는 몰랐지만.

일단 문을 찾았기에 그는 열었다.

지하로를 찾고서, 이미 심민아에게 사진을 찍어 보내 둔 상태였다.

그는 두근 거리는 마음으로 철문을 열었고,

*

철컥.

하고 닫혀 있던 쇠문이 오랜만에 소리를 냈다.

끼이, 하는 소리와 함께 안쪽으로 열린다.

검은 방.

그곳에 빛이 들었다. 철문으로 가로막혀 있으니까, 철문이 열리며 생긴 사각을 제외하고, 방이 비추어졌다.

핸드폰의 플래시 라이트는 방 안을 밝게 전부 확인하기에는, 조금 부족했다. 그러나, 대강의 모습을 볼 수 있었다.

"……."

들어온 남자는 말이 없었고.

끼익.

자신이 문을 도로 닫은 기억이 없었지만 미약한 소리가 났다.

남자는 뒤를 돌아보았다.

자연스레 플래시 라이트가 그 쪽을 비추었고,

괴인怪人이 자신을 향해 무언가 휘두르는 걸 발견했다.

"으아아아아!"

대뜸 소리를 질렀다.

"으아아아!"

그러자, 상대편에서도 마주 소리가 터져나왔다. 목이 갈라지고, 어딘지 힘이 없는 기합이었다. 아니, 비명인가?

김현식 경위는, 지하실의 내부에서 자신을 덮치는 인물을 다시금 자세하게 살폈다. 일단은 뒤로 황급히 거리를 벌려 도망치면서 말이다.

"으아아아아!"

놀라서, 일단 한 번 더 소리를 지르기는 했다.

지하로의 위쪽. 닫힌 창고문 너머.
사람이 없는 주택에서도 희미하게 비명 소리들이 울렸다.

***

삐리리리리리리.

"……."

윤계식은 전화가 오는 걸 보고, 받았다. 심민아 경위였다.

"예, 심 경위님."
["선배님, 지금 어디십니까? 아까 그 사람이랑 같이 있어요?"]

윤계식은 흘끗, 옆을 보았다. 갈빗집에서 이제 막 나온 참이었다. 계산을 마치고 그가 먼저 나왔다. 뒤이어 문을 열고 나오고 있는 일행들이었다. 박형석, 박주영, 김민식. 세 사람을 보며 그가 대답했다.

"예, 맞습니다. 지금 관악구 동문동 갈빗집… 앞이고요."
["……."]

심민아 경위는 전화를 다급하게 건 것과는 달리, 잠깐 말을 멈추었다.

["……잡을 수 있습니까?"]
"예?"
["……지금 당장 잡아요, 그 새끼. 주요 용의자니까."]
"예?"

윤계식은 반응이 조금 느렸다.

심민아가 조금 더 분명하게 뇌까리듯 뱉었다.

["김현식 경위가 그 집 가서, 애 하나 발견했습니다. 지금 정식
으로 집에서 나와서 차량 타고 서로 데려오고 있습니다. 현장 증거
위해서 감식반 출동했고….

…그 집 주인, 노인, 박상혁, 당장 붙잡아요."]

이런 씨.

그렇게 뇌까렸다.

박상혁은.

그는 귀가 아주 밝고, 눈치가 빨랐다.

아주 미묘한 감이었다, 정말로 미묘한 감.

윤계식이 통화를 받으며 한 두어 번 정도 그의 얼굴을 흘끗거린
게 전부였다.

갈빗집에서 평범하게 밥을 먹고, 아무런 문제 없이 나왔고. 계산
은 집을 들른 윤 형사라는 양반이 했고.
기분 좋게 귀가를 하면 딱 좋은 날이었다.

재수없게, 형사들을 들여놓는 게 아니었다.

고민에 고민을 거듭했지만.

'설마'가 '정말'이 될 줄은 몰랐던 탓도 있다.
미친 놈들인가, 싶기도 했다.

아무런 단서를 보인 적이 없는데.
자신이 XXX라는 건 추호도 모를 터인데.

이렇게 우연히 잡힌다고.

박상혁은 양 옆에 있는 형사들을 인지했다.

대로변이었다. 앞으로는 6차선 도로가 있었고. 갈빗집에서 바로
나오면, 본격적인 시내이고 인도도 넓다. 얼마 걷지 않아서, 주차장
자리에 바로 차를 대놓았었다.

번쩍거리는 불빛들.

손님이 아주 많이 찾는, 1층 건물을 넓게 통으로 쓰는 갈빗집이
었다. 뒤로도 인파가 제법 있고. 인도에도 사람들이 제법 있었다.

박상혁은,

몇 가지 장면들을 머리에서 그려보다가.

그냥 기색을 죽였다.

"……."

윤계식은 빤히, 그런 박상혁을 지켜보았다.

윤계식은 속으로 생각했다.

아, 이 새끼구나.

하고 말이다.

겉으로는 조금도 드러나지 않았지만.

이십 년 하고도 몇 년을 더, 길게 이어왔던 악연 탓인지.

계식의 속에서 불길이 치밀었다. 조용하게 계속해서 타오던 어떤 의지의 불길이었다. 윤계식은 오늘에서야 비로소, 그렇게 바라마지 않던 인간을 만났다.

눈 앞에 두고 있었음에도 몰랐었다니.

참으로 그립고, 욕지기가 나오는 인연이다.

윤계식은 천천히 걸어갔다.

박주영과, 김민식은 그가 갑자기 이상한 분위기로 굴자 이해가 안간다는 얼굴로 지켜보고 있었고.

윤계식은 주머니에 넣어두었던 무언가를 슬쩍 꺼내들었다.

원래 계식이 쓸 물건은 아니었다. 그러나, 잠깐 공조 수사를 하고 있었으므로 빌려 쓰는 기물이었다.

계식은 천천히, 부드럽게 다가가 박상혁의 손께를 잡았다.

악수라도 하자는 건가, 라고 김민식이나 박주영은 생각했고.

박상혁은 크게 반항하지 않았다.

윤계식은, 그대로 왼쪽 손으로 호주머니에 들어 있던 수갑을 꺼내, 아주 능숙한 손길로 박상혁의 손목에 걸어버렸다.

철컥.

그리고,

또 철컥.

윤계식은 한 치의 망설임도 없이, 나머지 한 칸을 자신의 오른 손목에 걸었다.

눈 깜짝할 새였다.

아주 자연스러웠고.

윤계식이 그간 걸어본 손목만, 세기도 어려울 정도일 테였다.

이번에 걸어버린 손목은 참으로 짜릿했다. 참으로, 간절히 바랐던 놈의 손이니.

혹시라도 도망칠까.

윤계식은 그렇게 박상혁의 오른손목과 자신의 오른손목을 붙인 뒤에 씨익, 웃었다.

박상혁도 웃음을, 참을 수가 없어서 웃었다.

그 역시 자신의 대적자를 발견한 것 같은 표정이었다. 모든 게임에는 적이 있어야지 않겠는가. 박상혁은 정체를 알 수 없던 적을, 말로 설명하기 이전에 알아차렸다.

아, 이 놈이구나, 하고 말이다.

윤계식이 손목을 내리면서, 자신 쪽으로 조금 힘을 주어 끌었다.

그가 나지막하게 말했다. 전 형사인, 윤계식이.

"박상혁 씨. 당신을 근래 있었던 납치, 실종 사건의 주요 용의자로 긴급 체포하겠습니다. 얌전히 서까지 동행해주시면 감사하겠습니다."
"……."

김민식과 박주영의 표정이 갈렸다. 박주영의 경우에는 조금 더 놀랐고, 김민식의 경우에는, 그럴 줄 알았어, 하는 기색이 한 가닥이나마 있었다.
그만큼 그는 자신의 후각이니, 하는 것을 믿었던 탓이다.

노인은, 얌전하게 그의 손목짓에 따라, 걷기 시작했다.

형사들이 타고 다니는 차량이었다.

갈빗집에 오기 전에는 자유의 손목으로 타고 있었지만.

이번에는 붙잡힌 신세로, 타야만 했다.

*

36. 차량 속, 시내 속

*

철컥, 탁.

'웃차.'

덜거덕.

부우우우우웅.

사람들이 수군거리는 소리를 뒤로 하고, 사내들은 아무렇지 않게 움직였다. 형사로서, 가끔 겪을 수 있는 일이다. 놀라운 것도 아니었고.

갑작스럽고 이상한 상황에 놀란 시민들은 당연히 웅성거릴 수 있었다. 길거리 한복판에서 누군가가 수갑이 채워져 끌려간다면 말이다. 아까까지 버젓이 갈비를 잘 먹고 있던 인간이라고 한다면 더욱 그럴 것이다.

범행의 현장이라고 한다면, 범인이 있게 마련이다. 사람들은 그것을 두려워하고 기피하게 되어 있다. 형사들은 늘 그들 곁에 있어야만 하고. 잡아야 하니까.

윤계식은 수갑을 제 손목에 차고, 박상혁을 끌었다. 언뜻 보기에는, 두 늙은이의 손목이 연결되어 있어 누가 누구인 지를 잘 알아볼 수 없는 듯도 보인다.

밤거리, 저녁 거리.

인파가 깨나 있는 대로변에서의 일이었다.

윤계식은 박상혁을 끌고 그들이 타고 온 차를 탔다. 그가 뒷자석에 앉았다. 어쩔 수 없다. 운전을 하기도 불편했고. 박상혁에게 운전을 시키는 것도 미친 짓이었고.
두 젊은 형사가 운전을 맡고, 조수석에 앉았다.

왼쪽문을 열고, 박상혁을 먼저 들여보냈다. 안쪽 문, 그러니까 차량에서 오른쪽 뒷문은 잠겨 있었다. 스스로 열 수도 없었고. 운전석에서 열게끔 해두었다. 조수석 뒷자리. 범인을 태우기에 좋은 곳이었다.

네 남자가 자리에 앉았다.

한기와, 침묵이 감돌았지만, 운전석에 앉은 김민식은 일단 차량을 끌었다.

시동이 걸리고, 백미러를 보며 인도 근처에 있는 주차장에서 빠져나와 차도를 탄다. 부우우웅, 하고 속도를 내며 천천히 미끄러지듯 갔다.

용의자, 박상혁의 오른쪽 손목은 조금 불편하게, 왼쪽으로 넘어가 있었다. 제 팔로 자신의 몸을 안고 있는 듯한 모양새였다. 악수를 하려는 듯한 자세에서 곧바로 잡혔으니, 어쩔 수 없는 불편함이다.

그런 채로,

윤계식이 일단 입을 열었다.

"경위 쪽에서 연락이 왔어."
"아, 그렇습니까.

그것으로 두 사람도 대강 이해를 했다. 김민식이 먼저 자료를 보내고, 심민아와 김현식과 계속 이야기를 하고 있었다.
결국은 인력이 없었다. 심민아도 어쩔 수 없었고, 김현식 경위가 직접 움직이기로 했다. 그가 고생이었다. 다른 인원들을 시키기도, 마음이 불편했다고 한다. 일이 잘못되었을 때 독단적인 미친 짓이었다고 자백하고, 옷을 벗어야 할 수도 있으니까.

그런 일을 다른 팀의 누구나, 부하에게 시키기가 꺼려졌다고. 결국 경위 스스로가 나서서, 집에 잠입을 했다.

김민식이 계속 의구심을 품었다는 건 여기에 있는 모두가 알고 있는 점이다. 그가 보인 행동 역시 그러했고. 집의 주인인 박상혁은, 아무런 관련이 없는 인간일 수도 있다. 그저 오해의 희생양일 수도 있지만.

어딘가 이상스럽게 구는 듯한 주인의 기색이 있던 것도 사실이다. 형사들은 물증을 위주로 움직여야 하지만, 누구보다도 감이 좋은 인간들이기도 하다.
찰나의 단서를 놓치느냐 마느냐에 따라서 목숨이 왔다 갔다도 하니까. 제 목숨이 걸린 일이라면. 인간은 능력이 계발되기 마련이다.

윤계식은 개중에서도 아주 극한으로 단련된 인간이라고 할 수 있었다. 누구 덕분에 말이다.
그 '누구'가 지금 바로 자신의 옆에 있는 것 같았고.

박상혁은 의외로 고분고분했다.

윤계식은 최악의 수라면, 대로변에서 그들 모두를 죽인 뒤 그대로 뛰어서 도주할 것까지 생각을 했는데.

서울 한복판은 두 다리로 도망가기에 너무나 넓은 지역이기는 했다. 아마 오래 가지 못해서 반드시 잡혔으리라. 아무리 기지가 뛰어나고, 능력이 좋은 살인범이라고 해도 말이다.

어쩔 수 없는 위력에 의해서, 얌전히 차에 탔다고 해도 될 것이다.

윤계식이 말했다.

차량은 조금 속도를 내고 있었다.

"곧바로 서로 부탁하네."
"아, 예, 그렇잖아도…."

혹시나 했던 일이 정말로 진전이 있었다. 김현식이 무언가 발견을 하기는 한 모양이다. 김민식과 박주영은 긴 설명이 없어도 대강 이해하고 움직이는 중이다. 박주영은, 뒷자리에 탄 이상한 노인이 '김연수'일 수도 있다는 곳까지 생각이 미쳤다.

차량 안쪽, 조수석 쪽에 넣어둔 총기가 있었다. 공포탄과 실탄이 같이 들어있는 리볼버였다. 초탄과 두 번째 발이 공포탄이고, 셋째부터 실탄이었다. 휴가라고 말은 했지만, 사실 근무의 연장이나 다름이 없었다.

수갑도 챙겨온 참이었고.
박주영은 자신이 가지고 있는 장비가 무엇이 있는지 머리로 더듬기 시작했다. 긴장감이 조금 올라오기도 한다.

박상혁은, 기이하게도 제 손에 수갑이 채워지면서도 별다른 말을 하지 않았다. 그 누구와도 다른 반응인 것이 사실은 놀랍다. 그것이 두렵기도 했고.

윤계식이 말했다.

"박 경사."

"예, 선배님."

"수갑 하나 더 있나?"

"예, 예."

"하나만 더 줘 보게."

동문동 어느 길 가에서 도로를 탔고, 그대로 시내를 달리고 있는 중이었다. 속도는 50을 좀 넘기고 있었다.

"아… 예."

6차선 도로가 쭉 이어지고 있다. 그대로 대로를 따라서 직진 중이었고, 신호등은 당분간 없다. 거리에도 차가 그렇게 많지는 않았다. 오늘은 평일이다. 저녁이기는 하지만 통행량이 그렇게 많이 몰리는 구간은 아닌 모양이었다.

저녁 도심. 일상적인 사람들의 움직임 사이에, 살인, 납치 용의자 하나가 실려가고 있었다.

박상혁은 조용하다.

윤계식은 앞 자리, 조수석에 앉은 박주영이 수갑을 더듬거리며 꺼내 주자, 몸을 조금 앞으로 기울여서 그걸 받으려고 했다.

찰그락거리는 소리가 들린다. 윤계식이 운전석의 뒤편이다. 대각선 방향으로 왼손을 뻗어 받는다. 은빛 팔찌가 그에게 하나 더 넘어왔다.

박상혁은 가라앉은 눈빛으로 그렇게 하는 양을 지켜보고만 있었다.

철그럭.

팔찌가 위협적으로 소리를 냈다. 어디까지나, 박상혁의 관점에서 말이다.

'하.'

박상혁은 속으로 탄식을 뱉었다. 별로 하고 싶지 않은 짓이었다.

그런데 윤계식이 하는 양을 보아하니, 자신 역시 해야 할 것 같았다.

크흠.

윤계식은 작게 헛기침을 하면서, 수갑을 조작했다. 박상혁의 남은 왼손 역시 구속을 해두려는 셈으로 보였다.

"실례하겠습니다."

윤계식은 어울리지 않는 말을 뱉었다. 이 상황과도, 박상혁에게 하는 말이라는 걸 생각해서도 영 어울리지 않는 말이었다.

말을 거는 건, 상대의 호흡을 읽거나 뺏기 위해서라고 보는 게 옳았다. 윤계식은 반쯤, 아니 그보다 조금 더 확신을 하고 있었다. 눈앞에 있는 노인이 김연수라고.

그리고 그런 상대라고 한다면, 사실 이렇게 거리를 좁힌 채 같이 있는 것조차 무서운 일이었다. 상대는 인간의 한계까지 운동 능력을 끌어올린 괴물이다. 갈고닦은 기술적 기량을 생각한다면, 눈 깜짝할 사이에 어떻게 될 지 모르는 일이고.

계속해서 어떻게 움직이는 지, 자신의 행동과 소리에 반응을 하고 있는지 알기 위해서. 계식은 말을 건다.
같은 순간에 박상혁은 치열하게 고민한 뒤에,

결국 가야할 길을 정한 때였고.

시팔.

이라고 욕을 하지는 않았다.

박상혁은 말이다.

그러나 속으로는 생각했다. 그는 제 오른손목으로 자신의 왼쪽 손목이 앞으로 나가지 못하게 스스로 막고 있는 꼴이었다. 어정쩡하고, 불편한 상황이다.

이 따위 자세로 차에 밀어넣은 것부터가, 사실 자신을 굉장히 의식하고 있는 이의 행동이라고 박상혁은 여겼다. 윤계식이 그만큼 자신을 경계하고 있다는 말이다. 옳은 행동이었다. 자신을 묶어두지 않는다면, 이 평범한 형사들은 1분 안쪽, 아니, 40초 정도면 모두 해치울 수 있었다. 그것도 굉장히 보수적으로 잡은 수치였다. 안전하게 말이다.

자신이 많이 늙었고, 예전과 기량이 같지 않다는 걸 생각해서.

그러나 자신에 대해서 이미 알고 경계하는 인간이 섞여 있다면 이야기는 늘 달라진다. 멍청한 인간들을 한 번에 죽이기가 쉬운 이유는, 그들이 자신의 능력을 과소평가하기 때문이었다. 무지는, 확실하게 죽음의 이유가 된다. 천산혁은 여태까지 늘 그래왔다.

　박상혁은, 천산혁이다. 천산혁이, 김연수의 이름을 갖고 있는 인간임이 당연하고.

　김연수는 자신과 손목을 체결한 노인이 아주 강렬한 의지를 갖고 있는 사나이라고 생각한다. 그러지 않고서야 이럴 수 없었다. 자신을, 그저 평범한 어느 강력 범죄의 용의자라고 생각한다면 이렇게까지 불편하게 수갑으로 얽어매지 않았을 테다.

　악수를 하는 척을 하면서, 그대로 같은 쪽의 손을 묶어버린 건 조금의 틈도 허락하지 않겠다는 제스쳐로 보였다.

　이 사내는, '김연수'를 알고 있는 게 틀림 없었다. 아직까지 당장 자신을 죽이려 들지 않는 걸 보면, 눈 앞의 자신이 김연수라는 걸 100% 확신하지는 못하는 것도 같았지만.
　자신이 형사이고, 반대로 눈 앞에 자신과 같은 기량의 살인범이 있다고 한다면. 그는 당장 무자비하게 때리고, 가스총이던 뭐던 몇 발 정도는 쏴서 불구를 만들어놓았을 테다. 그게 법치 국가에서 가능한 짓이냐, 라는 질문과는 별개로 말이다.

　그러지 않는다면, 자기 목숨이 언제 날아갈 지 모르니까. 아직 그 정도의 감이 실제적으로 와닿지 않고 있다면 그것이야말로 틈이었다. 파고들어, 풀어 헤치기 딱 좋은 틈.

자신의 왼쪽 손목까지도, 결박하려는 윤계식의 손길을 보면서 박상혁, 이라고 불렸던 노인은 슬쩍 힘을 주었다.

*

훅, 하고 박상혁, 김연수, 그러니까 천산혁은 자신의 오른손을 뒤로 뺐다.

남은 왼손으로 천산혁의 왼손을 얽어매려던 윤계식은 마침 앞으로 무게가 쏠려 있던 상황이었고, 차는 정방향으로 직진하던 중이었다.

천산혁이 자신의 몸을 뒤로 하며 훅 힘을 주자 계식이 앞으로 쏠린다. 윤계식은 어어, 하고 속으로 당황을 했고. 일단 외쳤다.

천산혁은 지금 당장 세 명을 죽이고, 차량을 빼앗아 그대로 외국으로 도망칠 셈이었다.

"박 경사 쏴!"

대체 뭘 쏘라는 말입니까,

라고 반문을 하기 전에 박주영의 몸이 이미 움직이고 있었다. 그는 무릎 근처에 있던 조수석 수납장을 벌컥, 열어 내부에 있던 총기를 꺼냈다. 철컥, 하고 바로 격발 가능한 상태임을 확인했다.

박주영이 지금 가져온 모델은 안전장치가 달리 없는 리볼버였다. 무거운 몸뚱이를 지닌 쇳덩이가 리볼버다. 특별한 모델이 아니라면 곧바로 방아쇠를 당기면 된다.

윤계식의 비명에 김민식 역시 운전을 살짝, 비틀거리게끔 했다. 갑자기 터진 소리에 놀라서 핸들을 쥐고 있던 손이 순간 움직인 것이다.

다행이었다.

흔들림이 조금이라도 없고, 안정적인 상황이라면 천산혁은 윤계식을 비롯해서 형사들을 죽이기가 너무나 쉬울 테였다. 모두가 어려운 상황으로 굴러 떨어져야만 승산이 있었다. 삼대 일임에도 그렇다.

윤계식은, '노인' 박상혁이 김연수일 가능성이 있고, 용의자라는 말을 들었을 때 망설임없이 자신의 손목과 그의 손목을 같이 걸었다. 그 시점에서 손목이 잘릴 각오를 한 셈이나 다름이 없었고. 혹은, 죽을 각오도 한 셈이었다. 당연하다. 아니, 도리어 바라는 바다.

어차피 여태껏 수십 년을 목숨 걸고 쫓아왔으니. 이제와서 목숨 정도를 거는 일은 자연스럽고 또 쉬운 것이다.

윤계식은 끌어당겨진 것을 이용해서, 도리어 제 몸을 확 앞으로 날렸다. 박치기를 하듯 몸을 디밀어서, 일단은 놈의 두 팔을 막기 위해 움직였다. 오른손은 자신의 것과 걸려 있다. 왼손은 몸으로 누른다. 체급은 무시하기 어렵다. 붙어 있다고 한다면 결국 곤란을 겪으리라. 두 팔이 묶여 있고, 몇 초 정도를 벌 수 있다면.

박주영이 비어 있으니 멈춘 대가리에 총알을 박아 넣는 것 정도는 할 수 있으리라.

아니, 그러면 죽기는 하지만.

아마 현직 경사의 탄알집에는 가스탄이 들어 있으리라. 그것을 몇 발 정도는 먹여야 조금이라도 잠잠해질 것이다. '아이고'

김민식은 죽겠다는 듯 소리를 내면서, 운전을 바로하기 위해 애썼다. 그가 순간 비틀렸던 핸들을 다시금 정방향으로 가져왔고, 오른쪽으로 빗겨 나가려던 차량이 본래 차선의 중앙으로 돌아온다.

동시에 김민식은, 운전석 쪽의 창문을 열었다. 어쩔 수 없다. 박주영이 하는 짓거리를 보았고, 거기에 가스탄이 들어 있는 걸 아니까. 밀폐된 공간에서 쏴대면 다같이 죽자는 것이다. 일단 환기를 시키기는 해야 하리라.

'모르겠다'

탕! 탕!

박주영은 김연수, 박상혁. 혹은 무언지 모를 괴인의 얼굴을 향해 가스탄을 쏜다. 빗맞추기 어려운 상황이었다. 가스총이라고 하더라도 최소한의 사격법, 주의사항 따위는 있었다. 그러나 그럴 겨를이 없을 정도로 처절한 비명이었고, 그 역시 반사적인 움직임이다.

김연수는, 윤계식의 몸뚱이에 밀려서 창가 쪽에 박혔는데, 그대로 푹, 하고 제 몸을 아래로 넣었다. 시트 아래에는 빈 공간이 있지 않은가, 그대로 허리와 엉덩이를 아래로 집어넣는다. 머리가 쑥빠진다.

탕, 하고 가스총의 탄환이 터지면서 액체와 기체 따위가 분사되었다. 김연수는 직격은 피했다. 그가 있었던 곳에 흔적들이 묻었다.

창문과 시트의 머리 자리에.

두 발이 날아갔다. 세 발째가 실탄이었다. 박주영은 심히 고민했다. 지금 자신이 리볼버를 들고 있는 게 맞는가, 까지도. 어리석은 생각이었다. 눈 앞에 있는 놈이 김재영과 같은 부류라는 걸 알았다면 결코 하지 않았을 망설임이다.

가스총 탄환에 담겨 있던 최루액이, 여기저기로 냄새를 뿌린다. 김민식은 말없이 차량의 모든 창문을 다 내려버렸다. 세 번째는, 실탄이다.

여기서 쏘면, 확실히 사고이기는 하다.

그들이 들은 건 결국 '용의자'라는 점이다.

김민식과 박주영 역시 핸드폰으로 따로 메세지가 왔다. 심민아와, 김현식 경위로부터. '납치 감금'에 관한. 가장 유력한 용의자이며 최악의 범인일 확률이 있었다. 그러나 실탄을 쏘는 게 맞을까.

아래로 몸을 숙였던 김연수는, 그대로 윤계식과 자리를 바꾸었다. 오른 손목을 자신 쪽으로 끌어당기면서, 오른팔을 내버려두고 제 몸을 왼쪽으로 밀어넣는다. 윤계식은, 차량의 뒤쪽을 바라보는 자세로 오른쪽 자리로 밀려갔다. 힘이 굉장했다. 자신이 무게로 밀어붙이려고 하는데도, 쉽게 잡히지가 않았다. 쑥, 하고 빈 공간을 만들어내더니. 그대로 무릎이나 팔꿈치를 세워 계식을 좀 더 밀고 확 날려버린다.

좁디 좁은 차 안의 공간이었지만 윤계식은 살짝 뜨기까지 했다.

그 난리 때문에 박주영은 박상혁에게 총을 쏘지 못했다. 그러나, 그 모습 때문에 조금 더 확신을 가졌다. 이 인간은 위험하다. 김연수일 가능성이 있다. 쏴야겠다. 하고.

윤계식은 불편한 자세로 차 안을 굴러다녔다. "큭." 잇새에서 소리가 새어나오는 건 자연스러운 일이었다. 낡은 승용차가 신음을 토한다. 김민식은 정신을 집중하며, 사고를 내지 않기 위해 애를 썼다. 윤계식이 완전히 밀려나고, 김연수가 홀로 모습을 보였다.

박주영은 쏘려고 했다. 키릭, 하고 리볼버가 돌아가려고 했고,

그 총구가 운전석 뒷쪽의 김연수를 향하려 한다.

김연수는 곧바로 용수철처럼 튀어서, 자신의 오른손으로 리볼버를 쥔 박주영의 손을 감싸 쥐며 위로 틀어올렸다. 퍽, 하고 그 손과 리볼버가 승용차의 천장에 박은 것은 나중의 일이었다.

타아앙-!

귓전을 때리는 시끄러운 소리가, 낡은 차량의 지붕에 구멍을 낸게 먼저 일어난 일이었고.

"오 Shit⋯."

김민식은, 당황한 나머지 영어로 헛소리를 지껄였고.

자신도 모르게 악셀을 조금 더 밟았다. 마음이 급해진 탓이었다.

윤계식은 묶여 있는 자신의 오른손이 함께 끌려 올라간다. 어깨
가 뒤틀리는 느낌이었다. 그 정도로 빠르고 강한 동작이었다. 천장
에 손이 찍힌 박주영도 오른손이 아렸고.

자신의 손을 잡은 채로 내리지 않고 있는 김연수의 완력이, 기
계로 물고 있는 것 같았다. 철제 프레스가 자신의 손을 움켜쥔 것
같다. 박주영은 그 상태에서, 발악을 하다가 방아쇠를 한 번 더 당
겼고.

타아아앙-!

한 번 더 귀 따가운 소음과 함께 지붕에 구멍이 뚫렸다. 근처에
서 총성을 듣는 김민식은 귀가 먹먹했다. 은색 차량 바깥에서는,
지금 들린 소음이 사실인가 싶어서 사람들이 가던 길을 멈추고, 차
도를 바라보고 있었다.

*

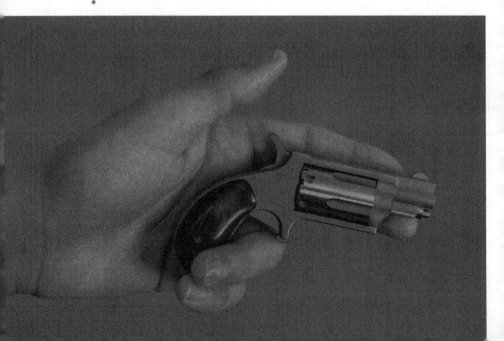

*

낡은 승용차의 지붕이 다행히, 총알이 박히거나 혹은 지나가도록 길을 열어주었다. 철판이 지나치게 두터워서 차량 내부로 도탄이라도 튀었으면 일이 더 복잡해졌으리라.

시내의 하늘 어딘가로 총알이 사라졌다.

한국에서 들릴만한 소리는 아니었다. 남한, 대한민국. 위로는 적성 단체가 있어서, 징병제를 실시하고 있고. '총성'이니 하는 것에 지나치게 민감하게 반응하는 이 예민한 나라에서는 말이다.

도심 지역에서의 '발포'는 이제 그 때부터 위험함의 수위가 달라진다. 칼부림까지는 어찌저찌, 치안 병력이 나서야 할 것 같은 정도에서 마무리 되지만. 총성부터는 군부의 힘이 진압을 위해 필요할 듯한 법이다.

시민들은 지나치게 생소하고, 예상치 못했던 상황에 발길들을 멈추었다.

다행히, 오래 그들의 시선을 끌지는 않았다. 대로변이었고, 빌딩들 사이를 달리고 있는 승용차였다. 신호에 걸리지 않았고, 쾌속으로 시내를 전진하고 있었기에 사람들은 금방 사라지는 어느 괴 차량의 모습에 넋을 잃고 잠시 멈춰 있을 뿐이다.

그 근처에서 달리는 차량의 운전자들은, '지금 내가 뭘 잘못 들은건가?' 하는 표정들이었다. 김민식의 옆을 지나던 버스 운전 기사 하나조차도 말이다. 잘못 들을 수가 없을 정도로 큰 소리이기는 했지만. 너무 말이 안되는 것이었기에.

　그래도 시민들의 불안한 상상과는 반대되는 쪽이기는 했다. 어쨌
든 발포한 건, 치안 조직의 일원이었으니까. 경찰이 쏜 총이었다.
테러 조직이 서울 도심에서 멋대로 총을 갈기고 있는 상황은 아니
었고.
　다만 경찰이 총을 쏴야할 정도로 위험한 상대가 반대편에 있다
는 게 문제이기는 했지만.

　"큭."

　박주영은 손을 가누기 위해서 애를 썼다. 한 발이 남았다. 다섯
발 장전이 되어 있었다. 결국 실탄을 쏴야만 일이 끝난다.
　박상혁, 아니 천산혁 역시 쉽게 뺏을 수가 없었다. 그의 왼손이
총을 노렸다. 박주영은 자신의 오른손을 뒤로 빼면서, 왼손으로 덥
석 붙잡아서 끌어당기려 애를 쓴다.

　천산혁은 오른손이 윤계식의 것과 걸려 있었고, 윤계식은 제 온
몸을 다해 아래로 끌어당기는 중이다. 천산혁은 왼손으로 아래로,
혹은 뒤로 빠지려는 리볼버를 다시 자신을 향하지 못하게끔 위로
들어올리고 있었고.

　세 사내의 힘이 각기 다른 방향으로 작용하고 있었다. "으극."

　윤계식이 죽는 소리를 내며 힘을 썼다. 천산혁도 간절했다. "이
런 씹."

　할, 이라고 뒷소리를 차마 내진 못했다. 천산혁은. 대신 다시금

자신의 다리를 움직인다. 앉아 있던 자세에서 그대로 오른다리를 들어 박주영을 찼다. 퍽!

운전석과 조수석 사이의 좁은 틈으로 그의 다리가 용케도 들어 갔다. 빠르고 깊은 앞차기였고, 뒤로 빠지려던 박주영의 명치를 갈 겼다. "억." 숨이 턱 막히는 기분이었다. 자세가 영 좋지 않았기에 대단한 위력을 낼 수 없었음에도. 박주영이 받은 충격은 상당했다.

순간 박주영의 손에서 힘이 풀렸다. 천산혁은 일단 리볼버를 빼 앗아들려고 했다. 윤계식이 그걸 두고 볼 수가 없었다. 계식은

"으라아아!"

괴성을 지르면서 수갑의 줄을 왼손으로 잡고, 그대로 아래로 끌 어버렸다. 강제로 천산혁의 손이 아래로 떨어졌다. 반쯤 뛰듯이 제 무게를 아래로 싣는 동작이었다. 반동이 강해서 어쩔 수 없었다. 괴물이라고 하더라도 한 손이 온 몸을 당해내기는 어려운 법이다. 윤계식은 그러면서도 다소 부담을 느꼈다. 천산혁의 근력이 기이한 수준이기는 했다.

리볼버의 총구는 천산혁 쪽을 향한 상태로, 박주영의 손이 아직 다 빠지지 않은 상태로. 그대로 다시 아래로 쿵, 박았다.

리볼버에는 오발 사고를 막기 위한 장치가 있기에, 갖다 박는다 고 격발되거나 하지는 않았다. 박주영은 한 번 더 오른 손을 찧었 다. 이번에는 천장이 아니라 조수석과 운전석 사이에 있는, 불룩 튀어나온 수납대 위에였다.

총구가 비틀렸다. 누구를 쏠 지, 어떻게 될 지 알 수 없었다. 박 주영이 차마 방아쇠를 당기지 못하는 이유였다. 윤계식과 김연수의

몸이 한 번에 뚫릴 지경이었다. 윤계식은 핏발 선 눈으로 김연수를 쳤다. 오른손은 묶여 있으니 왼손으로였다. 위치는 유리했다. 윤계식이 위에서 천산혁의 얼굴을 찍어누르듯, 때리는 형국이었다.

천산혁은 휙, 하고 고개를 젖혀 피했다. 피할 수 없는 공간이기는 하다. 그래서, 충격을 감하여 받기는 했으나 주먹에 맞기는 했다.

퍽, 소리와 함께 그의 얼굴이 자동차 시트 뒤쪽, 구석에 가 박았다. 큰 충격은 아니었다. 윤계식도 제대로 맞추지 못했음을 알았다. 김연수도 왼손은 살아 있었다. 앉아 있는 자세였기에, 윤계식보다 조금 더 거리감이 자유롭지 못했다. 윤계식은 반쯤 일어서 있었고.

좁은 승용차 안이 시끄러워졌다.

천산혁도, 일어서야겠다고 느꼈다. 앞차기를 찍어 넣느라 몸이 조금 빠졌던 상태였는데. 유연하게 다리를 다시 돌렸고, 자동차 바닥을 박차듯이 찍으며, 몸을 폭발적인 탄력으로 일으켰다. 그대로 대가리를 디밀어, 윤계식의 머리를 박았다.

쿵!

살벌한 소리와 함께 윤계식은 순간 눈 앞에서 별이 보였다.

별이 보였다, 라는 비유가 그야말로 적절했다. 아찔한 충격과 함께 시야가 순간 멀었다. 제대로 기능할 수 없게된 시신경이 어지러운 잔상만을 보였다. 제대로 생각할 수 없는 순간이었지만 그럼에도 움직여야 한다.

윤계식은 마구잡이로, 왼손을 휘둘렀다. 다행이었다. 오른손이 얽혀 있었으니까. 가장 가까운 놈, 자기의 몸만 빼고 잡히는 것을 때리면 된다.

계식의 래프트 훅이 제법 매서웠다. 그렇잖아도, 김연수같은 괴물 새끼를 쫓고 있는 입장이었던 터라. 경찰 조직 내의 다른 어떤 동료들보다도 열심히 무술을 수련한 전력이 있었다. 늙었지만, 단기간 잠깐 보일 수 있는 파괴력은 아직도 상당한 수준이다.

퍽!

왼손이 날아가 김연수의 어딘가를 쳤다. 대강 관자놀이 부분인 것 같은데.

걸린 기분이 들지만, 맞은 놈의 몸뚱이는 멈추질 않았다. 때렸다, 라는 것에 만족을 해야 하는 부분인 건지. 김연수는 아무렇지도 않다는 듯 움직인다.

자신의 오른손은 뒤로 빼려고 했다. 그러나, 이번에는 박주영이 안간힘을 쓰며 양손으로 그의 오른손을 잡고 놔주지 않았다. 이런 씨팔. 천산혁은 속으로 욕을 지껄였다. 수갑이 걸린 순간부터 무언가 잘못 되었긴 하다. 차라리 자신의 양손이 서로 걸려 있었다면 훨씬 간단했을 문제다. 한 손이 자유로운 것보다, 이 미친 형사와 거리를 자유롭게 벌릴 수 있는 것이 더 나았을텐데.

집념이었다. 윤계식이 김연수를 옭아매고 있는 것은. 절대로 놔주지 않겠다는, 범죄를 저지르게 두지 않겠다는.

양 손이 묶여 있어도, 홀로 자유롭게 움직일 수 있었다면. 아마 이런 상황이 오지도 않았으리라. 거기에 저 놈은 또, 그러니까 박주영은. 기세 좋게 움직이면서 김연수의 움직임을 방해하고 있었다. 그가 괴물같은 근력을 발휘한다고 해도 한 손이 두 손과 온 몸의 근력을 이기기가 힘들다.

 적절히 위력을 낼 수 있는, 공간과 거리가 있다면, 상황에 따른
다면 또 다르기는 한데. 이렇게 제로 거리에서 사내 놈들이 달라
붙으니 그로서도 애를 먹게 된다. 몇 가지 악조건이 겹쳐서 그가
이렇게 시간을 끌 수 밖에 없게 된다.
 원래의 계획은, 얌전히 수갑에 걸린 채 이 차에 타서. 틈을 노린
뒤에 깔끔하게 세 놈을 죽여버리고. 차를 끌고 항구로 가는 것이었
는데. 핸드폰은 가지고 있었으니까. '노인'과의 연락은 가능하다.
시간이 좀 걸리기는 하겠지만. 차량이라도 하나 있다면 도주하는
게 영 불가능한 것은 아니었다.

 적당히 동선에 혼란을 주면서 돌아다니다가, 으슥한 곳에 대충
차를 버리고 그 때부터 홀몸으로 움직이면 또 되지 않겠는가.

 그가 일반적인 범죄자들처럼, 모습을 숨기고 달아나는 걸 못해서
철저하게 계획을 세우는 건 아니었다. 가능은 하지만, 그게 단 한
번만 할 수 있는 짓거리라는 걸 알기에. 김연수의 목적은 평생, 성
실하게, 가능한한 많은 사람을 쳐죽이는 것이었기에. 그런 돌아가
는 방식을 취했던 것 뿐이지.

 단 한 번의 도주라고 한다면 그는 얼마든지 도망쳐 줄 의지와
능력이 있었다.

 그런데 눈 앞의 이 세 시발새끼들이 방해를 하고 있다. 김민식
은 이러고 있는 와중에, 조금씩 서로 향하고 있었고. 경찰서 말이
다.

천산혁은 짜증이 났으나, 평정을 잃지는 않았다. 결국 그의 뜻대로 될 것이다. 작은 공간. 그가 통제할 수 있는 대부분의 도구와 장비들을 파악한 이후에. 그의 뜻대로 되지 않았던 적은 한 번도 없었다. 그는 그럴만한 기량과 능력, 힘이 있는 존재였다. 의지 또한 누구보다도 강했고.

다만 천산혁이 간과한 건, 그를 잡기 위해 품어왔던 어느 수사관들의 의지가 예상보다도 더하다는 것 정도다.

"으아아아!"

윤계식은 괴성을 질렀다.
밤거리, 시내 한복판을 질주하는 차 안에서였다. 김민식은 움찔, 거렸지만 크게 반응하지 않는다. 이 순간 그가 해야 할 일은 결국 차량을 무사히 서로 끌고가는 것이다. 다만, 차량 선반에 놔두었던 무전기는 한 손으로 집어들었다.

치직, 거리며 전원을 켜고. 본부 쪽에 맞춰져 있을 상대에게 음성을 전달했다.

"후, 후. 아, 여기 밤까마귀. 거수자 포박 후 인도 중. 지원 바람. 현재 위치 동문동 21번로 시내 근처. 본부로 향하는 중."

수사본 내에 있는 대기 인원이 받을 테였다. ["후, 수신. 오케이. 다른 위험은 없는지?"]

거의 금방, 혹은 바로. 6팀의 박홍수가 받았다. 본부에 있는 모양이었다. 심 경위가 받을 때도 있는데. 무전 근처에 있던 조원들이 그냥 받고는 했다.

박홍수의 목소리에 김민식이 바로 답한다.

"존나 위험해! 지원 바란다! 차량 내부 거수자 난동 부리는 중!"
["아, 오, 오케이."]

박홍수가 건너편에서 알았다며 답했다. 한 명의 도움이라도 간절하다. 퍽!

"억."

무선이 끊기자마자, 뒷좌석에서 강렬한 발차기가 운전석의 뒷면을 때렸다. 지독하게 강한 앞차기였고, 김민식은 순간 앞으로 몸이 흔들려 붕 떴다. 벨트를 매고 있지 않았는데, 순간 자리에서 떠서 핸들을 틀어버릴 뻔했다.

대형 사고다, 그렇게 되면. 지금 차량은 계속해서 달리고 있었으니까. 당장 옆차선으로 여러 차종들이 앞질러간다. 바로 앞에도 차가 있었고. 왼쪽으로는 가드레일이 막아주고 있다지만. 범죄자 하나를 끌고 가려다 연쇄 추돌 사고가 날 수도 있었다.

김민식은 이를 악물면서 핸들을 쥐었다.

"씨발, 잘 좀 잡아봐요!"
"내가 이,"

윤계식이 뭐라고 말을 하려던 것 같았는데.

김연수는 윤계식의 맷집에 짜증을 내면서, 김민식을 한 번 차서 놀래켜줬다가.

아래로 들어갔다. 가만히 있으니 윤계식이 계속 주먹을 질러오지 않는가. 몸을 쑥 내려 뒷자석의 가운데 쪽, 아래 방향으로 숨었다.
숨는다고 숨어지지는 않지만.
윤계식의 배 근처에 자신의 어깨를 두었다. 그리고, 두 발로 시트를 쑥 밀며 훅 일어섰다. 쾅!

소리와 함께 구멍이 이미 난 차의 지붕에 윤계식의 몸뚱이가 부딪혔다. "컥."

폐에서 바람이 빠져나가는 기분이었다. 윤계식은 위쪽 방향으로도 짓눌릴 수 있다는 걸 깨달았다. 날카롭게 세운 어깨가 명치를 박살내려는 듯 굴었다. 김연수의 힘은 장사라거나, 하는 단어 이상이었다. 승용차 전체가 들썩거렸다. 김민식은 순간 손이 후들거렸지만, 이내 참는다. 어쩔 수 없다. 저 지랄을 하는 걸 보면, 김연수가 확실하다. 김민식은 김재영을 떠올렸다.

김재영이 체력을 다 소진하고 끝난 뒤에 만났던 그이기는 하다만. 들은 사실들과, 윤계식과 박주영을 엉망으로 만들어 두었던 걸 본 바가 있다. 괴물같은 새끼다. 김민식은 외쳤다. "그냥 쏴!"
찢어질듯, 외친 비명이다. 박주영은 방아쇠를 결국 당겼다.

타앙-!

해머가 탄알의 궁둥이를 때렸다. 화약이 터졌고, 납탄이 날아간다. 마지막 실탄이었다. 아니 물론, 여유 탄환은 더 있다. 당장 리볼버에 장전된 것 중에서 마지막이었다. 박주영은 더듬대는 손으로, 주머니를 뒤졌다.

김연수의 뒤를 바짝 쫓고, 매일 밤샘 수사를 하면서. 여유분의 실탄을 챙기는 습관이 생겼다. 그건 두려움에 의한 것이라고 해도 좋았다. 직접 김연수를 만나본 인간만이 알게 되는 두려움이었다.
박주영은 죽는 것이 두렵지 않았다. 아니, 죽는 게 두렵지 않다고 하면 사실은 거짓말이지만. 조금 더 정확히 말하면… 죽음 때문에 수사 현장에서 한 걸음 뒤로 물러설 생각은, 추호도 없었다.

그깟 것 때문에, 범죄자를 앞에 두고 도망칠 생각은 없다. 어차피 한 번 죽는 목숨 아닌가. 그리고 범죄자는 가끔, 너무 많은 생명을 해친다. 이미 죽은 자들을 생각하면, 물러선다, 라는 건 선택지에 없는 말이었다.

타앙, 하고 시끄러운 굉음이 승용차 안을 울렸다. 김민식은 미리 알고 있었기에 놀라지는 않았다. 다만, 총알은 김연수의 옆구리를 찢었다. 천산혁은 그 와중에, 반응을 하고 몸을 옆으로 날렸다. 총알보다 빠를 수는 없었지만, 박주영이 총을 쏘려는구나 하는 기색을 먼저 읽을 수는 있었다. 다행히 치명상은 아니었다.

그저 긁힌 것 뿐이다. 살점이 조금 떨어져 나가고, 피가 샜지만. 내장이 다치지 않았다. 안타까운 일이었다. 그 정도로는 김연수를 멈추기에 부족했다. 박주영은 눈을 찢어질듯 크게 뜨고 있다. 더듬거리는 손이 다음 실탄을 찾는다.

반사적으로, 그가 여태까지 연습했던대로, 리볼버의 실린더를 옆으로 빼내어 빈 탄알들을 털어낸다. 탄피들이 아래로 떨어진다. 승용차 바닥에 우수수, 쨍그랑, 하는 소리를 맑게 낸다. 어울리지 않는 맑음이다. 어차피 귀가 먹먹해서 제대로 들리지는 않았다.

바깥에서는 한 번 더 소란이 일었다.

평범히, 저녁을 먹고 이제 집으로 귀가하려고 하던 동문동의 어느 주민은 바로 옆 차에서 일어나는 사건을 보고 경악스런 표정을 지었다.

어느 일정 단계에서 멈춘 경악이었는데, 놀람이 그 정도에서 그친 건 아니었고. 머리가, 보고 있는 장면을 완벽하게 분석하지 못한 탓이었다.

가족과 함께 저녁 식사를 마치고, 승용차를 끌고 가던 어느 가장이다. 운전석에서 옆 차의 난동과, 총소리를 보고 눈을 크게 떴다. 다행히, 서행으로 움직이고 있던 차량이라 사고가 나지는 않았다. 김민식은 조금 더 속도를 냈다. 부으으응, 하는 소리를 내면서 낡은 은색 승용차가 앞서 나갔다.

옆 차선에 있던 같은 방향의, 운전자는 그 뒤꽁무니를 허망한 표정으로 바라보았다.

대체 무슨 일이 일어나고 있는 거지,

라고 자문해보았지만 답을 얻을 수는 없었다.

총 소리가 들렸을 때 뒷자석에 앉아 있던 아이들이나, 조수석의 와이프가 비명을 질러 귀가 먹먹하기도 했다.

*

큭.

하고 소리를 내진 않았으나 김연수, 천산혁도 고통은 느낀다. 그는 천장에 윤계식을 처박았고, 한 번 더 떨어지며 거리를 조금 벌린 뒤에. 다시금 마구잡이로 그를 들어올렸다. 쿵! 하고 한 번 더 승용차가 흔들거렸다. 김민식은 진동에도 불구하고 핸들을 제대로 잡으려고 애를 썼다.

수갑이 자신의 양 팔목에 채워진 것이었다면. 훨씬 더 자유롭게 움직였을 테였다. 그대로 팔을 앞으로 가져가서, 운전자의 목을 수갑줄로 졸라 교살할 수도 있었고.

한 손을 뻗는 것보다는 약하겠지만 양 손을 어설프게나마 뻗어

668

옆에 있는 윤계식을 넉 아웃 시키기도 훨씬 편했으리라.

윤계식은 아직도 정신을 잃지 않았다. 놈의 의지에 따라 오른손
이 끌려가니 계속 이 사달이 나고 있다. 짜증스럽지만 어쩔 수 없
다. 이 상태로라도, 모두 죽여야 한다.

옆구리에선 피가 새어나왔다. 살점도 제법 떨어져나갔고. 느낌을
보아하니, 깊은 상처는 아니었다. 천산혁은 천장에 몇 번이나 처박
아 좀 기운을 빼놓은 윤계식을 다시 떨어뜨렸다. 우당탕, 하는 소
리와 함께 앞좌석의 등받이에 몸을 부딪히면서 윤계식이 떨어진다.
뒷자리의 시트가 피로 물들었다. 옆구리에서 새고, 또 흐르는 피
때문이었다. 움직일수록 더욱 심해진다. 혈향이 진했다.

윤계식의 몸은 제법 큰 편이었다. 살집이 조금 있고. 형사 생활
을 하며 단련했던 몸뚱이에는 근육이 붙어 있었다. 무게가 나간다
는 말이었고, 덕분에 앞좌석도 들썩였다. 김민식은 등받이에서 이
미 몸을 조금 뗐다. 앞으로 기울이면서 밀착한 자세로 운전을 하는
중이다. 멈출 수도 없다.
움직이는 차 안이라서 김연수가 더 날뛰지 못하는 것도 있으리
라. 아무데나 들이 박거나, 사고를 낼 수도 없었다. 형사로서, 시민
으로서. 그리고 인간으로서 그런 짓은 하면 안된다. 김민식도 나름
의 극한 스트레스를 받는다. 그는 서까지 이 탑승 인원을 무사히
이끌고 가야 하는 사명이 있었다.

박주영은 자신의 손이 약간 떨리는 걸 느꼈다. 수전증인가. 긴장
감 탓일 수도 있다. 힘을 빼야 한다. 아니, 위 아래로 여기저기 처
박은 것 때문에 손이 아파서 그런가. 주머니에 곱게 싸두었던 탄알
을 뒤적여 꺼냈다. 고운 천쪼가리 따위에 싸서 지갑에 넣어 두었었

다. 그가 내팽겨치듯 지갑을 꺼냈고, 그 사이에서 실탄 두 발을 더 꺼내서 실린더에 넣었다.

철컥, 하는 소리가 위협스럽게 들린다. 김연수는 또 총을 맞고 싶지는 않았기에, 윤계식의 등판을 앞쪽으로 디밀며 자신을 보호했다. 윤계식은 정신이 없었다. 숨이 다 빠질 정도로, 명치를 처맞은 참이다. 김연수의 힘은 괴력 자체였다.

얼굴도 몇 대인가는 맞은 것 같았다. 김연수의 낯짝도 성하지는 않았는데. 놈은 맷집이 아주 좋은 느낌이었다. 엉망으로 만들진 못했다. 어질거리는 정신. 희미한 눈 앞. 윤계식은 눈을 그럼에도 부릅뜬다. 여전히 오른손은 얽혀 있다. 계식은 오른팔에 힘을 주었다. 턱, 하고 김연수의 오른 손목을 잡는다. 박상혁, 이라고 불렸던 자. 김연수의 표정이 일그러진다. 윤계식은 그대로 대가리를 처박았다.

박치기로, 날듯이 다가가 김연수의 인중을 까부수려고 들었다.

쿵! 하는 소리 직전에 김연수가 고개를 비틀어 피했으나, 윤계식이 오른팔을 당겼다. 고개를 젖혀서 피하는 것에 한계가 있었다. 몸이 빠지지 못하니. 인중은 살았으나 그 왼쪽 안면을 때릴 수는 있었다.

천산혁은 뒷자석의 뒤쪽으로 고개가 밀려났다. 머리를 젖히는 그 공간 뒤에 조금 비어 있는 구석이 있었다. 큭, 하고 천산혁은 왼손을 밀어넣어 윤계식의 얼굴을 손날로 갈겼다. 퍽, 하는 소리와 함께 윤계식의 눈이 감긴다. 늙은 나이에 당하기에는 힘든 꼴이기는 했다. 나이를 먹을수록 회복도 더디다.
그러나, 그건 천산혁도 마찬가지일 것이다. 윤계식은 지지 않고 쾅, 하고 대가리로 한 번 더 천산혁을 까부수려고 노렸다.

이번에는 천산혁이 온전하게 고개를 왼쪽으로 뺐다. 윤계식의 머리는 괜히 빈 시트의 머리 자리만 때렸다. 이마가 아프다. 그러나 아드레날린이 분비되어서 고통을 당장, 크게 느끼지는 못했다.

김연수는 윤계식의 옆으로 벗어나는 걸 극도로 경계했다. 지금 앞자리에서는 저 미친 형사 새끼가 자신을 노리고 있었다. 이 좁은 곳에서 실탄 쏘기를 주저하지 않는 놈이다. 잘못 차체가 뚫려서, 내부 기계라도 건드리면 어떻게 하려고. 혹은 잘못 쏴서 같이 비명횡사를 할 수도 있는데.

박주영의 각오는 참으로 만만치 않은 것이었다. 그건 김연수를 겪어봤기에 나오는 행동이었다. 여기서 죽일 각오로 덤벼들지 않으면, 반드시 죽으리라는 감이 있었다. 사실적인 직감이었다. 천산혁은 정말 그럴 생각이었다.

천산혁은 말을 하지 않는다. 말은, 필요에 의해서 하는 것이었다. 힘들다거나, 고통스럽다거나. 그런 상태에 대한 반증이 될 수도 있기 때문에. 이런 경우엔 철저하게 침묵을 지키면서 상대의 틈을 노리는 것이 가장 좋다.

윤계식이 허공을 갈라 박치기를 날렸고. 김연수는 왼편으로 자신의 고개를 뺐다. 근거리라고 해도. 쉽게 쏠 수 있을만한 틈은 아니었다. 찰나의 움직임이니까. 박주영은 곧바로 리볼버의 총구를 그리로 들이댔다.

이런 미친,

김연수는 그대로 아래로 다시 몸을 내렸다. 시트 위를 미끄러지듯 말이다. 진득하게 묻어 있는 피가 더 잘 미끄러지게 해주는 듯도 같았다. 탕!

윤계식은 자신의 바로 옆을 날아가는 총알의 기세를 느낀 것 같았다. 귀가 먹먹하다. 이거 이렇게 쏴도 되려나… 싶기는 했지만. 어쩔 수 없었다. 그들이 지금 상대하고 있는 게 김연수니까. 일반적인 범죄자들과는 궤를 조금 달리하는 놈이었다. 차라리 조직폭력배 열 명 정도를 동시에 상대하는 게 더 나을 것도 같았다. 놈들은 적어도, 실탄을 쏘면 쫄기라도 하겠지.

김연수는 그런 것도 없는 놈이다.

그저 타인을 죽이면서 살아온 놈이라면 자신에게 들이닥치는 위협에 내성이 없을 수 있었다. 그러나 김연수는 대체 어떤 삶을 살아온 건지. 난전을 헤치며 살아온 듯하다. 단단히 돌아버린 놈이 아닐 수 없다, 정말로. 대체 어느 미치광이가 살인을 위해서 자신의 인생을 이렇게 갈아넣느냐는 말이다. 무계획적으로 저지르는 게 아니라.

그만한 노력을 하는 동안 마음을 바꿔먹고, 차라리 어느 군사조직 따위에 들어가서 용병 생활이라도 하는 게 나을텐데. 그만큼 김연수가 처음에 품었던 광기나, 악의의 깊이가 깊고 짙다는 말도 된다.
땀을 흘리며 노력하는 그 시간으로도 희석되지 않을만큼 농후한 악의라서. 도저히 재활용이 불가능한 쓰레기같은 놈이라는 말이었다. 방사능 폐기물같은 놈.

빈 공간을 쏜 총알은, 그대로 승용차의 후면 유리창을 부쉈다. 기본적으로 승용차의 창문이 어느 정도 강도가 있기는 하지만. 방탄으로 특수 제작한 게 아니라 총알을 견디기는 어려웠다. 귀따가운 굉음과 함께 뒷쪽 유리가 부서져 흩어진다. 파편이 거리에 날렸다.

다행히 사람들이 큰 피해를 입지는 않았다. 한산한 도로를 지나고 있었고, 그것들이 바닥에 뿌려지기는 했지만 넓게 흩어져 한 군데 모이지는 않았다.

다만 근처에 있는 사람들이 한 번 더 놀라기는 했다.

차량의 머리는 여전히 경찰서, 수사본 건물을 향하고 있었다.

'거수자 포획 후 인도 중' '거수자가 난동을 부려 지원 바람'.

이 정도의 연락을 넣어뒀으니 아마 그 쪽에서도 준비를 좀 하고 있을 테였다. 날뛰는 사자를 데리고 우리에 가두기 위해 가는 것과 비슷한 느낌이었다.
수사본 인물들은, 김연수라면 모두 이를 갈고 있다.

그리고, 증거가 나왔다고 한다. 김민식과 박주영도 윤계식의 갑작스러운 체포 행동 이후에 연락을 받았다. 텍스트 메세지로. 노인, 박상혁의 집 안에서 감금되어 있던 소녀가 나왔다고 한다. 김현식 경위가 그의 의구심대로 집 안을 뒤졌고, 결국 비밀 통로를 발견했다고.

무슨 추리 소설에서나 나올 법한 일이, 실제로 벌어졌다. 김민식은 확신이 진실이 되었음에도, 내심 어이없는 마음을 감출 수가 없었다. 한 켠으로는 말이다.

어쨌든, 적어도 납치 감금에 대한 유력 용의자로, 박상혁은 끌려가고 있다. 거기에 더해 김연수 사건들과 관계가 있다고 판명이 나면, 이 길고도 지루한, 아주 지독했던 수사행도 끝을 맞을 수 있으리라.

수사본의 사람들은, 오로지 김연수 때문에 모인 인원들이었다.

김연수 연쇄살인사건 수사 대책 본부였으니까. '김연수'일 가능성이 있는 유력한 인물을 잡아가고 있다면. 아마 총동원을 해서 열렬히 환영을 해줄 테였다.
그런데, 거기까지 가는 동안 살아남을 수 있을 지는 모르겠다. 솔직히. 윤계식이 악수를 가장한 채 자신의 손과 놈의 손을 얽어맸다. 김연수가 순순히 잡혀준 것도 어마어마한 행운이기는 했지만. 그것만으로 안심하기는 일렀다.

김민식은 비명을 몇 번 더 질렀다.

"쏴! 죽여!"
"씨발!"

김민식의 소리였고, 박주영의 욕지기였다. 죽이면 안되지, 라는 당연한 반문은 할 수 없었다. 당장 자신도 죽일 각오로 대해야 했다. 잠깐의 틈이 생기면 곧바로 잡아 먹힌다. 눈 앞에 있는 놈을 사자라고 여기고 있었다.

퍽,

하고.

김연수의 발이 갑자기 아래에서 한 번 더 올라왔다. 놈은 윤계식에게 깔린 상태에서 발을 차올렸다. 아주 정확한 발차기였다. 박주영은 리볼버를 멍청하게, 아직도 앞으로 든 채로 뻗고 있었다. 덕분에 사각에서 튀어나온 발차기에 당했다.

그 신발 끝이 박주영의 손을 세게 걷어찼고, 리볼버가 풀려 날아갔다. 방아쇠를 당기지 못했다. 쇳덩이가, 차 지붕에 팍 하고 박았다가 아래로 굴러 떨어졌다. 조수석 옆의 받침대에 빗겨 맞아서, 뒤쪽 좌석의 시트 아래 쪽으로 들어갔다.

윤계식도 대강 상황이 어떻게 되었는지 보았다.

다행히도, 김연수가 별다른 무기를 갖고 있지 않은 모양이었다. 이렇게 근접한 거리에서 놈에게 조금의 무기라도 있었으면 아마 몇 초 버티지 못했을 테였다. 발톱을 제대로 세운 사자를 품에 껴안고 있는 것이나 다를 바 없는 일이다, 그건.

김연수의 예상을 뛰어넘을 정도로, 우연과 심증을 건너 온 추리극이었기에 제대로 반응하지 못했다.
하늘이 그를 미워하는 게 아닐까, 라고 생각이 들 정도였다.
윤계식은, 그게 맞다고 여길 테였고. 이 놈은 반드시 잡아야만 한다. 반드시. 공적인 정의를 위해서라도.

윤계식은 머리가 어질거리고, 귀는 먹먹하고. 시야는 흔들렸다. 그럼에도 앞에 있는 놈을 껴안고, 펠 수는 있었다. 오른팔이 찰그락거리면서 그의 움직임을 막는다. 좋은 일이다. 김연수의 행동 역시 막아주고 있는 거니까. 아래로 쑥 빠졌다. 맞잡아 본 몸뚱이는, 온전히 근육질이었다. 축 늘어지는, 품이 큰 옷 따위에 체격을 감추고 구부정한 자세로 잘 움직이던 인간이었다.

근질을 느껴보니 레슬링 선수와 있는 것도 같았다.

총이 빠졌으니, 김연수는 이제 거칠 것이 없었다.

결국 이들을 상대하면서 가장 위협적이었던 부분이다. 총. 납탄鑞彈. 그게 없으면 그리 위험하지 않다. 김연수는 자신의 위에서 주먹질을 내지르는 윤계식을 뒤로했다. 오른손이 얽혀있다. 아래로 빠지면서 상대의 손목을 그 역시 잡았다. 결국 잡는 놈이 이기는 것이다. 그립을 어떻게 잡았느냐, 또 상대의 모가지를 어떻게 컨트롤하느냐.

힘을 주기 위해서 제대로 그립을 쥐어야 한다. 김연수는 윤계식의 손모가지를 잡았고, 더욱 세게 악력을 썼다. 윤계식의 손목이 비틀렸고, 자신의 힘은 제대로 전달하지 못했다. 상대의 손목을 제대로 붙잡았다면, 결국 그 팔의 움직임 전체를 컨트롤 할 수 있다. 관절부위를 장악한다는 건 그런 의미이다.

김연수는 윤계식의 팔을 부러뜨리거나, 적어도 뺄 의도로 쑥 당겼다. 등허리와 어깨의 힘이 모두 쓰였다. 그의 근육들이 움직인다. 일반적인 사람보다는 훨씬 더, 강력한 힘이었다. 윤계식은 어쩔 수 없이 딸려간다.

676

그대로 멈춰서는 안된다. 조금이라도 호흡을 상대에게 주었다가
는 무슨 짓을 할 지 모른다. 눈 깜짝할 사이에 김연수는 움직이고
있다. 뭐라도 챙겨올 것을, 생각했다. 갑자기 이런 상황이 될 줄은
몰랐다. 대체 누가 알 수 있겠는가. 김연수는 아직도 자신이 어디
서 무엇을 놓쳤는지, 제대로 알지 못한다. 왜 이렇게 되었을까. 자
신은 완벽했는데.

불평이나 상념은 그만두고, 당장은 눈 앞의 세 마리 사냥감을
확실하게 사냥해야 한다. 그게 김연수가 살 수 있을, 유일한 가능
성의 길이었다. 이대로 상대의 소굴에 끌려가서는 그로서도 가망이
없다. 김연수도 사람이었고, 초인적인 운동 능력을 보이기는 하지
만 결국 총에 맞으면 죽는다.

필리핀 등지에서는 수십 명 단위의 조직원들 사이를 파고 들어
서 누군가를 죽이고 나오기도 했지만. 그것도 정확한 전략과 확실
한 계획이 먼저 서 있을 때 가능한 일이었다. 마술도 트릭을 짜고,
연습을 해야 실행을 하지 않겠는가.

김연수는 그대로 윤계식을 당겼다. 밀고 당기기의 호흡을 크게
조절할 필요도 없었다. 상대의 힘이 조금이라도 빠지는 순간에 힘
을 넣으면. 어차피 이긴다. 근력 차가 큰 편이었다. 자신은 늙었으
나, 전성기의 기량을 조금은 유지한다. 윤계식은 전성기 때도, 그리
고 지금도 그의 상대는 안될 테였다.

윤계식을 끌어당기며 자신은 아래로 빠져나가서, 몸을 뒤집었다.
반대의 구도였다. 윤계식이 뒷자리, 시트 쪽에 등을 처박았다. 김연
수의 등이 박주영 쪽으로 나타났다. 총이 없으니까 가능한 짓거리

다. 박주영이 리볼버를 들고 있었다면, 놈은 망설임없이 총을 쐈을 테다.

아마 사람을 뚫고 지나가서, 윤계식도 위험할 수 있겠지만. 각도를 조절하면 얼마든지 사격이 가능하다. 등판을 훤히 보여주고 있다면 말이다. 윤계식 쪽이 아니라 옆으로 빗겨 쏘면 얼마든지 죽일 수 있었다.

김민식이 외친다. "뭐야, 뭐!" "총, 씨발!" "내꺼 써!" "크윽,"

맨 마지막 신음은 윤계식의 것이었다. 늙은이는 상황이 참 고되다. 입에서 피맛이 느껴졌다. 몇 번 처맞았던 게 뒤늦게 피를 내는 모양이다.

박주영이 김민식의 외침에 답했고, 김민식이 다시 답했다. 박주영은 김민식이 고갯짓으로 가리키는, 운전석 쪽의 수납장을 건드렸다. 덜그덕 거리면서 더듬어 찾는다. "오른쪽, 거기 옆에, 병신아!" 김민식의 말이 거칠어졌다. 목숨이 왔다갔다 하는 상황이니 어쩔 수 없다. 운전석과 조수석 사이에 수납장이 하나 더 있었다. 덜컥이면서 간신히 열었고, 아래쪽 가장 밑단에 리볼버 한 정이 더 들어 있었다. 김민식 역시 차량에 그냥 놔둔 상태였다.

민간인 집에 들고 들어가기가 뭐해서 빼두었던 참이었다. 어차피 차량은 잠궈두고, 집 바로 앞에 대 둔 상황이었고. 무슨 일이 생기면 곧바로 알 수는 있었다. 블랙박스와 김민식의 핸드폰은 연동이 되어 있었다.

박주영은 리볼버를 챙겨, 들었다. "가스탄!" "초탄만!" "미친 새끼."

김민식이 초탄만 가스탄으로 넣었다고 말했다. 본래 두 발은 위협용이나 저살상탄으로 채워야 한다. 과잉 진압을 피하기 위해서. FM보다는 더 난폭한 편이었다. 김민식은. 그래서 박주영이 욕을 한 번 더 한 것이었고.

철컥, 하고 리볼버의 장전 상태를 확인한 박주영은 숨을 골랐다.

그 사이에 다시 김연수는 윤계식을 한 바퀴 돌렸다. 빙글,

하고.

의태어를 말하자면 가볍지만.

소리는 우당탕, 하고 났다.

그 짧은 순간에 윤계식의 얼굴은 피투성이가 되어 있었다. 김연수는 빠르게 왼 손으로 잽을 몇 번 날렸고, 그것만으로도 피가 터졌다. 윤계식의 왼손이 저항했으나, 김연수가 그것보다 빨랐다. 크으으으, 하고 신음을 흘리면서 윤계식은 앞쪽으로 밀려났다.

뒤에서 다시 총을 꺼내는 걸 들으면서, 김연수는 다시금 자신이 뒤로 간다. 악수를 하는 상태에서 수갑을 걸었으므로, 김연수와 윤계식은 마주보는 게 자연스러운 형태가 된다. 김연수는 윤계식의 등판을 조수석과 운전석 사이의 틈을 막는 데에 썼다.

박주영은 조수석에서, 뒤를 돌아본 채 왼쪽으로 몸을 기울였다.

차량의 구석진 틈에서 김연수를 노리기 위해서였다. 윤계식을 쏘지
않고서. 초탄은 가스총이다.

박주영은 달리는 차량의 바깥으로 리볼버를 잠깐 내밀었다. 총구
만. 근처, 시내에 사람도 차량도 별로 없는 길이 나왔다. 마침. 텅
빈 도로의 바닥에 그는 가스탄을 쐈다. 탕! 촤악, 하고 최루액과
가스 따위가 분출되어 묻었다.

두 발 째는 실탄이다. "컥."

윤계식은 너덜너덜한 상황이었다. 그럼에도 왼손을 뻗는다. 김연
수의 목을 틀어쥐었다. 큭, 하고 김연수도 목이 막힌다. 오래 당하
진 않았다. 곧바로 자신의 왼손을 올려서, 윤계식의 팔뚝을 당수로
후려쳤다. 쿵, 하는 충격과 함께 윤계식의 손이 빠졌다. 왼쪽 하박
의 뼈에 금이라도 갔을 법한 소리였다.

윤계식은 팔이 빠지자 틈이 났고, 그 상태로 다시 한 번 제 어
깨를 갖다 박았다. 숄더 태클이었다. 김연수도 채 피하질 못했다.
오른손이 힘을 쓰고 있었다. 고개는 간신히 뺐다. 어깨 즈음이 윤
계식의 몸통 박치기에 걸려 충격이 왔다. 대단찮은 것이었다.

김연수는 윤계식이 한 번 힘을 쓰고 나서, 빈 틈이 나자 오른팔
을 쥐고 자기가 컨트롤했다. 위로, 반대로 뻗게끔 했다. 김연수의
입장에서는 앞으로 뻗어 위로 올리고, 안쪽으로 각도를 더 꺾는 것
이다. 윤계식의 입장에서는, 오른팔이 뒤로 뻗게 되고, 꺾이면 안되
는 각도로 꺾여간다.

격통이 일었다. 윤계식은 자신의 몸을 아래로 내렸다. 무게 중심

을 아래로. 어깨를 쑥 빼서 시트에 닿을듯이 둔다. 왼손이 살아 있었다. 그의 왼손이 바닥을 더듬는다. 덜그럭,

하는 소리와 함께 리볼버를 잡았다. 한 발이 남아 있었다.

윤계식은 최대한 힘을 줬지만 오른팔에 감각이 별로 없었다.

김연수가 그걸 부러뜨리기 직전에, 윤계식의 왼쪽 팔이 튀어올라왔다. 김연수는 박주영을 신경쓰고 있었다.

가스총을 소비하고서, 두 번째 탄을 김연수 쪽으로 겨눈다. 미친 짓거리였다. 이 새끼들은. 김연수는 그걸 광기라고 여겼다. 이 새끼들이 정말 현직 경찰이 맞는지. 이 정도로 대담하게 구는 이유가 대체 무엇인지 알 수 없다.

오로지 김연수를 잡기 위해서 달려왔던 그들의 서사를 알 수 없기에 드는 마음일 테였다.
자신이 저질러왔던 긴 악행을, 이들이 보고 쫓아왔다는 걸 낱낱이 보아 안다면. 김연수조차 고개를 끄덕거릴 개연성이었다.

김연수는 이를 악물었고, 몸을 뒤틀기 위해서 애를 썼다. 윤계식의 팔이 잘 꺾이지 않았다. 의외로 유연한 새끼였다. 힘을 주어 제대로 부러뜨릴지, 박주영의 총을 피할지 선택해야 했다. 김연수는 총을 피하기로 했고,

탕!
탕!

두 발의 총성이 하나로 겹쳐서 터져나왔다.

"크으."

김연수의 입술에서 피가 터져나왔다.

김연수는 몸을 꺾어 자신의 왼쪽으로 날렸다. 덕분에, 총알은 뒷좌석의 헤드 시트를 꿰뚫고 들어갔다. 차량 내부에는 거친 바람이 불고 있었다. 가스탄을 썼을 때부터 창문을 열어두기도 했고. 심지어 뒤쪽 유리창은 깨져서 반파된 상황이었다.
시원한 드라이브다. 지나치도록.

한 발은 피했으나, 한 발은 피하지 못했다.

박주영이 쏜 건 피했지만.
윤계식의 왼손이 들고 올라온 리볼버는, 김연수의 허벅다리를 쿡, 누른 다음에 총알을 토해냈다.

굉음이었고, 허벅지가 꿰뚫렸다. 한쪽이 완전히 뚫린 것 같았다. 다른쪽 다리는 그나마 살았지만.

격통이다. 피가 터져나왔고. 뒷좌석은, 김연수의 옆구리에서 새던 피만이 아니라 허벅지를 관통한 총알 때문에 더욱 혈향이 짙어진다. 윤계식의 얼굴에도 피가 튀었다.

개판이었다. 서로의 피가 섞일 정도로 말이다. 그러나 범인을 잡기 위해서라면야. 윤계식은 이보다 더한 개판도 지나가줄 의향이 있었다.

아직도 윤계식의 눈은 불이 타듯, 이글거린다. 김연수의 눈빛 역시 아직 완전히 포기를 하지는 않았다.

초인에 가깝게 단련된 육체라고 하더라도, 실탄을 한 발 맞으면 조금 기세가 꺾이기는 하지만 말이다. 아직 그는 죽지 않았다. 사지 중 셋이 남아 있고. 그 정도면 어설픈 형사놈들 셋을 죽이기에는 충분하다. 김연수는 반사적으로 굴었다.

덜덜, 떨리는 오른쪽 팔을 컨트롤했다.

박주영의 리볼버가 돌아갔다. 철커덕.
씨발.
천산혁은 그걸 보고 욕을 토했다. 속으로. 밖으로 뱉지는 않았다. 저쪽은 아직 실탄이 많이 남아 있었다.

여기서 죽나?

천산혁은 긴 도망자로서의 생활의 종언을 짐작했다.

이 미친 새끼들은 적당한 진압이라는 개념을 조금도 모르는 게 분명했다. 김연수는 이와중에도 아직까지, '김연수'라는 정체를 숨기려 하고 있었고. 형사들은 이미 그가 여러 흉악범들 중에서도 '김연수'일 것이라는 확신 하에 움직이고 있었으니 대응이 달랐다. 일반적인 경우보다 훨씬 더 과감하다.

특히 박주영과 윤계식의 경우에는, 전 경찰 조직 중에서 가장 그런 인물들일 테였다. 한 명은 수십 년을 달렸고. 한 명은 기간은 짧지만, 직접 쳐맞으면서 놈의 위험성을 알았으니까. 이미 잡혀 들어간 김재영 말이다.

김재영과 관련이 있는 놈이라면, 정상적인 범주에서 생각을 해서는 안될 테였다. 부으으으으응.

김민식은 그럴수록, 악셀을 밟으며 속도를 높였다.

이 사달을 끝낼 수 있는 건 결국, 본부에 도착하는 일이다.

지겨운 수사였다. 정말로.
한 시라도 빠르게 끝내고 싶었던.

윤계식이나 박주영이 죽는다고 해도 상관이 없었다. 김민식은 자신이 살아있는 한 끝까지 운전을 할 셈이었다. 김연수만 잡아 쳐넣을 수 있다고 한다면. 그깟게 대수이겠는가.

박주영은 한 번 더 총을 쐈다. 이번에는, 완벽하게 구석에 몰린 김연수가 발악을 하듯 손을 앞으로 뻗었다. 그러나 차량의 자리에서 대각선으로 양극단에 있는 둘이었다. 조수석의 가장 왼쪽 구석. 반대로, 김연수는 뒷자리의 가장 왼쪽 구석. 서로 마주보고 있었으므로, 같은 왼쪽이었으나 가장 먼 거리다.

손이 닿지 않았고, 박주영은 그 손바닥을 겨누며, 총을 갈겼다. 윤계식은 뒷자석의 시트 아래쪽에 몸을 구겨넣듯 쉬고 있었다.

타앙!

총성이 울렸다. 김연수의 왼손바닥을 뚫고, 총알이 들어갔다. 한

팔이 또 박살났고, 정통으로 맞은 실탄 때문에 김연수가 쇼크로 인해서 순간 힘을 잃었다.

귀따가운 총성이다. 바닥에 고개를 처박고, 정신이 없던 윤계식은 시트 위 빈구석을 더듬다가, 수갑의 흔적을 느꼈다.

철컥.

윤계식은, 김연수의 발목 양 쪽을 걸어버렸다.

이미 힘이 빠진 놈이었지만, 윤계식 역시 반쯤 정신이 없는 상황에서 반사적으로 한 짓거리였다.

피가 터져나왔고, 차량 뒷자석을 중심으로 이곳저곳에 흩어져 묻었다. 김민식은 코를 찌르는 혈향에 얼굴을 찡그렸다.

이 날의 기억은, 영 쉽게 지워지지 않을 것 같았다.   ***

37. 귀가歸家

*

"헉."

소리가 났던 게, 수사본에서 기다리고 있던 심민아 경위가 먼저 내뱉은 말이었다.

'거수자', '유력한 납치 감금의 용의자'. 그런 인물을 데려온다고 했던 게 마지막 연락이었다. 그 작자가 아직 김연수일 지는 모르는 일이었는데.

아마 맞았던 것 같다. 저토록 처참한 꼴이 되어서 왔으니까.

시내에서 총성이 터져나온 일이, SNS(Social network service) 상의 페이지들에서 계속 쏟아져 나왔다.

전쟁과는 거리가 먼 현대의 시민들이다. 엄연히 휴전 중이고, 전쟁 중인 국가이기는 했지만. 그래서 더 엄격하게 총기가 제한되는 곳이다. 아무리 범죄자들이 날뛴다고 해도, 총기를 사용하는 일은 불문율 같은 것이었다. 설령 구할 수 있어도. 대도심에서 칼부림이 아니라 총격이라고 한다면.

그건 테러에 준하는 행위이고, 이 나라의 치안망을 뒤흔드는, 강력한 적대적 행위이다. 나라를 향한.

그나마 다행인 건, 총성을 터뜨린 쪽이 범죄자가 아니라 형사 측이었다는 사실이다.

어쩔 수 없었다. 이것을 제대로 설명하고 무마하기 위해서 윗쪽에서는 골머리를 앓아야만 하리라.

그러나 그런 것들을 차치하고서라도, 심민아를 비롯해 수사본의 인원들은 성대한 환영을 위해 건물 앞에 나와서 있었다.

당장 '김연수'일 가능성이 있는 거수자를 체포해서 온다는 인물들을 맞이하려고 말이다. 김재영이 잡혔을 때와 마찬가지였다. 아니, 이미 한 놈을 겪었으니까. 이미 지원 요청이 들어가서 당장 올 수 있는 형사들이 모두 본부 앞 터에 모여 있었다. '얼굴 좀 보자'는 게 이유 중 하나였고, 또 하나는 '김연수'라고 하는 놈이 혹시나 날뛸까봐, 여러 명이 조직적으로 진압하기 위해서였다.

특수 기동대 쪽에도 연락을 넣기는 했다. 김연수는 이 나라에서 테러에 준하는 행위를 벌인 놈이다. 얼굴조차, 존재조차 명확하지 않았기에 여태 잡지 못했을 뿐.

놈의 사건에 대한 기록들은 고위층들에게도 아주 유명하고. 오래된 문젯거리이다.

차량은 엉망인 상태로 본부 앞에 섰다. 끼이익, 하고 거칠게 선 차량에서, 만신창이가 된 인물들이 내렸고.

김민식은 무전으로 달려오면서, 구급차를 요청했었다. 주차장 한 켠에 대기하고 있던 응급차가, 그들이 들어오자마자 앞쪽으로 굴러온다.

'김연수'가 어떤 상태인지, 이쪽에서 확인을 해야 했기에 섣불리 움직이지 못하고 있었던 것이다.

김민식이 먼저 차에서 내리면서 사람들에게 손짓을 했고, 구급차를 불러 모았다. 그가 내렸을 때 외쳤었다.

"이거 실어가요! 빨리!"

이미 과다한 출혈 때문에 문제가 심각한 상황이었다. 수사본 바로 앞으로 구급차를 요청했던 것이 지나친 호들갑은 결코 아니었다.

김민식이 말한 '이거'는 김연수였다. 아직 사건의 전후 관계가 다 밝혀지지 않았기에 김연수라고 단정할 수는 없었지만.
정황상, 그렇게 이미 부르고 있었다. 차 속에 타고 있던 세 명의 형사들은 말이다. 둘은 현직이고, 하나는 은퇴한, 이다.

은퇴한 형사가 형사들 중에서는 제일 심각한 꼴이었다. 얼굴도 피투성이였고, 여기저기 상하고, 성한 곳이 별로 없었다. 박주영도 총을 갖다대다가 여기저기에 찧어서, 손목과 손이 너덜거리는 상황이다. 마지막 격발할 때 손가락이 제대로 움직이지 않는다고 느꼈던 것 같기도 했다. 일단 김연수가 정신을 잃고 나서, 한숨을 쉬며 자신의 것을 보자 삔 건지, 부러진 건지 알 수는 없지만 정상적이지 않은 각도였다.

어거지로 방아쇠를 당기고 난 후에 격통이 찾아왔었다.

윤계식이 가장 앞서서 김연수의 힘을 감당했다. 아마 최소한 뼈에 금이 갔거나, 골절한 구석이 있을 지도 모른다. 오른팔의 부상이 가장 심했다. 마지막에 김연수가 그의 팔을 부러뜨리려고 시도하다가, 말았었으니까. 그 직전까지는 갔다는 뜻이었다.

김연수도 인간이었고, 심지어 두 발의 실탄을 정통으로 맞은 후에도 의식이 얼마간 있었다. 그러나 철철 새어대는 피 때문에, 이내 정신을 잃었다. 형사들이 타고 다니는 차량에는 구급 약품 따위도 있었고, 붕대도 있었다. 김민식이 앞좌석에서 던져주었고, 박주영과 윤계식이 애를 쓰며 달리는 차 안에서 지혈을 대강 했다.

죽지 않을 수 있도록.
반드시 죗값을 치러야 하니까 말이다. 과잉 대응으로 인해서 현장에서 사망했다는 건 최악의 결말이었다. 김연수는 자신의 비밀들을 모조리 토해내야만 했다. 적어도 사실을 파헤치는 게, 피해자들을 위한 일이었다.

그 사실들을 알고 싶다고 하면 알려줄 테였고, 필요 없다고 한다면 굳이 상세하게 보고하지는 않을 테였으나.

일들은 자연스럽게 처리가 되었다. 다행이었다. 가장 다행인 건, 김연수가 살인행을 다시금 시작하려고 할 때, 막아섰다는 점이었다.
단순한 우연이었다. 거진.
그러나 여러 형사들의 감각과, 집념과, 의지와, 운 따위가 작용을 해서 잡아낼 수 있었다.

통로가 있는 지도 알 수 없었던 지하실이다. 김현식 경위의 과감한 수색 덕분에, 내부에 갇혀 있던 소녀는 살아났다.
제대로 씻지도 못하고, 굶고, 이상한 신경 약물에 당하고. 기력이 쇠해서 피폐한 꼴이었지만. 당장의 의학적 소견으로 큰 문제는 없었다. 잘 쉬고 잘 먹고, 충분한 시간을 들이면 별다른 후유증 없이 일상생활로 복귀 가능하리라고, 미리 실려 간 병원에서 이야기를 들었다.

그녀가 '박시윤'인 것을 알게 되자, 병원 쪽에서 김현식 경위가 바로 실종 건을 열람해서 신고자와 접촉을 했다.

박시윤의 가족, 어머니와 아버지, 그리고 그 언니까지도 서울에 올라와 집에 있었다.

그녀들은 박시윤이 탈출을 하고, 근처의 종합 병원에 입원을 하고. 그리고 얼마 지나지 않아서 달려와 잃어버렸던 딸을 다시 만날 수 있었다.

어머니, 씨를 비롯해서 가족들은 하늘에 감사를 전하며 엉엉 울었다. 아무리 울어도 모자랐다. 지난 슬픔을 흘려보내고, 다시 맞이한 기쁨을 표현하기에는 말이다.

*

김현식 경위가 최소한의 사건 개요를 피해자 가족들에게 알려주고, 다시 수사본으로 복귀를 했을 때.

그 때 김연수는 들것에 실려 수사본과 제휴를 맺은 병원에 실려 가 있는 상황이었다. 바로 응급실로 들어가 수술이 진행이 되었고, '박상혁'이라는 신분을 가지고 있던 노인은 마취가 된 채 치료를 받았다.

 몇 시간 정도의 수술이 끝났고, 다시 특실로 옮겨져 엄중한 감시 아래에 회복 경과를 지켜보게 되었다. 김연수가 깨어나기 이전부터도, 이미 특제 수갑을 강화 프레임 침대의 구조물에 걸어서 구속해 두었었다. 양 손목과 발목을 전부 말이다.

 병원에서 쉬이 볼 수 있는 광경은 아니었지만, 어쩔 수 없었다.
 그게 '김연수'일 가능성이 있다고 한다면 말이다. 경찰 관계자들에게 알음알음 알려진, 어느 괴담의 주인공 같은 것이었다. 김연수는.

 그만큼 사납고, 괴물이며, 흉악한 존재였다.

 강력계의 형사들이 번갈아가면서 경계 근무를 섰다. 결국 경찰 조직 내에서 끝내야 할 일이었다.

 김연수가 깨어나기 전까지, 박상혁의 주택은 수색에 들어갔다.

 김현식 경위가 저녁에 몰래 들어가 소녀를 구한 것은, 어떤 명확한 물증이 있어서 그가 독단적으로 행동을 했다는 식으로 포장이 되었다.
 지하실에 감금되어 있던 소녀가 죽기살기로 소리를 내고 비명을 질렀고. 그 희미한 외침을 들은, 근처에 있던 형사 A씨가 구하기 위해서 뛰어 들었다고 말이다.

 한 명의 영웅적, 독단적 행동으로 마무리가 되었다. 깔끔한 일이었다. 결국 박주영과 김민식이 큰 일을 했으니까. 팀의 리더인 김현식에게 적당한 표창을 주며 치켜세워주기도 좋았고.

뉴스에서는 근무가 끝난 뒤에도 예리한 감을 놓치지 않고, 시민의 생명을 구한 영웅적 경찰의 모범으로 방영이 되었다.

김현식으로서는 멋쩍은 일이었으나. 어쨌건 아예 하지 않은 일은 아니었기에 넘어갔다. 스스로도.

진상은 수색 영장이나, 명확한 물증 없이 심증만으로 수사를 진행했고, 거기서 한 발 더 나아가 다른 이의 사유지에 무단으로 침입을 한 셈이었지만.
김현식은 옷을 벗을 각오로, 또 김연수를 잡겠다는 일념 하나로 미친 짓거리를 자행했고, 결과가 좋게 끝이 났다.

윤계식과 박주영 경사, 그리고 김민식 경장 역시 살아남은 것이 용한 일이었다.
조금의 의심이나 빈틈이 있었다면, 아마 죽었을 것이다. 눈 앞에 있는 놈이 바로 그 괴물, '김연수'라는 걸 믿지 못했다면 말이다. 아직 전후 관계가 밝혀지고 물증이 나온 것은 아니었지만. 그들은 결국 여태 그렇게 쫓던 김연수라는 걸 확신한 뒤 제압을 시도했다.

그랬기에 간신히, 엉망이 된 꼴로 살아남은 것이다. 어지간한 범죄자였으면 과잉 진압으로 문제가 되었을 상황이었지만.
김연수였기에 적절한 강도의 진압이었다. 묶여 있었으나 그 자리에서 맹수는 여전히 김연수였으니까.
나머지 세 남자는 자칫하면, 목줄기를 물어 뜯길 뻔한 상황이었다.

'김연수'는 일단, 건강 상태가 어느 정도 호전이 되었다고 보이자 수사본 내부의 특수실로 옮겨졌다.

상부에서도 윤계식이나 박주영 등의 상처를 보았고, 또 그가 여태까지 벌여온 사건의 기록들을 알고 있었으니까.

눈을 떠도 함부로 도망가지 못하도록.

부지런히 의료실을 꾸려서, 자신이 사람들을 가두었던 것처럼 지하실 어딘가에 갇혀서 지내게 되었다.

'김연수'일 것이라고 의심을 받은, 유력한 용의자인 박상혁이 눈을 뜬 건 그로부터 며칠 뒤의 일이었다.

김연수라고 하더라도 늙은 것도 있었고, 또 아무래도 총알 두 발은 감당하기 어려운 데미지였다. 그에 더해서 차량을 끌고 오면서 계속해서 피를 흘린 것또한.

짐승은 잠시 휴식을 취하듯이 수사본 내부에서 남들보다 긴 잠을 잤다.

*

"아프군."

윤계식이 너덜거리는 자신의 오른팔 관절부를 보면서 말을 했다.

그대로 팔을 쭉 뻗은 뒤에, 1자로 깁스를 한 상태였다.

박상혁을 잡아온 날로부터, 3일이 지난 뒤였다.

윤계식은 한 번 더 입원을 해야 했다. 많은 나이에 과한 무리를 한 탓이다. 박주영의 경우에는 통원 치료 정도로 끝났지만.

그의 곁에 계속해서 함께 하던 이들이 있었다. 심 경위, 김 경위. 그리고 박경수 경위. 박주영, 김민식. 조용수 과장까지.

결국 김재영을 잡고 얼마 지나지 않았을 때와 비슷한 꼴이었다.

아직 '김연수' 건에 대해서 완벽하게 조사를 한 건 아니었다.

그러나, 지하실을 면밀하게 뒤지면서 '가능성'이 확실하게 구체화된 건 사실이다. 박상혁이 여태까지 경찰 조직을 골치 아프게 만들었던 김연수일 가능성 말이다.

일단 '박시윤'의 기억에 의존한 증언 또한 그러했고.

이전에 김재영이 벌였던 완벽한 납치와도 궤가 같았다. 그와 같이 지하의 특수 시설을 불법 증건축하여 사용했고. 지하실에서 사용의 흔적이 있는 여러 흉흉한 고문, 살해 도구들 따위를 발견했다.

김재영의 때와 거의 동일범이라고 봐도 좋을 정도의 흔적들이었다. 혈흔이나 피해자의 다른 DNA는 안타깝게도, 나오지 않았다.
지하실에서 찾을 수 있던 인간의 흔적은 오로지 박시윤의 것 뿐이었다.

　박상혁이 지하에 들어갔다는 흔적 역시 없었다. 정황상, 그가 집의 주인이며. 또 그 지하실로의 통로를 알고 있었기에 들어갔다고 여기는 것 뿐이었다. 박시윤 역시 '얼굴'을 보지는 못했다. 어둠 속에서 심지어 눈을 감고 있었으니까, 계속.

　그러나 흔적이 없는 것이, 늘 김연수의 증거이기도 했다. 그만큼 이상하고 괴상한 작자는 달리 존재하지 않는다. 박상혁이 정신을 차리지 못하고 있을 때, 그의 체모에 대해서 조사를 했고. 전부 인조모인 것이 밝혀졌다. 눈에 드러나는 것들은 말이다. 매일 제모를 하는 것인지 달리 털이 없었고.

　차고 쪽에서도 지하실로 통하는 입구를 경찰들은 조사로 밝혀냈다. 더욱 자주 개폐된 흔적이 있었다. 차고 내에 있는 차량들의 경우에는, 어디에서 구입을 한 것인지 유통 경로가 불분명한 것들이기도 했고.

　차고 안쪽에서 로프니, 하는 다양한 '작업용'의 도구들 역시 발견을 했다.

　그 도구들만으로 범행의 과정을 재구축하고, 역추적하는 건 상당히 어려운 일이었다. 대체 어떻게 한 것인지 짐작이 잘 가질 않았다. 상상이야 할 수 있다만. 실제로 그걸 한다고 생각을 하면, 과연 가능한 것인지 전문가들도 고개를 절레절레 저었다.

　박상혁의 신체 능력이 기이한 수준인 것은 확실했다. 그건 이미 붙잡힌 상태의 '김재영' 또한 그러하다.

여러가지 점들을 종합해서 내사적으로 그들이 한동안 대한민국의 경찰들을 계속해서 괴롭혔던 '김연수'들이라고 결론을 내렸다.

더욱 자세한 건 박상혁이 깨어나고, 그와 이야기를 해보아야겠지만 말이다. 일단 드러난 것들 만으로도.

일반인의 집에는 절대로 있을 리 없는 다양한 도구들이, 박상혁의 집 곳곳에 숨겨져 있었다. 얼추 뒤져서는 찾아내기도 힘들 정도로 꼼꼼히 숨겨진 것들이었다.

사용감은 있었으나 안타깝게도 피해자의 무엇이 묻어있는 경우는 조금도 없었다.
김연수는 철저한 놈이었으니까. 당연하다면 당연하다. 그런 점이 도리어 박상혁을 김연수라고 확신하게끔 도와주는 역할을 했다.

일단 박상혁과 김재영은, 드러난 죄목만으로도 상당히 긴 기간 형량이 선고될 테였다. 그들의 행보와 행태는 광기 그 자체였으니까. 범행의 중간에, 일단 잡힌 것부터 시작해서. 체포 과정에 업무 중인 현직 형사들을 살해하려고 시도했으니.
자세한 격투의 과정은, 낡은 승용차의 블랙박스 내에 다 찍혀 있었다. 총을 맞기 전까지 날뛰었던 김연수의 모습이 담겨져 있었고, 그건 박주영과 윤계식의 대응이 전혀 과잉의 것이 아니었음을 설명하기 충분했다.

떠들썩한 일주일이 지나갔다.

여전히 시민들은 시내에서 벌어진 총격전과 갑작스러운 사고에

696

대해서 물었고, 정부와 언론, 경찰 기관 등은 무언가 설명을 해야 할 필요성이 있었다.

결국 경찰은 오래 전의 연쇄 살인마, 김연수에 대한 이야기를 상세하게 풀어내면서, 그에 대한 수사 과정에서 생긴 일이라며 실토를 해야 했다.

아직까지 '박상혁'이 정확히 근래 벌어진 모든 사건의 범인이라는 것을 밝힌 것은 아니었지만. 차차 풀어나갈 일이었다.

이제까지는 명확한 대상이 없는 상태에서, 유령의 뒤를 쫓듯 경찰들이 애를 먹었었다. 그러나 지금은 닦달을 할만한 상대가 있었다.
김연수들.
박상혁, 아니 천산혁과 김재영은 명확한 알리바이와 반론을 제기하지 못한다면 그 모든 사건들의 피의자가 되어 심도 깊은 조사를 받고.
아마 마지막에는 이 모든 사건을 끝내기 위해서 형을 선고받고 무기징역에 가까운 징역살이를 하게 되리라.

아이러니하게, 박상혁이 날뛰었던 것이 그의 범죄에 대한 그만한 입증이 되었다.

그와 김재영이 병실에 있으면서 치료를 받는 동안. 간단한 의료 검진 따위가 이루어졌었다. 일반적인 사람의 기준을 아득하게 넘는 골격근량이 나왔고, 또한 심폐 지구력, 또 골밀도가 검사 결과로 밝혀졌다.

그런 과학적 결과와 소견들은, 범행에 대한 주요한 단서와 증거로서 작용을 하기도 할 테였다.

살인마는, 살인을 멈추게 된 시점에서 죽은 것이나 다름이 없었다.

여러 날이 지났고, 김연수金演水, 그 원본이 되는 천산혁은 갑갑한 병실에서 눈을 떴다.

자신의 처지를 직감한 그는 비릿한 웃음을 지었다.

할 수 있는 것이, 달리 그것밖에 없었으니까. 비통함의 다른 표현이라고 해도 좋으리라. 사이코패스는 울 줄을 몰랐다. 감정이 없었기에.
그저 최악의 상황을 맞이해 가장 진한 표현을 해보였을 뿐이다.

천장을 바라보면서, 강화 수갑으로 사지가 묶인 채로.

천산혁은 자신의 날이 끝났음을 이해했다.

*

38. 시상施賞. 형사 이야기. 윤계식.

*

"……어이,"

쿠.

윤계식은 자신의 발치 아래로 굴러온 공을 받았다.

제법 세게 굴러와서 발을 건드렸다. 인근 학교에서 놀러온 녀석들인 것 같았다. 동네 근처의 시민 공원이었다.

서울이다.

어느덧, 여름이 지나고. 가을도 거진 지나가고 있는 시기였다.

슬슬 바람이 차가워지는데도, 어린 것들은 그 혈기가 뜨거운지 추운 줄을 모르고 뛰어다닌다.

잔디밭이 있었고, 그 위에 구획별로 여러 개의 풋살장이 만들어져 있다. 대강 칸막이 비슷한 걸 세워놨지만, 바깥 쪽 구장을 쓰는 녀석들은 공이 자주 산책로 쪽으로 넘어가곤 했다.

지금 윤계식이 받은 것 역시 그런 종류다. 멀리, 3, 40여 미터 정도는 되어 보이는 거리에서 애들이 손을 흔든다.

고등학생이나, 그 위라고 보기에는 조금 큰 녀석들이었다.

윤계식의 덩치나, 걸음걸이가 제법 무게감이 있는지. 섣불리 소리를 치지는 못하고, 그저 손만 붕붕 흔들어대며 눈치를 줄 뿐이다.

윤계식은 휙, 하고 무게를 실어 축구공을 찼다. 슬쩍 찼는데, 제법 잘 날았다.

늙은 몸뚱이지만 아직은 쓸만했다. 아직은 말이다.

공이 멀리 날아, 바닥에 닿는다. 뎅구르르, 몇 번 바닥을 튀기더니 이내 굴러가 갖고 놀던 아이들의 발치에 돌아갔다. 멀리서 꾸벅거리는 아이들을 지나쳐서 윤계식은 계속 걸었다.

날이 춥다. 노인은 말이다. 그는 갈색 코트의 깃을 여몄다.

*

*

"아, 선배님. 언제 오십니까?"

선배님, 이라고 묻는 말의 투가 조금 늙수구레했다.

선배님, 이라는 말도 누구에게 듣느냐에 따라서 기분이 달라지게 마련이다. 젊은 것들한테 들어야 그럴싸한 기분이지.
자신과 비슷한 연배로도 보이는 이에게 들어보았자, 내가 저 작자보다 더 늙었구나, 하는 실감만 더 들뿐이다.

늙는다는 건 비참한 일이었다.
아니, 살아간다는 것 자체가.
그러나,
생이라는 건 그 자체로 살아볼만한 의미가 있는 신비였다.

뚱딴지같은 말은 아니고.
젊은 사람들에게 일일이 설명하기는 어렵지만. 그저 꾹참고 견뎌볼만한, 어딘가에 또 행복이 있을지 모르는.
그런 즐거운 여정이라는 말이다.

대강 괴로움도 있으나 즐거움도 그것을 넘을만큼 있어서, '삶'이라는 것이 결론적으로 기꺼이 살만한 무엇이다, 라고 이해하면 되리라.

지금도 그렇다.

윤계식의 날들은 괴로움으로 대부분 차 있었다.

그가 괴로움을 이길 수 있었던 이유는, 즐거움이 있었기 때문이다.

누가 알겠는가.

누가, 미친 사람처럼 존재조차 묘연한 살인범의 뒤를 쫓아온 그의 삶의 고독을 알겠는가. 그리고, 그 고독을 이길만한 더 큰 즐거움이 있음을 알 수 있겠는가.
그건 그 삶을 사는, 윤계식 본인만이 마음 속 깊은 곳에 넣어두고 즐길만한 것이다.

사명감.
정의.
사랑.
희망.
소망.
인류애.
당연히,
응당 그래야만 한다는 어떤 '자연스러운' 상식적 양태.

그런 흔한 말들은, 너무 흔해 빠져서, 쉽게 입에 담으면 사람들이 믿지를 않는다.

윤계식 씨, 왜 그렇게 힘들고 거친 세월을 견디셨습니까.
아무도 시킨 적이 없고 알아주지 않고, 돈을 많이 주는 것도 아닌데 살인마의 뒤를 가장 앞장 서서 쫓으셨고, 은퇴를 한 뒤에도 다시 벌떡 일어나서 사건 현장에 돌아오셨습니까.

라고 누군가 그에게 인터뷰를 요청했을 때,

이 늙고 오래된 사내가

'시민들을 지키기 위해서. 그게 응당 사내가 해야 할 일이었고, 당연한 평안을 지키는 것이 이 사회 구성원으로서 나의 가장 큰 행복이었기에'

라고 대답을 한다면.

곧이는 믿지 못할 사람들이 많을 지 모른다.

늘 진리라는 건 단순한 법이었다. 누군가가 계속해서 되풀이하는, 그 하고 또 하는 평범하고, 이미 알던 말들 속에 진리가 담겨있다. 그래서, 역설적으로 그런 말들이 계속 되풀이됨에도 지겨워지지 않고, 세상에서 사라지지 않고 계속해서 울리고 있는 법이었다.

그게 정의라서 그렇게 했다.
누가 돈 안 줘도,
그게 형사刑事라서 그렇게 했다.
라는 게 윤계식의 대답이었다.

그렇게 사는 게 무엇보다도 더 행복하니까. 바닥을 구르고, 어두운 진창 속을 들여다보며 걷다가 칼을 좀 맞고, 뒹굴고, 뼈가 나가도 더 행복하니까 말이다.

어쨌든 윤계식은 지켜야 할 걸 지킨 기분이었다.

잘 한 건 없었다.

할만치 했을 뿐이다. 아니 조금 더 자신에게 박하게 굴자면, 보통에서 조금 미달을 했을 지도 모른다.

그가 배워왔던 '형사'라는 모습 속에는 그런 게 들어 있었다.

그 앞에서 감히 누가 범죄를 저질러서는 안된다.
형사 앞에서 감히, 정의를 어기고 타인을 함부로 해害해서는 안된다.

그가 보지 못하는 곳에서 그런다면, 그는 쫓아가 반드시 놈을 잡을 테였다. 몸이 하나이면, 후배를 양성해서라도. 사람의 손이 닿지 않는 곳이면, 강렬한 의지를 불태워서라도. 언제까지고 꼭.

응당 배웠던 교과서에 그렇게 적혀 있었다.

'우리는 조국 광복과 함께 태어나, 나라와 겨레를 위하여 충성을 다하며 오늘의 자유 민주 사회를 지켜온 대한민국 경찰이다.'
'우리는, 정의의 이름으로 진실을 추구하며, 어떠한 불의나 불법과도 타협하지 않는 의로운 경찰이다.'

경찰 헌장에도 나와 있는, 선서문의 내용들이다.

윤계식은 아주 오래된 기억 속에서, 토씨는 울퉁불퉁하게 틀려먹었지만, 골자는 기억하는 그것들을 여전히 읊는다. 처음 배웠던 그 순간부터, 아니 그 이전부터 알고 있던 내용이었고, 배워서 한 번 더 확신한 내용이다. 조사나 어구, 토씨가 틀려져도 그 '내용'은 더욱 진하게 배어서, 마음 속에 새겨진 글귀들이고.

형사 생활을 하면서 그랬고,

은퇴를 하고서도 그랬다.

오늘은 그런 마음가짐으로 살았던 그를 배려해주는, 동료들을 만나는 날이었고.

"날도 추운데 빨리빨리 다니시지 그러십니까."

볼멘소리를, 어처구니 없게 하는 놈은 박주영이었다.

처음에 '선배'라고 불렀던, 늙수구레한 목소리의 주인공은 조용수 과장이었고 말이다. 나중에 자세한 이야기를 들었고, 결국 떠올렸다. 그가 연쇄살인범들의 현장을 쫓아 다니며 정신없이 일할 때, 그의 부사수로 있었던 후배였었다고.

그가 수사본 내의 중책을 맡고 있었고, 결국 윤계식을 다시 불렀다.

한없이 고마운 일이 아닐 수 없었다.

결국 그게 윤계식의 목적이었으니까. 그의 목적을 도와준 공은 크다. 마음속에서 고마움이 그만큼 커지는 게 당연하다.

'김연수' 건은 결국 대개 마무리가 되었다.

박상혁, 아니 천산혁이라는 이름으로 밝혀진 어느 노인.
그 괴인은 의외로, 자신의 과업을 토해내기까지 했다.

과업課業인지, 과過업인지는 알 수 없지만 말이다. 천산혁 스스로가 자신의 일을 돌이켜 보며 여기기로는.
객관적인 시선으로는 분명히, 쓰레기 짓거리였지만.

천산혁은 돌아버린 인간이기에 스스로 벌인 일들이 나름대로 위대한 업적이라고 여길 지 모른다.

천산혁으로서, '게임이 끝났다'라고 여겨진 게 주효한 점이 아니었을까 싶었다.

그는 김연수라는 이름을 널리 알리고, 평생 어떤 게임에 목을 매며 살아온 인간이었다. 그 게임에서 높은 성적을 내는 것만이 김연수의 삶의 목적이었으리라.
살인이라는, 죄로서 이루어진 과정이었기에 그건 정상적인 목적도, 계획도, 무엇도 될 수 없는 일이었지만.

미쳐버린 작자는 평생 게임의 끝을 추구하며 달렸고, 넘어지고 실패했다.
김재영이 잡힌 순간부터 어그러진 게임의 모습이었다.
천산혁은 마지막 때, 도망을 치려고 했지만 그마저 패배했다.

자신이 인정하지 않더라도, 결국 경찰들이 조사로 알아낼 수 있는 사건 증거만으로 자신을 오랜 기간 구속할 수 있다는 걸 미리 이해해버린 것이다.

지금 그의 나이가, 56세였다. 신체적으로 노화에 접어든지 꽤 된 때이다.

여기서 다시 십 수년, 혹은 수십년을 잃어버리면 더 이상 게임의 플레이어로는 놀 수가 없다.
천산혁의 게임은 끝났고, 도전은 실패했다.

고로,

천산혁은 자신의 게임 이력을 정산받기로 한 셈이었다. 그 과정이었다.

'김연수'로서 자신이 저질렀던 사건들에 대해서 토해낸 것은.

길고 긴 과정이었다.

천산혁은 범죄의 기록으로라도 어딘가에 남기를 바랐다. 사이코패스이고, 망가진 작자였으므로.

그는 점수표를 출력받는 심정이었고,

그가 저질렀던 모든 죄를 아직 다 파헤치지 못했음에도 비교하기 어려운 형량을 받았다. 미국도 아닌데, 한국에서 그 정도의 형량을 받기란 쉽지 않은 일이었다.
높은 확률로, 그는 감옥에서 생을 마감할 테였다.

천산혁은 자신의 존재 증명을 마지막 순간에 거하게 해냈고, 자신의 불만족과는 별개로 게임의 종료 버튼을 눌러야만 했다.

위압에 의한 것이었다.

머리가 너무 좋아도, 포기가 빠르다. 천산혁이 그런 꼴이었다.

"오셨습니까."

윤계식은 코트의 깃을 여미던 것을, 풀었다. 바람이 찼는데, 수사본 건물의 실내 안쪽으로 들어오자 온풍이 불었다.

오셨냐고, 물어본 건 안쪽에 로비에 있던 심민아 경위였다. 윤계식은 슬쩍 손을 들어서 인사를 했다.

조용수 과장과, 박주영에게도 마찬가지로 건넸던 인사였다.

사람들이 아주 바쁘게는 아니어도, 나름대로 분주하게 움직였다.

자주 보던 인물들이었다. 윤계식이 대놓고, 경찰 조직 내에서 활보를 한 건 아니었지만. 지난 수 개월, 조금 길게 잡아 1년 여간 들렀던 장소이고 보았던 사람들이니. 나름대로 안면은 익힌 상태였다.

특별히 관계성을 형성하지는 않았다. 수사 작전 상 반드시 그래야 하는 경우가 아니라고 한다면 말이다. 인맥을 쌓는 건 곧 힘을 쌓는 것과도 같다.

그는 외인外人이었으므로. 수사본 내에서 지나치게 세력을 형성하는 건, 내부에 있는 기존 실무자들에게 불편함이 될 수도 있었다.

어디까지나 임시였고, 도움을 위해서 잠깐 다시 발을 들였던 것뿐이다.

그가 평생의 형사 생활의 목표였던 살인범이 활개치기 시작했다는 말을 듣고서 말이다.

이제 오랜 수사가 끝났고, 그는 은퇴를 했음에도 놓지 못하던 짐 하나를 내려 놓을 수 있게 되었다.

즐거운 날이었다.

그래도, 그가 다른 것들을 포기한 채 범인을 쫓았던 고독했던 시간들이. '있었다고', 동료들이 박수를 쳐주는 날이었으니까.

군이 어딘가에 처박아 두었던 경찰복 따위를 꺼내오지도 않았다. 오늘 받는 것은 은퇴한 외인으로서의 무엇이었으니까.

수사본 사람들의 얼굴이 밝았다.

수사본,

김연수 사건 수사 대책 본부도 이제 사라질 테였다. 효용을 다한 기구이니까. 아쉬워할 일은 아니고, 도리어 기뻐해야 할 일이리라.

형사가 없는 세상이라, 얼마나 즐거운 세상일까. '형사'가 없다는 건, '범인'이 없다는 말과도 같으니까. 물론 그런 세상이, 현실에 오기까지는 아마 아주 오랜 시간이 필요하거나, 올 수는 없으리라. 그에 한없이 가까워지는 건 가능하더라도.

형사가 없는 건 불가능해도,
김연수 수사본이 없는 것 정도는 가능했다. 김연수 건의 종결은 결국 그로 인해 마음 졸이지 않아도 된다는 이야기다.

비상 기구였던 조직의 해체였고, 결국 차출되었던 인원들은 원래의 자리로 돌아가리라.

모였던 이들끼리의 정이 사라지지는 않겠지만.

그나마 이야기를 나누고, 인사를 했던 이들은 윤계식을 보고 소박한 인사를 하고 축하의 말을 건넸다.

늙은이 하나를 치켜세워주는 것이, 민망스럽다. 윤계식은 그리 느끼면서도, 한 켠으로는 기쁘게 걸었다.

실내의 조명은 밝았다. 그러나 그가 로비를 지나 들어간, 1층의 대형 홀은 주광색 조명도 섞었는지 약간 붉은 기도 감돌았다.

경찰복을 입지는 않았고. 그저 평시에 입고 다니던 옷 중 가장 점잖은 것을 가져왔다. 낡은 양복에 코트다. 구두 정도는 새 것처럼 닦기는 했다만. 낡은 태가 완전히 사라지지도 않는다. 닦는다고 사라질 흔적은 아니긴 했다.

윤계식은 수사본 건물에서 꾸민, 메인 홀로 들어가 걸었다. 아직 사람은 그리 많지 않았다. 깔아둔 의자만 아주 여럿이었다. 저 멀리 앞에 있는 단상에는, 행사의 스태프들이 아직도 분주히 움직인다.

단상의 위, 먼저 올라가 있는 늙은이가 하나 있었다. 그 자가 먼저 아는 체를 했다. 손을 슬쩍 든다. 윤계식도 마주 제스쳐를 취하며 걸어갔다.

오랜 동료였다.
이름마저 잊어버릴 정도로, 근무지가 떨어진 이후에는 달리 본일이 없었지만. 윤계식은 고된 세월을 보냈고, 후회나 비통함에 잠겨 간신히 살아낸 나날들 역시 있었다. 그럼에도 타오르던 열정의 불길은, 그의 삶을 삶답게 장식해주고 있다.
그럴 때, 함께 애를 쓰던 동료였다.
이름을 잊었다는 건 거짓이다. 잊을 수는 없으리라. 그러나, 다시 볼 일이 없으리라고 여겼는데. 이런 자리에서 또 만나게 되는가.

계식은 예전의 동료가 시상의 수여자가 되어 나타난 것에 반색했다.

늙은이가 쉬지도 않고, 건물에 도착하자마자 그대로 단상에까지 걸어 올라갔다.

나무로 만들어진 단상 위에서 친구가 그를 반겼다.

손유민, 이라고. 아주 특이하지도 않은 이름의 경찰이었다.

윤계식은 경감에서 멈추었지만 친구는 엘리트로서 가도를 달렸다. 각자가 가는 길이 다르다고 생각했지만, 결국 이렇게 만난다.

윤계식은 책상물림의 자리로 들어가는 걸 아주 싫어했다. 그가 해야만 하는 일이 현장에 있다고 여겼고, 은퇴하기 직전까지 수사관으로서 뛰다가 마지막을 맞았다.

오랜만에 만나, 신수가 훤한 친구의 얼굴을 보았다.

단상 위의 조명이 늙은이의 주름진 표정을 비추었다. 손유민이 밝게 웃고 있었고, 윤계식 역시 마찬가지다.

서로 손을 내밀어 맞잡았고, 악수를 했다.

"고생했네."

손유민 경무관, 이번 사태의 윗선 중에서 가장 열심히 애를 쓴 인물 중 한 명이었다. 윤계식과 동갑이었고, 그는 경감에서 마무리를 했으나 손유민은 멈추지 않고 서울권 지역 경찰청의 부장급까지 올랐다.

경찰 조직은 위로 올라갈수록 수가 줄어드는 폭이 크다. 윤계식과 함께 비간부, 형사직으로 시작해서 갈만큼 올라갔다고 할 수 있다. 그 이상 진급을 할 수 있을지 없을지는 모르지만. 일단 손유민 자신은 그다지 크게 기대하고 있지 않았다.

경기 북부 경찰청에서 재직하고 있었고, 급하게 대형 사건의 공로자들을 치하하기 위해서 수사본에 들른 상태였다.

수상자가 자신이 아주 잘 알던 그 때의 그, 또라이 새끼라는 게 손유민으로서도 감격스러운 일이었다.
정말 하나밖에 모르던 놈이었는데.

그리고 당시, 이십 여 년 전 김연수 사건이 있은 후 그것만을 집요하게 쫓던 윤계식을 보고 멀쩡하다고 하는 자들은 많지 않았다.

도저히 잡을 수 없는 놈의 뒤꽁무니를 치열하게 쫓던 인간이었으니까. 차라리 유령을 잡는 게 나을법한 일을, 가장 앞서서 하던 인간이었다.

당시에는 손유민 역시 그의 근처에서 함께 뛰었으나, 시간이 지나면서 점차 멀어졌다. 아마 손유민이 모르는 기나긴 세월이 윤계식에게 있을 테였다. 오랜만에 보니, 그 인상과 성격은 여전해 보였다.

'김연수'를 잡은 것이, 결국 은퇴를 하고 난 이후의 윤계식 전 경감과, 그와 공조한 현직 형사들이라는 걸 듣고 어찌나 크게 웃었던지.

이 미친 놈은, 은퇴를 해서도 기어코 바라던 목표를 잡아챈 것이다. 이런 일이 달리 있을 수 있을까. 기가막힌 우연이라고 해도 잘 믿기지 않고, 소설을 쓴다고 해도 그리 와닿지 않을 테였다. 손유민은 그렇게 여겼다.

그러나 그에게 있어 그것이,

멍징하게 바라보았던 현실이기에.

오래도록 닳고 닳았던 그의 심장에도 어떤 열기같은 것이 다시금 피어올랐다.

다 버린 줄 알았고, 이제는 예전처럼 뛰지 못할 것 같았던 심장의 열기다. 젊은 날의 방식으로는 다시는 살지 못할 것 같다고 여긴 적이, 지난 세월간 여러 번이었는데.

아직도 대가리부터 처박고 보는 이 대책없는 형사의 소식을 듣고 나니, 자신 역시 그리 늙지는 않았구나, 하는 감상이 들었다.
친구가 하는데, 자신 역시 그러지 못하겠는가.

지금은 정식으로 시상식을 하기 직전의 상황이었다.

김연수 건은 대한민국을 전에 한 번 뒤집어놓았던 사건들이고. 작년부터 올해까지 벌어졌던 사건들은, 연쇄 살인임을 공표하지 않고 최대한 비밀리에 수사를 했으나 치안 당국 내부적으로, 또 정부 관계자들에게는 아주 큰 골칫거리였다.

이제야 간신히 실마리가 잡혔고, 또 범인까지 검거를 했으니 자세한 수사와 해결의 과정을 만들어낸 뒤 미디어에 뿌리면 된다.

그 과정에서 시내에서의 발포라는 무지막지한 짓거리가 있기는 했다만.
범인이 잡혔으니 큰 흠으로는 삼지 않았다.
도리어 윗자리에 앉아 있는 중역들의 무거운 궁둥이가 빠르게 자리에서 떨어지는 계기가 되었다.

그래서 이렇게, 전면에 내세울 영웅 만들기의 자리 역시 순식간에 마련이 되지 않았는가.

크나큰 사건의 해결 이후에는, 앞에 보일만한 큰 상의 수여자가 필요한 법이었다.

현장에서 몸이 축났던 여러 인물들, 개중에서도 부상을 입어가며 고생을 한 수색팀의 박 경사와 김 경장을 비롯해서. 심민아 경위 등, 김연수 체포에 공헌을 한 모든 이들이 알맞은 상을 받을 테였다.

직접적인 관련자들은 대개 특진의 대상자들이었다. 거기에 무시 못 할 양의 금일봉 역시 덤이었고.

윤계식은 마땅히 받을만한 것이 없었으나, 전직 형사이며 오래도록 수사본 인원들과 공조를 하며 협력을 한 공을 인정해 경찰 조직에서 줄 수 있는 최대한의 상과 훈장 따위를 줄 셈이었다.

윤계식이 아직도 조직 내에 있는 인물이었다면, 이만한 사건의 해결자로서 줄만한 것이 마땅치 않았을 테였다. 훈장만을 주고 퉁 치기에도 적잖은 위업이었으니. 그러나 조직도의 맨 윗쪽은 아무래도 급격하게 좁아지는 피라미드 형태의 상부였기에. 인원이 한정적이었다. 그 정도 되는 연차와 나잇대의 인물을 수뇌부에 올리기에는, 현직에 종사하고 있는 이들이 조금 부담스러웠으리라.

조직 내의 인물들에게는 여러모로 다행스럽게도. 일반 시민의 신분으로서, 공헌자에게 줄 수 있는 최고의 훈장을 주고 또 받게 될 테였다.

윤계식은 아무래도 좋았다, 아무래도.

김연수를 잡은 것이 좋았고.

박시윤을 살린 게 좋았고.

소녀의 가족들이 더 심하게 울지 않아도 되는게 좋았고.

이제 집에 돌아가서, 다시금 평안하게 소파에 누워 좀 휴식을 취해 볼 생각에 즐거웠다.

쓸만한 놈이 없다고 여긴 요즘 세태였는데. 개중에서도 나름대로 심지가 있는 젊은 후배들을 만나서 같이 노닥거린 것이 좋았고.

시상자로 나온 게, 또 아주 오래간만에 생각이 난 오래 전의 친구인 게 흡족했다.

위로 올라가기로 했고, 길이 갈라져서 아주 긴 시간 볼 일이 없었다.

먼저 웃어보이는 손유민의 표정을 보니, 예전의 그 때로 돌아간 듯한 기분이 들었다.

사실 '예전'같은 건 없는 법이었다.

그 당시의 마음은 여전히 타오르고 있고, 그게 있으면 죽을 때까지 가장 찬란한 순간일 테니까.

예전도, 나중도, 지금도 중요하지 않다. 형형하게 타는 그 형사로서의 열정이 어떠느냐, 가 결국 중요한 법이다.

손유민의 표정은 제법 쓸만했다. 다 죽은 줄 알았는데. 짓궂게 먼저 웃어 보이는 꼴이 그럭저럭 봐줄만했다.

"욕봤지."

윤계식의 격의없는 대답에, 손유민은 피식, 하고 소리를 내고 웃어버렸다.

3시간 뒤에 공로자 수여식이 시작한다. 넉넉하게 일찍 온 친구에게 표창장을 미리 수여하는 시늉을 하면서, 손유민이 또 이야기했다.

"아직 안 죽었구먼, 윤 경감."
"너는 다 죽은 것 같고. 손 부장님."
"이 새끼가."
"크하."

한 번 웃었고, 손유민이 궁금하다는 듯 물었다.

"그래서, 대체 어떻게 잡은 거야? 김연수를."
"아."

윤계식이 악수한 손을 빼고, 깔끔하게 다듬은 턱매를 쓰다듬으면서 말했다. 잔잔한 웃음기가 서려 있는 표정이었다.

"뭐……."

그가 혼자 생각을 하더니 고개를 끄덕거린다. 예전부터의 버릇이었다. 홀로 생각하고, 깊어지면 제스쳐를 취하곤 했다.

"운이 좋았지."

윤계식이 씨익 웃었다.

***

*

형사刑事 이야기, 윤계식 끝